Carlos Ruiz Zafón

Das Spiel des Engels

Roman

Aus dem Spanischen von
Peter Schwaar

S. Fischer

Die Originalausgabe erschien 2008
unter dem Titel »El Juego del Ángel«
bei Editorial Planeta, Barcelona
© Dragonworks, S. L.
Für die deutsche Ausgabe:
© 2008 S. Fischer Verlag GmbH, Frankfurt am Main
Gesamtherstellung: CPI – Clausen & Bosse, Leck
Printed in Germany
ISBN 978-3-10-095400-8

Für MariCarmen,
»a nation of two«

Erster Akt

Die Stadt der Verdammten

1

Ein Schriftsteller vergisst nie, wann er zum ersten Mal für eine Geschichte ein paar Münzen oder Lob empfangen hat. Er vergisst nie, wann er zum ersten Mal das süße Gift der Eitelkeit im Blut gespürt und geglaubt hat, wenn er nur seine Talentlosigkeit vor den anderen geheim halten könne, werde ihm der Traum von der Literatur ein Dach über dem Kopf, eine warme Mahlzeit am Ende des Tages und schließlich das Heißersehnte verschaffen: seinen Namen auf ein paar kläglichen Blättern gedruckt zu sehen, die ihn mit Gewissheit überleben werden. Ein Schriftsteller ist dazu verdammt, immer wieder an diesen Moment zu denken, denn wenn es so weit ist, ist er bereits verloren, und seine Seele kennt ihren Preis.

Ich sollte das zum ersten Mal an einem weit zurückliegenden Dezembertag des Jahres 1917 erleben. Ich war siebzehn und arbeitete bei der *Stimme der Industrie*, einer heruntergewirtschafteten Zeitung, die in einer Art Höhle vor sich hinsiechte; das Gebäude hatte einst eine Schwefelsäurefabrik beherbergt, und seine Mauern schwitzten noch immer den beißenden Dunst aus, der Möbel, Kleider, Seelen und sogar die Schuhsohlen zerfraß. Der Sitz der Zeitung erhob sich hinter einem Wald aus Engeln und Kruzifixen des Friedhofs von Pueblo Nuevo, und aus der Ferne verschmolz der Schattenriss des Hauses mit der Silhouette der Gräberwelt vor einem Horizont aus Hunderten von Schloten und Fabriken, welche eine dauernde Dämmerung aus Scharlach und Schwarz über Barcelona legten.

An dem Abend, da mein Leben eine neue Richtung einschlagen sollte, beliebte mich der stellvertretende Chefredakteur, Don Basilio Moragas, kurz vor Schluss in das düstere Kabäuschen zuhinterst in der Redaktion zu zitieren, das ihm zugleich als Büro wie Raucherzimmer diente. Don Basilio war ein wild aussehender Mann mit buschigem Schnauzbart, der von Zimperlichkeiten nicht viel hielt und die Theorie vertrat, verschwenderisch gebrauchte Adjektive und Adverbien seien etwas für Perverse und Leute mit Vitaminmangel. Wenn er einen Redakteur mit einem Hang zu blumiger Prosa ertappte, verdonnerte er ihn drei Wochen lang zum Verfassen von Todesanzeigen. Hatte der Betroffene nach dieser Reinigung einen Rückfall, so versetzte ihn Don Basilio lebenslänglich zur Handarbeitsseite. Wir hatten alle Angst vor ihm, und das wusste er nur zu gut.

»Sie haben mich kommen lassen, Don Basilio?«, fragte ich schüchtern.

Der stellvertretende Chefredakteur warf einen raschen Blick auf mich. Ich trat in das Büro, das den Geruch nach Schweiß und Tabak ausdünstete – in dieser

Reihenfolge. Don Basilio ignorierte meine Anwesenheit und redigierte mit dem Rotstift einen der Artikel weiter, die auf seinem Schreibtisch lagen. Zwei Minuten lang korrigierte, ja amputierte er den Text und schimpfte dabei leise vor sich hin, als wäre ich überhaupt nicht vorhanden. Ich wusste nicht, was ich tun sollte, und als ich einen Stuhl an der Wand entdeckte, machte ich Anstalten, mich zu setzen.

»Wer hat Ihnen gesagt, Sie sollen sich setzen?«, murmelte Don Basilio, ohne vom Text aufzuschauen.

Ich richtete mich eilends wieder auf und hielt den Atem an. Der stellvertretende Chefredakteur stieß einen Seufzer aus, ließ den Rotstift auf den Tisch fallen und lehnte sich in seinem Sessel zurück, um mich wie ein nutzloses Stück Gerümpel zu betrachten.

»Man hat mir gesagt, Sie schreiben, Martín.«

Ich schluckte, und als ich den Mund auftat, kam ein lächerlich dünnes Stimmchen heraus.

»Ein wenig, also, ich weiß nicht, ich meine, nun ja, ich schreibe ...«

»Ich hoffe, das machen Sie besser, als Sie sprechen. Und was schreiben Sie denn, wenn man fragen darf?«

»Detektivgeschichten. Das heißt ...«

»Ich verstehe schon.«

Den Blick, den mir Don Basilio schenkte, werde ich nie vergessen. Hätte ich gesagt, ich fertige aus frischem Mist Krippenfigürchen, so hätte ihn das dreimal mehr begeistert. Er seufzte abermals und zuckte die Achseln.

»Vidal sagt, Sie seien gar nicht so schlecht. Sie seien sogar ausgezeichnet. Allerdings – bei der Konkurrenz in diesen Hallen braucht man auch nicht weit zu laufen. Aber wenn Vidal meint …«

Pedro Vidal war die Edelfeder der *Stimme der Industrie*. Er verfasste jede Woche für die Vermischten Meldungen eine Kolumne, den einzigen lesenswerten Text in der ganzen Zeitung, und war Autor von einem Dutzend Kriminalromanen, die es zu einer bescheidenen Popularität gebracht hatten und von Gangstern des Raval handelten, welche gelegentlich das Schlafzimmer von Damen der oberen Zehntausend teilten. In seinen untadeligen Seidenanzügen und glänzenden italienischen Mokassins glich Vidal vom Äußeren und von den Gesten her einem Filmbeau. Das blonde Haar war stets peinlich genau gekämmt, der Schnurrbart wie mit dem Lineal gezogen, und er hatte das unbefangene, großzügige Lächeln von jemandem, der sich in der Welt wie in seiner Haut vollkommen wohlfühlt. Er entstammte einer Dynastie von Männern, die in Südamerika mit dem Zuckergeschäft ein Vermögen und nach ihrer Rückkehr bei der äußerst lukrativen Elektrifizierung der Stadt ihren Schnitt gemacht hatten. Sein Vater, Patriarch des Clans, war Mehrheitsaktionär der Zeitung, und Don Pedro nutzte die Redaktion als Spielwiese gegen die Langeweile, da er es an keinem einzigen Tag in seinem Leben nötig gehabt hatte zu arbeiten. Es spielte keine große Rolle, dass die Zeitung so viel Geld verlor wie die neuen Autos Öl, von dem allmählich die Straßen Barcelonas schillerten. Die Vidal-Dynastie sammelte nach der Fülle von Adelstiteln nun Banken und im Ensanche Grundstücke von der Größe kleiner Fürstentümer.

Pedro Vidal war der Erste gewesen, dem ich die Skizzen gezeigt hatte, die ich schrieb, als ich, fast noch ein Kind, in der Redaktion Kaffee und Zigaretten verteilte. Immer hatte er Zeit für mich, um mein Geschreibsel zu lesen und mir gute Ratschläge zu geben. Nach und nach wurde ich sein Assistent und durfte seine Texte auf der Maschine abtippen. Auch war er es, der mir sagte, wenn ich für mein Schicksal im russischen Roulette der Literatur setzen wolle, sei er bereit, mich zu unterstützen und bei den ersten Schritten an der Hand zu nehmen. Im Vertrauen auf sein Wort überließ ich mich jetzt den Klauen Don Basilios, des Redaktionszerberus.

»Vidal ist ein sentimentaler Mensch, der noch an diese zutiefst antispanischen Legenden wie die von der Leistungsgesellschaft glaubt, oder dass man dem eine Chance geben soll, der es verdient, und nicht dem Protegé vom Dienst. Betucht, wie er ist, kann er es sich leisten, als Lyriker durch die Welt zu wandeln. Hätte ich auch nur ein Hundertstel seiner Peseten, ich schriebe längst Sonette, und die Vögelchen würden mir aus der Hand fressen, so verzaubert wären sie von meiner Güte und meinem Charme.«

»Señor Vidal ist ein großer Mann«, protestierte ich.

»Mehr als das. Er ist ein Heiliger, weil er mir trotz Ihres Hungerleidergesichts seit Wochen in den Ohren liegt, wie talentiert und fleißig der Redaktionsbenjamin sei. Er weiß, dass ich im Grunde ein weichherziger Mensch bin, und zudem hat er mir ein Kistchen Havannazigarren versprochen, wenn ich Ihnen diese Chance gebe. Und wenn Vidal das sagt, dann ist das für mich, als käme Moses mit den ganzen in Stein gehauenen offenbarten Wahrheiten auf dem Rücken den Berg runter. Also, kurzum, da Weihnachten ist und damit Ihr Freund endlich Ruhe gibt, biete ich Ihnen an, wie ein Held zu debütieren: gegen Gott und die Welt.«

»Allerherzlichsten Dank, Don Basilio. Ich versichere Ihnen, es wird Ihnen nicht leidtun, dass Sie …«

»Nicht so hastig, Bürschchen. Was halten Sie denn so von verschwenderisch und wahllos gebrauchten Adjektiven und Adverbien?«

»Eine Schande, die unter Strafe gestellt werden sollte«, antwortete ich mit der Überzeugung eines militanten Konvertiten.

Don Basilio nickte.

»Sie sind auf dem rechten Weg, Martín. Sie haben klare Prioritäten. In diesem Metier überlebt nur, wer Prioritäten hat und nicht Prinzipien. Wir machen Folgendes. Setzen Sie sich und spitzen Sie die Ohren, ich werde es Ihnen nicht zweimal sagen.«

Sein Plan war folgender. Aus Gründen, über die sich Don Basilio nicht weiter auslassen mochte, war der Artikel für die letzte Seite der Sonntagsausgabe, traditionellerweise ein literarischer Text oder ein Reisebericht, in letzter Minute ausgeblieben. Vorgesehen gewesen war eine Erzählung patriotischen Zuschnitts voll glühender Schwärmereien über die Heldentaten der Almogavaren. Diese im Dienst der katalanisch-aragonesischen Krone stehenden Soldaten hatten gleichsam im Vorbeigehen das Christentum gerettet und alles, was ehrbar war unter dem Himmel, vom Heiligen Land bis zum Llobregat-

Delta. Leider war der Text nicht rechtzeitig eingetroffen, oder aber Don Basilio hatte, wie ich vermutete, nicht die geringste Lust, ihn abzudrucken. Damit war sechs Stunden vor Redaktionsschluss kein anderer Ersatz in Sicht als ein ganzseitiges Inserat für Fischbeinkorsetts, die eine traumhafte Taille und ungestraften Cannellonigenuss verhießen. In diesem Dilemma hatte die Redaktionsleitung beschlossen, den Stier bei den Hörnern zu packen und die zögerlichen literarischen Talente des Hauses in die Pflicht zu nehmen, um das Loch zu stopfen und unser treues Familienpublikum mit einem vierspaltigen Opus von humanistischer Tendenz zu ergötzen. Die Liste bewährter Talente, auf die man zurückgreifen konnte, bestand aus zehn Namen, von denen natürlich keiner der meine war.

»Mein lieber Martín, die Umstände haben sich verschworen, und keiner der Paladine unserer Belegschaft ist persönlich anwesend oder in angemessener Zeit aufzufinden. Angesichts der drohenden Katastrophe habe ich beschlossen, Sie für befähigt genug zu halten.«

»Sie können auf mich zählen.«

»Ich zähle auf fünf Blatt in doppeltem Zeilenabstand vor Ablauf von sechs Stunden, Don Edgar Allan Poe. Und bringen Sie mir eine Geschichte, keine Abhandlung. Wenn ich Predigten will, gehe ich zur Christmette. Bringen Sie mir eine Geschichte, die ich nicht schon gelesen habe, und wenn ich sie schon gelesen habe, bringen Sie sie mir so gut geschrieben und erzählt, dass ich es gar nicht erst merke.«

Ich wollte flugs entschwinden, da stand Don Basilio

auf, ging um den Schreibtisch herum und legte mir eine Pranke vom Ausmaß und Gewicht eines Ambosses auf die Schulter. Erst jetzt, von nahem, sah ich, dass seine Augen lächelten.

»Wenn die Geschichte anständig ist, werde ich Ihnen zehn Peseten zahlen. Und wenn sie mehr als anständig ist und unseren Lesern zusagt, werde ich weitere davon abdrucken.«

»Sonst noch irgendeine Anweisung, Don Basilio?«, fragte ich.

»Ja – enttäuschen Sie mich nicht.«

Die folgenden sechs Stunden verbrachte ich wie in Trance. Ich richtete mich in der Mitte der Redaktion an dem Tisch ein, der Vidal an den Tagen vorbehalten war, da es ihm beliebte, hier die Zeit totzuschlagen. Der große Raum war menschenleer und in die Düsternis des Rauchs von zehntausend Zigaretten getaucht. Ich schloss einen Moment die Augen und beschwor ein Bild herauf, eine schwarze Wolkendecke, deren Regen sich auf die Stadt ergoss, einen Mann mit Blut an den Händen und einem Geheimnis im Blick, der sich durch die Schatten tastete. Ich wusste nicht, wer er war, noch wovor er floh, aber in den nächsten sechs Stunden sollte er mein treuster Freund werden. Ich spannte ein Blatt in die Walze und presste ohne Pause alles, was ich zu bieten hatte, hervor. Ich rang mit jedem Wort, jedem Satz, jeder Wendung, jedem Buchstaben und jedem Bild, als wären sie die letzten meines Lebens. Ich schrieb und schrieb Zeile für Zeile um, als ob meine Existenz davon abhinge, und dann schrieb ich alles abermals um. Meine einzige Gesellschaft waren das unablässige, sich in den Schatten des Raumes verlierende Tastengeklapper und die große Wanduhr, die die bis zum Morgengrauen verbleibenden Minuten aufzehrte.

Kurz vor sechs Uhr riss ich das letzte Blatt aus der Maschine und seufzte erschöpft in dem Gefühl, mein Hirn sei ein Wespennest. Ich hörte die langsamen, schweren Schritte Don Basilios näher kommen, der aus einem seiner kontrollierten Nickerchen erwacht war. Ich gab ihm die Seiten, hielt aber seinem Blick nicht stand. Er setzte sich an den Nebentisch und knipste die Lampe an. Seine Augen glitten auf der ersten Seite hin und her, ohne eine Regung erkennen zu lassen. Dann deponierte er die Zigarette für einen Augenblick auf der Tischkante, sah mich an und las laut die erste Zeile: »Die Nacht bricht über die Stadt herein, und in den Straßen liegt Pulvergeruch wie der Hauch eines Fluches.«

Don Basilio warf mir einen schiefen Blick zu, und ich verschanzte mich hinter einem Lächeln, das all meine Zähne entblößte. Wortlos stand er auf und zog mit meiner Geschichte von dannen. Ich sah ihn auf sein Büro zugehen und hinter sich die Tür schließen. Wie versteinert blieb ich stehen und wusste nicht, ob ich davonlaufen oder auf das Todesurteil warten sollte. Zehn Minuten später, die mir wie zehn Jahre erschienen, ging die Tür des stellvertretenden Chefredakteurs wieder auf, und seine Donnerstimme schallte durch die Redaktion: »Martín. Kommen Sie bitte.«

Ich schleppte mich so langsam, wie es nur ging, vorwärts und schrumpfte mit jedem Schritt um mehrere Zentimeter, bis mir nichts anderes mehr übrigblieb, als den Kopf in sein Büro zu stecken und aufzuschauen. Don Basilio, den schrecklichen Rotstift in der Hand, musterte mich kühl. Ich wollte schlucken, aber mein Mund war wie ausgedorrt. Don Basilio ergriff die Blätter und gab sie mir zurück. Ich nahm sie entgegen und wandte mich so schnell wie möglich mit dem Gedanken zur Tür, in der Lobby des Hotels Colón werde ein weiterer Schuhputzer allemal sein Auskommen finden.

»Bringen Sie das in die Setzerei runter, und dann soll man es prägen«, sagte die Stimme hinter mir.

In der Annahme, brutal zum Narren gehalten zu werden, drehte ich mich um. Don Basilio zog seine Schreibtischschublade auf, zählte zehn Peseten ab und legte sie auf den Tisch.

»Das ist für Sie. Ich empfehle Ihnen, sich damit ein neues Anzüglein machen zu lassen – seit vier Jahren sehe ich Sie in derselben Kluft, und sie ist Ihnen immer noch sechs Nummern zu groß. Wenn Sie mögen, gehen Sie zu Señor Pantaleoni in dessen Schneiderei in der Calle Escudellers und sagen Sie ihm, ich hätte Sie geschickt. Er wird Sie gut behandeln.«

»Vielen Dank, Don Basilio. Das werde ich tun.«

»Und schreiben Sie mir eine weitere solche Erzählung. Diesmal gebe ich Ihnen eine Woche. Aber schlafen Sie mir nicht ein. Und bitte mit weniger Toten – der Leser von heute will einen verzuckerten Schluss, bei dem die Größe des menschlichen Geistes den Sieg davonträgt, und all diesen Zinnober.«

»Ja, Don Basilio.«

Der stellvertretende Chefredakteur nickte und gab mir die Hand.

»Gute Arbeit, Martín. Am Montag will ich Sie an Juncedas ehemaligem Tisch sehen, das ist jetzt Ihrer. Sie kommen in die Vermischten Meldungen.«

»Ich werde Sie nicht enttäuschen, Don Basilio.«

»Nein, enttäuschen werden Sie mich nicht. Sie werden mich im Regen stehen lassen, früher oder später. Und Sie werden gut daran tun – Sie sind kein Journalist und werden es nie sein. Aber Sie sind auch noch kein Kriminalautor, obwohl Sie es meinen. Bleiben Sie eine Zeitlang hier, und wir werden Ihnen zwei, drei Dinge beibringen, die man immer brauchen kann.«

Einen kurzen Augenblick verlor ich die Selbstbeherrschung, und es befiel mich ein so enormes Gefühl der Dankbarkeit, dass ich diesen Koloss am liebsten umarmt hätte. Don Basilio, die wilde Maske wieder zurechtgerückt, heftete einen scharfen Blick auf mich und deutete zur Tür.

»Keine Sentimentalitäten bitte. Machen Sie zu, wenn Sie hinausgehen. Von außen. Und fröhliche Weihnachten.«

»Fröhliche Weihnachten.«

Als ich am nächsten Montag in die Redaktion kam, um mich zum ersten Mal an meinen eigenen Schreibtisch zu setzen, fand ich einen braunen Umschlag mit einer Schleife vor und darauf meinen Namen in der Schrift, die ich von jahrelangem Abtippen her kannte. Ich riss ihn auf. Darin steckte die letzte Seite der Sonntagsausgabe, auf der meine Geschichte eingerahmt und mit folgender Notiz versehen war:

»*Das ist erst der Anfang. In zehn Jahren werde ich der Lehrling und du der Meister sein. Dein Freund und Kollege Pedro Vidal.*«

2

Mein literarisches Debüt bestand die Feuertaufe, und Don Basilio hielt Wort und gab mir die Chance, zwei weitere Erzählungen ähnlicher Art zu publizieren. Bald beschloss die Chefredaktion, meinem strahlenden Talent allwöchentlich Raum zur Entfaltung zu geben, vorausgesetzt, ich käme weiterhin pünktlich und zum selben Entgelt meinen Redaktionsverpflichtungen nach. Berauscht von Eitelkeit und Erschöpfung, verbrachte ich den Tag mit dem Umschreiben von Texten meiner Kollegen und dem hastigen Abfassen zahlloser Schreckensmeldungen, um danach die Nacht für mich zu haben. Mutterseelenallein im Redaktionssaal verfasste ich eine operettenhafte Abenteuerserie, die mir schon lange im Kopf herumging und die eine schamlose Kreuzung zwischen Dumas, Sue, Féval und Stoker darstellte: *Die Geheimnisse von Barcelona* lautete ihr Titel. Ich schlief täglich etwa drei Stunden und sah aus, als hätte ich das in einem Sarg getan. Diesen Hunger, der nichts mit dem

Magen zu tun hat, sondern einen von innen her auffrisst, hatte Vidal nie gekannt, und er fand, ich verbrenne mir das Hirn und würde, wenn ich so weitermache, noch vor meinem zwanzigsten Geburtstag meine eigene Beerdigung feiern. Don Basilio, den mein Fleiß nicht störte, hatte andere Vorbehalte. Er druckte jedes Kapitel nur zähneknirschend ab, ärgerlich über das, wie er fand, Übermaß an krankhafter Phantasie und die unglückselige Vernachlässigung meines Talents zugunsten von Themen und Inhalten zweifelhaften Geschmacks.

Bald gebaren *Die Geheimnisse von Barcelona* einen kleinen Star des Fortsetzungsromans, eine Heldin, die ich mir ausgemalt hatte, wie man sich eine Femme fatale nur mit siebzehn Jahren ausmalen kann. Chloé Permanyer war die dunkle Fürstin der Vampire. Ihre Intelligenz war enorm und nur ihre Hinterlist größer, sie trug stets die revolutionärsten und teuersten Dessous und fungierte als Geliebte und linke Hand des geheimnisvollen Baltasar Morel. Dieser Morel war der Kopf der Unterwelt und wohnte in einer unterirdischen, von Automaten und makabren Reliquien bevölkerten Villa, deren geheimer Zugang sich in den Tunnels unter den Katakomben des Barrio Gótico befand. Chloés Lieblingsmethode, ihren Opfern den Garaus zu machen, bestand darin, sie durch einen hypnotischen Schleiertanz zu bezirzen und dann mit einem vergifteten Lippenstift zu küssen, der, während sie ihren Opfern in die Augen schaute, sämtliche Muskeln ihres Körpers lähmte und sie dann lautlos ersticken ließ – sie selbst schluckte vorher ein in Dom Pérignon Grand Cru aufgelöstes Gegengift. Chloé und Baltasar hatten ihren eigenen Ehrenkodex: Sie liquidierten nur Abschaum und befreiten die Welt von Mördern, Geschmeiß, Frömmlern, Fanatikern, dogmatischen Philistern und Kretins aller Art, die diese Welt im Namen von Fahnen, Göttern, Sprachen, Rassen oder anderen Idiotien, mit denen sie ihre Habgier und Schäbigkeit bemäntelten, für alle anderen zu einem Unort machten. Für mich waren die beiden wie alle echten Helden Antihelden. Don Basilio, dessen literarischer Geschmack im Goldenen Zeitalter der spanischen Dichtung steckengeblieben war, hielt das Ganze für einen Riesenunsinn, aber da die Geschichten gut aufgenommen wurden und er eine widerwillige Zuneigung für mich empfand, tolerierte er meine Extravaganzen als jugendlichen Überschwang.

»Ihr Handwerk ist feiner ausgebildet als Ihr Geschmack, Martín. Die Krankheit, unter der Sie leiden, hat einen Namen, und der lautet Grand-Guignol, was für das Drama dasselbe ist wie Syphilis für die Geschlechtsteile. Sie zu bekommen mag ja lustvoll sein, aber von da an geht es nur noch bergab. Sie sollten die Klassiker lesen – oder wenigstens Don Benito Pérez Galdós, um Ihre literarischen Ambitionen zu schärfen.«

»Aber den Lesern gefallen die Erzählungen«, argumentierte ich.

»Das ist nicht Ihr Verdienst. Es ist das Verdienst der Konkurrenz, deren Texte so schlecht und pedantisch sind, dass schon ein Absatz von ihnen genügt, um einen Esel in einen scheintoten Zustand zu überführen. Würden Sie doch verdammt noch mal den Zustand der Reife erreichen und endlich vom Baum der verbotenen Frucht fallen!«

Ich nickte, scheinbar zerknirscht, aber insgeheim hätschelte ich dieses sündige Wort, Grand-Guignol, und sagte mir, jede Sache, wie unbedeutend sie auch sein mochte, brauche zur Verteidigung ihrer Ehre einen Vorkämpfer.

Schon wollte ich mich für den glücklichsten aller Sterblichen halten, als ich entdeckte, wie sehr es einigen Zeitungskollegen zu schaffen machte, dass der Benjamin und das offizielle Redaktionsmaskottchen seine ersten Schritte in der Welt der Belletristik getan hatte, wo doch ihr eigenes literarisches Streben seit Jahren im Elend eines grauen Limbus daniederlag. Dass die Leser diese bescheidenen Erzählungen verschlangen und mehr schätzten als alle anderen in den letzten zwanzig Jahren erschienenen Zeitungstexte, machte alles nur noch schlimmer. In wenigen Wochen sah ich, wie die, die ich kurz zuvor noch als meine Familie betrachtet hatte, in verletztem Stolz zu feindseligen Richtern wurden, welche mir den Gruß und jedes Wort versagten und entrüstet ihr verschmähtes Talent hinter meinem Rücken an spöttischen und verächtlichen Ausdrücken wetzten. Mein unfassliches Glück wurde mit Pedro Vidals Protektion, der Ignoranz und Dummheit unserer Abonnenten und unter Zuhilfenahme des weitverbreiteten, stets willkommenen nationalen Irrglaubens erklärt, Erfolg im Beruf sei der unwiderlegbare Beweis für Unfähigkeit und mangelnde Verdienste.

In Anbetracht dieser ebenso unerwarteten wie unheilvollen Wendung versuchte mich Vidal aufzumuntern, aber ich ahnte langsam, dass meine Tage in der Redaktion gezählt waren.

»Neid ist die Religion der Mittelmäßigen. Er stärkt sie, entspricht der sie zernagenden Unruhe, verdirbt letzten Endes ihre Seele und gestattet ihnen, die eigene Niedertracht und Gier zu rechtfertigen, bis sie glauben, diese seien Tugenden und die Himmelspforten stünden nur Unglücksraben wie ihnen offen, die durchs Leben ziehen, ohne eine weitere Spur zu hinterlassen als ihre hinterhältigen Bemühungen, all jene zu verachten, auszuschließen oder sogar, wenn möglich, zu vernichten, die durch ihre schiere Existenz ihre seelische und geistige Armut sowie ihre Unentschlossenheit bloßlegen. Selig der, den die Idioten anbellen, denn seine Seele wird ihnen nie gehören.«

»Amen«, pflichtete Don Basilio bei. »Wären Sie nicht reich geboren, hätten Sie Geistlicher werden müssen. Oder Revolutionär. Bei solchen Predigten sinkt selbst ein Bischof reumütig in die Knie.«

»Ja, ja, Sie haben gut lachen«, protestierte ich. »Aber der, den sie nicht riechen können, bin ich.«

Zu der ganzen Palette von Feindschaft und Eifersucht, die mir meine Bemühungen eintrugen, kam noch die triste Wirklichkeit, dass mein Gehalt, obwohl ich mir etwas darauf einbildete, ein Volksschriftsteller zu sein, nur eben ausreichte, um über die Runden zu kommen, mehr Bücher zu kaufen, als ich Zeit zum Lesen hatte, und in einer Pension eine elende Kammer zu mieten. Die Herberge war in einem Seitengässchen der Calle Princesa versteckt und wurde von einer frommen Galicierin geleitet, die auf den Namen Doña Carmen hörte. Doña Carmen forderte Diskretion und wechselte die Laken einmal monatlich, weshalb es für die Bewohner ratsam war, nicht den Versuchungen der Masturbation zu erliegen oder sich in schmutzigen Kleidern ins Bett zu legen. Die Zimmer auf die Anwesenheit weiblicher Personen zu kontrollieren erübrigte sich – selbst unter Todesdrohungen hätte sich keine Frau in Barcelona herabgelassen, dieses Loch zu betreten. Dort lernte ich, dass man im Leben, angefangen bei den Gerüchen, fast alles vergisst und dass, wenn ich in dieser Welt einen Wunsch hatte, es der war, nicht an einem solchen Ort sterben zu müssen. In besonders niedergeschlagenen Momenten, wie sie bei mir die Regel waren, sagte ich mir, außer einer Tuberkulose könne mich nur eines hier wegbringen: die Literatur – und wenn jemand daran zweifle, könne er sich meinetwegen mit einem Bimsstein wo kratzen, mir sei das egal.

Sonntags zur Gottesdienstzeit, wenn Doña Carmen zu ihrem wöchentlichen Rendezvous mit dem Allerhöchsten aufgebrochen war, nutzten die Gäste die Gunst der Stunde und versammelten sich im Zimmer unseres Veteranen, eines armen Schluckers namens Heliodoro, der als junger Mensch gern Matador geworden wäre, es aber nicht weiter als bis zum Stierkampfberichterstatter und Pissoirverantwortlichen auf der Sonnenseite der Plaza Monumental gebracht hatte.

»Die Kunst des Stierkampfes ist tot«, verkündete er immer. »Jetzt ist alles bloß noch das Geschäft von habgierigen Viehhändlern und seelenlosen Toreros. Das Publikum kann nicht unterscheiden zwischen dem Stierkampf für die dumpfen Massen und einer kunstvollen Muleta-Arbeit, die nur noch Sachverständige zu schätzen wissen.«

»Ach, hätte man Sie doch als Matador zugelassen, Don Heliodoro, es wäre alles ganz anders gekommen.«

»In diesem Land haben ja nur Nieten Erfolg.«

»Wem sagen Sie das.«

Auf Don Heliodoros wöchentlichen Sermon folgten die Lustbarkeiten. Am winzigen Fenster des Zimmers aufgereiht wie Schlackwürste, konnten die Insassen das Röcheln einer Bewohnerin des Nachbarhauses namens Marujita verfolgen, die wegen ihrer Scharfzüngigkeit und ihrer üppigen Paprikagestalt den Spitznamen Pfefferschote trug. Sie verdiente ihr Brot mit dem Scheuern einfacher Lokale, aber die Sonn- und Feiertage schenkte sie ihrem Freund, einem Priesterseminaristen, der mit dem Zug inkognito aus Manresa angefahren kam und sich hingebungsvoll dem Studium der Sünde widmete. Als sich meine Wohngenossen eben am Fenster zusammengepfercht hatten, um einen flüchtigen Blick auf Marujitas titanische Hinterbacken zu erhaschen, die sie bei jedem Stoß wie einen Kuchenteig an die Scheibe ihres Kellerfensters klatschen ließ, klingelte es an der Pensionstür. Da sonst niemand öffnen gehen und seinen Aussichtsplatz gefährden mochte, trennte ich mich von der Gruppe und ging zur Tür. Als ich aufmachte, sah ich mich einem ungewohnten und in diesem erbärmlichen Rahmen unwahrscheinlichen Anblick gegenüber. Don Pedro Vidal, wie er leibte, lebte und italienisch gekleidet zu sein liebte, stand lächelnd auf dem Treppenabsatz.

»Es werde Licht«, sagte er und trat ein, ohne meine Einladung abzuwarten.

Er blieb stehen, um sich den Raum anzusehen, der in diesem Loch als Speisesaal und Marktplatz diente, und seufzte angewidert.

»Vielleicht gehen wir besser in mein Zimmer«, schlug ich vor.

Auf dem Weg dorthin gellten die Jubelschreie und Hochrufe meiner Zimmernachbarn zu Ehren von Marujita und ihrer Sexualakrobatik durch die Wände.

»Welch heiterer Ort«, bemerkte Vidal.

»Darf ich Sie in die Präsidentensuite bitten, Don Pedro?«

Wir traten ein, und ich schloss die Tür. Nachdem er mein Zimmer mit einem summarischen Blick bedacht hatte, setzte er sich auf den einzigen vorhandenen Stuhl und sah mich verdrießlich an. Ich konnte mir unschwer vorstellen, welchen Eindruck meine bescheidene Klause in ihm hervorgerufen hatte.

»Wie finden Sie es?«

»Ganz reizend. Ich möchte ebenfalls gleich herziehen.«

Pedro Vidal lebte in der Villa Helius, einem monumentalen Jugendstilkasten mit drei Stockwerken und Turm, der sich an der Kreuzung von Calle Abadesa Olzet und Calle Panamá an die ansteigenden Hügelflanken von Pedralbes schmiegte. Das Haus war ihm vor zehn Jahren von seinem Vater geschenkt worden, in der Hoffnung, sein Sohn würde ein braver Bürger werden und eine Familie gründen, was Vidal schon seit Jahren hinauszögerte. Das Leben hatte ihn mit vielen Talenten gesegnet, darunter dem, seinen Vater mit jeder Geste und jedem Schritt zu enttäuschen und zu verletzen. Den Sohn mit unerwünschten Elementen wie mir sympathisieren zu sehen machte alles noch schlimmer. Ich erinnere mich, wie ich einmal, als ich meinem Mentor einige Unterlagen von der Zeitung nach Hause brachte, in einem der Salons der Villa Helius auf den Patriarchen des Vidal-Clans stieß. Als er mich erblickte, hieß er mich ein Glas Selters und ein sauberes Tuch holen, um ihm einen Fleck vom Revers zu reiben.

»Ich glaube, Sie irren sich, Señor. Ich bin kein Dienstbote.«

Ich erhielt ein Lächeln, das alles auf der Welt an seinen Platz rückte, ohne dass Worte nötig gewesen wären.

»Der sich irrt, bist du, mein Junge. Du bist ein Dienstbote, ob du es weißt oder nicht. Wie heißt du?«

»David Martín, Señor.«

Der Patriarch kostete meinen Namen aus.

»Befolge meinen Rat, David Martín. Verlass dieses Haus und geh dahin zurück, wo du hingehörst. So ersparst du dir und mir viele Probleme.«

Ich gestand es Don Pedro nie, aber ich lief auf der Stelle in die Küche, holte Selters und Lappen und reinigte eine Viertelstunde lang das Jackett des bedeutenden Mannes. Der Schatten des Clans war lang, und wie sehr Don Pedro auch den charmanten Bohemien spielte, sein ganzes Leben war eine Verlängerung der Familienbande. Die Villa Helius lag passenderweise fünf Minuten vom großen väterlichen Anwesen entfernt, das den oberen Abschnitt der Avenida Pearson beherrschte, ein kathedralengleicher Wirrwarr aus Balustraden, Freitreppen und Mansarden, der aus der Ferne auf ganz Barcelona hinabschaute wie ein Kind auf seine verstreuten Spielsachen. Jeden Tag wurden zwei Dienstboten und eine Köchin aus dem großen Hause, wie der väterliche Sitz in der Entourage der Vidals genannt wurde, zur Villa Helius abgesandt, um zu putzen, zu wienern und zu kochen und das Heim meines begüterten Freundes in eine Stätte der Behaglichkeit und des bequemen Vergessens aller lästigen Alltagsangelegenheiten zu verwandeln. Don Pedro Vidal bewegte sich in einem funkelnagelneuen, vom Familienfahrer Manuel Sagnier gelenkten Hispano-Suiza durch die Stadt und war vermutlich in seinem ganzen Leben noch nie in eine Straßenbahn gestiegen. Als Spross aus gutem Hause entging ihm der düster-harsche Charme der billigen Absteigen im damaligen Barcelona.

»Tun Sie sich keinen Zwang an, Don Pedro.«

»Das ist ja ein Kerker«, rief er schließlich. »Ich weiß nicht, wie du hier leben kannst.«

»Von meinem Gehalt mit Ach und Krach.«

»Wenn es nötig ist, zahle ich so viel drauf, dass du an einem Ort leben kannst, wo es nicht nach Schwefel und Pisse stinkt.«

»Das kommt gar nicht infrage.«

Vidal seufzte.

»Er ging an seinem Stolz zugrunde und ist elendiglich erstickt. Da hast du sie – deine unentgeltliche Grabinschrift.«

Einige Augenblicke spazierte Vidal wortlos durch den Raum, inspizierte meinen winzigen Schrank, schaute mit angewidertem Gesicht aus dem Fenster, betastete den grünlichen Anstrich der Wände und tippte mit dem Zeigefinger an die nackte Glühbirne an der Decke, wie um sich zu vergewissern, dass alles Schund war.

»Was führt Sie her, Don Pedro? Zu viel frische Luft in Pedralbes?«

»Ich komme nicht von zuhause. Ich komme von der Zeitung.«

»Na?«

»Ich war neugierig darauf zu sehen, wo du wohnst, und zudem bringe ich dir etwas mit.«

Er zog ein helles Pergamentkuvert aus der Jacketttasche und reichte es mir.

»Der ist heute in die Redaktion gekommen, zu deinen Händen.«

Ich ergriff den Umschlag und prüfte ihn. Er war mit einem Lacksiegel verschlossen, auf dem man eine geflügelte Figur erkennen konnte. Ein Engel. Sonst trug er nur meinen in erlesener scharlachroter Handschrift hingemalten Namen.

»Von wem ist er?«, fragte ich neugierig.

Vidal zuckte die Schultern.

»Von irgendeinem Bewunderer. Oder einer Bewundererin. Ich weiß es nicht. Mach ihn auf.«

Behutsam öffnete ich ihn und zog ein zusammengefaltetes Blatt heraus, auf dem in derselben Schrift Folgendes zu lesen war:

Lieber Freund,

ich erlaube mir, Ihnen zu schreiben, um Ihnen meine Bewunderung zu übermitteln und Sie zum Erfolg zu beglückwünschen, den Sie mit Die Geheimnisse von Barcelona *auf den Seiten der* Stimme der Industrie *in diesen Wochen erzielt haben. Als Leser und Liebhaber guter Literatur entdecke ich mit großem Vergnügen eine neue Stimme voller Talent, Jugend und Verheißung. Erlauben Sie mir also, Sie zum Zeichen meiner Dankbarkeit für die angenehmen Stunden, die mir die Lektüre Ihrer Erzählungen beschert hat, heute Abend um zwölf Uhr in* ›Die Träumerei‹ *im Raval zu einer kleinen Überraschung einzuladen, die Ihnen hoffentlich zusagt. Man wird Sie erwarten.*

Herzlich,

A. C.

Vidal, der über meine Schulter hinweg mitgelesen hatte, zog erstaunt die Augenbrauen hoch.

»Interessant«, murmelte er.

»In welcher Beziehung interessant?«, fragte ich. »Was für eine Art Lokal ist ›Die Träumerei‹?«

Vidal nahm eine Zigarette aus seinem Platinetui.

»Doña Carmen gestattet das Rauchen in der Pension nicht«, sagte ich.

»Warum nicht? Verdirbt der Rauch den Kloakenduft?«

Er steckte sich die Zigarette an und genoss sie doppelt, wie man alles Verbotene genießt.

»Hast du einmal eine Frau erkannt, David?«

»Erkannt? Aber sicher. Eine Menge.«

»Ich meine im biblischen Sinne.«

»In der Messe?«

»Nein, im Bett.«

»Aha.«

»Und?«

Tatsächlich hatte ich für einen Mann wie Vidal nicht viel Beeindruckendes zu erzählen. Meine Jugendabenteuer und Liebeleien hatten sich bis dahin durch ihren Anstand und einen bemerkenswerten Mangel an Originalität ausgezeichnet. Mein kurzer Katalog an Schäkereien und in Hauseingängen und dunklen Kinosälen geraubten Küssen konnte keineswegs darauf hoffen, der Aufmerksamkeit dieses Meisters in den Künsten und Kenntnissen von Barcelonas Boudoirs wert zu sein.

»Was hat denn das eine mit dem anderen zu tun?«

Vidal setzte eine Oberlehrermiene auf und hob zu einem seiner Vorträge an.

»In meiner Jugendzeit war es zumindest bei jungen

Herren aus besserem Haus wie mir üblich, sich durch eine Frau vom Fach in dieses Gebiet einweihen zu lassen. Als ich in deinem Alter war, brachte mich mein Vater, der Stammgast der besten Etablissements der Stadt war und noch immer ist, an einen Ort namens ›Die Träumerei‹, wenige Meter von dem makabren Palast entfernt, den unser lieber Graf Güell von Gaudí unbedingt nahe den Ramblas gebaut haben wollte. Sag nicht, du hast noch nie von ihm gehört.«

»Vom Grafen oder vom Bordell?«

»Sehr witzig. ›Die Träumerei‹ war ein elegantes Etablissement für eine erlesene Kundschaft mit Geschmack. Eigentlich dachte ich, es sei schon seit Jahren geschlossen, aber offenbar ist das nicht der Fall. Im Gegensatz zur schönen Literatur sind einige Branchen dauernd im Aufwind.«

»Verstehe. Ist das eine Idee von Ihnen? Eine Art Scherz?«

Vidal schüttelte den Kopf.

»Dann also von einem der Redaktionsidioten?«

»Ich höre eine gewisse Feindseligkeit aus deinen Worten heraus, aber ich habe meine Zweifel, ob sich jemand, der als einfacher Soldat im edlen Pressewesen tätig ist, die Honorare eines Lokals wie ›Die Träumerei‹ leisten kann, wenn es denn das ist, das ich in Erinnerung habe.«

»Ist ja auch egal, ich habe nicht vor hinzugehen«, schnaubte ich.

Vidal hob die Brauen.

»Sag jetzt nicht, du seist kein so gottloser Mensch wie ich und wollest reinen Herzens und Unterhöschens ins

Hochzeitsbett steigen, eine lautere Seele, deren höchster Wunsch es ist, auf jenen magischen Augenblick zu warten, da dich die echte Liebe die Ekstase von Körper und Seele in vom Heiligen Geist gesegnetem Unisono entdecken und so die Welt mit Kinderchen bevölkern lässt. Kinderchen, die deinen Namen tragen und die Augen ihrer Mutter haben, dieses heiligen Ausbundes an Tugend und Züchtigkeit, an deren Hand du unter dem wohlwollenden Blick des Jesuskindes in den Himmel eintreten wirst.«

»Das wollte ich damit nicht sagen.«

»Da bin ich aber froh, denn es ist möglich – und ich betone: möglich –, dass dieser Augenblick nie kommt, dass du dich nicht verliebst, dass du dich niemandem fürs ganze Leben hingeben willst oder kannst und dass du eines Tages wie ich mit fünfundvierzig merkst, dass du nicht mehr jung bist und es für dich keinen Chor von Cupidos mit Lyren und keinen Teppich aus weißen Rosen vor dem Altar mehr geben wird und dass die einzige Rache, die dir noch bleibt, darin besteht, dem Leben die Wollust des straffen, glühenden Fleisches zu entreißen, eine Lust, die schneller verfliegt als die guten Vorsätze und in dieser schweinischen Welt, in der von der Schönheit bis zur Erinnerung alles verfault, als Einziges dem Himmel nahekommt.«

Zum Zeichen schweigenden Beifalls ließ ich eine feierliche Pause folgen. Vidal war ein begeisterter Opernfreund und hatte sich mit der Zeit Tempi und Deklamation der großen Arien anverwandelt. In der Familienloge des Liceo ließ er kein Stelldichein mit Puccini aus. Abgesehen von den Unglücklichen, die sich im Olymp zusammendrängten, war er einer der wenigen, welche sich dort überhaupt die Musik anhörten, die er so sehr liebte und die seine Abhandlungen über Gott und die Welt hervorsprudeln ließ, mit denen er meine Ohren manchmal, wie an diesem Tag, beschenkte.

»Und?«, fragte er herausfordernd.

»Dieser letzte Teil kommt mir bekannt vor.«

Ich hatte ihn ertappt. Er nickte seufzend.

»Er ist aus *Mord im Club Liceo*«, gab er zu. »Die Schlussszene, wo Miranda LaFleur auf den ruchlosen Marquis feuert, der ihr das Herz gebrochen hat, weil er sie während einer leidenschaftlichen Nacht in der Hochzeitssuite des Hotels Colón in den Armen der Zarenspionin Swetlana Iwanowa verraten hat.«

»Dacht ich's mir doch. Sie hätten nicht besser wählen können. Das ist Ihr Glanzstück, Don Pedro.«

Vidal lächelte mir für das Lob zu und schien abzuwägen, ob er sich noch eine Zigarette anzünden sollte.

»Was nicht heißt, dass in alledem nicht ein Körnchen Wahrheit steckt«, schloss er.

Er setzte sich aufs Fensterbrett, nachdem er ein Taschentuch hingelegt hatte, um seine hochelegante Hose nicht zu beschmutzen. Ich sah den unten an der Ecke zur Calle Princesa geparkten Hispano-Suiza. Der Fahrer, Manuel Sagnier, brachte mit einem Lappen die Verchromungen auf Hochglanz, als handle es sich um eine Skulptur von Rodin. Manuel hatte mich immer an meinen Vater erinnert, zwei Männer derselben Generation, die zu viele Tage im Unglück verbracht hatten und denen die Erinnerung ins Gesicht geschrieben stand. Von einigen Angestellten der Villa Helius hatte ich gehört, dass Manuel Sagnier lange im Gefängnis gesessen und nach seiner Entlassung über Jahre hinweg gedarbt hatte, da ihm keine andere Arbeit angeboten wurde als die eines Stauers, der auf den Molen Säcke und Kisten löschte, eine Tätigkeit, für die er nicht mehr das Alter und die Gesundheit hatte. Der Legende nach hatte Manuel Vidal einmal unter Einsatz des eigenen Lebens davor bewahrt, unter den Rädern einer Straßenbahn zu Tode zu kommen. Als er von Manuels verzweifelter Lage erfuhr, bot ihm Pedro Vidal aus Dankbarkeit an, mit Frau und Tochter in die kleine Wohnung über den Garagen der Villa Helius zu ziehen. Er versicherte ihm, die kleine Cristina würde von denselben Lehrern instruiert werden, die täglich ins väterliche Haus in der Avenida Pearson kamen, um den Kindern der Vidal-Dynastie Unterricht zu erteilen, und seine Frau könnte ihren Beruf als Schneiderin im Dienst der Familie ausüben. Er trage sich mit dem Gedanken, eines der ersten Automobile zu kaufen, die in Barcelona in den Handel kämen, und wenn Manuel sich in der Kunst des Autofahrens ausbilden und Karren und Kremser Vergangenheit sein lassen wolle, werde er ihn als Fahrer beschäftigen – damals ließen die jungen Herren die Finger von Verbrennungsmotoren und Maschinen mit Gasaustritt. Natürlich nahm Manuel an. Seit er aus seinem Elend errettet worden war, so lautete die offizielle Version, waren er und seine Familie Vidal, dem ewigen Paladin der Enterbten, blind ergeben. Ich wusste nicht, ob ich diese Geschichte tatsächlich glauben oder sie den unzähligen Legenden um den von Vidal kultivierten Charakter des gütigen Aristokraten zurechnen sollte – fehlte nur noch, dass er, in einen leuchtenden Nimbus gehüllt, einem verwaisten Hirtenmädchen erschien.

»Du machst wieder dieses Halunkengesicht, wie immer, wenn du boshaften Gedanken nachhängst«, sagte Vidal. »Was heckst du aus?«

»Nichts. Ich dachte nur, wie gütig Sie doch sind, Don Pedro.«

»In deinem Alter und deiner Lage öffnet Zynismus keine Türen.«

»Das erklärt alles.«

»Komm schon, grüß den guten Manuel, der sich immer nach dir erkundigt.«

Ich lehnte mich aus dem Fenster, und als mich der Fahrer erblickte, der mich stets wie einen feinen jungen Herrn und nicht als den Tölpel behandelte, den ich in Wirklichkeit darstellte, winkte er mir aus der Ferne zu. Ich grüßte zurück. Auf dem Beifahrersitz saß seine Tochter Cristina, ein junges blasshäutiges Mädchen mit schmalen, wie gemalten Lippen, das zwei Jahre älter war als ich und mir den Atem nahm, seit ich sie zum ersten Mal bei einer Einladung in die Villa Helius gesehen hatte.

»Starr sie nicht so an, sonst zerbrichst du sie noch«, murmelte Vidal hinter mir.

Ich wandte mich um und sah, dass er seine Machiavelli-Miene aufgesetzt hatte, die eigens für Dinge des Herzens und anderer edler Weichteile reserviert war.

»Ich weiß nicht, wovon Sie reden.«

»Welch große Wahrheit«, antwortete Vidal. »Nun, was gedenkst du hinsichtlich des heutigen Abends zu tun?«

Ich las das Billett noch einmal durch und zögerte.

»Gehen Sie in diese Art Lokale, Don Pedro?«

»Seit ich fünfzehn wurde, habe ich für keine Frau mehr bezahlt, und eigentlich bezahlte damals ja mein Vater«, antwortete er ohne jede Prahlerei. »Aber einem geschenkten Gaul ...«

»Ich weiß nicht, Don Pedro ...«

»Natürlich weißt du es.«

Auf dem Weg zur Tür klopfte er mir leicht auf die Schulter.

»Es bleiben dir sieben Stunden bis Mitternacht. Ich sage das nur, falls du noch ein Nickerchen machen und Kräfte sammeln willst.«

Ich schaute aus dem Fenster und sah ihn zum Auto gehen. Manuel hielt ihm die Tür auf, und Vidal ließ sich träge auf den Rücksitz fallen. Ich hörte den Motor des Hispano-Suiza seine Kolben- und Ventilsinfonie entfalten. In diesem Augenblick schaute die Tochter des Fahrers, Cristina, zu meinem Fenster herauf. Ich lächelte ihr zu, merkte aber, dass sie sich nicht mehr an mich erinnerte. Gleich sah sie wieder weg, und Vidals Karosse fuhr ihn zurück in seine Welt.

3

In jenen Tagen bildete die Calle Nou de la Rambla im finsteren Raval-Viertel einen Korridor aus Straßenlaternen und Leuchtreklamen. Nachtklubs, Ballsäle und zwielichtige Lokale drängten sich auf beiden Seiten zwischen Geschäften, die sich auf Gummiwaren, Spülungen und auf die Behandlung von Geschlechtskrankheiten spezialisiert hatten und bis zum Morgengrauen geöffnet waren. Von jungen Gecken bis zu den Matrosen der im Hafen ankernden Schiffe mischten sich hier Menschen jeglichen Schlages mit exzentrischen Gestalten, die nur in Erwartung der Dunkelheit lebten. Beiderseits der Straße öffneten sich enge, dunstverhangene Gässchen, deren Bordelle zunehmend an Eleganz verloren.

›Die Träumerei‹ belegte die obere Etage eines Hauses, in dessen Erdgeschoss ein Varieté weithin sichtbar den Auftritt einer Tänzerin verhieß, deren knappe transparente Toga kein Geheimnis aus ihren Reizen machte, während die gespaltene Zunge der schwarzen Schlange auf ihren Armen sie auf die Lippen zu küssen schien. *Eva Montenegro und der Todestango*, verkündete das Plakat in großen Lettern. *Die Königin der Nacht in sechs exklusiven Abendvorstellungen – keine Verlängerung. Unter Mitwirkung von Mesmero, dem Star der Gedankenleser, der Ihre intimsten Geheimnisse enthüllen wird.*

Hinter einer schmalen Tür neben dem Lokaleingang führte eine lange Treppe zwischen rotgestrichenen Wänden hinauf. Ich gelangte vor eine große gearbeitete Eichentür mit Schnitzereien und einer Bronzenymphe

als Klopfer, deren Scham von einem bescheidenen Klee-
blatt verdeckt wurde. Ich ließ die Nymphe zweimal gegen die Tür fallen und vermied, während des Wartens in
den großen Rauchglasspiegel zu sehen, der einen guten
Teil der Wand einnahm. Ich war drauf und dran, wieder
Reißaus zu nehmen, als die Tür aufging und eine Frau
mittleren Alters mit im Nacken geknotetem schneewei-
ßem Haar mir fröhlich zulächelte.

»Sie sind bestimmt Señor David Martín.«

In meinem ganzen Leben hatte mich noch niemand
Señor genannt, und die Förmlichkeit überraschte mich.

»Das bin ich.«

»Wenn Sie so freundlich sein wollen, näher zu treten
und mich zu begleiten.«

Ich folgte ihr durch einen kurzen Flur, der in einen
großen, im Zwielicht liegenden kreisrunden Salon mit
rotsamten ausgeschlagenen Wänden mündete. Die Decke war eine Kuppel aus buntem Glas, von der ein glä-
serner Leuchter hing. Darunter stand ein Mahagonitisch
mit einem riesigen Grammophon, aus dem eine Opern-
arie rieselte.

»Darf ich Ihnen etwas zu trinken anbieten, mein
Herr?«

»Wenn Sie ein Glas Wasser hätten, wäre ich Ihnen
dankbar.«

Die weißhaarige Dame lächelte und sagte liebenswürdig und entspannt: »Vielleicht möchten der Herr lieber
ein Glas Champagner oder einen Likör? Oder möglicherweise einen trockenen Sherry?«

Mein Gaumen hatte bisher nur die Subtilitäten verschiedener Leitungswassergattungen erkundet, sodass ich die Schultern zuckte.

»Bitte wählen doch Sie.«

Die Dame lächelte unerschütterlich, nickte und deutete auf einen der Luxussessel, die wie Tupfer über den Raum verteilt waren.

»Wenn der Herr bitte Platz nehmen möchte, Chloé wird sogleich kommen.«

Ich hätte mich fast verschluckt.

»Chloé?«

Sie bemerkte meine Bestürzung nicht und verschwand durch eine Tür, die sich hinter einem schwarzen Perlenvorhang andeutete. Ich war mit meiner Nervosität und meinen unaussprechlichen Sehnsüchten allein und ging im Salon auf und ab, um des Zitterns Herr zu werden, das sich meiner zunehmend bemächtigte. Abgesehen von der leisen Musik und dem Pochen meiner Schläfen war es hier still wie im Grab. Von dem Salon gingen, jeder von einem blauen Vorhang gesäumt, sechs Korridore aus und führten je zu einer geschlossenen weißen Flügeltür. Ich ließ mich in einen der Sessel fallen, die wie geschaffen schienen, die Hinterteile von Prinzregenten und zu Staatsstreichen neigenden Generalissimi zu wiegen. Kurz darauf kam die weißhaarige Dame mit einem Glas Champagner auf silbernem Tablett zurück. Ich nahm es entgegen und sah sie durch dieselbe Tür wieder entschwinden. Ich leerte das Glas in einem Zug und lockerte den Hemdkragen. Allmählich kam mir erneut der Verdacht, all das sei nichts weiter als ein von Vidal ausgeheckter Scherz. In diesem Augenblick sah ich eine

Gestalt aus einem der Korridore auf mich zukommen. Sie sah aus wie ein kleines Mädchen und war es auch. Sie ging mit gesenktem Kopf, sodass mir ihre Augen verborgen blieben. Ich stand auf.

Das Mädchen machte einen höflichen Knicks und bedeutete mir, ihr zu folgen. Erst jetzt bemerkte ich, dass sie eine künstliche Hand hatte wie eine Schaufensterpuppe. Sie führte mich ans Ende des Korridors, öffnete mit einem Schlüssel, den sie um den Hals hängen hatte, die Tür und ließ mich hinein. Das Zimmer war nur schwach erleuchtet. Ich tat ein paar Schritte, um etwas zu erkennen. Da fiel die Tür hinter mir zu, und als ich mich umwandte, war das Mädchen verschwunden. Ich hörte, wie sich der Schlüssel im Schloss drehte – ich war eingesperrt. Fast eine Minute blieb ich reglos stehen. Nach und nach gewöhnten sich meine Augen an das Halbdunkel, und die Umrisse um mich herum nahmen Gestalt an. Die Wände des Zimmers waren vom Boden bis zur Decke mit schwarzem Tuch bespannt. Auf der einen Seite erahnte ich eine Reihe seltsamer Artefakte, wie ich sie noch nie gesehen hatte, und ich wusste nicht, ob ich sie unheilvoll oder verführerisch finden sollte. Über dem Kopfende eines großen runden Bettes hing eine Art riesiges Spinnennetz mit zwei Kerzenhaltern, in denen schwarze Altarkerzen flackerten und den Wachsgeruch von Kapellen und Totenwachen verströmten. An der einen Seite des Bettes befand sich ein Gitter mit Schlangenmuster. Ein Schauer überlief mich. Alles war genauso wie in dem Schlafzimmer, das ich in den *Geheimnissen von Barcelona* für die Abenteuer meiner unbeschreiblichen Vampirin Chloé entworfen hatte. Irgendetwas stimmte nicht. Schon wollte ich die Tür aufbrechen, als ich bemerkte, dass ich nicht allein war. Ich erstarrte. Hinter dem Gitterwerk zeichnete sich eine Gestalt ab. Zwei glänzende Augen musterten mich, und ich sah weiße, zarte Finger mit schwarz lackierten Nägeln durch das Gitter greifen. Ich schluckte.

»Chloé«, flüsterte ich.

Sie war es. *Meine Chloé.* Die opernhafte, unübertreffliche Femme fatale meiner Erzählungen, dieses Wesen aus Fleisch und Dessous. Ihre Haut war blasser, als ich sie mir je vorgestellt hatte, und das schwarz glänzende Haar war rechtwinklig zu einem Rahmen um ihr Gesicht geschnitten. Ihre Lippen waren wie mit frischem Blut geschminkt, und um die grünen Augen spielten schwarze Schatten. Sie bewegte sich so geschmeidig, als ob dieser in ein schuppig schillerndes Korsett gegossene Körper aus Wasser bestünde und die Schwerkraft narren könnte. Ihren schmalen, endlosen Hals umgab ein scharlachrotes Band mit einem umgekehrten Kruzifix. Ich beobachtete sie, wie sie langsam näher kam, unfähig zu atmen, die Augen auf die unglaublich geformten, dolchspitzen, die Knöchel mit Seidenbändern umschlingenden Schuhe geheftet. Die Schenkel umkleideten Seidenstrümpfe, die wahrscheinlich meinen Jahresverdienst verschlungen hätten. In meinem ganzen Leben hatte ich noch nie etwas so Schönes gesehen – und nichts, was mir solche Angst einflößte.

Ich ließ mich von diesem Wesen zum Bett führen, wo ich ihm buchstäblich unterlag. Das Kerzenlicht umschmeichelte die Umrisse ihres Körpers. Mein Gesicht und meine Lippen verharrten auf der Höhe ihres nackten Bauches, und ohne recht zu wissen, was ich tat, küsste ich sie unterhalb des Nabels und rieb meine Wange zärtlich an ihrer Haut. Ich vergaß, wer und wo ich war. Sie kniete sich vor mich hin und ergriff meine rechte Hand. Schmachtend nahm sie wie eine Katze einen nach dem anderen meine Finger zwischen die Zähne; dann schaute sie mich unverwandt an und begann mich zu entkleiden. Als ich ihr dabei behilflich sein wollte, lächelte sie und schob meine Hände weg.

»Pssst.«

Als sie fertig war, beugte sie sich zu mir und fuhr mit der Zunge über meine Lippen.

»Jetzt du. Zieh mich aus. Langsam. Ganz langsam.«

Da wurde mir klar, dass ich meine kränkliche, jämmerliche Kindheit einzig überstanden hatte, um diese Sekunden zu erleben. Langsam zog ich sie aus, entblätterte sie, bis sie nur noch das Samtband um den Hals und die schwarzen Strümpfe am Leib trug – allein von der Erinnerung an Letztere könnte ein Unglücklicher wie ich wohl hundert Jahre sein Leben fristen.

»Streichle mich«, raunte sie mir zu. »Spiel mit mir.«

Ich liebkoste und küsste jeden Zentimeter ihrer Haut, als wollte ich ihn mir für den Rest meines Lebens einprägen. Chloé hatte keine Eile und antwortete auf die Berührung meiner Hände und Lippen mit sanftem Stöhnen, das mich leitete. Dann bedeutete sie mir, mich aufs Bett zu legen, und bedeckte meinen Körper mit ihrem, bis mir sämtliche Poren glühten. Ich legte meine

Hände auf ihren Rücken und wanderte die herrliche Linie ihrer Wirbelsäule entlang. Ihr undurchdringlicher Blick betrachtete mich wenige Zentimeter über meinem Gesicht. Ich hatte das Gefühl, etwas sagen zu müssen.

»Ich heiße ...«

»Pssst.«

Bevor ich zu einer weiteren Albernheit ansetzen konnte, presste Chloé ihre Lippen auf die meinen und entzog mich für eine Stunde der Welt. Sie musste meine Unbeholfenheit bemerken, ließ es mich aber nicht spüren, nahm jede meiner Bewegungen vorweg und führte meine Hände ohne Eile und Scham über ihren Körper. In ihren Augen war kein Zeichen von Überdruss oder Unaufmerksamkeit zu entdecken. Sie gestattete mir alles und ließ mich sie mit unendlicher Geduld und einer Zärtlichkeit genießen, die mich vergessen machte, wie ich hierhergeraten war. In dieser kurzen Stunde lernte ich jede Linie ihres Körpers auswendig, so wie andere Gebete oder Verwünschungen. Später, als mir kaum noch Atem blieb, ließ mich Chloé den Kopf auf ihre Brust legen und kraulte lange schweigend in meinen Haaren, bis ich in ihren Armen einschlief, die Hand zwischen ihren Schenkeln.

Als ich aufwachte, lag das Zimmer im Halbdunkel, und Chloé war verschwunden, ihre Haut nicht mehr in meinen Händen. Dafür fand ich eine Visitenkarte aus dem gleichen hellen Pergament wie das Kuvert mit der Einladung. Unter dem Emblem des Engels war aufgedruckt:

ANDREAS CORELLI
Éditeur
Éditions de la Lumière
69, Boulevard Saint-Germain
Paris

Auf der Rückseite stand handschriftlich:

Lieber David, das Leben besteht aus großen Erwartun-
gen. Sobald Sie bereit sind, die Ihren Wirklichkeit wer-
den zu lassen, setzen Sie sich mit mir in Verbindung. Ich
werde Sie erwarten. Ihr Freund und Leser

A. C.

Ich sammelte meine Kleider auf und zog mich an. Die
Zimmertür war nicht mehr abgeschlossen. Ich ging
durch den Korridor in den Salon, wo das Grammophon
verstummt war. Von dem Mädchen und der weißhaarigen Frau war nichts mehr zu sehen. Die Stille war vollkommen. Je näher ich dem Ausgang kam, desto mehr
hatte ich den Eindruck, die Lichter hinter mir zerflössen
in nichts und die Korridore und Räume würden immer
dunkler. Ich trat auf den Treppenabsatz hinaus und stieg
die Stufen hinunter zurück in die Welt, leer und lustlos.
Auf der Straße wandte ich mich Richtung Ramblas, das
lärmige Treiben der Nachtlokale hinter mir lassend. Ein
leichter, warmer Nebel kam vom Hafen her, und das
Funkeln der großen Fenster des Hotels Oriente färbte
ihn zu einem schmutzig-staubigen Gelb, in dem sich die
Passanten wie Dunstfetzen auflösten. Ich marschierte

los, die Erinnerung an Chloés Parfüm verblasste langsam, und ich fragte mich, ob die Lippen Cristina Sagniers, der Tochter von Vidals Fahrer, wohl ähnlich schmeckten.

4

Man weiß nicht, was Durst ist, bis man zum ersten Mal trinkt. Drei Tage nach meinem Besuch in der ›Träumerei‹ machte mir die Erinnerung an Chloés Haut das Denken unmöglich. Ohne jemandem ein Sterbenswörtchen zu sagen – schon gar nicht Vidal –, kratzte ich meine geringen Ersparnisse zusammen, um noch am selben Abend wieder hinzugehen, in der Hoffnung, mir damit wenigstens einen Augenblick in ihren Armen erkaufen zu können. Mitternacht war vorüber, als ich die zur ›Träumerei‹ hinaufführenden Stufen erreichte. Im Treppenhaus brannte kein Licht, und ich stieg langsam hinauf, fort von dem Lärm der Nachtklubs, Kneipen, Varietés und anderen dubiosen Lokale, mit denen die Jahre des Ersten Weltkrieges die Calle Nou de la Rambla gespickt hatten. In dem durch den Hauseingang einfallenden Licht zeichneten sich die Stufen ab. Auf dem Treppenabsatz tastete ich nach der Nymphe. Meine Finger streiften das schwere Stück Metall, und als ich es anhob, gab die Tür einige Zentimeter nach – sie war offen. Langsam drückte ich sie auf. Vollkommene Stille strich mir übers Gesicht. Vor mir tat sich bläuliches Halbdunkel auf. Verwirrt ging ich einige Schritte weiter. Ein Abglanz des Straßenlichts flackerte im Raum und ermöglichte flüchtige Blicke auf die nackten Wände und das gesprungene Parkett. Ich gelangte in den Salon, der in meiner Erinnerung mit Samt und üppigen Möbeln ausgestattet gewesen war. Er war leer. Die Staubschicht auf dem Boden glänzte im Aufblitzen der Leuchtreklamen draußen wie Sand, meine Schritte zeichneten sich hinter mir ab. Keine Spur von einem Grammophon, Sesseln oder Bildern. Die Decke war rissig, und geschwärzte Holzbalken sahen hervor. Von den Wänden hing der Anstrich in Fetzen wie Schlangenhaut. Ich wandte mich zum Korridor, der zu Chloés Zimmer führte, und gelangte durch den dunklen Tunnel vor die jetzt nicht mehr weiße Flügeltür. Statt einer Klinke gab es nur ein Loch im Holz, als wäre sie gewaltsam herausgerissen worden. Ich öffnete die Tür und trat ein.

Chloés Schlafzimmer war eine schwarze Zelle. Die Wände waren verkohlt und der größte Teil der Decke eingestürzt. Ich konnte die über den Himmel ziehenden schwarzen Wolken und den Mond sehen, der einen silbernen Schimmer auf das Metallskelett des Bettes warf. In diesem Moment hörte ich hinter mir den Boden knarren und schoss herum – ich war nicht allein. Eine dunkle männliche Silhouette zeichnete sich scharf vor dem Eingang zum Korridor ab. Das Gesicht konnte ich nicht erkennen, aber ich war gewiss, dass ich beobachtet wurde. Einige Sekunden blieb ich reglos wie eine Spinne stehen, bis ich endlich reagieren und ein paar Schritte auf die Silhouette zugehen konnte. Sogleich zog sie sich ins Dunkel zurück, und als ich in den Salon gelangte, war niemand mehr da. Der Schein einer Leuchtreklame auf der anderen Straßenseite erhellte für eine Sekunde den Salon, sodass ich einen kleinen Schutthaufen an der Wand erkennen konnte. Als ich näher trat und mich vor den vom Feuer zurückgelassenen Resten niederkniete, sah ich etwas herausragen. Finger. Ich wischte die Asche um sie herum weg, und die Umrisse einer Hand kamen zum Vorschein. Als ich sie herauszog, sah ich, dass sie am Gelenk abgeschnitten war. Ich erkannte sie mühelos, obwohl diese kleine Mädchenhand nicht aus Holz war, wie ich sie in Erinnerung hatte, sondern aus Porzellan. Ich ließ sie in den Schutt zurückfallen und ging.

Ich fragte mich, ob der Unbekannte nur ein Hirngespinst gewesen war, denn im Staub waren keine Spuren zu sehen. Ich ging auf die Straße zurück und erforschte vom Bürgersteig vor dem Haus aus verwirrt die Fenster im ersten Stock. Die Menschen gingen lachend an mir vorbei und nahmen keine Notiz von mir. Ich versuchte die Silhouette des Unbekannten unter ihnen auszumachen. Ich wusste, dass er da war, vielleicht nur wenige Meter entfernt, und dass er mich beobachtete. Nach einer Weile überquerte ich die Straße und trat in ein enges, überfülltes Café. Ich konnte mich zur Theke durcharbeiten und dem Kellner ein Zeichen geben.

»Was soll's sein?«

Mein Mund war ausgetrocknet und rau wie Sand.

»Ein Bier.«

Während er es zapfte, beugte ich mich vor.

»Sagen Sie, wissen Sie, ob das Lokal gegenüber, ›Die Träumerei‹, geschlossen hat?«

Der Kellner stellte das Glas auf die Theke und schaute mich an, als wäre ich nicht ganz bei Trost.

»Es hat vor fünfzehn Jahren geschlossen«, sagte er.

»Sind Sie sicher?«

»Aber natürlich. Nach dem Brand haben sie nicht wieder aufgemacht. Wünschen Sie sonst noch was?«

Ich schüttelte den Kopf.

»Vier Céntimos.«

Ich bezahlte die Zeche und ging, ohne das Glas angerührt zu haben.

Am nächsten Tag ging ich früh in die Redaktion und stieg direkt in den Keller zu den Archiven hinab. Den Angaben von Matías, dem Leiter der Dokumentation, und des Kellners folgend, begann ich die Titelseiten der *Stimme der Industrie* von vor fünfzehn Jahren durchzugehen. Nach vierzig Minuten hatte ich die Geschichte gefunden, eine kleine Notiz. Der Brand hatte sich am frühen Morgen des Fronleichnamstages 1903 ereignet. Sechs Personen waren den Flammen zum Opfer gefallen: ein Kunde, vier Frauen der Belegschaft und ein kleines Mädchen, das ebenfalls dort gearbeitet hatte. Polizei und Feuerwehr hatten als Ursache der Tragödie eine schadhafte Petroleumlampe angegeben, doch der Gemeindevorstand einer nahen Pfarrei führte göttliche Vergeltung und das Eingreifen des Heiligen Geistes als entscheidende Faktoren ins Feld.

Wieder in der Pension, legte ich mich in meinem Zimmer aufs Bett und versuchte einzuschlafen, jedoch vergeblich. Ich zog die Karte des fremden Wohltäters, die ich nach dem Erwachen auf Chloés Bett in meinen Händen gefunden hatte, aus der Tasche und las im Halbdunkel noch einmal die handschriftlichen Worte auf der Rückseite. *Große Erwartungen.*

5

In meiner Welt wurden Erwartungen, ob groß oder klein, nur selten erfüllt. Noch wenige Monate zuvor hatte meine einzige Sehnsucht beim Schlafengehen darin bestanden, eines Tages den nötigen Mut aufzubringen, Cristina, die Tochter des Fahrers meines Mentors, anzusprechen, und dass die Stunden bis zum Morgengrauen rasch verfliegen möchten, damit ich wieder in die Redaktion gehen konnte. Jetzt begann ich auch diesen Zufluchtsort zu verlieren. Vielleicht könnte ich, wenn ich bei einem meiner Artikel grandios scheiterte, die Zuneigung meiner Kollegen zurückgewinnen, sagte ich mir. Vielleicht würden mir, wenn ich etwas Mittelmäßiges, Abwegiges schriebe, bei dem kein Leser über den ersten Absatz hinauskam, meine Jugendsünden verziehen. Vielleicht war das kein zu hoher Preis dafür, sich wieder zuhause zu fühlen. Vielleicht.

In die Redaktion der *Stimme der Industrie* war ich viele Jahre zuvor an der Hand meines Vaters gekommen, eines gepeinigten, glücklosen Mannes, der sich nach der Rückkehr aus dem Krieg um die Philippinen in einer Stadt wiederfand, in der ihn niemand mehr kennen wollte, mit einer Frau, die ihn bereits vergessen hatte und ihn zwei Jahre später ganz verließ. Ihre Hinterlassenschaft bestand aus einem gebrochenen Herzen und einem Sohn, den er nie gewollt hatte und mit dem er nichts anzufangen wusste. Mein Vater, der mit knapper Not seinen Namen lesen und schreiben konnte, hatte weder Beruf noch Geld. Das Einzige, was er im Krieg gelernt hatte, war, andere Männer zu töten, ehe sie ihn töteten, immer im Namen einer ebenso eitlen wie großartigen Sache, die sich als desto fadenscheiniger und niederträchtiger erwies, je näher man dem Gefecht rückte.

Nach seiner Rückkehr aus dem Krieg suchte mein Vater, der um zwanzig Jahre gealtert zu sein schien, eine Anstellung in den vielen Betrieben des Pueblo Nuevo und des Sant-Martí-Viertels. Er behielt keine Stelle länger als einige Tage, und dann sah ich ihn mit grollverzerrter Miene nach Hause kommen. Mangels Alternativen übernahm er nach einiger Zeit den Posten des Nachtwächters in der *Stimme der Industrie*. Das Gehalt war zwar bescheiden, aber die Monate vergingen, und zum ersten Mal nach seiner Rückkehr schien er in keine Scherereien zu geraten. Der Friede war von kurzer Dauer. Einige seiner ehemaligen Waffenkameraden waren an Körper und Seele versehrt wie lebendige Leichname zurückgekommen, nur um festzustellen, dass ihnen die, die sie im Namen Gottes und des Vaterlandes in den Tod geschickt hatten, jetzt ins Gesicht spuckten. Sie verwickelten ihn schon bald in zwielichtige Geschäfte, die für ihn eine Nummer zu groß waren und die er nie ganz durchschaute.

Oft verschwand er für zwei Tage, und wenn er zurückkam, rochen seine Hände und Kleider nach Schießpul-
ver, und Geld beulte seine Taschen. Dann flüchtete er
sich in sein Zimmer, wo er sich das wenige oder viele
spritzte, das er hatte beschaffen können. Er dachte, ich
merke nichts, und anfänglich schloss er nicht einmal die
Tür; doch eines Tages ertappte er mich dabei, wie ich ihn
ausspionierte, und verpasste mir eine Ohrfeige, die mir
die Lippen spaltete. Dann umarmte er mich, bis ihm die
Kraft schwand und er auf dem Boden lag, die Nadel noch
in der Haut. Ich zog sie heraus und deckte ihn zu. Nach
diesem Zwischenfall begann er sich einzuschließen.

Wir wohnten in einer kleinen Mansarde über der
Baustelle des neuen Konzertsaals, des Palau de la Música
de l'Orfeó Català. Es war eine kalte, enge Bleibe, in der
Wind und Feuchtigkeit sich über die Mauern zu mokie-
ren schienen. Ich setzte mich immer auf den winzigen
Balkon und ließ die Beine baumeln, um die Vorbeige-
henden zu beobachten und dieses Riff aus unmöglichen
Skulpturen und Säulen zu bestaunen, das auf der gegenüberliegenden Straßenseite heranwuchs und fast mit
Fingern zu greifen nahe schien und dann so weit entfernt war wie der Mond. Ich war ein schwaches, kränk-
liches Kind, anfällig für Fieber und Infektionen, die
mich an den Rand des Grabes brachten, es sich aber im
letzten Moment immer anders überlegten und wieder
abzogen, um sich eine gewichtigere Beute zu suchen.
Wenn ich krank wurde, verlor der Vater schnell die Geduld und überließ mich nach der zweiten schlaflosen
Nacht der Obhut einer Nachbarin, um für zwei Tage zu

verschwinden. Mit der Zeit hatte ich den Verdacht, er hoffe mich nach seiner Rückkehr tot vorzufinden und so die Last dieses Kindes mit der zarten Gesundheit los zu sein, das zu nichts zu gebrauchen war.

Mehr als einmal verspürte ich den Wunsch, es möge so kommen, aber immer war ich bei seiner Rückkehr noch am Leben, ja munter und ein wenig größer. Zwar schämte sich Mutter Natur nicht, mich mit der ganzen Reichhaltigkeit ihres Keim- und Plagenkatalogs zu erfreuen, aber nie fand sie einen Weg, das Gesetz der Schwerkraft endgültig auf mich anzuwenden. Entgegen jeder Vorhersage überlebte ich die Gratwanderung, die die Kindheit vor der Entdeckung des Penizillins war. Damals hauste der Tod noch nicht in der Anonymität; man konnte überall sehen und riechen, wie er die Seelen mitriss, die noch gar keine Gelegenheit zum Sündigen bekommen hatten.

Schon früh waren Papier und Druckerschwärze meine einzigen Freunde. In der Schule hatte ich viel eher lesen und schreiben gelernt als die anderen Kinder des Viertels. Wo meine Kameraden auf den Seiten bloß aufgedruckte Farbe sahen, entdeckte ich Licht, Straßen und Menschen. Die Wörter und das Mysterium ihres verborgenen Wissens faszinierten mich und waren wie ein Schlüssel, der mir eine unendliche Welt aufschloss und mich vor diesem Haus, vor diesen Straßen und an den trüben Tagen behütete, da sogar ich ahnte, dass mich mehr Unglück als Glück erwartete. Mein Vater wollte keine Bücher im Haus sehen. Abgesehen von den Buchstaben, die er nicht enträtseln konnte, steckte noch etwas in ihnen, das ihn beleidigte. Er sagte, sobald ich zehn wäre, würde er mir eine Arbeit suchen, ich solle mir besser gleich alle Flausen aus dem Kopf schlagen, sonst würde ich als Hungerleider enden. Ich versteckte die Bücher unter meiner Matratze und wartete, bis er aus dem Haus gegangen oder eingeschlafen war, um zu lesen. Einmal ertappte er mich bei nächtlicher Lektüre und geriet in Rage. Er riss mir das Buch aus den Händen und warf es aus dem Fenster.

»Wenn ich dich noch einmal dabei erwische, wie du mit dem Lesen von solchem Mist Strom vergeudest, kannst du was erleben.«

Mein Vater war kein Geizkragen, und trotz unserer Nöte rückte er, wann immer er konnte, einige Münzen heraus, damit ich mir wie alle anderen Kinder des Viertels Schleckereien kaufen konnte. Er war überzeugt, dass ich das Geld in Süßholz, Sonnenblumenkerne oder Bonbons steckte, aber ich verwahrte es in einer Kaffeedose unter dem Bett, und wenn ich vier, fünf Münzen beisammen hatte, kaufte ich mir eiligst und ohne sein Wissen ein Buch.

Der liebste Ort in der ganzen Stadt war mir Sempere und Söhne in der Calle Santa Ana. Diese Buchhandlung mit dem Geruch nach altem Papier und Staub war mein Heiligtum und mein Zufluchtsort. Der Buchhändler überließ mir einen Stuhl in der Ecke, wo ich nach Lust und Laune jedes Buch meiner Wahl lesen konnte. Und fast nie wollte er für eines, das er mir in die Hand drückte, etwas haben, aber wenn er nicht aufpasste, legte ich ihm die zusammengekratzten Münzen auf den Ladentisch, bevor ich ging. Es war nur Kleingeld, und hätte ich mir mit diesem elenden Sümmchen ein Buch kaufen wollen, hätte ich mir sicher nur eines aus Zigarettenpapierblättchen leisten können. Wenn es dann Zeit wurde, musste ich Füße und Seele zum Aufbrechen zwingen – wäre es nach mir gegangen, ich wäre für immer dort geblieben.

Einmal machte mir Sempere zu Weihnachten das schönste Geschenk, das ich je bekommen habe. Es war ein alter, aufs gründlichste gelesener und gelebter Band.

»*Große Erwartungen*, von Charles Dickens«, las ich auf dem Deckel.

Ich wusste, dass Sempere einige Schriftsteller kannte, die in seinem Laden verkehrten, und da er dieses Buch so liebevoll in die Hand nahm, dachte ich, dieser Herr Charles sei vielleicht einer von ihnen.

»Ein Freund von Ihnen?«

»Ein uralter. Und von heute an auch einer von dir.«

An diesem Abend nahm ich meinen neuen Freund, unter den Kleidern vor dem Vater verborgen, mit nach Hause. Es war ein regnerischer Winter mit bleiernen Tagen, in dem ich *Große Erwartungen* neunmal hintereinander las, teils weil ich nichts anderes zu lesen hatte, teils weil ich dachte, ein besseres Buch könne es gar nicht geben. Und mit der Zeit glaubte ich, dieser Herr Dickens habe es nur für mich geschrieben. Bald war ich der festen Überzeugung, im Leben nichts anderes zu wollen, als zu erlernen, was Herr Dickens tat.

Eines frühen Morgens schreckte ich aus dem Schlaf

auf, als mich der Vater rüttelte, der vorzeitig von der Arbeit nach Hause gekommen war. Seine Augen waren blutunterlaufen, sein Atem stank nach Schnaps. Ich starrte ihn entsetzt an, und er tastete nach der nackten Glühbirne an ihrem Kabel.

»Sie ist warm.«

Er bohrte seinen Blick in meine Augen und schmetterte die Birne wütend an die Wand. Sie zerschellte in tausend Splitter, die mir ins Gesicht regneten, aber ich wagte sie nicht wegzuwischen.

»Wo ist es?«, fragte er kalt.

Zitternd schüttelte ich den Kopf.

»Wo ist das Scheißbuch?«

Wieder schüttelte ich den Kopf. Im Dämmerlicht sah ich den Schlag nicht kommen. Vor meinen Augen wurde es schwarz, und ich spürte, wie ich aus dem Bett fiel mit Blut im Mund und einem heftigen Schmerz, der wie Feuer brannte. Als ich den Kopf zur Seite drehte, entdeckte ich auf dem Boden etwas, das aussah wie die abgebrochenen Stücke von zwei Zähnen. Die Hand des Vaters packte mich am Hals und zog mich hoch.

»Wo ist es?«

»Vater, bitte …«

Mit aller Kraft warf er mich mit dem Gesicht gegen die Wand. Beim Aufprall verlor ich das Gleichgewicht und fiel in mich zusammen wie ein Sack Knochen. Ich schleppte mich in eine Ecke und blieb zusammengekauert liegen, während ich sah, wie der Vater meine paar Kleidungsstücke aus dem Schrank riss und auf den Boden warf. Ergebnislos wühlte er in Schubladen und Koffern, bis er sich erschöpft von neuem auf mich stürzte. Ich schloss die Augen und krümmte mich gegen die Wand, um einen weiteren Schlag zu empfangen, der jedoch nicht kam. Als ich die Augen öffnete, sah ich den Vater auf der Bettkante sitzen und weinen, halb erstickt vor Scham. Er bemerkte meinen Blick und rannte die Treppe hinunter. Ich hörte, wie sich in der Morgenstille das Echo seiner Schritte entfernte, und erst als ich ihn weit weg wusste, schleppte ich mich zum Bett und holte das Buch aus seinem Versteck unter der Matratze hervor. Dann zog ich mich an und trat mit dem Buch auf die Straße hinaus.

Dichter Dunst hing in der Calle Santa Ana, als ich vor der Tür der Buchhandlung anlangte. Im selben Haus wohnten im ersten Stock der Buchhändler und sein Sohn. Sechs Uhr früh war zwar nicht die Zeit, um bei jemandem zu klingeln, aber in diesem Augenblick hatte ich nur den Gedanken, das Buch zu retten, und die Gewissheit, dass der Vater, wenn er es bei seiner Rückkehr zuhause vorfände, es mit seiner ganzen Wut in Fetzen reißen würde. Ich klingelte und wartete. Nach zwei, drei weiteren Malen hörte ich die Balkontür aufgehen und sah den alten Sempere in Morgenmantel und Pantoffeln heraustreten und verdutzt herunterblicken. Eine halbe Minute später öffnete er mir. Als er mein Gesicht erblickte, verschwand jeder Anflug von Zorn. Er kniete sich vor mir nieder und nahm mich bei den Armen.

»Heiliger Gott. Geht's dir gut? Wer hat dir das angetan?«

»Niemand. Ich bin hingefallen.«

Ich reichte ihm das Buch.

»Ich bin gekommen, um es Ihnen zurückzugeben – ich will nicht, dass ihm etwas zustößt ...«

Sempere schaute mich wortlos an. Dann nahm er mich auf den Arm und trug mich in die Wohnung hinauf. Sein Sohn, ein Junge von zwölf Jahren, der so schüchtern war, dass ich mich nicht erinnern konnte, je seine Stimme vernommen zu haben, war aufgewacht und wartete oben auf dem Treppenabsatz. Beim Anblick des Blutes in meinem Gesicht schaute er erschrocken seinen Vater an.

»Hol den Doktor Campos.«

Der Junge nickte und lief zum Telefon. Als ich ihn sprechen hörte, wusste ich endlich, dass er nicht stumm war. Die beiden trugen mich zu einem Sessel im Esszimmer und reinigten meine Wunden vom Blut, während sie auf den Arzt warteten.

»Du willst mir also nicht sagen, wer dir das angetan hat?«

Ich presste die Lippen zusammen. Sempere wusste nicht, wo ich wohnte, und ich mochte ihm keinen Hinweis liefern.

»War es dein Vater?«

Ich schaute weg.

»Nein. Ich bin hingefallen.«

Doktor Campos, der vier oder fünf Häuser entfernt wohnte, kam nach fünf Minuten. Er untersuchte mich von Kopf bis Fuß, betastete die blauen Flecken und behandelte die Schnitte so behutsam, wie er konnte. Seine Augen glühten vor Empörung, aber er sagte nichts.

»Gebrochen ist nichts, er hat aber einige Prellungen, die ein paar Tage anhalten werden und schmerzhaft sind. Diese beiden Zähne wird man ziehen müssen. Sie sind verloren, und es könnte eine Infektion geben.«

Nachdem der Arzt gegangen war, brachte mir Sempere ein Glas lauwarme Milch mit Kakao und schaute mir beim Trinken zu.

»Und all das, um die *Großen Erwartungen* zu retten?«

Ich zuckte die Achseln. Vater und Sohn lächelten sich verschwörerisch zu.

»Das nächste Mal, wenn du ein Buch retten willst, wirklich retten willst, sollst du nicht mehr dein Leben aufs Spiel setzen. Du sagst es mir, und ich werde dich an einen geheimen Ort bringen, wo die Bücher niemals sterben und niemand sie zerstören kann.«

Neugierig schaute ich die beiden an.

»Was ist das denn für ein Ort?«

Sempere zwinkerte mir zu mit diesem geheimnisvollen Lächeln, das sie aus einem Fortsetzungsroman von Alexandre Dumas zu haben schienen und das offenbar ein Markenzeichen der Familie war.

»Alles zu seiner Zeit, mein Freund. Alles zu seiner Zeit.«

Von Gewissensbissen zernagt, heftete der Vater die ganze folgende Woche über die Augen auf den Boden. Er kaufte eine neue Glühbirne und sagte sogar, wenn ich sie anknipsen wolle, dann nur zu, allerdings nicht lange, der Strom sei sehr teuer. Ich spielte lieber nicht mit dem Feuer. Am Samstag wollte mir der Vater ein Buch kaufen und ging in eine Buchhandlung in der Calle de la Palla gegenüber der alten römischen Mauer, die erste und letzte Buchhandlung, die er je betrat. Aber da er die Titel auf den Hunderten Buchrücken nicht lesen konnte, verließ er den Laden unverrichteter Dinge. Danach gab er mir Geld, mehr als üblich, und sagte, ich könne mir kaufen, worauf ich Lust hätte. Das schien mir der geeignete Moment, ein Thema zur Sprache zu bringen, das mir seit langem auf der Zunge brannte.

»Doña Mariana, die Lehrerin, hat mich gebeten, Ihnen zu sagen, ob Sie wohl irgendwann einmal vorbeikommen könnten, um mit ihr wegen der Schule zu sprechen«, sagte ich wie nebenher.

»Um worüber zu sprechen? Hast du was ausgefressen?«

»Nein, Vater. Doña Mariana wollte sich mit Ihnen über meine künftige Ausbildung unterhalten. Sie sagt, ich sei begabt, und sie glaubt, sie könnte mir zu einem Stipendium verhelfen, um ins Piaristenkolleg einzutreten …«

»Was bildet sich diese Frau eigentlich ein, dir einen solchen Floh ins Ohr zu setzen und dich in eine Reiche-Leute-Schule schicken zu wollen? Weißt du überhaupt, was das für ein Pack ist? Weißt du, wie die dich anglotzen und behandeln, wenn rauskommt, wo du herbist?«

Ich senkte die Augen.

»Doña Mariana möchte nur helfen, Vater. Nichts weiter. Werden Sie nicht böse. Ich sage ihr einfach, es geht nicht, und Schluss.«

Der Vater schaute mich zornig an, beherrschte sich aber und atmete mehrere Male mit geschlossenen Augen durch, bevor er etwas sagte.

»Wir werden schon über die Runden kommen, verstehst du? Du und ich. Ohne die Almosen von all diesen Mistkerlen. Und zwar mit hoch erhobenem Kopf.«

»Ja, Vater.«

Er legte mir eine Hand auf die Schulter und schaute mich an, als wäre er für einen kurzen Augenblick, der nie wiederkommen sollte, stolz auf mich, obwohl wir so verschieden waren, obwohl ich Bücher mochte, die er nicht lesen konnte, ja obwohl die Mutter uns verlassen und entzweit hatte. In diesem Moment hielt ich den Vater für den gütigsten Menschen der Welt und dachte, alle würden das merken, wenn ihm das Leben nur einmal gute Karten zuspielte.

»Alles Schlechte, was man im Leben tut, schlägt auf einen zurück, David. Und ich habe viel Schlechtes getan, sehr viel. Aber ich habe dafür gebüßt. Und unser Blatt wird sich wenden. Du wirst schon sehen. Du wirst schon sehen ...«

Obwohl Doña Mariana, die mit allen Wassern gewaschen war, sich in etwa vorstellen konnte, woher der Wind wehte, ließ sie nicht locker, doch ich erwähnte das Thema der Ausbildung gegenüber dem Vater nicht mehr. Als ihr klar wurde, dass nichts zu machen war, sagte sie, sie werde mir von nun an täglich nach dem Unterricht eine weitere Stunde geben, nur mir allein, um mir etwas über Bücher, Geschichte und all die Dinge zu erzählen, die den Vater in Angst und Schrecken versetzten.

»Das wird unser Geheimnis sein.«

Mittlerweile hatte ich begriffen, dass sich der Vater schämte, weil ihn die Leute für einen Ignoranten hielten, Überbleibsel eines Krieges, der wie fast alle Kriege im Namen Gottes und des Vaterlandes ausgefochten worden war, um Menschen, die schon vorher mächtig gewesen waren, noch mächtiger zu machen. In dieser Zeit fing ich an, den Vater manchmal zu seiner Nachtschicht zu begleiten. In der Calle Trafalgar nahmen wir eine Straßenbahn, die uns vor den Friedhofstoren absetzte. Ich blieb in seinem Pförtnerhäuschen, las alte Zeitungen und versuchte mich ab und zu mit ihm zu unterhalten – eine schwierige Aufgabe. Der Vater sprach kaum noch, weder über den Kolonialkrieg noch über die Frau, die ihn verlassen hatte. Einmal fragte ich ihn, warum die Mutter nicht mehr bei uns sei. Ich argwöhnte, es sei meinetwegen, weil ich etwas Unrechtes getan hätte, und sei es nur, auf die Welt gekommen zu sein.

»Deine Mutter hatte mich schon verlassen, bevor ich an die Front geschickt wurde. Ich war der Blödmann, weil ich es nicht merkte, bis ich zurückkam. So ist das Leben, David. Über kurz oder lang lassen uns alle und alles im Stich.«

»Ich werde Sie nie im Stich lassen, Vater.«

Ich hatte den Eindruck, er breche gleich in Tränen aus, und umarmte ihn, um sein Gesicht nicht sehen zu müssen.

Ohne Vorankündigung ging er am nächsten Tag mit

mir zur Stoffhandlung El Indio in der Calle del Carmen. Wir traten zwar nicht ein, aber durch die großen Fenster des Vorraums hindurch deutete er auf eine junge, heitere Frau, die den Kunden Tücher und Stoffe vorlegte.

»Das ist deine Mutter«, sagte er. »Nächstens komm ich mal vorbei und bring sie um.«

»So was dürfen Sie nicht sagen, Vater.«

Er sah mich mit geröteten Augen an, und da wurde mir klar, dass er sie immer noch liebte und dass ich ihr deswegen nie vergeben würde. Ich erinnere mich, wie wir sie damals unbemerkt im Verborgenen beobachteten, und dass ich sie nur aufgrund des Fotos erkannte, das der Vater zuhause in einer Schublade aufbewahrte, neben seiner Ordonnanzpistole, die er jeden Abend, wenn er mich schlafend glaubte, herausnahm und betrachtete, als gäbe sie auf alles eine Antwort – oder beinahe auf alles.

Noch jahrelang kehrte ich zum Eingang dieses Warenhauses zurück, um sie auszuspionieren. Nie brachte ich den Mut auf, hineinzugehen oder sie anzusprechen, wenn sie herauskam und ich sie die Ramblas hinunter davongehen sah, zu einer Familie, so malte ich mir aus, die sie glücklich machte, und einem Sohn, der ihrer Zuneigung und der Berührung ihrer Haut würdiger war als ich. Der Vater erfuhr nie, dass ich bisweilen verschwand, um sie zu beobachten, oder ihr an manchen Tagen dichtauf folgte, immer kurz davor, ihre Hand zu ergreifen und mit ihr zu gehen, und dann doch im letzten Moment die Flucht ergriff. In meiner Welt existierten die großen Erwartungen nur zwischen Buchdeckeln.

Das vom Vater so ersehnte Glück kam nie. Die einzige nette Geste, die das Leben für ihn übrig hatte, war, ihn nicht allzu lange hinzuhalten. Als wir eines Abends zum Nachtdienst bei der Zeitung eintrafen, traten drei Pistolenschützen aus dem Schatten und durchsiebten ihn vor meinen Augen mit Schüssen. Ich erinnere mich noch an den Schwefelgeruch und den schimmernden Rauch, der von den schmauchenden Löchern in seinem Mantel aufstieg. Als ihn einer der Schützen mit einem Kopfschuss vollends töten wollte, warf ich mich auf den Vater, und ein dritter fiel dem Schützen in den Arm. Unsere Blicke trafen sich kurz, während er einen Moment zu überlegen schien, auch mich zu liquidieren. Doch dann rannten sie davon und verschwanden in den engen Gassen zwischen den Fabriken von Pueblo Nuevo.

An jenem Abend ließen die Mörder den Vater in meinen Armen verbluten, und ich blieb allein auf der Welt zurück. Fast zwei Wochen lang verkroch ich mich in der Setzerei der Zeitung zwischen den Linotype-Maschinen, die mir wie eiserne Riesenspinnen vorkamen, und versuchte, das Pfeifen zum Verstummen zu bringen, das mir bei Einbruch der Nacht die Trommelfelle durchbohrte und mich um den Verstand brachte. Als man mich fand, waren meine Hände und Kleider noch von eingetrocknetem Blut verschmiert. Zuerst wusste niemand, wer ich war, da ich eine Woche lang nicht sprach, und als ich es schließlich tat, schrie ich das Wort Vater hinaus, bis mir die Stimme versagte. Als ich nach meiner Mutter gefragt wurde, sagte ich, sie sei gestorben, ich hätte niemanden mehr auf der Welt. Meine Geschichte kam Pedro Vidal zu Ohren, dem Star der Zeitung und Busenfreund des Herausgebers, welcher auf sein Ersuchen hin anordnete, mich als Botenjungen zu beschäftigen und mich bis auf weiteres in der bescheidenen Pförtnerklause im Keller unterzubringen.

In diesen Jahren waren in Barcelonas Straßen Gewalt und Blutvergießen an der Tagesordnung. Es war die Zeit der Pamphlete und Bomben, welche in den Gassen des Raval zuckende, rauchende Körperteile zurückließen, die Zeit der schwarz gewandeten Banden, die die Nacht mit Metzeleien zubrachten, die Zeit der Prozessionen und Paraden von Heiligen und Generalen, die nach Tod und Betrug rochen, der aufwieglerischen Reden, in denen alle logen und alle recht hatten. Die Wut und der Hass, die Jahre später die einen und die anderen dazu brachten, sich im Namen großspuriger Losungen und bunter Fetzen umzubringen, begannen sich bereits in der vergifteten Luft abzuzeichnen. Die ewige Dunstglocke der Fabriken hing schwer über der Stadt und hüllte die Straßenbahnen und Fuhrwerke auf den gepflasterten Alleen ein. Die Nacht gehörte dem Gaslicht und den vom Mündungsfeuer und blauen Pulverdampf durchbrochenen Schatten der Gassen. In diesen Jahren wuchs man rasch heran, und wenn die Kindheit von ihnen abfiel, hatten manche Jungen und Mädchen bereits den Blick von Alten.

Da ich außer diesem finsteren Barcelona keine weitere Familie mehr besaß, wurde mir jetzt die Zeitung zur Zuflucht und Welt, bis ich mit meinem Gehalt das Zimmer in Doña Carmens Pension mieten konnte. Ich wohnte dort erst eine Woche, als die Hauswirtin zu mir kam und mir mitteilte, vor der Tür frage ein Herr nach mir. Auf dem Treppenabsatz stand ein grau gekleideter Mann mit grauem Blick, der mich mit grauer Stimme fragte, ob ich David Martín sei, mir ein in Packpapier geschlagenes Paket überreichte und die Stufen hinunter verschwand und schließlich noch mit seiner grauen Abwesenheit meine elende Umgebung verpestete. Ich ging mit dem Paket ins Zimmer zurück und schloss hinter mir die Tür. Niemand außer zwei, drei Leuten bei der Zeitung wusste, dass ich hier wohnte. Neugierig riss ich die Verpackung auf – ich hatte in meinem ganzen Leben noch nie ein Paket bekommen. Zum Vorschein kam ein altes Holzkästchen, das mir vertraut vorkam. Ich legte es auf die Pritsche und öffnete es. Es enthielt Vaters alte Pistole, die Waffe, die er von der Armee bekommen hatte und mit der er von den Philippinen zurückgekehrt war, um auf einen frühen, elendiglichen Tod hinzuarbeiten. Neben der Waffe lag ein Schächtelchen Kugeln. Ich nahm die Pistole heraus und wog sie in der Hand. Sie roch nach Pulver und Öl. Ich fragte mich, wie viele Menschen der Vater mit dieser Waffe wohl getötet hatte, ehe er mit ihr seinem eigenen Leben ein Ende zu setzen gedachte und bis ihm andere zuvorkamen. Ich legte sie zurück und klappte das Kästchen zu. In einem ersten Impuls wollte ich es zum Abfall geben, aber dann wurde mir bewusst, dass mir vom Vater nichts blieb als diese Pistole. Einer der üblichen Wucherer hatte nach Vaters Tod das wenige, das wir in jener alten Wohnung gegenüber dem Palau de la Música besessen hatten, konfisziert, um Vaters Schulden zu begleichen, und jetzt vermutlich beschlossen, mich bei meinem Eintritt ins Erwachsenenalter mit diesem makabren Andenken willkommen zu heißen. Ich versteckte das Kästchen auf dem Schrank zuhinterst an der Wand, wo sich der Staub ansammelte und Doña Carmen selbst auf Stelzen nicht hingelangte, und rührte es jahrelang nicht mehr an.

Noch am selben Abend ging ich zu Sempere und Söhne, und da ich mir jetzt als Mann von Welt und nicht ohne Mittel vorkam, verkündete ich dem Buchhändler meine Absicht, dieses alte Exemplar von *Große Erwartungen* zu erwerben, das ich ihm vor Jahren hatte zurückgeben müssen.

»Sie können dafür verlangen, was Sie wollen«, sagte ich. »Nennen Sie den Preis für sämtliche Bücher, die ich Ihnen in den letzten zehn Jahren nicht bezahlt habe.«

Noch heute sehe ich Semperes trauriges Lächeln, als er mir die Hand auf die Schulter legte.

»Ich habe es heute Morgen verkauft«, sagte er niedergeschlagen.

6

Dreihundertfünfundsechzig Tage, nachdem ich meine erste Erzählung für *Die Stimme der Industrie* verfasst hatte, kam ich wie üblich in die Redaktion. Sie war mehr oder weniger verwaist. Nur eine Handvoll Redakteure war da, die vor Monaten noch liebevolle Spitznamen und unterstützende Worte für mich gefunden hatten, jetzt aber meinen Gruß nicht zur Kenntnis nahmen, sondern ein raunendes Grüppchen bildeten. Innerhalb einer Minute hatten sie ihre Mäntel zusammengerafft und verschwanden, als befürchteten sie eine Ansteckung. Ich blieb allein in diesem unauslotbaren Raum zurück und versank im Anblick Dutzender leerer Tische. Langsame, schwere Schritte hinter mir kündigten Don Basilio an.

»Guten Abend, Don Basilio. Was ist denn heute hier los, dass alle gegangen sind?«

Er schaute mich traurig an und setzte sich an den Nebentisch.

»Die ganze Redaktion ist zu einem Weihnachtsessen gegangen. Im Restaurant Set Portes«, sagte er leise. »Vermutlich hat man Ihnen nichts gesagt.«

Ich schützte mit einem Lächeln Gleichgültigkeit vor und schüttelte den Kopf.

»Und Sie, gehen Sie nicht hin?«

Er verneinte.

»Mir ist die Lust vergangen.«

Wir schauten uns schweigend an.

»Und wenn ich Sie einlade?«, bot ich an. »Wohin Sie

wollen. Ins Can Solé, wenn es Ihnen recht ist. Nur Sie und ich, um den Erfolg der *Geheimnisse von Barcelona* zu feiern.«

Don Basilio nickte bedächtig und lächelte.

»Martín«, sagte er schließlich. »Ich weiß nicht, wie ich es Ihnen sagen soll.«

»Was sagen?«

Er räusperte sich.

»Ich darf keine weiteren Folgen der *Geheimnisse von Barcelona* mehr bringen.«

Verständnislos schaute ich ihn an. Er wich meinem Blick aus.

»Soll ich was anderes schreiben? Etwas mehr in der Art von Galdós?«

»Martín, Sie wissen doch, wie die Leute sind. Es hat Beschwerden gegeben. Ich habe versucht, das Ganze zu stoppen, aber der Chef ist ein schwacher Mensch und mag keine unnötigen Konflikte.«

»Ich verstehe Sie nicht, Don Basilio.«

»Martín, man hat mich gebeten, es Ihnen zu sagen.«

Endlich schaute er mir in die Augen und zuckte die Schultern.

»Ich bin entlassen«, murmelte ich.

Er nickte.

Ich spürte, wie mir gegen meinen Willen Tränen in die Augen traten.

»Jetzt kommt es Ihnen vor wie das Ende der Welt, aber glauben Sie mir, im Grunde ist das das Beste, was Ihnen passieren kann. Dies ist kein Ort für Sie.«

»Und was wäre ein Ort für mich?«

»Tut mir leid, Martín. Glauben Sie mir, es tut mir leid.«

Er stand auf und legte mir liebevoll die Hand auf die Schulter.

»Fröhliche Weihnachten, Martín.«

Noch am selben Abend räumte ich meinen Schreibtisch und verließ für immer diesen Ort, der mir eine Heimat gewesen war, um in die einsamen, dunklen Straßen der Stadt einzutauchen. Auf dem Weg zur Pension ging ich beim Set Portes unter den Arkaden der Casa Xifré vorbei. Vor dem Restaurant blieb ich stehen und sah drinnen meine Kollegen lachen und anstoßen. Ich hoffte, meine Abwesenheit würde sie glücklich machen oder sie wenigstens vergessen lassen, dass sie es nicht waren und nie sein würden.

Den Rest der Woche ließ ich mich willenlos treiben. Jeden Tag suchte ich in der Bibliothek des Athenäums Zuflucht und glaubte, bei meiner Rückkehr in die Pension würde ich eine Mitteilung des Chefredakteurs vorfinden mit der Bitte, wieder in die Redaktion einzutreten. In einem der Lesesäle zog ich die Karte hervor, die ich nach dem Erwachen in der ›Träumerei‹ in den Händen gehalten hatte, und begann diesem anonymen Wohltäter, Andreas Corelli, einen Brief zu schreiben, den ich am Ende immer wieder zerriss und tags darauf von neuem begann. Am siebten Tag, des Selbstmitleids überdrüssig, beschloss ich, mich auf die unvermeidliche Wallfahrt zu meinem Schöpfer zu machen.

In der Calle Pelayo bestieg ich die Bahn nach Sarrià. Damals verkehrte sie noch oberirdisch, und ich setzte mich vorn in den Wagen, um die Stadt und die Straßen zu betrachten, die umso breiter und herrschaftlicher wurden, je weiter wir uns vom Zentrum entfernten. An der Haltestelle Sarrià stieg ich aus und nahm eine Straßenbahn, die mich zum Kloster Pedralbes brachte. Es war ein für die Jahreszeit ungewöhnlich warmer Tag, und die Brise trug den Duft der die Hügelflanken sprenkelnden Pinien und Ginsterbüsche mit sich. Ich peilte die Avenida Pearson an, an der mehr und mehr gebaut wurde, und erblickte bald die unverwechselbaren Umrisse der Villa Helius. Als ich hinanstieg, sah ich Vidal in Hemdsärmeln im Fenster seines Turms sitzen und eine Zigarette schmauchen. Musik hing in der Luft, und ich erinnerte mich, dass er einer der wenigen Privilegierten war, die einen Rundfunkempfänger besaßen. Wie schön das Leben von dort oben anzusehen sein musste und wie klein ich selbst wohl erschien.

Ich winkte ihm zu, und er grüßte zurück. Als ich bei der Villa ankam, traf ich den Fahrer, Manuel, der eben mit einigen Lappen und einem Eimer dampfenden Wassers zu den Garagen unterwegs war.

»Was für eine Freude, Sie hier zu sehen, David«, sagte er. »Wie geht es Ihnen? Immer noch so erfolgreich?«

»Man tut, was man kann«, antwortete ich.

»Seien Sie nicht so bescheiden, sogar meine Tochter liest die Abenteuer, die Sie in der Zeitung drucken lassen.«

Ich schluckte, überrascht, dass die Tochter des Fahrers nicht nur wusste, dass es mich gab, sondern sogar einige meiner albernen Geschichten gelesen hatte.

»Cristina?«

»Eine andere habe ich nicht«, antwortete Don Manuel. »Der Herr ist oben in seinem Arbeitszimmer, wenn Sie hinaufgehen möchten.«

Ich nickte dankend und flüchtete mich ins Haus, wo ich zum Turm im dritten Stock hinaufstieg, der sich inmitten des gebogenen, bunten Ziegeldachs erhob. Dort saß Vidal in seinem Arbeitszimmer, von wo aus man in der Ferne die Stadt und das Meer sah. Er stellte das Radio ab, ein Gerät von der Größe eines kleinen Meteoriten, das er Monate zuvor gekauft hatte, als die ersten Sendungen von Radio Barcelona aus den Studios unter der Kuppel des Hotels Colón angekündigt wurden.

»Das hat mich vierhundert Peseten gekostet, und jetzt gibt es nur Plattitüden von sich.«

Wir setzten uns einander gegenüber. Alle Fenster waren zur Brise hin geöffnet, die mir, dem Bewohner der düsteren Altstadt, nach einer anderen Welt roch. Die Stille war köstlich, wie ein Wunder. Man konnte die Insekten im Garten sirren und die Blätter an den Bäumen im Wind rascheln hören.

»Fast wie im Hochsommer«, tastete ich mich vor.

»Lenk jetzt nicht ab. Man hat mir gesagt, was geschehen ist«, sagte Vidal.

Ich zuckte die Achseln und warf einen Blick auf seinen Schreibtisch. Ich wusste genau, dass er seit Monaten, wenn nicht seit Jahren etwas zu schreiben versuchte, was er einen »ernsten« Roman nannte, weit entfernt von den einfach gestrickten Geschichten seiner Kriminalromane, um seinen Namen in die altehrwürdigsten Bibliotheken einzuschreiben. Es lagen nicht viele Blätter da.

»Wie geht's dem Meisterwerk?«

Vidal warf die Zigarettenkippe aus dem Fenster und schaute in die Ferne.

»Ich habe nichts mehr zu sagen, David.«

»Unsinn.«

»Alles im Leben ist Unsinn. Es ist nur eine Frage der Perspektive.«

»Das sollten Sie in Ihrem Buch schreiben. *Der Nihilist auf dem Hügel*. Garantiert ein Erfolg.«

»Wer bald einen Erfolg braucht, das bist du – wenn ich mich nicht täusche, sind deine Mittel so ziemlich am Ende.«

»Ich kann immer noch eine milde Gabe von Ihnen annehmen. Für alles gibt es ein erstes Mal.«

»Jetzt kommt es dir vor wie das Ende der Welt, aber ...«

»... bald werde ich merken, dass es das Beste ist, was mir passieren konnte. Sagen Sie nicht, Don Basilio schreibt jetzt Ihre Reden.«

Vidal lachte.

»Was hast du vor?«, fragte er.

»Sie brauchen nicht vielleicht einen Sekretär?«

»Ich habe bereits die beste Sekretärin, die man haben kann. Sie ist intelligenter als ich, unendlich viel fleißiger, und wenn sie lächelt, habe ich sogar das Gefühl, diese schweinische Welt habe so etwas wie eine Zukunft.«

»Und wer ist dieses Wunderkind?«

»Manuels Tochter.«

»Cristina.«

»Endlich höre ich dich einmal ihren Namen aussprechen.«

»Sie haben sich eine schlechte Woche ausgesucht, um sich über mich lustig zu machen, Don Pedro.«

»Schau mich nicht mit diesem Opferlammgesicht an. Glaubst du wirklich, Pedro Vidal würde tatenlos zusehen, wie dich diese geizigen und neidischen Durchschnittsmenschen vor die Tür setzen?«

»Ein Wort von Ihnen zum Chef hätte bestimmt alles geändert.«

»Ich weiß. Aus diesem Grund war ich es, der vorgeschlagen hat, dich zu entlassen.«

Ich fühlte mich, als hätte ich eine Ohrfeige bekommen.

»Vielen Dank.«

»Ich habe ihm gesagt, er soll dich entlassen, weil ich etwas viel Besseres für dich habe.«

»Betteln?«

»Kleingläubiger Mensch. Erst gestern habe ich mit zwei Partnern über dich gesprochen, die gerade einen neuen Verlag gegründet haben und frisches Blut zum Ausquetschen und Ausbeuten suchen.«

»Klingt wundervoll.«

»Sie kennen natürlich *Die Geheimnisse von Barcelona* und sind bereit, dir ein Angebot zu unterbreiten, das aus dir einen gestandenen Mann macht.«

»Meinen Sie das ernst?«

»Natürlich meine ich es ernst. Du sollst für sie einen

Fortsetzungsroman in dem barocksten, blutrünstigsten und berauschendsten Stil des Grand-Guignol schreiben, der *Die Geheimnisse von Barcelona* für immer verstummen lässt. Ich glaube, das ist die Chance, auf die du gewartet hast. Ich habe ihnen gesagt, du würdest sie aufsuchen und könntest mit der Arbeit sogleich anfangen.«

Ich seufzte tief. Vidal zwinkerte mir zu und umarmte mich.

7

So kam es, dass ich wenige Monate nach meinem zwanzigsten Geburtstag das Angebot bekam und annahm, unter dem Pseudonym Ignatius B. Samson Groschenromane zu verfassen. Laut Vertrag musste ich monatlich zweihundert Schreibmaschinenseiten abliefern. Sie sollten von Intrigen, Morden in der Hautevolee, Gräueltaten in der Unterwelt und verbotenen Liebschaften zwischen grausamen Gutsbesitzern mit kräftigem Kinn und zarten Damen mit unaussprechlichen Sehnsüchten strotzen, verworrene Familiensagas aller Art behandeln und sich vor einem Hintergrund abspielen, der schmutziger und trüber war als das Wasser im Hafen. Die Reihe, die ich *Die Stadt der Verdammten* zu taufen beschloss, würde monatlich in einem kartonierten Band mit bunt illustrierter Titelseite erscheinen. Dafür würde ich mehr Geld bekommen, als ich nach meiner Vorstellung für etwas verdienen konnte, was mir zu Selbstachtung verhalf und keiner weiteren Zensur unterworfen war als dem Interesse der Leser, die ich für mich gewinnen könnte. Die Vertragsbestimmungen verpflichteten mich, aus der Anonymität eines kauzigen Pseudonyms heraus zu schreiben, aber das fand ich in diesem Moment einen geringen Preis dafür, dass ich mein Brot mit meinem Traumberuf verdienen konnte. Ich würde das eitle Glück opfern müssen, meinen Namen auf meinem Werk gedruckt zu sehen, nicht aber mich selbst und das, was ich war.

Meine Verleger waren zwei pittoreske Bürger mit Namen Barrido und Escobillas. Barrido, klein, rundlich und mit aufgesetztem ölig-sibyllinischem Dauerlächeln, war das Hirn des ganzen Unternehmens. Er kam aus der Wurstindustrie, und obwohl er in seinem ganzen Leben nicht mehr als drei Bücher gelesen hatte, darunter den Katechismus und das Telefonbuch, fälschte er die Geschäftsbücher seiner Geldgeber mit einer Kühnheit und einem dichterischen Gehabe, das ihm die Autoren nur zu gern nachgemacht hätten, die vom Haus, genau wie Vidal vorhergesagt hatte, betrogen, ausgebeutet und schließlich auf die Straße gesetzt wurden, sobald ihr Stern zu sinken begann, was früher oder später immer der Fall war.

Escobillas spielte eine komplementäre Rolle. Großgewachsen, hager und von leicht bedrohlichem Aussehen, war er im Bestattungswesen ausgebildet worden, und durch den betäubenden Duft des Kölnischwassers, mit dem er seine Weichteile tränkte, schien immer ein vager Formalingeruch durchzudringen, der einem die Haare zu Berge stehen ließ. Seine Aufgabe war im Wesentlichen die des finsteren Aufpassers, der mit der Peitsche in der Hand die schmutzige Arbeit erledigte, für die Barrido mit seiner heitereren, nicht so athletischen Veranlagung weniger befähigt war. Die Ménage-à-trois wurde vervollständigt durch Herminia, ihre Direktionssekretärin, die ihnen wie ein treuer Hund überallhin folgte und von allen nur die Giftige genannt wurde, da ihr, obwohl sie wie eine tote Mücke aussah, so wenig zu trauen war wie einer paarungswütigen Klapperschlange.

Abgesehen von Höflichkeitsbesuchen versuchte ich die drei so wenig wie möglich zu sehen. Wir pflegten eine streng kaufmännische Beziehung, und keine der Parteien verspürte den dringenden Wunsch, das festgesetzte Protokoll zu verändern. Ich hatte mir vorgenommen, die Chance zu nutzen und hart zu arbeiten, um Vidal – und mir selbst – zu beweisen, dass ich seine Hilfe und sein Vertrauen verdiente. Sobald ich das erste Geld in der Hand hatte, beschloss ich, Doña Carmens Pension zu verlassen und nach komfortableren Umgebungen Ausschau zu halten. Schon seit langem hatte ich ein Auge auf einen wuchtig wirkenden Kasten, Nummer 30 in der Calle Flassaders, geworfen, einen Steinwurf vom Paseo del Born entfernt, an dem ich auf dem Weg zur Zeitung jahrelang täglich vorbeigekommen war. Das Haus, aus dessen mit Reliefs und Wasserspeiern geschmückter Fassade ein Turm wuchs, war seit Jahren verschlossen, die Tür strotzte vor Ketten und rostzerfressenen Vorhängeschlössern. Trotz seiner Größe und gruftartigen Anmutung, oder vielleicht gerade deswegen, weckte die Vorstellung, darin zu wohnen, in mir eine ähnliche Wollust wie verbotene Gedanken. Unter anderen Umständen hätte ich mich damit abgefunden, dass eine solche Behausung mein mageres Budget bei weitem überschritt, aber die langen Jahre der Verlassen- und Vergessenheit, zu denen sie verdammt schien, nährten in mir die Hoffnung, ihre Eigentümer würden mein Angebot, da niemand sonst Anspruch darauf erhob, annehmen.

Meine Umfrage im Viertel ergab, dass das Haus seit Jahren leer stand und sich in der Hand eines Immobilienverwalters namens Vicenç Clavé mit Büros in der Calle Comercio gegenüber dem Markt befand. Clavé war ein Kavalier alter Schule, der sich im Stil der Bürgermeisterstatuen und Vaterlandshelden, die man vor dem Ciudadela-Park traf, kleidete und sich, eh man sich's versah, in eine hochtrabende Rhetorik stürzte, die weder Gott noch die Welt verschonte.

»So, so, Schriftsteller sind Sie. Tja, ich könnte Ihnen viele Geschichten erzählen, die Stoff für interessante Bücher abgäben.«

»Das bezweifle ich nicht. Warum beginnen Sie nicht mit dem Haus Nummer 30 in der Calle Flassaders?«

Clavés Gesicht wurde zur griechischen Maske.

»Das Haus mit dem Turm?«

»Genau.«

»Glauben Sie mir, junger Mann, kommen Sie mir nicht auf die Idee, dort zu wohnen.«

»Warum denn nicht?«

Clavé senkte die Stimme, als befürchtete er, die Wände hätten Ohren, und murmelte in düsterem Ton: »Dieses Haus bringt Unglück. Ich habe es mir angesehen, als wir es mit dem Notar versiegelten, und ich kann Ihnen versichern, dagegen ist der alte Teil des Montjuïc-Friedhofs geradezu heiter. Seitdem steht es leer. Das Haus ist voll schlechter Erinnerungen. Niemand will es haben.«

»Seine Erinnerungen können nicht schlechter sein als meine, und sicher werden sie den Preis drücken, der dafür verlangt wird.«

»Manches hat einen Preis, der nicht mit Geld zu bezahlen ist.«

»Kann ich es besichtigen?«

Ich besuchte das Haus mit dem Turm zum ersten Mal an einem Märzvormittag in Gesellschaft des Verwalters, seines Sekretärs und eines Buchhalters der Bank, die das Eigentumsrecht innehatte. Anscheinend hatte es um die Liegenschaft jahrelang verwickelte, schmutzige Rechtsstreitigkeiten gegeben, bis sie schließlich an das Kreditunternehmen zurückfiel, das für ihren letzten Eigentümer die Bürgschaft übernommen hatte. Wenn Clavé die Wahrheit sagte, hatte das Haus mindestens zwanzig Jahre lang niemand mehr betreten.

8

Als ich Jahre später den Bericht einiger britischer Forscher las, die in der Dunkelheit eines tausendjährigen ägyptischen Grabes in ein Labyrinth von Verwünschungen eingedrungen waren, sollte ich mich an den ersten

Besuch im Haus mit dem Turm in der Calle Flassaders erinnern. Der Sekretär war mit einer Öllampe ausgerüstet – im Haus waren nie elektrische Leitungen gelegt worden. Der Buchhalter hatte einen Satz von fünfzehn Schlüsseln bei sich, um die Ketten von den unzähligen Vorhängeschlössern zu befreien. Als er die Haustür öffnete, strömte uns ein feuchtfauliger Grabesgeruch entgegen. Der Buchhalter bekam einen Hustenanfall, und der Verwalter, der mit skeptischem, kritischem Gesicht gekommen war, hielt sich ein Taschentuch vor den Mund.

»Sie zuerst«, lud er mich ein.

Die Eingangshalle war eine Art Innenhof nach Art der alten Paläste in diesem Viertel, mit großen Steinplatten und einer breiten, zum Haupteingang hinaufführenden Steintreppe. In der Höhe blinzelte ein vollständig von Tauben- und Möwenkot verkrustetes gläsernes Oberlicht.

»Jedenfalls gibt es hier keine Ratten«, verkündete ich beim Betreten des Hauses.

»Da muss jemand einen guten Geschmack und gesunden Menschenverstand gehabt haben«, sagte der Verwalter hinter mir.

Wir stiegen die Treppe hinauf bis zum Absatz vor der Wohnung im ersten Stock, wo der Buchhalter zehn Minuten benötigte, um den passenden Schlüssel zu finden. Der Mechanismus gab mit einem Ächzen nach, das nicht unbedingt wie ein Willkommensgruß klang. Die Tür ging auf und gab die Sicht auf einen endlosen Korridor voller Spinnweben frei, die im Dunkeln zitterten.

»Heilige Muttergottes«, murmelte der Verwalter.

Niemand wagte den ersten Schritt, sodass ich auch diesmal die Expedition anführen musste. Der Sekretär hielt die Lampe in die Höhe und betrachtete alles mit gequälter Miene.

Verwalter und Buchhalter schauten sich geheimnisvoll an. Als er sah, dass ich sie beobachtete, lächelte der Mann von der Bank sanft.

»Ein bisschen Staubwischen und ein paar Reparaturen, und Sie haben einen Palast«, sagte er.

»Blaubarts Palast«, ergänzte der Verwalter.

»Sehen wir es doch positiv«, wiegelte der Buchhalter ab. »Das Haus ist seit einiger Zeit unbewohnt, und so was hat immer einige Schäden zur Folge.«

Ich achtete kaum auf sie. Ich hatte so oft von diesem Haus geträumt, wenn ich daran vorbeigegangen war, dass ich seine Gruftatmosphäre kaum wahrnahm. Durch den Hauptkorridor weiter gehend, erforschte ich die Zimmer und Kammern mit ihren alten Möbeln, auf denen eine dicke Staubschicht lag. Auf dem fadenscheinigen Tuch eines Tisches standen Tafelgeschirr und ein Tablett mit versteinerten Früchten und Blumen. Gläser und Besteck erweckten den Eindruck, die Hausbewohner wären mitten im Abendessen aufgebrochen.

Die Schränke waren vollgestopft mit abgetragener Wäsche, verschossenen Kleidungsstücken und Schuhen. Es gab schubladenweise Fotografien, Augengläser, Federn und Uhren. Von den Kommoden her betrachteten uns staubverhüllte Bilder. Die Betten waren ordentlich gemacht und lagen unter einem weißen, im Dämmerlicht glänzenden Schleier. Auf einem Mahagonitisch ruhte ein riesiges Grammophon. Die Nadel war auf der Schallplatte bis zur Mitte geglitten. Ich blies den Staub weg, um das Etikett zu lesen: das *Lacrimosa* von Mozart.

»Ein Sinfonieorchester im Haus«, sagte der Buchhalter. »Herz, was begehrst du mehr? Sie werden hier wie ein Pascha leben.«

Der Verwalter warf ihm einen mordlustigen Blick zu und schüttelte den Kopf. Wir untersuchten die ganze Wohnung bis zur nach hinten hinausgehenden Veranda, wo auf einem Tisch ein Kaffeeservice stand und in einem Sessel ein aufgeschlagenes Buch darauf wartete, umgeblättert zu werden.

»Sieht aus, als wären sie urplötzlich auf und davon, ohne noch etwas mitnehmen zu können«, sagte ich.

Der Buchhalter räusperte sich.

»Möchte der Herr vielleicht das Arbeitszimmer sehen?«

Das Arbeitszimmer befand sich in einem spitzen Turm, einer eigentümlichen Konstruktion, deren Kern eine vom Hauptkorridor ausgehende Wendeltreppe war und auf deren Wänden die Spuren so vieler Generationen zu lesen waren wie in der Erinnerung der Stadt festgeschrieben. Er thronte wie ein Aussichtsturm über den Dächern des Ribera-Viertels und mündete in eine kleine Laterne aus Buntmetall und -glas, die von einer Wetterfahne in Gestalt eines Drachens gekrönt war.

Über die Treppe gelangten wir zum Wohnzimmer, wo der Buchhalter die großen Fenster aufriss, um Luft und Licht hereinzulassen. Es war ein rechteckiger Raum mit hoher Decke und dunklem Holzboden. Von den vier Fenstern aus sah man auf die Kathedrale Santa María del Mar im Süden, den großen Born-Markt im Norden, den alten Francia-Bahnhof im Osten und im Westen auf das unendliche Gewirr von Straßen und Alleen, die sich zum Tibidabo-Hügel hin drängten.

»Na, was sagen Sie? Ein Wunder«, rief der Mann von der Bank begeistert.

Der Verwalter sah sich zurückhaltend und verdrießlich um. Sein Sekretär hielt die Lampe immer noch hoch, obwohl sie gar nicht mehr nötig war. Ich trat an eines der Fenster und schaute verzaubert zum Himmel hinauf.

Zu meinen Füßen erstreckte sich ganz Barcelona, und ich stellte mir vor, wenn ich diese meine neuen Fenster öffnete, würden mir die Straßen in der Abenddämmerung Geschichten und Geheimnisse ins Ohr raunen, damit ich sie auf Papier bannte und allen erzählte, die sie hören wollten. Vidal hatte in den elegantesten Gefilden von Pedralbes inmitten von Hügeln, Bäumen und Wolken seinen herrschaftlichen Elfenbeinturm. Ich würde einen unheimlichen Festungsturm haben, der sich über die ältesten Straßen der Stadt erhob und von dem Pesthauch und der Finsternis eines Gräberfeldes umgeben war, das Dichter wie Mörder die »Feuerrose« genannt hatten.

Was am Schluss den Ausschlag gab, war der Schreibtisch in der Mitte des Arbeitszimmers. Darauf stand wie eine große Metall- und Lichtskulptur eine Underwood-Schreibmaschine, für die allein ich schon die Miete bezahlt hätte. Ich setzte mich in den majestätischen Sessel vor dem Tisch und strich lächelnd über die Tasten.

»Ich nehme es.«

Der Buchhalter seufzte erleichtert, der Verwalter verdrehte die Augen und bekreuzigte sich. Noch am selben Nachmittag unterschrieb ich einen Mietvertrag für zehn Jahre. Während die Arbeiter der Elektrizitätsgesellschaft überall Stromleitungen verlegten, begann ich mithilfe eines Trupps aus drei Dienern, die mir Vidal ungefragt geschickt hatte, die Wohnung zu putzen, aufzuräumen und herzurichten. Bald stellte ich fest, dass der Modus Operandi der Elektriker darin bestand, aufs Geratewohl Löcher zu bohren und dann zu fragen. Drei Tage nach ihrem Eintreffen brannte in der Wohnung noch keine einzige Glühbirne, aber dafür sah sie aus, als wäre sie von Gips und Mineralien fressendem Gewürm befallen.

»Gibt es keine andere Art, das zu lösen?«, fragte ich den Bataillonschef, der alles mit dem Hammer regelte.

Otilio, wie diese Naturbegabung hieß, zeigte mir Pläne des Hauses, die mir der Verwalter zusammen mit den Schlüsseln ausgehändigt hatte, und argumentierte, schuld sei das Haus, es sei schlecht gebaut.

»Schauen Sie da«, sagte er. »Wenn was verpfuscht ist, dann ist es eben verpfuscht. Gleich hier. Hier steht, Sie hätten eine Zisterne auf der Dachterrasse. Nee. Die haben Sie im Hinterhof.«

»Na und? Für die Zisterne sind nicht Sie zuständig, Otilio. Konzentrieren Sie sich auf das Elektrische. Strom. Keine Hähne und Rohrleitungen. Strom. Ich brauche Licht.«

»Das hängt eben alles zusammen. Was sagen Sie zur Veranda?«

»Sie hat keinen Strom.«

»Laut den Plänen sollte das eine tragende Wand sein. Aber der Kollege Remigio da hat sie nur leicht getätschelt, und die halbe Mauer ist zusammengekracht. Und von den Zimmern ganz zu schweigen. Laut dem Plan da hat das Zimmer am Ende des Gangs fast vierzig Quadratmeter. Nicht im Traum. Wenn es auf zwanzig kommt, können wir von Glück sagen. Da gibt es eine Wand, wo es gar keine geben dürfte. Und von den Abflüssen, na ja, da fangen wir besser gar nicht erst an. Kein einziger ist da, wo er angeblich sein soll.«

»Sind Sie sicher, dass Sie die Pläne richtig interpretieren?«

»Na hören Sie mal, ich bin vom Fach. Glauben Sie mir, dieses Haus ist eine harte Nuss. Da hat Hinz und Kunz dran rumgefummelt.«

»Tja, Sie werden mit den Dingen zurechtkommen müssen, wie sie sind. Wirken Sie ein Wunder oder was auch immer, aber am Freitag will ich die Wände vergipst und gestrichen und Strom haben.«

»Machen Sie keinen Druck, das ist Präzisionsarbeit. Da muss man strategisch vorgehen.«

»Und was haben Sie vor?«

»Zunächst mal frühstücken gehen.«

»Aber Sie sind doch erst vor einer halben Stunde gekommen.«

»Señor Martín, mit dieser Einstellung kommen wir nicht weiter.«

Das Trauerspiel von Bauarbeiten und Pfuschereien dauerte eine Woche länger als vorgesehen, aber selbst mit Otilio und seinen Wunderknaben, die an Unorten Löcher bohrten und zweieinhalbstündige Frühstückspausen einlegten, hätte ich vor lauter Vorfreude, endlich in diesem Traumhaus zu wohnen, notfalls Jahre bei Kerzen- und Öllicht verbracht. Zu meinem Glück war das Ribera-Viertel nicht nur ein geistiges Reservoir, sondern verfügte auch über Handwerker aller Art. Einen Katzensprung von meinem neuen Domizil entfernt fand ich einen, der mir neue Schlösser installierte, die nicht aussahen wie von der Bastille abgeschraubt, sowie Wandleuchten und Armaturen. Die Vorstellung, Telefon zu haben, überzeugte mich nicht, und nach dem, was ich aus Vidals Rundfunkempfänger gehört hatte, zählte ich nicht zum anvisierten Publikum der von der Presse so apostrophierten »Wellenübertragungsmaschinen«. Ich beschloss, mich mit Büchern und Stille zu umgeben. Aus der Pension nahm ich nichts weiter mit als etwas frische Wäsche und das Kästchen mit der Pistole meines Vaters, das einzige Andenken an ihn. Meine restlichen Kleider und persönlichen Gebrauchsgegenstände verteilte ich an die anderen Pensionsgäste. Hätte ich auch Haut und Erinnerung zurücklassen können, ich hätte es getan.

An dem Tag, als der erste Band der *Stadt der Verdammten* erschien, verbrachte ich meine erste Nacht in dem elektrifizierten Haus mit Turm. Der Roman war eine frei erfundene, verwickelte Geschichte rund um den

›Träumerei‹-Brand von 1903 und ein geisterhaftes Geschöpf, das seither durch die Straßen des Raval spukte.
Noch bevor die Druckerschwärze der Erstausgabe trocken war, begann ich schon die Arbeit am zweiten Roman der Reihe. Nach meinen Berechnungen musste
Ignatius B. Samson bei monatlich dreißig Tagen ununter-
terbrochener Arbeit im Durchschnitt täglich 6,66 taug-
liche Manuskriptseiten produzieren, um den Vertrag zu
erfüllen, was ein Wahnsinn war, aber den Vorteil hatte,
dass mir nicht viel Freizeit blieb, um mir dessen bewusst zu sein.

Ich merkte kaum, dass ich, während die Tage dahin-
gingen, allmählich mehr Kaffee und Zigaretten konsu-
mierte als Sauerstoff. Je mehr ich mein Hirn vergiftete,
desto mehr hatte ich den Eindruck, es werde zu einer
Dampfmaschine, die gar nicht mehr abkühlte. Ignatius
B. Samson war jung und zäh. Ich arbeitete die ganze
Nacht und sank in der Morgendämmerung wie gerädert
in seltsame Träume, in denen sich die Buchstaben auf
dem Blatt in der Schreibmaschine vom Papier lösten und
wie Spinnen über meine Hände und mein Gesicht liefen,
durch die Haut drangen und sich in meinen Adern ein-
nisteten, bis mein Herz schwarz überzogen war und
mein Blick mit dunklen Tintenpfützen umwölkt. Wo-
chenlang verließ ich das alte Haus kaum und vergaß,
welcher Tag und welcher Monat es war. Ich schenkte den
Kopfschmerzen keine Beachtung, die mich immer wieder schlagartig befielen, als bohrte sich mir ein Metallsti-
chel in den Schädel, und mir mit einem weißen Blitz die
Sicht versengten. Ich hatte mich daran gewöhnt, mit

einem dauernden Pfeifen in den Ohren zu leben, das nur das Raunen des Windes oder der Regen übertönen konnte. Wenn kalter Schweiß mein Gesicht bedeckte und meine Hände auf der Tastatur der Underwood zitterten, nahm ich mir manchmal vor, am nächsten Tag den Arzt aufzusuchen. Doch dann galt es, an diesem Tag wieder eine weitere Szene und eine weitere Geschichte zu erzählen.

Als Ignatius B. Samson ein Jahr alt wurde, beschloss ich, mir zu seinem Geburtstag einen freien Tag zu schenken und mich wieder mit der Sonne, dem Wind und den Straßen der Stadt auszusöhnen, die ich nicht mehr betreten hatte, um sie mir nur noch in der Phantasie vorzustellen. Ich rasierte mich, machte mich zurecht und schlüpfte in meinen besten Anzug. Ich öffnete die Fenster des Arbeitszimmers und der Veranda, um die Wohnung durchzulüften und den dichten Dunst, der zu ihrem ureigenen Geruch geworden war, in alle Winde zu zerstreuen. Als ich auf die Straße hinunterging, steckte in der Spalte unter dem Briefkasten ein großer Umschlag. Darin fand ich ein Blatt Pergament mit dem Engelssiegel und folgenden Worten in der bekannten erlesenen Handschrift:

Lieber David,
ich wollte der Erste sein, der Sie in diesem neuen Abschnitt Ihrer Karriere beglückwünscht. Ich habe die Lektüre der ersten Folgen von Die Stadt der Verdamm-

ten *außerordentlich genossen. Ich baue darauf, dass Ihnen dieses kleine Geschenk zusagt.*

Noch einmal drücke ich Ihnen hiermit meine Bewunderung aus und den Wunsch, dass sich eines Tages unsere Wege kreuzen. In der Gewissheit, dass dem so sein wird, grüßt Sie herzlich Ihr Freund und Leser

Andreas Corelli

Das Geschenk bestand in dem Exemplar der *Großen Erwartungen*, das mir Señor Sempere in meiner Kindheit erst geschenkt und das ich ihm dann zurückgegeben hatte, bevor mein Vater es finden konnte, demselben, das an dem Tag, da ich es nach Jahren zu jedem Preis zurückkaufen wollte, in den Händen eines Fremden verschwunden war. Ich betrachtete den Block Papier, der für mich vor nicht allzu langer Zeit die ganze Magie und alles Licht der Welt enthalten hatte. Auf dem Deckel waren noch die Flecken von meinem Blut zu sehen.

»Danke«, murmelte ich.

9

Señor Sempere setzte seine Präzisionsbrille auf, um das Buch zu untersuchen. Auf seinem Schreibtisch im Hinterzimmer bettete er es auf ein Tuch und richtete das Licht der Bogenlampe darauf. Seine fachkundige Analyse dauerte mehrere Minuten. Andächtig schweigend, schaute ich zu, wie er die Seiten wendete und beschnupperte, mit den Fingern über das Papier und den Rücken strich, das Buch in der einen und dann in der anderen Hand abwog, schließlich den Deckel zuklappte und mit einer Lupe die Blutflecken untersuchte, die meine Finger zwölf oder dreizehn Jahre zuvor hinterlassen hatten.

»Unglaublich«, flüsterte er und nahm die Brille ab. »Es ist dasselbe Buch. Was haben Sie gesagt, wie Sie es zurückbekommen haben?«

»Ich weiß es selber nicht. Señor Sempere, was wissen Sie von einem französischen Verleger namens Andreas Corelli?«

»Zunächst einmal klingt das eher italienisch als französisch, Andreas freilich scheint griechisch zu sein …«

»Der Verlag sitzt in Paris. Éditions de la Lumière.«

Sempere dachte einige Augenblicke nach und zögerte.

»Ich fürchte, das sagt mir nichts. Ich werde Barceló fragen, der weiß alles. Vielleicht kann er weiterhelfen.«

Gustavo Barceló war einer der Doyens der Barceloneser Antiquarenzunft, und sein enzyklopädisches Wissen war ebenso legendär wie sein etwas grantiger, pedantischer Charakter. Unter Fachleuten konsultierte man im Zweifelsfall Barceló. In diesem Augenblick steckte Semperes Sohn, der zwar zwei oder drei Jahre älter war als ich, aber nach wie vor so schüchtern, dass er sich manchmal regelrecht unsichtbar machte, den Kopf herein und gab seinem Vater ein Zeichen.

»Vater, da holt jemand eine Bestellung ab, die, glaube ich, Sie aufgenommen haben.«

Der Buchhändler nickte und reichte mir einen dicken, rundum abgegriffenen Band.

»Das ist das jüngste Gesamtverzeichnis der europäischen Verleger. Schauen Sie doch inzwischen schon mal, ob Sie was finden.«

Ich blieb im Hinterzimmer allein und suchte vergeblich die Éditions de la Lumière, während Sempere vorn bediente. Beim Durchblättern des Kataloges hörte ich eine Frauenstimme mit ihm sprechen, die mir vertraut vorkam. Als der Name Pedro Vidal fiel, schaute ich neugierig hinüber.

Cristina Sagnier, Tochter des Fahrers und Sekretärin meines Mentors, ging einen Stapel Bücher durch, die Sempere ins Verkaufsregister eintrug. Als sie mich erblickte, lächelte sie höflich, aber ganz offensichtlich erkannte sie mich auch diesmal nicht. Sempere schaute auf, und als er meinen dümmlichen Blick auffing, erstellte er rasch ein Röntgenbild der Situation.

»Sie kennen sich schon, nicht wahr?«, fragte er.

Cristina zog überrascht die Brauen hoch und schaute mich erneut an, konnte mich aber nicht einordnen.

»David Martín. Ein Freund von Don Pedro«, sagte ich.

»Ach ja, natürlich. Guten Tag.«

»Wie geht es Ihrem Vater?«, fragte ich.

»Gut, gut. Er wartet an der Ecke im Wagen auf mich.«

Sempere, der jede Gelegenheit beim Schopf packte, mischte sich ein.

»Señorita Sagnier ist hier, um einige Bücher abzuholen, die Vidal bestellt hat. Sie sind ziemlich schwer, vielleicht könnten Sie so freundlich sein und sie ihr zum Auto tragen.«

»Bemühen Sie sich nicht ...«, protestierte Cristina.

»Aber selbstverständlich«, platzte ich heraus und wollte den Stapel hochheben, der etwa so viel wog wie die Luxusausgabe der *Encyclopædia Britannica* mitsamt Ergänzungsbänden.

Ich spürte, wie in meinem Rücken etwas knackte, und Cristina schaute mich erschrocken an.

»Geht es Ihnen gut?«

»Haben Sie keine Angst, Señorita. Der liebe Martín ist bärenstark, obwohl er ein Literat ist«, sagte Sempere. »Stimmt doch, oder, Martín?«

Cristina schaute mich wenig überzeugt an. Ich setzte das Lächeln des unbesiegbaren Machos auf.

»Nichts als Muskeln. So etwas mach ich zum Aufwärmen.«

Sempere junior erbot sich, die Hälfte der Bücher zu tragen, aber in einer diplomatischen Anwandlung fasste ihn sein Vater am Arm. Cristina hielt mir die Tür auf, und ich nahm die fünfzehn oder zwanzig Meter zu dem an der Ecke des Portal del Ángel geparkten Hispano-Suiza in Angriff. Mit größter Mühe schaffte ich die Strecke, kurz bevor meine Arme in Flammen aufgingen. Manuel, der Fahrer, half mir beim Einladen und grüßte mich herzlich.

»Was für ein Zufall, Sie hier zu sehen, Señor Martín.«

»Die Welt ist klein.«

Cristina schenkte mir ein leichtes Lächeln als Dankeschön und stieg ein.

»Tut mir leid, das mit den Büchern.«

»Nicht der Rede wert. Ein wenig Training hebt die Moral.« Ich nahm die Verspannungen und Verknotungen, die sich in meinem Rücken gebildet hatten, nicht zur Kenntnis. »Grüßen Sie mir Don Pedro.«

Ich schaute zu, wie sie in Richtung Plaza Catalunya davonfuhren, und als ich mich umwandte, erblickte ich Sempere in der Tür der Buchhandlung. Er sah mit katzenhaftem Grinsen zu mir her und bedeutete mir, den Speichel abzuwischen. Ich ging zu ihm und musste selbst über mich lachen.

»Jetzt kenne ich Ihr Geheimnis, Martín. Ich hätte Sie in solchen Gefechten für beherrschter gehalten.«

»Ich bin etwas aus der Übung.«

»Wem erzählen Sie das. Kann ich das Buch ein paar Tage behalten?«

Ich nickte.

»Passen Sie gut darauf auf.«

10

Monate später sah ich sie in Gesellschaft von Pedro Vidal an dem Tisch wieder, der in der Maison Dorée immer für ihn reserviert war. Er lud mich ein, mich dazuzusetzen, aber ich brauchte nur einen Blick mit ihr zu wechseln, um zu wissen, dass ich das Angebot ausschlagen musste.

»Was macht der Roman, Don Pedro?«

»Große Fortschritte.«

»Freut mich. Ich wünsche Ihnen einen guten Appetit.«

Unsere Begegnungen waren zufällig. Manchmal traf ich sie in der Buchhandlung Sempere und Söhne, wo sie oft für Don Pedro Bücher abholte. Wenn es sich ergab, ließ mich Sempere mit ihr allein, aber bald roch Cristina den Braten und schickte einen der Diener aus der Villa Helius, um die Bestellungen abzuholen.

»Ich weiß, es geht mich nichts an«, sagte Sempere, »aber vielleicht sollten Sie sie sich aus dem Kopf schlagen.«

»Ich weiß nicht, was Sie meinen, Señor Sempere.«

»Martín, wir kennen uns schon ziemlich lange ...«

Die Monate vergingen wie im Nebel, ohne dass ich es richtig merkte. Ich lebte des Nachts, schrieb von der Abend- bis zur Morgendämmerung und schlief tagsüber. Barrido und Escobillas konnten sich gar nicht genug zum Erfolg der *Stadt der Verdammten* beglückwünschen, und wenn sie mich am Rand des Zusammenbruchs sahen, versicherten sie, nach den nächsten beiden Romanen würden sie mir ein Sabbatjahr gewähren, damit ich ausruhen oder einen eigenen Roman schreiben könnte, für den sie gewaltig die Werbetrommel rühren würden, und zwar mit meinem richtigen Namen in Großbuchstaben auf dem Umschlag. Immer nach den nächsten beiden Romanen. Die Stiche, Kopfschmerzen und Schwindelanfälle wurden häufiger und intensiver, aber ich schrieb sie der Müdigkeit zu und erstickte sie mit noch mehr Koffein-, Zigaretten- und Kodeininjektionen und was mir ein Apotheker in der Calle Argenteria sonst noch unterm Ladentisch zusteckte und was in meinen Adern explodierte. Don Basilio, mit dem ich jeden zweiten Donnerstag auf einer Restaurantterrasse in der Barceloneta zu Mittag aß, drängte mich zu einem

Arztbesuch. Ich sagte ihm jedes Mal, ich hätte noch in dieser Woche einen Termin.

Abgesehen von meinem ehemaligen Chef und den Semperes traf ich mich aus Zeitgründen höchstens noch mit Vidal, und wenn das geschah, dann eher weil er mich aufsuchte als aus eigenem Antrieb. Er mochte das Haus mit dem Turm nicht und wollte immer hinaus und einen Spaziergang machen, bis wir gewöhnlich im Almirall in der Calle Joaquín Costa landeten, wo er ein Konto hatte und freitagabends einen literarischen Stammtisch pflegte. Zu dem lud er mich allerdings nicht ein, denn die Teilnehmer, allesamt frustrierte Dichterlinge und Arschkriecher, die in Erwartung eines Almosens, einer Empfehlung an einen Verleger oder eines lobenden Wortes zur Übertünchung verletzter Eitelkeiten alle seine Einfälle beklatschten, hassten mich bekanntermaßen mit einer Energie und Ausdauer, die ihren künstlerischen Unterfangen fehlte, welche ein ignorantes, hinterhältiges Publikum einfach nicht zur Kenntnis nehmen wollte. Dort erzählte er mir im Absinth- und Havannadunst von seinem Roman, der nie fertig wurde, von seinen Plänen, sich vom Nichtstun pensionieren zu lassen, und seinen Liebschaften und Eroberungen, die desto jünger und heiratsfähiger waren, je älter er wurde.

»Du fragst mich gar nicht nach Cristina«, sagte er manchmal boshaft.

»Was soll ich denn fragen?«

»Ob sie mich nach dir fragt.«

»Fragt sie Sie denn nach mir, Don Pedro?«

»Nein.«

»Eben.«

»Tatsächlich hat sie dich neulich erwähnt.«

Ich schaute ihn an, um zu sehen, ob er mich auf den Arm nahm.

»Und was hat sie gesagt?«

»Das wirst du nicht gern hören.«

»Schießen Sie schon los.«

»Sie hat es nicht mit diesem Wort gesagt, aber ich glaubte zu verstehen, dass sie nicht begreift, warum du dich mit Schundromanen für diese zwei Gauner prostituierst und dein Talent und deine Jugend zum Fenster hinauswirfst.«

Es fühlte sich an, als hätte Vidal mir einen Dolch aus Eis in den Magen gestoßen.

»Das denkt sie also?«

Er zuckte die Schultern.

»Von mir aus kann sie sich zum Teufel scheren.«

Ich arbeitete jeden Tag außer sonntags. Da schlenderte ich dann durch die Straßen und endete fast immer in einem Weinkeller in der Avenida del Paralelo, wo man leicht in den Armen einer anderen einsamen, erwartungsvollen Seele flüchtige Gesellschaft und Zuneigung fand. Bis zum Morgen danach, wenn ich neben einer von ihnen erwachte und in ihr eine Fremde entdeckte, wollte ich nie wahrhaben, dass sie sich alle glichen, in der Hautfarbe, dem Gang, einer Geste oder einem Blick. Um das schneidende Schweigen des Abschieds zu ersticken, fragten mich diese Damen für eine Nacht über kurz oder lang immer, womit ich mein Brot verdiene, und wenn mich die Eitelkeit trieb und ich mich als Schriftsteller zu erkennen gab, nannten sie mich einen Lügner – niemand hatte je von einem David Martín gehört, wohingegen einige wussten, wer Ignatius B. Samson war, und *Die Stadt der Verdammten* vom Hörensagen kannten. Mit der Zeit gab ich vor, im Hafenzollhaus der Atarazanas oder als Gehilfe in der Anwaltskanzlei Sayrach, Muntaner y Cruells zu arbeiten.

Ich erinnere mich an einen Abend im Café de la Ópera in Gesellschaft einer Musiklehrerin namens Alicia, welcher ich vermutlich dabei half, jemanden zu vergessen, der sich nicht vergessen ließ. Ich wollte sie gerade küssen, als ich durch die Fensterscheibe Cristinas Gesicht erblickte. Bis ich auf der Straße war, hatte sie sich schon im Gedränge der Ramblas verloren. Zwei Wochen danach wollte mich Vidal unbedingt zur Premiere von *Madame Butterfly* ins Liceo einladen. Die Familie Vidal besaß eine Loge im ersten Rang, und Vidal ging die ganze Spielzeit über einmal pro Woche hin. Als ich mich im Foyer mit ihm traf, sah ich, dass er Cristina mitgenommen hatte. Sie grüßte mich mit einem eiskalten Lächeln und würdigte mich keines Wortes und keines Blicks mehr, bis Vidal mitten im zweiten Akt zum Club Liceo hinunterging, um einen Vetter zu begrüßen, und uns in der Loge allein ließ, nur wir zwei ohne ein weiteres Schutzschild als Puccini und die Hunderte ins Halbdunkel des Theaters getauchten Gesichter. Zehn Minuten hielt ich es aus, ehe ich mich ihr zuwandte und ihr in die Augen schaute.

»Habe ich etwas getan, was Sie gekränkt hat?«

»Nein.«

»Können wir also versuchen, so zu tun, als ob wir Freunde wären, wenigstens bei einer solchen Gelegenheit?«

»Ich will nicht Ihre Freundin sein, David.«

»Warum nicht?«

»Weil auch Sie nicht mein Freund sein wollen.«

Sie hatte recht, ihr Freund wollte ich nicht sein.

»Stimmt es, dass Sie denken, ich verkaufe mich selbst?«

»Was ich denke, tut nichts zur Sache. Was zählt, ist, was Sie denken.«

Ich blieb noch fünf Minuten sitzen, dann stand ich auf und ging ohne ein weiteres Wort. Als ich bei den breiten Stufen zum Foyer angelangte, hatte ich mir bereits vorgenommen, ihr nie wieder einen Gedanken, einen Blick oder ein freundliches Wort zu widmen.

Am nächsten Tag traf ich sie vor der Kathedrale, und als ich ihr ausweichen wollte, winkte sie mir lächelnd zu. Ich blieb wie angewurzelt stehen und sah sie auf mich zukommen.

»Wollen Sie mich nicht zu einem Nachmittagsimbiss einladen?«

»Ich muss anschaffen und habe erst in zwei Stunden Feierabend.«

»Dann gestatten Sie, dass *ich* Sie einlade. Welches ist Ihr Tarif, um einer Dame eine Stunde Gesellschaft zu leisten?«

Murrend folgte ich ihr in ein Café in der Calle Petritxol. Wir bestellten zwei Tassen heißen Kakao, setzten uns einander gegenüber und warteten ab, wer zuerst schwach werden und den Mund öffnen würde. Ausnahmsweise gewann ich.

»Ich wollte Sie gestern nicht beleidigen, David. Ich weiß nicht, was Ihnen Don Pedro erzählt haben mag, aber das habe ich nie gesagt.«

»Vielleicht denken Sie es bloß – deshalb hat es mir Don Pedro wohl gesagt.«

»Sie haben keine Ahnung, was ich denke«, antwortete sie hart. »Und Don Pedro auch nicht.«

Ich zuckte die Achseln.

»Schon gut.«

»Was ich gesagt habe, war etwas ganz anderes. Ich sagte, Sie würden nicht das tun, was Sie empfinden.«

Ich nickte lächelnd. Das Einzige, was ich in diesem Moment empfand, war das Verlangen, sie zu küssen. Herausfordernd hielt Cristina meinem Blick stand. Sie drehte das Gesicht auch nicht weg, als ich die Hand ausstreckte, ihr die Lippen streichelte und über Kinn und Hals fuhr.

»So nicht«, sagte sie schließlich.

Als der Kellner unsere dampfenden Tassen brachte, war sie bereits weg. Es vergingen Monate, ohne dass ich auch nur ihren Namen hörte.

Eines Tages Ende September, ich hatte eben eine neue Folge der *Stadt der Verdammten* zu Ende geschrieben, beschloss ich, mir die Nacht freizugeben. Ich spürte, wie einer jener Stürme heraufzog, in denen mich Übelkeit befiel und feurige Dolchstöße mir das Hirn durchbohrten. Ich schluckte eine Handvoll Kodeinpillen und legte mich im Dunkeln aufs Bett, um den kalten Schweiß und das Zittern der Hände versiegen zu lassen. Als ich gerade in den Schlaf sank, hörte ich es an der Tür klingeln. Ich schleppte mich in den Vorraum und öffnete. Vidal, in einem seiner tadellosen italienischen Seidenanzüge, zündete sich eine Zigarette an – in einem Lichtkegel, den Vermeer persönlich für ihn gemalt zu haben schien.

»Lebst du, oder spreche ich mit einem Gespenst?«, fragte er.

»Sagen Sie nicht, Sie seien den ganzen Weg von der Villa Helius heruntergekommen, um mir eine Standpauke zu halten.«

»Nein. Ich bin gekommen, weil ich seit Monaten nichts von dir höre und mir Sorgen mache. Warum lässt du dir nicht eine Telefonleitung in dieses Mausoleum legen, so wie andere Menschen auch?«

»Ich mag kein Telefon. Ich schaue den Leuten gern ins Gesicht, wenn sie mit mir reden, und ich mag es, wenn auch sie mich ansehen.«

»Ich weiß nicht, ob das in deinem Fall eine gute Idee ist. Hast du in letzter Zeit mal in den Spiegel geschaut?«

»Das ist *Ihre* Spezialität, Don Pedro.«

»In der Leichenhalle des Klinikums gibt es Leute mit einer gesünderen Hautfarbe als du. Los, zieh dich an.«

»Warum?«

»Weil ich es sage. Wir fahren spazieren.«

Vidal ließ keinen Protest gelten. Er zog mich zum Auto mit, das auf dem Paseo del Born wartete, und hieß Manuel losfahren.

»Wohin geht's denn?«

»Überraschung.«

Wir durchquerten Barcelona bis zur Avenida Pedralbes und begannen den Hügel hinaufzufahren. Ein paar Minuten später erschien die Villa Helius, deren sämtliche Fenster hell erleuchtet waren und das Haus in der Dämmerung in glühendes Gold hüllten. In der Villa führte er mich zum großen Salon. Dort wartete eine Schar von Leuten, die bei meinem Anblick in Applaus ausbrachen. Ich erkannte Don Basilio, Cristina, Sempere und Sohn, meine ehemalige Lehrerin Doña Mariana, einige Autoren, die mit mir bei Barrido und Escobillas publizierten und mit denen ich Freundschaft geschlossen hatte, Manuel, der sich zu der Gruppe gesellt hatte, sowie einige von Vidals Eroberungen. Lächelnd reichte mir Don Pedro ein Glas Champagner.

»Alles Gute zum achtundzwanzigsten Geburtstag, David.«

Ich hatte ihn völlig vergessen.

Nach dem Abendessen entschuldigte ich mich einen Augenblick und ging in den Garten hinaus, um frische Luft zu schnappen. Der Sternenhimmel spannte einen silbernen Schleier über die Bäume. Es war kaum eine Minute verstrichen, da hörte ich Schritte näher kommen. Als ich mich umwandte, sah ich mich Cristina Sagnier gegenüber, dem letzten Menschen, den ich in diesem Moment erwartete. Sie lächelte mir zu, beinahe als wollte sie sich für die Störung entschuldigen.

»Pedro weiß nicht, dass ich herausgekommen bin, um mit Ihnen zu sprechen«, sagte sie.

Es entging mir nicht, das sie ihn nicht mehr »Don« Pedro nannte, aber ich gab vor, es nicht zu merken.

»Ich möchte mit Ihnen sprechen, David. Aber nicht hier und nicht jetzt.«

Ich war verwirrt.

»Können wir uns morgen irgendwo treffen?«, fragte sie. »Ich verspreche Ihnen, dass ich Ihnen nicht viel Zeit stehlen werde.«

»Unter einer Bedingung«, antwortete ich, »dass Sie mich nicht mehr siezen. Die Geburtstage machen einen schon alt genug.«

Sie lächelte.

»Einverstanden. Ich duze Sie, wenn auch Sie mich duzen.«

»Duzen ist eine meiner Spezialitäten. Wo sollen wir uns treffen?«

»Könnte es bei dir sein? Ich möchte nicht, dass uns jemand sieht oder dass Pedro weiß, dass ich mit dir gesprochen habe.«

»Wie du willst …«

Cristina lächelte erleichtert.

»Danke. Morgen also? Am Nachmittag?«

»Wann du willst. Weißt du, wo ich wohne?«

»Mein Vater weiß es.«

Sie beugte sich ein wenig vor und küsste mich auf die Wange.

»Alles Gute zum Geburtstag, David.«

Bevor ich etwas sagen konnte, war sie im Garten verschwunden. Als ich ins Haus zurückkam, war sie schon fort. Vidal betrachtete mich vom anderen Ende des Salons mit einem frostigen Blick, der erst zu einem Lächeln wurde, als ihm aufging, dass ich seine Person bemerkt hatte.

Eine Stunde später bestand Manuel mit Vidals Einwilligung darauf, mich im Hispano-Suiza nach Hause zu bringen. Ich setzte mich neben ihn, wie ich es immer tat, wenn ich allein mit ihm fuhr, was er jeweils nutzte, um mir seine Fahrkünste zu erläutern und mich sogar eine Weile ans Steuer zu lassen, was Vidal natürlich nicht wusste. An diesem Abend war er aber schweigsamer als sonst und gab bis zum Stadtzentrum keinen Ton von sich. Er war dünner als bei unserer letzten Begegnung, und ich hatte den Eindruck, das Alter beginne ihm die Rechnung zu präsentieren.

»Ist etwas, Manuel?«, fragte ich.

Er zuckte die Schultern.

»Nichts Besonderes, Señor Martín.«

»Wenn Sie etwas bedrückt …«

»Lappalien, die Gesundheit. In meinem Alter hat man viele kleine Sorgen, Sie wissen ja. Aber ich bin nicht mehr wichtig. Wichtig ist meine Tochter.«

Ich wusste nicht recht, was ich antworten sollte, und nickte bloß.

»Ich weiß genau, dass Sie sie liebhaben, Señor Martín. Meine Cristina. Ein Vater kann so was sehen.«

Stumm nickte ich wieder. Wir wechselten kein weiteres Wort mehr, bis Manuel an der Einmündung zur Calle Flassaders anhielt, mir die Hand gab und mir noch einmal zum Geburtstag gratulierte.

»Sollte mir etwas zustoßen«, sagte er dann, »Sie würden ihr doch helfen, nicht wahr, Señor Martín? Würden Sie das für mich tun?«

»Selbstverständlich, Manuel. Aber was sollte Ihnen denn zustoßen?«

Er lächelte und winkte mir zum Abschied zu. Ich sah ihn einsteigen und langsam davonfahren. Ich war mir nicht ganz sicher, doch ich hätte schwören können, dass er nach der weitgehend wortlosen Fahrt nun ein Selbstgespräch führte.

11

Den ganzen Vormittag drehte ich meine Runden in der Wohnung, stellte hier etwas an seinen Platz, rückte dort etwas zurecht, lüftete und putzte Dinge und Winkel, von denen ich kaum mehr gewusst hatte, dass ich sie besaß. Ich lief zu einem Blumenstand auf dem Markt, und als ich mit Sträußen beladen zurückkam, konnte ich mich nicht erinnern, wo ich die Vasen versteckt hatte. Ich kleidete mich, als ginge ich auf Stellensuche. Ich studierte Worte und Begrüßungsformeln ein, die mir lächerlich erschienen. Ich betrachtete mich im Spiegel und stellte fest, dass Vidal recht hatte – ich glich einem Vampir. Schließlich setzte ich mich in der Veranda in einen Sessel und wartete mit einem Buch in den Händen. In zwei Stunden gelangte ich nicht über die erste Seite hinaus. Endlich, Punkt vier Uhr, hörte ich Cristinas Schritte im Treppenhaus und sprang auf. Als sie an der Tür klingelte, stand ich bereits für eine Ewigkeit dort.

»Hallo, David. Ist es gerade ungünstig?«

»Nein, nein. Im Gegenteil. Komm bitte herein.«

Cristina lächelte höflich und trat in den Korridor. Ich führte sie in die Veranda und bat sie, Platz zu nehmen. Ihr Blick prüfte alles aufmerksam.

»Ein sehr spezieller Ort«, sagte sie. »Pedro hatte mir schon gesagt, du hättest eine herrschaftliche Wohnung.«

»Er nennt sie eher trübselig, aber vermutlich ist das nur eine Frage des Blickwinkels.«

»Darf ich dich fragen, warum du gerade hierher gezogen bist? Die Wohnung ist ziemlich groß für jemanden, der allein lebt.«

Jemand, der allein lebt, dachte ich. Man wird immer zu dem, was man in den Augen derer zu sein scheint, die man begehrt.

»Wirklich? Im Grunde bin ich hierher gezogen, weil ich dieses Haus jahrelang fast täglich gesehen habe, wenn ich zur Zeitung ging oder von dort zurückkam. Es war immer verschlossen, und schließlich dachte ich, es warte auf mich. Am Ende habe ich buchstäblich davon geträumt, eines Tages darin zu wohnen. Und so ist es denn auch gekommen.«

»Werden alle deine Träume Wirklichkeit, David?«

Dieser ironische Ton erinnerte mich allzu sehr an Vidal.

»Nein. Das ist der einzige. Aber du wolltest mit mir

über irgendetwas sprechen, und ich halte dich mit Geschichten auf, die dich gewiss nicht interessieren.«

Es klang ausweichender, als ich wollte. Mit dem Verlangen erging es mir gerade so wie mit den Blumen – sowie ich es in den Händen hielt, wusste ich nicht, wohin damit.

»Ich wollte mich mit dir über Pedro unterhalten«, begann sie.

»Aha.«

»Du bist sein bester Freund. Du kennst ihn. Er spricht von dir wie von einem Sohn. Er liebt dich wie niemanden sonst. Das weißt du ja.«

»Don Pedro hat mich behandelt wie einen Sohn«, sagte ich. »Ohne ihn und ohne Señor Sempere weiß ich nicht, was aus mir geworden wäre.«

»Der Grund, warum ich mit dir reden wollte, ist, dass ich mir große Sorgen um ihn mache.«

»Große Sorgen um ihn?«

»Du weißt ja, dass ich vor Jahren angefangen habe, als Sekretärin für ihn zu arbeiten. Tatsächlich ist es so, dass Pedro ein großzügiger Mensch ist und wir mit der Zeit gute Freunde geworden sind. Er hat sich meinem Vater und mir gegenüber sehr anständig benommen. Darum tut es mir leid, ihn so zu sehen.«

»Wie denn?«

»Es ist dieses verdammte Buch, der Roman, den er schreiben will.«

»Er treibt ihn schon seit Jahren um.«

»Seit Jahren macht er ihn zunichte. Ich korrigiere all diese Seiten und tippe sie ab. In den Jahren, da ich seine

Sekretärin bin, hat er nicht weniger als zweitausend Seiten vernichtet. Er sagt, er habe kein Talent. Er sei ein Schwindler. Er trinkt ununterbrochen. Manchmal finde ich ihn oben in seinem Arbeitszimmer, betrunken, heulend wie ein Kind ...«

Ich schluckte.

»... er sagt, er beneide dich, er möchte sein wie du, die Leute lögen und lobten ihn nur, weil sie etwas von ihm wollten, Geld, Unterstützung, aber er wisse, dass seine Arbeit nicht den geringsten Wert habe. Den anderen gegenüber wahrt er das Gesicht, die Anzüge und all das, ich aber sehe jeden Tag, wie er langsam erlischt. Manchmal habe ich Angst, dass er eine Dummheit macht. Schon lange. Ich habe nichts gesagt, weil ich nicht wusste, mit wem ich sprechen konnte. Ich weiß, wenn er erfahren sollte, dass ich dich aufgesucht habe, bekäme er einen Wutanfall. Er sagt immer: Belästige David nicht mit meinen Angelegenheiten. Er hat sein Leben noch vor sich, und ich bin bereits ein Nichts. Immer sagt er solches Zeug. Entschuldige, dass ich dir das alles erzähle, aber ich wusste nicht, zu wem ich gehen sollte ...«

Wir verfielen in ein langes Schweigen. Ich spürte, wie mich mit Eiseskälte die Gewissheit durchdrang, dass der Mensch, dem ich mein Leben verdankte, in Verzweiflung gestürzt war und ich nicht das Geringste davon gemerkt hatte. So sehr war ich in meine eigene Welt eingeschlossen gewesen.

»Vielleicht hätte ich nicht kommen sollen.«

»Doch«, sagte ich. »Du hast gut daran getan.«

Cristina sah mich mit einem matten Lächeln an, und

zum ersten Mal hatte ich das Gefühl, ich sei kein Fremder für sie.

»Was sollen wir tun?«, fragte sie.

»Wir werden ihm helfen.«

»Und wenn er nicht will?«

»Dann machen wir es eben so, dass er es nicht merkt.«

12

Nie werde ich herausfinden, ob ich es, wie ich mir einredete, tat, um Vidal zu helfen, oder einfach nur, um unter diesem Vorwand mit Cristina zusammen sein zu können. Wir trafen uns fast jeden Nachmittag im Haus mit dem Turm. Cristina brachte die von Vidal tags zuvor von Hand geschriebenen Seiten mit, die immer von Korrekturen strotzten: Es gab ganze durchgestrichene Absätze, zu allen möglichen und unmöglichen Stellen Anmerkungen und tausendundeinen Versuch, das Unrettbare zu retten. Wir gingen ins Arbeitszimmer hinauf und setzten uns dort auf den Boden. Cristina las die Seiten ein erstes Mal vor, und dann diskutierten wir ausgiebig darüber. Mein Mentor versuchte, so etwas wie eine epische Saga zu schreiben, die sich über drei Generationen einer sich von den Vidals nicht allzu sehr unterscheidenden Barceloneser Dynastie erstreckte. Die Handlung setzte einige Jahre vor der industriellen Revolution mit der Ankunft zweier verwaister Brüder in der Stadt ein und entwickelte sich zu einer Art biblischer Parabel à la Kain und Abel. Mit der Zeit wurde einer der

Brüder zum reichsten und mächtigsten Magnaten seiner Zeit, während sich der andere der Kirche und der Fürsorge hingab, um seine Tage mit einer tragischen Episode zu beschließen, die an das Unglück des Priesterdichters Jacint Verdaguer erinnerte. Im Laufe ihres Lebens gerieten die beiden Brüder immer wieder aneinander, und eine endlose Galerie von Personen defilierte durch hitzige Melodramen, Skandale, Morde, verbotene Liebschaften, Tragödien und weitere Requisiten des Genres, und das alles vor dem Hintergrund der aufsteigenden modernen Metropole und der Industrie- und Finanzwelt. Die Geschichte wurde von einem Enkel eines der beiden Brüder erzählt, der das Geschehen rekonstruierte, während er 1909 in der »Blutigen Woche« des Separatistenaufstandes von einem Palast in Pedralbes aus die Stadt in Flammen aufgehen sah.

Als Erstes überraschte mich, dass ich dieselbe Geschichte Vidal zwei Jahre zuvor selbst skizziert hatte, um ihm eine Anregung für seinen angeblich geplanten schwergewichtigen Roman zu geben. Die zweite Überraschung war, dass er mir nie etwas von seinem Entschluss gesagt hatte, diesen Stoff zu benutzen, und doch bereits Jahre darauf verwendet hatte, obwohl es an Gelegenheiten zu einer Mitteilung nicht gemangelt hätte. Zum Dritten überraschte mich schließlich, dass der Roman in seiner jetzigen Form ein monumentales Fiasko darstellte: Nichts daran funktionierte, angefangen bei Personal und Aufbau über Atmosphäre und szenische Ausgestaltung bis hin zu seiner Sprache und dem Stil, die an die Bemühungen eines Dilettanten mit einem

Übermaß an Muße und einem überspannten Ehrgeiz erinnerten.

»Was meinst du?«, fragte Cristina. »Glaubst du, das
ist zu retten?«

Ich mochte ihr nicht sagen, dass Vidal die Grundidee
von mir ausgeborgt hatte, und um sie nicht noch besorg-
ter zu machen, nickte ich zuversichtlich.

»Es erfordert ein wenig Arbeit. Das ist alles.«

Als es dunkel wurde, setzte sich Cristina an die Ma-
schine, und gemeinsam schrieben wir Vidals Roman
Buchstabe für Buchstabe, Zeile für Zeile, Szene für
Szene um.

Die von Vidal konstruierte Handlung war so unklar
und geistlos, dass ich mich dafür entschied, meine
eigene, seinerzeit skizzierte Fabel zu benutzen. Ganz
allmählich brachten wir die Personen wieder auf die
Beine, indem wir sie von innen her aufplatzen ließen
und von Kopf bis Fuß neu erschufen. Keine einzige
Szene, kein Augenblick, keine Zeile und kein Wort
überstand diesen Prozess, und doch hatte ich mit fort-
schreitender Arbeit den Eindruck, wir ließen dem Roman, den Vidal im Herzen trug, Gerechtigkeit widerfahren.

Wie mir Cristina erzählte, las Vidal manchmal Wochen
nach dem vermeintlichen Verfassen einer Szene diese in
der Reinschrift noch einmal durch und war überrascht
über die handwerkliche Raffinesse und die Kraft seines
Talents, an das er nicht mehr geglaubt hatte. Sie befürch-

tete, er könnte uns auf die Schliche kommen, und fand, wir müssten uns stärker an das Original halten.

»Du darfst die Eitelkeit eines Schriftstellers nie unterschätzen, vor allem eines mittelmäßigen«, antwortete ich.

»Ich höre dich nicht gern so über Pedro reden.«

»Tut mir leid. Ich auch nicht.«

»Vielleicht solltest du eine etwas gemächlichere Gangart einschlagen. Du siehst nicht gut aus. Um Pedro mache ich mir keine Sorgen mehr – aber um dich, jetzt bist du dran.«

»Etwas Gutes musste das alles ja mit sich bringen.«

Mit der Zeit gewöhnte ich mich daran, dass ich nur lebte, um unsere gemeinsamen Stunden zu genießen. Es dauerte nicht lange, bis meine eigene Arbeit darunter zu leiden begann. Ich stahl mir die Zeit für *Die Stadt der Verdammten* dort, wo es sie nicht gab, schlief kaum noch drei Stunden täglich und schrieb unter Hochdruck, um meine Fristen einzuhalten. Barrido und Escobillas lasen grundsätzlich keine Bücher, weder die von ihnen veröffentlichten noch die der Konkurrenz, hingegen las sie die Giftige, die bald argwöhnte, dass mit mir etwas nicht stimmte.

»Das bist doch nicht du«, sagte sie manchmal.

»Natürlich bin das nicht ich, meine liebe Herminia. Das ist Ignatius B. Samson.«

Ich war mir der Gefahr bewusst, der ich mich ausgesetzt hatte, aber es war mir egal. Es war mir gleichgültig, täglich schweißüberströmt und mit rasendem Herzen zu erwachen, das mir den Brustkorb zu sprengen drohte. Ich hätte einen noch viel höheren Preis bezahlt, um nicht auf die langwierige, heimliche Überarbeitung mit Cristina verzichten zu müssen, die uns zu Verbündeten machte. Ich wusste ganz genau, dass sie es jeden Tag, wenn sie zu mir kam, in meinen Augen las, und ich wusste ganz genau, dass sie nie auf meine Zeichen eingehen würde. In diesem Wettlauf nach nirgendwo gab es weder Zukunft noch große Erwartungen, da gaben wir uns keinen Illusionen hin.

Manchmal, müde von den Versuchen, ein Schiff wieder flottzumachen, das überall leckte, ließen wir Vidals Manuskript liegen und sprachen über etwas anderes, fern von dieser Nähe, die uns allmählich das Bewusstsein zu versengen drohte, weil sie derart unter Verschluss gehalten werden musste. Ab und zu nahm ich allen Mut zusammen und ergriff ihre Hand. Sie ließ mich gewähren, aber ich wusste, dass es ihr unangenehm war, dass sie unser Tun nicht für richtig hielt, dass uns die Dankbarkeit, die wir Vidal schuldig waren, gleichzeitig einte und trennte. Eines Abends, kurz bevor sie nach Hause ging, nahm ich ihr Gesicht in die Hände und versuchte sie zu küssen. Sie reagierte nicht, und als ich mich im Spiegel ihres Blicks sah, wagte ich nicht, noch irgendetwas zu sagen. Sie stand auf und ging ohne ein Wort. Zwei Wochen lang sah ich sie nicht mehr, und als sie wiederkam, nahm sie mir das Versprechen ab, dass so etwas nie wieder vorkäme.

»David, du musst begreifen, dass wir uns so wie jetzt

nicht mehr weiter sehen werden, wenn die Arbeit an Pedros Buch beendet ist.«

»Warum nicht?«

»Das weißt du ganz genau.«

Meine Avancen waren nicht das Einzige, was Cristina ungern sah. Nach und nach wurde mir zur Gewissheit, dass Vidal recht gehabt hatte, als er gesagt hatte, Cristina missfielen die Bücher, die ich für Barrido und Escobillas schrieb, auch wenn sie es für sich behielt. Ich konnte mir unschwer vorstellen, dass sie mein Tun für seelenloses Söldnertum hielt und fand, ich verkaufte mein Selbst für ein Almosen, um diese beiden Kanalratten reich zu machen, weil ich selbst nicht den Mut aufbrachte, mit dem Herzen, unter meinem eigenen Namen und mit meinen eigenen Gefühlen zu schreiben. Am meisten schmerzte mich, dass sie im Grunde recht hatte. Ich spielte mit der Idee, von meinem Vertrag zurückzutreten, ein Buch ausschließlich für sie zu schreiben, um ihren Respekt zu verdienen. Wenn das Einzige, was ich beherrschte, nicht gut genug für sie war, dann kehrte ich vielleicht besser zu den grauen, elenden Tagen in der Zeitung zurück. Ich würde immer noch von Vidals Nächstenliebe und Gefälligkeiten leben können.

Nach einer langen Arbeitsnacht ging ich spazieren, da ich nicht einschlafen konnte. Meine Schritte führten mich hinauf zur Baustelle der Sagrada-Familia-Kathedrale. Als ich noch klein war, war mein Vater manchmal mit mir hierhergekommen, um dieses Babel aus Skulpturen und Säulen zu bestaunen, dass sich nie wirklich erheben wollte, als wäre es verdammt. Es war faszinierend, immer wieder herzukommen und festzustellen, dass es sich nicht verändert hatte, dass die Stadt ringsherum unaufhörlich weiterwuchs, die Sagrada Familia jedoch eine Ruine blieb.

Als ich dort eintraf, brach eine blaue, von roten Lichtern durchschnittene Dämmerung an, in der sich die Türme der Weihnachtsfassade in ihren Umrissen abzeichneten. Ein Ostwind trug den Staub der ungepflasterten Straßen und den Säuregeruch der Fabriken heran, welche die Grenze zum Sant-Martí-Viertel markierten. Ich überquerte eben die Calle Mallorca, als ich im Frühdunst die Lichter einer Straßenbahn näher kommen sah. Ich hörte das Rattern der Metallräder auf den Schienen und das Gebimmel, mit dem der Straßenbahner auf seine Schattenfahrt aufmerksam machte. Ich wollte loslaufen, konnte aber nicht. Wie angewurzelt blieb ich stehen, bewegungslos zwischen den Schienen, und sah zu, wie die Lichter der Bahn auf mich zustürzten. Ich hörte die Rufe des Fahrers und sah die blockierten Bremsen eine Funkenspur aus den Rädern schlagen. Und obwohl der Tod nur wenige Meter entfernt war, konnte ich keinen Muskel rühren. Ich nahm den Geruch nach Elektrizität wahr und das weiße, in meinen Augen brennende Licht, bis es verschwamm. Ich sackte wie eine Puppe zusammen und blieb noch einige Sekunden bei Sinnen, gerade lange genug, um zu sehen, wie das rauchende Rad der Straßenbahn etwa zwanzig Zentimeter von meinem Gesicht entfernt zum Stillstand kam. Dann war alles Dunkelheit.

13

Ich öffnete die Augen. Steinsäulen dick wie Bäume strebten im Halbdunkel einem nackten Gewölbe entgegen. Nadeln staubigen Lichts fielen schräg herab und ließen nicht enden wollende Reihen von Pritschen erkennen. Von der hohen Decke lösten sich kleine Wassertropfen wie schwarze Tränen, die mit einem Widerhall auf dem Boden zerplatzten. Es roch nach Moder und Feuchtigkeit.

»Willkommen im Fegefeuer.«

Ich richtete mich auf und erblickte einen Mann in Lumpen, der mit einem Grinsen, dem die Hälfte der Zähne fehlte, im Licht einer Laterne die Zeitung las. Die Titelseite verkündete, General Primo de Rivera übernehme sämtliche Staatsgewalten und führe eine gewaltlose Diktatur ein, um das Land vor der drohenden Katastrophe zu retten. Die Zeitung war mindestens sechs Jahre alt.

»Wo bin ich?«

Neugierig schaute mich der Mann über die Zeitung hinweg an.

»Im Hotel Ritz. Riechen Sie das nicht?«

»Wie bin ich hierhergekommen?«

»Halb tot. Man hat Sie heute Morgen auf der Trage hergebracht, und seither schlafen Sie Ihren Rausch aus.«

Ich betastete mein Jackett und stellte fest, dass alles Geld, das ich bei mir gehabt hatte, verschwunden war.

»Was für eine Welt«, rief der Mann angesichts der Meldungen in seiner Zeitung. »Es zeigt sich, dass in den fortgeschrittensten Phasen der Idiotie der Ideenmangel mit Ideologieüberschuss kompensiert wird.«

»Wie komme ich hier raus?«

»Wenn Sie es so eilig haben … Es gibt zwei Möglichkeiten, eine endgültige und eine vorübergehende. Die endgültige führt übers Dach: Ein kräftiger Sprung, und Sie sind diesen ganzen Mist für immer los. Der vorübergehende Weg befindet sich dort hinten, wo dieser Trottel mit der erhobenen Faust steht, dem die Hosen schlottern und der jedem, der vorbeigeht, den Revolutionsgruß vormacht. Aber wenn Sie dort hinausgehen, landen Sie über kurz oder lang wieder hier.«

Mit der Klarheit, die bei Verrückten dann und wann aufblitzt, betrachtete er mich amüsiert.

»Haben *Sie* mich bestohlen?«

»Schon der Zweifel ist eine Beleidigung. Als man Sie hergebracht hat, waren Sie bereits blitzblank, und ich akzeptiere nur börsennotierte Wertpapiere.«

Ich ließ den Spinner mit der alten Zeitung und den fortschrittlichen Reden auf seiner Pritsche zurück. Der Kopf drehte sich mir noch immer, und nur mit großer Mühe konnte ich ein paar Schritte geradeaus tun, aber auf der einen Seite des hohen Gewölbes schaffte ich es bis zu einer Tür, die zu einem Treppenhaus führte. Oben an der Treppe sickerte ein wenig Licht herein. Ich stieg vier, fünf Stockwerke hinauf, bis ich einen Mundvoll frische Luft erhaschte, die durch ein großes Tor am Ende der Treppe eindrang. Ich trat ins Freie hinaus und begriff endlich, wo ich gelandet war.

Hoch über der Hauptallee des Ciudadela-Parks erstreckte sich vor mir ein künstlicher See. Über der Stadt ging langsam die Sonne unter, und das algenbedeckte Wasser kräuselte sich im Wind. Der Wasserspeicher glich einer wuchtigen Burg oder einem Gefängnis. Er war für die Weltausstellung von 1888 gebaut worden, aber inzwischen diente sein Bauch, der wie eine weltliche Kathedrale wirkte, Todgeweihten und Bettlern bei Nacht oder Kälte als Unterschlupf. Jetzt war das große Becken auf dem Dach ein morastiger See, der langsam durch die Ritzen des Gebäudes versickerte.

Mit einem Mal bemerkte ich eine an einem Ende des Dachs stehende Gestalt. Als hätte sie allein die Berührung meines Blicks aufgeschreckt, wandte sie sich brüsk zu mir um und schaute mich an. Ich fühlte mich immer noch leicht benommen und sah alles umwölkt, aber ich glaubte, dass sie näher kam. Sie tat es allzu schnell, als ob ihre Füße beim Gehen den Boden nicht berührten und sie sich schubweise fortbewegte, zu flink, als dass man es hätte wahrnehmen können. Im Gegenlicht konnte ich kaum ihr Gesicht erkennen, aber immerhin sah ich, dass es sich um einen Herrn mit schwarz glänzenden, für sein Antlitz eigentlich zu großen Augen handelte. Je näher er mir kam, desto länger und größer wirkte seine Silhouette. Ich verspürte einen Schauder und wich einige Schritte zurück, ohne zu bemerken, dass ich damit schon an den Rand des Beckens gelangte. Ich spürte, wie ich schwankte, und wäre rücklings ins dunkle Wasser gefallen, hätte mich der Fremde nicht am Arm gepackt. Sanft zog er mich auf sicheren Boden zurück. Ich setzte mich auf eine der Bänke, die den Teich umstanden, und atmete tief. Als ich aufschaute, sah ich ihn zum ersten Mal in aller Deutlichkeit. Seine Augen waren von normaler Größe, die Statur wie die meine, seine Schritte und Bewegungen die eines ganz normalen Herrn. Sein Gesicht wirkte liebenswürdig.

»Danke«, sagte ich.

»Fühlen Sie sich gut?«

»Ja. Mir ist nur ein wenig schwindlig.«

Der Fremde setzte sich neben mich. Er war in einen dunklen, erlesen geschnittenen Dreiteiler gekleidet, mit einer kleinen Silberbrosche am Revers, einem Engel mit ausgebreiteten Flügeln, der mir seltsam vertraut vorkam. Als könnte er meine Gedanken lesen, lächelte mir der Fremde zu.

»Ich hoffe, ich habe Ihnen keine Angst gemacht«, sagte er. »Vermutlich haben Sie nicht erwartet, hier oben jemanden anzutreffen.«

Bestürzt schaute ich ihn an. Ich sah mein Gesicht in seinen schwarzen Pupillen, die sich weiteten, wie sich ein Tintenfleck auf dem Papier ausbreitet.

»Darf ich fragen, was Sie hierherführt?«

»Dasselbe wie Sie – große Erwartungen.«

»Andreas Corelli«, murmelte ich.

Sein Gesicht leuchtete auf.

»Welch ein Vergnügen, Sie endlich persönlich begrüßen zu können, mein Freund.«

Er sprach mit einem leichten Akzent, den ich nicht einordnen konnte. Mein Instinkt befahl mir, aufzustehen und so schnell wie möglich zu verschwinden, bevor dieser Fremde noch ein Wort sagte, aber etwas in seiner

Stimme, in seinem Blick wirkte beruhigend und weckte Vertrauen. Ich mochte nicht fragen, wie er mich hier hatte ausfindig machen können, wenn nicht einmal ich selbst wusste, wie ich hierhergelangt war. Der Klang seiner Worte und das Licht in seinen Augen gaben mir neuen Mut. Er streckte mir die Hand entgegen, und ich ergriff sie. Sein Lächeln verhieß ein verlorenes Paradies.

»Ich denke, ich sollte Ihnen für all Ihre Liebenswürdigkeiten im Lauf der Jahre danken, Señor Corelli. Ich fürchte, ich stehe in Ihrer Schuld.«

»Keineswegs. Ich bin es, der in Ihrer Schuld steht und sich entschuldigen muss, dass ich Sie auf so unangebrachte Weise angesprochen habe, gerade hier und jetzt, aber ich gestehe, dass ich schon seit langem mit Ihnen sprechen wollte, jedoch keine Gelegenheit dazu fand.«

»Was kann ich also für Sie tun?«, fragte ich.

»Ich möchte, dass Sie für mich arbeiten.«

»Bitte?«

»Ich möchte, dass Sie für mich schreiben.«

»Natürlich. Ich habe vergessen, dass Sie Verleger sind.«

Er lachte. Er hatte ein sanftes Lachen wie ein Kind, das noch nie einen Teller zerschlagen hat.

»Der beste von allen. Der Verleger, auf den Sie das ganze Leben gewartet haben. Der Verleger, der Sie unsterblich machen wird.«

Er reichte mir eine Visitenkarte, die identisch war mit der, die ich beim Erwachen aus meinem Chloé-Traum in den Händen gehalten hatte und noch immer aufbewahrte.

Andreas Corelli
Éditeur
Éditions de la Lumière
69, Boulevard Saint-Germain
Paris

»Ich fühle mich geschmeichelt, Señor Corelli, aber ich fürchte, ich kann Ihre Einladung nicht annehmen. Ich habe einen Vertrag unterschrieben mit …«

»Barrido und Escobillas, ich weiß. Ein Gesindel, mit dem Sie – ohne Ihnen zu nahe treten zu wollen – keinerlei Beziehung unterhalten sollten.«

»Es gibt Leute, die diese Ansicht teilen.«

»Señorita Sagnier vielleicht?«

»Kennen Sie sie?«

»Vom Hörensagen. Sie scheint zu den Frauen zu gehören, deren Respekt und Bewunderung einem jedes Opfer wert wären, nicht wahr? Ermuntert sie Sie nicht, diese beiden Parasiten zu verlassen und sich selbst treu zu sein?«

»So einfach ist das nicht. Ich habe einen Exklusivvertrag, der mich sechs weitere Jahre an sie bindet.«

»Ich weiß, aber das sollte Sie nicht bekümmern. Meine Anwälte studieren derzeit das Thema, und ich kann Ihnen versichern, dass es mehrere Formeln gibt, jede vertragliche Bindung endgültig aufzulösen, sollten Sie sich bereit erklären, meinen Vorschlag zu akzeptieren.«

»Und Ihr Vorschlag wäre …?«

Corelli lächelte verspielt und maliziös wie ein Schüler,

der auskostet, im nächsten Moment ein Geheimnis zu enthüllen.

»Dass Sie ein Jahr ausschließlich mir widmen, um an einem Auftragswerk zu arbeiten, an einem Buch, dessen Thema wir bei der Unterzeichnung des Vertrags gemeinsam besprechen würden und für das ich Ihnen im Voraus die Summe von hunderttausend Francs bezahlen würde.«

Verblüfft schaute ich ihn an.

»Wenn Ihnen diese Summe zu niedrig erscheint, bin ich bereit zu prüfen, was Sie für angemessen halten. Ich will ehrlich sein mit Ihnen, Señor Martín, ich mag nicht mit Ihnen über Geld streiten. Und im Vertrauen, ich glaube, auch Sie werden das nicht wollen – ich weiß, wenn ich Ihnen erläutere, welche Art Buch Sie für mich schreiben sollen, wird der Preis nebensächlich sein.«

Ich seufzte und lächelte in mich hinein.

»Ich sehe, Sie glauben mir nicht.«

»Señor Corelli, ich bin Autor von Abenteuerromanen, die nicht einmal meinen Namen tragen. Meine Verleger, die Sie anscheinend schon kennen, sind zwei jämmerliche Betrüger, die ihr Gewicht in Mist nicht wert sind, und meine Leser wissen nicht einmal, dass es mich gibt. Seit Jahren verdiene ich meinen Unterhalt mit dieser Arbeit, und ich habe noch keine einzige Seite geschrieben, mit der ich zufrieden wäre. Die Frau, die ich liebe, findet, ich vertue mein Leben, und sie hat recht damit. Sie findet auch, ich habe nicht das Recht, sie zu begehren – wir seien zwei unbedeutende Seelen, deren einzige Daseinsberechtigung die Dankbarkeit sei, die wir einem Mann schuldeten, der uns beide aus dem Elend geholt habe, und vielleicht hat sie auch damit recht. Es dauert nicht mehr lange, und ich werde dreißig, und dann wird mir aufgehen, dass ich mit jedem Tag weniger dem Menschen gleiche, der ich mit fünfzehn Jahren hätte werden wollen. Falls ich diesen Geburtstag überhaupt erlebe – meine Gesundheit ist in letzter Zeit so wenig verlässlich wie meine Arbeit. Gegenwärtig muss ich zufrieden sein, wenn ich einen oder zwei lesbare Sätze pro Stunde zustande bringe. Ein solcher Autor und Mensch bin ich. Nicht einer, den Verleger aus Paris mit Blankoschecks besuchen, damit er das Buch schreibt, das sein Leben verändert und all seine Erwartungen Wirklichkeit werden lässt.«

Meine Worte abwägend, schaute mich Corelli mit ernster Miene an.

»Ich glaube, Sie sind sich selbst ein zu gestrenger Richter, eine Eigenschaft, die wertvolle Menschen auszeichnet. Glauben Sie mir, ich hatte es im Lauf meiner Karriere mit unendlich vielen Leuten zu tun, auf die Sie nicht einmal gespuckt hätten, die aber eine unglaublich hohe Meinung von sich selbst hatten. Doch es sollte ihnen klar sein, dass ich, auch wenn Sie es nicht glauben, genau weiß, was für ein Autor und Mensch Sie sind. Seit Jahren verfolge ich Ihre Schritte, das wissen Sie ja. Ich habe alles von Ihnen gelesen, von der ersten Erzählung, die Sie für *Die Stimme der Industrie* geschrieben haben, bis zu den *Geheimnissen von Barcelona* und jetzt jede einzelne Fortsetzung Ihres Ignatius B. Samson. Ich würde zu behaupten wagen, dass ich Sie besser kenne als

Sie sich selbst. Darum weiß ich, dass Sie am Ende mein Angebot annehmen werden.«

»Was wissen Sie denn sonst noch?«

»Ich weiß, dass wir etwas – oder vieles – gemeinsam haben. Ich weiß, dass Sie Ihren Vater verloren haben, und ich ebenfalls. Ich weiß, was es heißt, den Vater zu verlieren, wenn man ihn noch braucht. Den Ihren hat man Ihnen unter tragischen Umständen entrissen. Meiner hat mich aus Gründen, die nichts zur Sache tun, abgelehnt und von zuhause verstoßen. Ich möchte fast sagen, dass das noch schmerzlicher sein kann. Ich weiß, dass Sie sich allein fühlen, und glauben Sie mir, auch dieses Gefühl kenne ich zutiefst. Ich weiß, dass Sie im Innersten große Erwartungen hegen, dass sich aber noch keine erfüllt haben, und ich weiß, dass Sie das, ohne dass Sie sich dessen bewusst sind, jeden Tag dem Tod ein bisschen näher bringt.«

Seine Worte lösten eine lange Stille aus.

»Sie wissen vieles, Señor Corelli.«

»Genug, um zu denken, dass ich Sie gern näher kennenlernen und Ihr Freund sein würde. Und ich glaube, Sie haben nicht viele Freunde. Ich auch nicht. Ich traue den Leuten nicht, die viele Freunde zu haben glauben. Das ist ein Zeichen, dass sie die anderen nicht kennen.«

»Aber Sie suchen keinen Freund, Sie suchen einen Angestellten.«

»Ich suche einen zeitweiligen Partner. Ich suche Sie.«

»Sie sind sich Ihrer sehr sicher.«

»Das ist ein Geburtsfehler.« Corelli stand auf. »Ein anderer ist der Weitblick. Darum verstehe ich, dass es für Sie vielleicht noch zu früh ist und es Ihnen nicht genügt, die Wahrheit aus meinem Mund zu hören. Sie müssen sie mit eigenen Augen sehen können. Sie auf der Haut spüren. Und glauben Sie mir, Sie werden sie spüren.«

Er streckte mir die Hand entgegen, bis ich sie schließlich ergriff.

»Darf ich wenigstens beruhigt sein, dass Sie über meine Worte nachdenken und wir erneut miteinander sprechen werden?«, fragte er.

»Ich weiß nicht, was ich sagen soll, Señor Corelli.«

»Sagen Sie jetzt gar nichts. Ich verspreche Ihnen, wenn wir uns nächstes Mal treffen, werden Sie alles sehr viel klarer sehen.«

Bei diesen Worten lächelte er mir herzlich zu und entfernte sich in Richtung Treppe.

»Wird es ein nächstes Mal geben?«, fragte ich.

Er blieb stehen und drehte sich um.

»Es gibt immer ein nächstes Mal.«

»Wo?«

Das letzte Licht des Tages fiel auf die Stadt, und seine Augen leuchteten wie zwei glühende Kohlen.

Er verschwand durch die Tür nach unten. Erst da wurde mir bewusst, dass ich ihn während der ganzen Unterhaltung kein einziges Mal hatte blinzeln sehen.

14

Die Arztpraxis befand sich in einem Obergeschoss, von dem aus man in der Ferne das Meer glänzen und die Straßenbahnen in der Calle Muntaner zwischen großen Mietshäusern und Villen zum Ensanche-Viertel hinuntergleiten sah. Die Praxis roch nach Sauberkeit. Ihre Räume waren geschmackvoll eingerichtet, die beruhigenden Bilder zeigten hoffnungsvolle, friedliche Landschaften, die Bücherregale waren gefüllt mit imponierenden, Autorität ausstrahlenden Bänden. Die Schwestern schwebten mit einem Lächeln wie Tänzerinnen vorüber. Es war ein Fegefeuer für Menschen mit dickem Portemonnaie.

»Der Doktor wird Sie gleich empfangen, Señor Martín.«

Dr. Trías war ein aristokratisch aussehender Mann von tadelloser Erscheinung, der mit jeder Gebärde Gelassenheit und Zuversicht einflößte. Graue, durchdringende Augen hinter rahmenlosen Brillengläsern. Herzliches, nie leichtfertiges Lachen. Dr. Trías war es gewohnt, sich mit dem Tod herumzuschlagen, und je mehr er lächelte, desto mehr machte er einem Angst. Obwohl er mir einige Tage zuvor, als ich mich den Tests zu unterziehen begann, von Fortschritten in der Medizin erzählt hatte, die es erlaubten, im Kampf gegen die von mir beschriebenen Symptome Hoffnung zu hegen, hatte ich, als er mich hereinbat und mir einen Stuhl anbot, den Eindruck, von seiner Seite her gebe es keine Zweifel.

»Wie geht es Ihnen?«, fragte er und schaute unschlüssig zwischen mir und dem Dossier auf seinem Tisch hin und her.

»Sagen *Sie* es mir.«

Er deutete ein Lächeln an, wie ein guter Spieler.

»Die Schwester sagt mir, sie seien Schriftsteller, obwohl ich hier sehe, dass Sie beim Ausfüllen des Fragebogens Söldner angegeben haben.«

»In meinem Fall gibt es da keinen Unterschied.«

»Ich glaube, einer meiner Patienten ist einer ihrer Leser.«

»Hoffentlich ist der dadurch entstandene Nervenschaden kein bleibender.«

Der Arzt lächelte, als amüsierte ihn meine Bemerkung, und setzte dann eine ernstere Miene auf, um mir zu verstehen zu geben, die freundlich dahinplätschernden Vorreden seien zu Ende.

»Señor Martín, ich sehe, dass Sie allein gekommen sind. Haben Sie keine direkten Angehörigen? Frau? Geschwister? Eltern, die noch leben?«

»Das klingt ziemlich düster.«

»Ich will Sie nicht belügen, Señor Martín. Die ersten Testergebnisse sind nicht ganz so vielversprechend, wie wir erwartet haben.«

Ich schaute ihn schweigend an. Ich empfand weder Angst noch Sorge. Ich empfand gar nichts.

»Alles weist darauf hin, dass Sie in der linken Hirnhälfte eine Wucherung haben. Die Ergebnisse bestätigen, was die von Ihnen beschriebenen Symptome haben befürchten lassen, und alles scheint darauf hinzudeuten, dass es sich um ein Geschwür handeln könnte.«

Einige Augenblicke lang war ich zu keiner Äußerung imstande. Ich konnte nicht einmal Überraschung heucheln.

»Wie lange habe ich das schon?«

»Das lässt sich nicht genau sagen, aber ich würde die Vermutung wagen, dass der Tumor schon recht lange wächst, was auch die genannten Symptome und die Probleme erklären würde, die Sie in letzter Zeit bei der Arbeit gehabt haben.«

Ich nickte und atmete tief. Der Arzt schaute mich geduldig und wohlwollend an und ließ mir Zeit. Ich hob zu mehreren Sätzen an, die mir jedoch nicht über die Lippen wollten. Schließlich trafen sich unsere Blicke.

»Ich nehme an, ich bin in Ihrer Hand, Doktor. Sie werden mir sagen, welcher Behandlung ich mich zu unterziehen habe.«

Nun, da er bemerkte, dass ich ihn offenbar nicht hatte verstehen wollen, sah ich, dass sich seine Augen mit Verzweiflung füllten. Ich nickte abermals und kämpfte gegen die im Hals aufsteigende Übelkeit an. Er schenkte mir aus einem Krug ein Glas Wasser ein, das ich in einem Zug leerte.

»Es gibt keine Behandlung«, sagte ich.

»Doch. Wir können vieles tun, um die Schmerzen zu lindern und Ihnen größtmögliches Wohlbefinden und Ruhe zu garantieren …«

»Aber ich werde sterben.«

»Ja.«

»Bald.«

»Möglicherweise.«

Ich musste lächeln. Selbst die schlechtesten Nachrichten haben etwas Erleichterndes, wenn sie nichts weiter bestätigen als das, was man uneingestanden bereits ahnte.

»Ich bin achtundzwanzig«, sagte ich, ohne recht zu wissen, warum.

»Es tut mir leid, Señor Martín. Ich würde Ihnen gern einen besseren Bescheid geben.«

Ich fühlte mich, als hätte ich endlich eine Lüge oder eine lässliche Sünde gestanden und als wäre die steinerne Last der Gewissensbisse mit einem Federstrich weggewischt.

»Wie viel Zeit habe ich noch?«

»Das ist schwer zu sagen. Vielleicht ein Jahr, höchstens anderthalb.«

Sein Ton gab deutlich zu verstehen, dass das eine mehr als optimistische Prognose war.

»Und von diesem Jahr oder was es auch sein mag, wie lange, glauben Sie, werde ich noch arbeiten können und allein zurechtkommen?«

»Sie sind Schriftsteller und arbeiten mit dem Kopf. Leider ist das Problem genau da angesiedelt, und darum ist mit Einschränkungen zu rechnen.«

»Einschränkungen ist kein medizinischer Begriff, Doktor.«

»Normalerweise zeigen sich die Symptome, unter denen Sie leiden, desto intensiver und häufiger, je weiter die Krankheit fortschreitet, und irgendwann werden Sie sich zur Pflege in ein Krankenhaus begeben müssen, damit wir uns um Sie kümmern können.«

»Ich werde nicht mehr schreiben können.«

»Sie werden nicht einmal ans Schreiben denken können.«

»Wie lange noch?«

»Ich weiß es nicht. Neun oder zehn Monate. Vielleicht mehr, vielleicht weniger. Es tut mir sehr leid, Señor Martín.«

Ich nickte und stand auf. Meine Hände zitterten, und ich bekam keine Luft.

»Señor Martín, ich verstehe, dass Sie Zeit brauchen, um das alles zu verarbeiten, aber es ist wichtig, dass wir so rasch wie möglich Maßnahmen ergreifen ...«

»Ich darf noch nicht sterben, Doktor. Noch nicht. Ich habe noch etwas zu erledigen. Danach werde ich das ganze Leben zum Sterben haben.«

15

Am selben Abend ging ich im Turm ins Arbeitszimmer hinauf und setzte mich an die Schreibmaschine, obwohl ich mich völlig hohl fühlte. Die Fenster standen weit offen, aber Barcelona wollte mir nichts mehr erzählen, und ich war unfähig, eine einzige Seite zu füllen. Alles, was ich heraufbeschwören konnte, erschien mir banal und leer. Ich brauchte meine Worte nur nochmals zu lesen, um zu sehen, dass sie kaum das Farbband wert waren. Ich hörte die Musik nicht mehr, die ein passables Stück Prosa aussendet. Nach und nach tröpfelten Andreas Corellis Worte wie ein langsames, wohltuendes Gift in mein Denken.

Es fehlten mir noch mindestens hundert Seiten, um diese x-te Folge der verschrobenen Abenteuer abzuschließen, mit denen sich Barrido und Escobillas eine goldene Nase verdient hatten, aber in diesem Moment wurde mir klar, dass ich sie nicht beenden würde. Ignatius B. Samson war erschöpft auf den Gleisen vor der Straßenbahn liegen geblieben, er hatte sich auf allzu vielen Seiten ausgeblutet, die nie das Licht der Welt hätten erblicken dürfen. Aber bevor er abgetreten war, hatte er mir noch seinen Letzten Willen diktiert: Ich sollte ihn ohne Förmlichkeiten bestatten und ein einziges Mal im Leben zu meiner eigenen Stimme stehen. Er vermachte mir sein beträchtliches Arsenal an Rauch und Spiegeln. Und bat mich, ihn zu entlassen, er sei dazu geboren, in Vergessenheit zu geraten.

Ich raffte die bereits geschriebenen Seiten seines letzten Romans zusammen und steckte sie in Brand. Dabei spürte ich, wie mir mit jeder Seite, die ich den Flammen übergab, ein Stein vom Herzen fiel. An diesem Abend wehte eine feuchtwarme Brise über die Dächer, kam durch mein Fenster herein und trug Ignatius B. Samsons Asche mit sich hinaus, um sie in den Gassen der Altstadt zu verstreuen, damit Ignatius B. Samson dort immer wohne, obwohl seine Worte für immer verstummten und sein Name dem Gedächtnis selbst seiner treusten Leser entfiel.

Am nächsten Tag wurde ich bei Barrido und Escobillas vorstellig. Die Empfangsdame war neu, irgend so ein Fräulein, das mich nicht erkannte.

»Ihr Name?«

»Hugo, Victor.«

Sie lächelte und stöpselte an der Telefonzentrale, um Herminia zu benachrichtigen.

»Doña Herminia, Don Victor Hugo ist da und möchte Señor Barrido sprechen.«

Sie nickte und beendete die Verbindung.

»Sie sagt, sie kommt sofort.«

»Arbeitest du schon lange hier?«, fragte ich.

»Eine Woche«, antwortete sie beflissen.

Wenn meine Berechnungen stimmten, war das die achte Empfangsdame, die Barrido und Escobillas in jenem Jahr beschäftigten. Die Angestellten, die direkt der verschlagenen Herminia unterstellt waren, konnten sich immer nur kurze Zeit halten, denn wenn die Giftige entdeckte, dass sie im Gegensatz zu ihr bis vier zählen konnten, befürchtete sie, von ihnen in den Schatten gestellt zu werden, was in neun von zehn Fällen auch geschah, und beschuldigte sie des Diebstahls, der Unterschlagung oder sonst einer unsinnigen Verfehlung. Sie setzte Himmel und Hölle in Bewegung, bis Escobillas ihnen den Laufpass gab und drohte, ihnen einen Meuchelmörder auf den Hals zu hetzen, sollten sie ihre Zunge nicht im Zaum halten.

»Wie schön, dich zu sehen, David«, sagte die Giftige. »Du siehst besser aus, sehr gesund.«

»Es hat mich halt eine Straßenbahn überfahren. Ist Barrido da?«

»Was du immer für Ideen hast. Für dich ist er jederzeit da. Er wird sehr glücklich sein, wenn ich ihm sage, dass du uns besuchen kommst.«

»Du kannst dir gar nicht vorstellen, wie glücklich.«

Sie führte mich in Barridos Büro, das aussah wie die Kulisse einer Schmierenkomödie, vollgepfropft mit Teppichen, Kaiserbüsten, Stillleben und ledergebundenen Bänden, die er en gros erworben hatte, wahrscheinlich waren es reine Attrappen. Barrido schenkte mir sein öligstes Lächeln und gab mir die Hand.

»Wir können es alle gar nicht erwarten, die neue Folge zu bekommen. Sie sollen wissen, dass wir die beiden letzten neu aufgelegt haben und dass man sie uns aus den Händen reißt. Fünftausend weitere Exemplare. Wie finden Sie das?«

Ich fand, es müssten mindestens fünfzigtausend sein, beschränkte mich aber auf ein unbeeindrucktes Nicken. Barrido und Escobillas hatten das, was in der Barceloneser Verlegerzunft doppelte Auflage genannt wurde, wie ein welkendes kostbares Blumenbouquet immer weiter mit frischen Blüten gestreckt. Von jedem Titel gab es eine offizielle Auflage von einigen tausend Exemplaren, wofür dem Autor eine lächerliche Beteiligung bezahlt wurde. Wenn das Buch danach gut lief, gab es in Wahrheit eine oder viele geheime Auflagen mit Zehntausenden von Exemplaren, für die der Autor keine Pesete sah. Diese konnte man von der ersten Auflage gut unterscheiden, denn Barrido ließ sie in einer alten Wurstfabrik in Santa Perpètua de Mogoda drucken, und beim Durchblättern schlug einem unverkennbar der Geruch nach geräucherter Paprikawurst entgegen.

»Ich fürchte, ich habe schlechte Nachrichten für Sie.«

Barrido und die Giftige wechselten einen Blick, ohne

die Grimasse zu lockern. In diesem Augenblick materialisierte sich Escobillas in der Tür und schaute mich mit nüchtern-verdrießlicher Miene an, als nähme er mit bloßem Auge Maß für einen Sarg.

»Sieh nur, wer uns besuchen gekommen ist. Was für eine angenehme Überraschung, nicht wahr?«, fragte Barrido seinen Teilhaber, der bloß nickte und dann fragte:

»Was sind das für schlechte Nachrichten?«

»Sind Sie ein wenig im Rückstand, lieber Martín?«, fügte Barrido freundschaftlich hinzu. »Wir können uns sicher anpassen ...«

»Nein. Es gibt keinen Rückstand. Es wird einfach kein Buch geben.«

Escobillas trat einen Schritt vor und zog die Brauen hoch. Barrido kicherte vor sich hin.

»Was heißt das, es wird kein Buch geben?«, fragte Escobillas.

»Das heißt, dass ich es gestern verbrannt habe und dass keine einzige Manuskriptseite mehr da ist.«

Ein unheilschwangeres Schweigen breitete sich aus. Barrido machte eine versöhnliche Handbewegung und deutete auf den sogenannten Besuchersessel, ein schwärzliches, eingefallenes Monstrum, in das man Autoren und Lieferanten quetschte, damit sie auf Barridos Augenhöhe zu sitzen kamen.

»Setzen Sie sich, Martín, und erzählen Sie. Etwas macht Ihnen Sorgen, ich sehe es. Sie können sich bei uns aussprechen, Sie gehören ja zur Familie.«

Die Giftige und Escobillas nickten voller Überzeu-

gung und dokumentierten das Ausmaß ihrer Hoch-
schätzung mit einem Blick berückter Ergebenheit. Ich
blieb lieber stehen. Alle taten es mir gleich und schauten
mich an wie eine Salzsäule, die jeden Moment zu sprechen beginnt. Barrido schien vor lauter Lächeln schon
das Gesicht zu schmerzen.

»Na?«

»Ignatius B. Samson hat sich umgebracht. Er hat eine
Erzählung von zwanzig Seiten hinterlassen, in der er in
enger Umarmung mit Chloé Permanyer stirbt, nachdem
beide Gift geschluckt haben.«

»Der Autor stirbt in einem seiner eigenen Romane?«,
fragte Herminia verwirrt.

»Das ist sein avantgardistischer Abschied vom Fortsetzungsroman. Ein Detail, bei dem ich mir sicher war,
dass es Ihnen sehr gefallen würde.«

»Und könnte es nicht ein Gegengift geben oder …?«,
fragte die Giftige.

»Martín, ich brauche Ihnen wohl nicht in Erinnerung
zu rufen, dass Sie es sind und nicht der angeblich verstorbene Ignatius, der einen Vertrag unterschrieben
hat«, sagte Escobillas.

Mit einer Handbewegung brachte Barrido seinen
Kollegen zum Schweigen.

»Ich glaube, ich weiß, was mit Ihnen los ist, Martín.
Sie sind erschöpft. Seit Jahren zermartern Sie sich unermüdlich das Hirn, was dieses Haus zu schätzen weiß
und wofür wir Ihnen dankbar sind. Sie brauchen eine
Atempause. Ich verstehe das. Wir alle verstehen das,
nicht wahr?«

Barrido schaute Escobillas und die Giftige an, die ein entsprechendes Gesicht aufsetzten und nickten.

»Sie sind ein Künstler und wollen Kunst machen, hohe Literatur, etwas, was Ihrem Herzen entströmt und Ihren Namen den Stufen der Weltgeschichte in goldenen Lettern einprägt.«

»So, wie Sie es erklären, klingt es lächerlich«, sagte ich.

»Weil es lächerlich ist«, führte Escobillas an.

»Nein, ist es nicht«, unterbrach ihn Barrido. »Es ist menschlich. Und wir sind menschlich. Ich, mein Teilhaber und Herminia, die als zartfühlende Frau und sensibles Wesen die Menschlichste von uns allen ist – ist es nicht so, Herminia?«

»Ja, mehr als menschlich«, stimmte die Giftige zu.

»Und da wir menschlich sind, verstehen wir Sie und wollen Ihnen helfen. Weil wir stolz auf Sie sind und überzeugt, dass Ihre Erfolge auch unsere Erfolge sein werden, und weil in diesem Haus letztlich die Menschen und nicht die Zahlen zählen.«

Nach seiner Ansprache legte Barrido eine Kunstpause ein. Vielleicht erwartete er Beifall von meiner Seite, aber als er sah, dass ich stumm blieb, fuhr er ohne weitere Verzögerung fort.

»Aus diesem Grund schlage ich Ihnen Folgendes vor: Nehmen Sie sich sechs Monate Zeit, wenn nötig neun, eine Geburt ist immerhin eine Geburt, und ziehen Sie sich in Ihr Arbeitszimmer zurück, um den großen Roman Ihres Lebens zu verfassen. Wenn Sie ihn haben, bringen Sie ihn uns, und wir werden ihn unter Ihrem Namen veröffentlichen und dabei sämtliche Trümpfe ausspielen und alles auf eine Karte setzen. Weil wir auf Ihrer Seite sind.«

Ich schaute Barrido und dann Escobillas an. Die Giftige war drauf und dran, vor Ergriffenheit in Tränen auszubrechen.

»Natürlich ohne Vorschuss«, präzisierte Escobillas.

Euphorisch schlug sich Barrido die Faust in die Hand.

»Was sagen Sie nun?«

Noch am selben Tag nahm ich die Arbeit auf. Mein Plan war ebenso einfach wie wahnwitzig. Tagsüber würde ich Vidals Buch neu schreiben und nachts an meinem arbeiten. Ich würde sämtliche Schliche und Kniffe, die mir Ignatius B. Samson beigebracht hatte, zum Leuchten bringen und sie auf den Rest an Würde und Ehrbarkeit anwenden, der in meinem Herzen, wenn überhaupt, noch verblieben war. Ich würde aus Dankbarkeit, Verzweiflung und Eitelkeit schreiben. Ich würde vor allem für Cristina schreiben, um ihr zu beweisen, dass auch ich in der Lage war, meine Schuld bei Vidal zu begleichen, und dass David Martín, auch wenn er kurz davor war, tot umzufallen, das Recht hatte, ihr in die Augen zu schauen, ohne sich seiner lächerlichen Erwartungen schämen zu müssen.

Zu Dr. Trías ging ich nicht mehr. Ich sah keine Notwendigkeit darin. Wenn ich kein Wort mehr würde schreiben, ja denken können, würde ich es als Erster merken.

Ohne Fragen zu stellen, gab mir mein zuverlässiger, wenig skrupulöser Apotheker so viele Kodeinpralinen, wie ich verlangte, und ab und zu auch eine andere Köstlichkeit, die Feuer an die Adern legte und vom Schmerz bis zum Bewusstsein alles in die Luft sprengte. Über meinen Arztbesuch und die Testergebnisse sprach ich mit niemandem.

Meine Grundbedürfnisse deckte ich mit der wöchentlichen Bestellung bei Can Gispert, einem wundervollen Lebensmittelgeschäft in der Calle Mirallers hinter der Kathedrale Santa María del Mar. Die Bestellung war immer die gleiche und wurde mir von der Tochter des Inhabers ins Haus geliefert, einem jungen Mädchen, das mich anstarrte wie ein erschrockenes Reh, wenn ich sie im Vorraum zu warten bat, bis ich das Geld geholt hätte.

»Das ist für deinen Vater, und das ist für dich.«

Ich gab ihr immer zehn Céntimos Trinkgeld, die sie wortlos entgegennahm. Jede Woche klingelte sie mit der Bestellung an meiner Tür, und jede Woche gab ich ihr zehn Céntimos Trinkgeld. Neun Monate und einen Tag, so lange, wie ich brauchte, um das einzige Buch zu schreiben, das meinen Namen trug, sah ich keinen Menschen öfter als dieses junge Mädchen, dessen Namen ich nicht kannte und dessen Gesicht ich jede Woche wieder vergaß, bis sie erneut vor meiner Schwelle stand.

Ohne Vorankündigung blieb Cristina unseren allnachmittäglichen Treffen fern. Ich fürchtete bereits, Vidal hätte unsere Kriegslist durchschaut, als ich eines Nachmittags, da ich sie nach fast einer Woche Abwesenheit immer noch erwartete, im Glauben, sie sei es, die Tür öffnete und Pep davor stehen sah, einen der Diener aus der Villa Helius. Er brachte mir ein sorgsam versiegeltes Paket von Cristina, das Vidals vollständiges Manuskript enthielt. Pep erklärte mir, Cristinas Vater habe ein Aneurysma, das ihn praktisch zum Invaliden gemacht habe, und sie habe ihn in ein Sanatorium in den Pyrenäen gebracht, nach Puigcerdà, wo es anscheinend einen jungen Spezialisten für solche Krankheiten gab.

»Señor Vidal hat sich um alles gekümmert«, sagte Pep, »ohne auf die Kosten zu achten.«

Vidal vergaß seine Diener nie, dachte ich nicht ohne einige Bitterkeit.

»Sie hat mich gebeten, Ihnen das persönlich zu übergeben. Und ich soll niemand etwas davon sagen.«

Der Bursche überreichte mir das Paket, erleichtert, das mysteriöse Ding loszuwerden.

»Hat sie dir irgendeinen Hinweis gegeben, wo ich sie notfalls finden kann?«

»Nein, Señor Martín. Ich weiß nur, dass Señorita Cristinas Vater in einem Sanatorium namens Villa San Antonio eingewiesen worden ist.«

Einige Tage später stattete mir Vidal einen seiner Impromptu-Besuche ab und blieb den ganzen Nachmittag über bei mir, trank meinen Anis, rauchte meine Zigaretten und sprach über das Unglück, das seinem Fahrer zugestoßen war.

»Unglaublich. Ein baumstarker Mann, und fällt mit einem Windhauch bewusstlos um und weiß nicht einmal mehr, wer er ist.«

»Wie geht es Cristina?«

»Das kannst du dir ja vorstellen. Ihre Mutter ist schon vor Jahren gestorben, und Manuel ist ihr einziger Angehöriger. Sie hat das Familienalbum mitgenommen und zeigt es dem Armen jeden Tag in der Hoffnung, er erinnere sich an etwas.«

Während Vidal sprach, lag der Stapel seines Romans – oder müsste ich sagen, meines Romans? – umgedreht auf dem Verandatisch, einen halben Meter von seinen Händen entfernt. Er erzählte, da Manuel derzeit nicht da sei, habe er Pep – anscheinend ein guter Reiter – gedrängt, sich in die Kunst des Autofahrens zu vertiefen, doch im Moment sei sein Fahrstil noch unmöglich.

»Geben Sie ihm Zeit. Ein Auto ist kein Pferd. Das ganze Geheimnis besteht in der Übung.«

»Jetzt, da du es sagst – Manuel hat dir Fahrstunden gegeben, nicht wahr?«

»Ein paar«, gestand ich. »Und es ist nicht so leicht, wie es aussieht.«

»Wenn sich dieser Roman, über dem du sitzt, nicht verkauft, kannst du immer noch mein Fahrer werden.«

»Wir wollen doch den armen Manuel nicht vorzeitig beerdigen, Don Pedro.«

»Eine geschmacklose Bemerkung«, gab er zu. »Tut mir leid.«

»Und Ihr eigener Roman, Don Pedro?«

»Ist auf gutem Weg. Cristina hat das fertige Manuskript nach Puigcerdà mitgenommen, um es ins Reine zu tippen.«

»Ich freue mich, Sie so zufrieden zu sehen.«

Vidal lächelte siegesgewiss.

»Ich glaube, es wird etwas Großes werden. Nach so vielen schon verloren geglaubten Monaten habe ich die ersten fünfzig Seiten wieder gelesen, die Cristina abgetippt hat, und über mich selbst gestaunt. Ich glaube, auch du wirst staunen. Du wirst sehen, dass ich dir noch einiges beibringen kann.«

»Daran habe ich nie gezweifelt, Don Pedro.«

An jenem Nachmittag trank Vidal mehr als sonst. Mit den Jahren hatte ich gelernt, die ganze Bandbreite seiner Besorgnisse und Bedenken zu erkennen, und ich nahm an, dies war nicht einfach ein Höflichkeitsbesuch. Nachdem er meinen gesamten Anisvorrat liquidiert hatte, schenkte ich ihm ein großzügiges Glas Brandy ein und wartete.

»David, es gibt Dinge, über die wir beide noch nie gesprochen haben …«

»Über Fußball zum Beispiel.«

»Ich meine es ernst.«

»Ich höre, Don Pedro.«

Er schaute mich lange an und zögerte.

»Ich habe immer versucht, dir ein guter Freund zu sein, David. Das weißt du doch, nicht wahr?«

»Sie sind sehr viel mehr gewesen als das, Don Pedro. Ich weiß es, und Sie wissen es auch.«

»Manchmal frage ich mich, ob ich mit dir nicht hätte ehrlicher sein müssen.«

»In welcher Beziehung?«

Vidal tauchte den Blick in sein Brandyglas.

»Es gibt Dinge, die ich dir nie erzählt habe, David. Dinge, über die ich mit dir vielleicht schon vor Jahren hätte sprechen müssen …«

Ich ließ einen Augenblick verstreichen, der zu einer Ewigkeit wurde. Was immer Vidal mir auch erzählen wollte – es war klar, dass aller Brandy der Welt es nicht aus ihm herausbrächte.

»Machen Sie sich keine Gedanken, Don Pedro. Wenn Sie Jahre damit gewartet haben, kann es auch noch bis morgen warten.«

»Morgen habe ich möglicherweise nicht mehr den Mut, es dir zu erzählen.«

Mir wurde bewusst, dass ich ihn noch nie so angsterfüllt erlebt hatte. Etwas war ihm im Herzen stecken geblieben, und allmählich berührte es mich unangenehm, ihn in diesem Zustand zu sehen.

»Lassen Sie uns Folgendes machen, Don Pedro. Wenn Ihr Buch und mein Buch veröffentlicht werden, treffen wir uns, um darauf anzustoßen, und Sie erzählen mir, was Sie mir zu erzählen haben. Sie laden mich in eines der piekfeinen Restaurants ein, wo man mich nur mit Ihnen hereinlässt, und berichten mir alles, was Sie auf dem Herzen haben. In Ordnung?«

Als es dunkel wurde, begleitete ich ihn zum Paseo del Born, wo neben dem Hispano-Suiza Pep in Manuels Uniform wartete, die ihm fünf Nummern zu groß war, genau wie das Auto. Die Karosserie war mit frischen Kratzern und Beulen verziert, die einem in der Seele wehtaten.

»In gemächlichem Trab, ja, Pep?«, riet ich ihm. »Kein

Galopp. Langsam, aber sicher, als wär's eine Schind-
mähre.«

»Ja, Señor Martín. Langsam, aber sicher.«

Beim Abschied umarmte mich Vidal kräftig, und als
er einstieg, hatte ich das Gefühl, das Gewicht der ganzen
Welt laste auf seinen Schultern.

16

Wenige Tage nachdem ich unter den Roman von Vidal
und meinen eigenen den Schlusspunkt gesetzt hatte,
schneite Pep bei mir herein. Er trug die Uniform, die
ihm das Aussehen eines als Feldmarschall verkleideten
kleinen Jungen gab. Zuerst vermutete ich, er bringe eine
Nachricht von Vidal oder vielleicht von Cristina, aber
sein trübseliges Gesicht verriet eine Unruhe, die mich
beides verwerfen ließ.

»Schlechte Nachrichten, Señor Martín.«

»Was ist passiert?«

»Señor Manuel.«

Bei der Schilderung dessen, was geschehen war, versagte ihm die Stimme, und als ich ihm ein Glas Wasser
anbot, brach er beinahe in Tränen aus. Manuel Sagnier
war drei Tage zuvor im Sanatorium von Puigcerdà nach
langer Agonie gestorben. Auf Anordnung seiner Tochter hin war er am Vortag auf einem kleinen Friedhof am
Fuß der Pyrenäen bestattet worden.

»Mein Gott«, murmelte ich.

Statt Wasser gab ich Pep ein randvolles Glas Brandy

und schob ihn in einen Verandasessel. Nachdem er sich ein wenig beruhigt hatte, erklärte er, Vidal habe ihn geschickt, Cristina abzuholen, die an diesem Nachmittag mit dem Fünf-Uhr-Zug zurückkehren wollte.

»Stellen Sie sich vor, wie es Señorita Cristina gehen muss ...«, flüsterte er. Es bekümmerte ihn, dass gerade er sie empfangen und auf der Fahrt zurück in die kleine Wohnung über den Garagen der Villa Helius, wo sie seit ihrer Kindheit mit dem Vater gelebt hatte, trösten sollte.

»Pep, ich glaube, es ist keine gute Idee, dass du Señorita Sagnier abholst.«

»Anweisung von Don Pedro ...«

»Sag ihm, ich übernehme die Verantwortung.«

Mit reichlich Schnaps und Rhetorik konnte ich ihn überreden, die Sache in meine Hände zu geben. Ich selbst würde Cristina abholen und in einem Taxi zur Villa Helius bringen.

»Ich danke Ihnen, Señor Martín. Sie als Schriftsteller wissen bestimmt besser, was Sie der Armen sagen müssen.«

Um Viertel vor fünf machte ich mich auf den Weg zum neuen, vor kurzem eingeweihten Francia-Bahnhof. Die Weltausstellung hatte in diesem Jahr die ganze Stadt mit Wunderwerken übersät, aber dieses kathedralenartige Gewölbe aus Stahl und Glas war mir von allen das liebste, und sei es nur, weil es, zum Greifen nah, von meinem Arbeitszimmer im Turm aus zu sehen war. An diesem Nachmittag überzogen schwarze Wolken vom Meer her den Himmel und verknäulten sich über der Stadt. Der Widerschein der Blitze am Horizont und ein warmer, nach Staub und Elektrizität riechender Wind verhießen ein heftiges Sommergewitter. Als ich am Bahnhof eintraf, fielen bereits die ersten Tropfen, schillernd und schwer aus dem Himmel stürzende Münzen. Und auf dem Bahnsteig, wo ich die Ankunft des Zuges abwarten wollte, prasselte der Regen schon kräftig aufs Dach, und es wurde schlagartig Nacht. Nur ab und zu erhellten über der Stadt explodierende Blitze die Dunkelheit, gefolgt von Donner und Raserei.

Der Zug, eine unter dem Gewitter herankriechende Dampfschlange, kam mit fast einer Stunde Verspätung an. Ich wartete neben der Lokomotive, um Cristina unter den aussteigenden Passagieren zu erspähen. Nach zehn Minuten waren alle Reisenden ausgestiegen, und von ihr war noch immer keine Spur zu sehen. In der Annahme, sie hätte doch nicht diesen Zug genommen, wollte ich schon nach Hause gehen, als ich beschloss, noch durch sämtliche Abteilfenster zu sehen. Im vorletzten Wagen fand ich sie, mit verlorenem Blick dasitzend und den Kopf an die Scheibe gelehnt. Ich stieg ein und blieb auf der Schwelle zum Abteil stehen. Als sie meine Schritte vernahm, wandte sie sich um und schaute mich ohne Überraschung und mit einem schwachen Lächeln an. Dann stand sie auf und umarmte mich schweigend.

»Willkommen«, sagte ich.

Sie hatte kein weiteres Gepäck bei sich als einen kleinen Koffer. Ich gab ihr die Hand, und wir traten auf den jetzt menschenleeren Bahnsteig hinaus. Bis wir zum Ausgang kamen, sprachen wir kein Wort. Dort sahen wir, dass es wie aus Eimern goss und die Reihe Taxis, die bei meinem Eintreffen noch da gestanden hatte, sich verflüchtigt hatte.

»Ich will heute Nacht nicht in die Villa Helius zurück, David. Noch nicht.«

»Du kannst bei mir bleiben, wenn du willst, oder wir können dir ein Hotelzimmer suchen.«

»Ich will nicht allein sein.«

»Gehen wir zu mir. Wenn ich von etwas mehr als genug habe, sind es Zimmer.«

Ich erblickte einen Gepäckträger, der vor der Tür stand und sich unter einem riesigen Schirm das Gewitterspektakel ansah. Ich bot ihm für den Schirm das Fünffache des Kaufpreises. Er überreichte ihn mir mit entwaffnendem Lächeln.

Unter dem Schirm wagten wir uns in die Sintflut hinaus in Richtung Haus mit dem Turm, wo wir zehn Minuten später dank der Windstöße und Pfützen klatschnass eintrafen. Durch das Gewitter war die Straßenbeleuchtung ausgefallen, und die Gassen waren in ein nasses Dunkel getaucht, in dem hier und da in Balkontüren und in Eingängen Öllampen oder Kerzen aufschienen. Ich bezweifelte nicht einen Augenblick, dass die prachtvolle Installation in meiner Wohnung als eine der ersten versagt hatte. Wir mussten die Treppe im Dunkeln hinaufsteigen, und als ich die Wohnungstür aufschloss, erschien das Innere im Widerschein der Blitze so düster und ungastlich wie nie.

»Wenn du es dir anders überlegt hast und wir lieber ein Hotel suchen sollen …«

»Nein, ist schon gut. Sei unbesorgt.«

Ich ließ Cristinas Koffer im Vorraum stehen und holte aus der Küche eine Schachtel mit Kerzen aller Art. Eine um die andere zündete ich sie an und klebte sie auf Teller und in Gläser. Cristina schaute mir von der Tür aus zu.

»Nur eine Minute«, sagte ich. »Ich habe mittlerweile Übung darin.«

Ich verteilte die Kerzen in den Zimmern, im Korridor und in allen Ecken, bis die ganze Wohnung in schwachgoldenen Schatten lag.

»Wie in einer Kathedrale«, sagte Cristina.

Ich führte sie zu einem der Schlafzimmer, das ich nie benutzte, aber sauber und bezugsbereit hielt, seit Vidal einmal, zu betrunken für die Rückkehr in seinen Palast, die Nacht hier verbracht hatte.

»Ich bringe dir gleich frische Handtücher. Wenn du nichts zum Umziehen hast, steht dir der ganze unheimliche Belle-Époque-Fundus zur Verfügung, den die ehemaligen Eigentümer in den Schränken zurückgelassen haben.«

Meine plumpen Anflüge von Humor entlockten ihr kaum ein Lächeln, sie nickte nur. Ich ließ sie auf der Bettkante sitzen, während ich eilends Handtücher holte. Als ich zurückkam, saß sie noch genauso da, reglos. Ich legte die Tücher neben sie aufs Bett und stellte ihr ein paar Kerzen in die Nähe, damit sie wenigstens ein bisschen Licht hatte.

»Danke«, murmelte sie.

»Während du dich umziehst, mache ich eine heiße Brühe.«

»Ich habe keinen Hunger.«

»Sie wird dir aber guttun. Wenn du irgendwas brauchst, lass es mich wissen.«

Ich ließ sie allein und ging in mein Zimmer, um aus meinen durchnässten Schuhen zu schlüpfen. Dann setzte ich Wasser auf und wartete in der Veranda, bis es kochte. Der Regen trommelte immer noch wütend an die großen Scheiben und rauschte durch die Abflüsse von Turm und Dach, dass es klang, als laufe dort jemand herum. Draußen lag das Ribera-Viertel in fast vollkommener Dunkelheit.

Nach einer Weile hörte ich die Tür von Cristinas Zimmer aufgehen und ihre Schritte näher kommen. Sie war in einen weißen Morgenmantel geschlüpft und hatte sich ein wollenes Schultertuch übergeworfen, das nicht recht zu ihr passte.

»Ich habe es mir aus einem deiner Schränke ausgeliehen«, sagte sie. »Hoffentlich stört es dich nicht.«

»Du kannst es behalten, wenn du willst.«

Sie setzte sich in einen Sessel und ließ den Blick durch den Raum schweifen, bis er am Stapel auf dem Tisch hängen blieb. Sie sah mich fragend an, und ich nickte.

»Ich habe ihn vor ein paar Tagen zu Ende gebracht.«

»Und dein eigener?«

Zwar empfand ich beide Manuskripte als meine eigenen, aber ich nickte einfach.

»Darf ich?« Sie nahm eine Seite und hielt sie ins Licht.

»Natürlich.«

Sie las schweigend, ein mattes Lächeln auf den Lippen.

»Pedro wird niemals glauben, dass er das geschrieben hat«, sagte sie.

»Vertrau mir.«

Cristina legte die Seite auf den Stapel zurück und schaute mich lange an.

»Ich habe dich vermisst«, sagte sie. »Ich wollte es nicht, aber es war so.«

»Ich dich auch.«

»Es gab Tage, an denen ich vor dem Besuch im Sanatorium zum Bahnhof gegangen bin und auf dem Bahnsteig auf den Zug aus Barcelona gewartet habe, weil ich dachte, du würdest vielleicht kommen.«

Ich hatte einen Kloß im Hals.

»Ich dachte, du willst mich nicht sehen«, sagte ich.

»Das dachte ich auch. Mein Vater hat oft nach dir gefragt, weißt du. Er hat mich gebeten, mich um dich zu kümmern.«

»Dein Vater war ein guter Mensch. Ein guter Freund.«

Sie nickte lächelnd, aber ich sah, dass sich ihre Augen mit Tränen füllten.

»Am Ende hat er sich an nichts mehr erinnern können. An manchen Tagen hat er mich mit meiner Mutter verwechselt und mich um Verzeihung gebeten für seine Jahre im Gefängnis. Dann vergingen ganze Wochen, in denen er kaum merkte, dass ich da war. Mit der Zeit dringt die Einsamkeit in einen ein und verlässt einen nicht mehr.«

»Es tut mir leid, Cristina.«

»In den letzten Tagen dachte ich, es gehe ihm besser. Er konnte sich wieder an gewisse Dinge erinnern. Ich hatte von zuhause ein Fotoalbum mitgenommen und zeigte ihm noch einmal, wer wer war. Es gab auch ein altes Foto vor der Villa Helius, auf dem ihr beide im Auto sitzt. Du am Steuer, und mein Vater zeigt dir, wie man fährt. Ihr lacht beide. Willst du es sehen?«

Ich zögerte, traute mich aber nicht, diesen Augenblick zunichte zu machen.

»Natürlich …«

Cristina ging zu ihrem Koffer und kam mit einem kleinen ledergebundenen Buch zurück. Sie setzte sich neben mich und begann die Seiten mit alten Porträts, Zeitungsausschnitten und Postkarten durchzublättern. Wie mein Vater hatte auch Manuel kaum lesen und schreiben gelernt, und seine Erinnerungen bestanden aus Bildern.

»Schau, da seid ihr.«

Ich betrachtete das Foto aufmerksam und erinnerte mich genau an den Tag, da mich Manuel in Vidals erstes Auto einsteigen ließ und mir die Anfangsgründe der Fahrkunst beibrachte. Dann waren wir bis zur Calle Panamá und danach, mit fünf Stundenkilometern, was mir schwindelerregend schnell vorkam, zur Avenida Pearson gefahren, und auf dem Rückweg durfte ich mich ans Lenkrad setzen.

»Sie sind ein richtiges Ass am Steuer«, hatte Manuel gesagt. »Wenn Ihre Erzählungen einmal nicht mehr laufen, sollten Sie eine Zukunft als Rennfahrer in Betracht ziehen.«

Ich lächelte, als ich mich an diesen vergessen geglaubten Moment erinnerte. Cristina übergab mir das Album.

»Behalt es. Mein Vater hätte es gern bei dir gewusst.«

»Es gehört dir, Cristina. Ich kann es nicht annehmen.«

»Auch mir wäre es lieber, wenn es bei dir ist.«

»Es ist also hier hinterlegt, bis du es wieder holen willst.«

Ich begann es durchzublättern und betrachtete Gesichter, an die ich mich erinnerte, und andere, die ich noch nie gesehen hatte. Da gab es ein Hochzeitsfoto von Manuel Sagnier und seiner Frau Marta, der Cristina so sehr glich, Studioaufnahmen von ihren Onkeln, Tanten und Großeltern, von einem Umzug durch eine Straße des Raval und von der Badeanstalt San Sebastián am Strand der Barceloneta. Manuel hatte alte Postkarten von Barcelona und Zeitungsausschnitte mit Bildern eines blutjungen Vidal gesammelt, der im Eingang des Hotels Florida ganz oben auf dem Tibidabo posierte, und ein anderes, auf dem man ihn in den Räumen des Kasinos von Rabasada am Arm einer atemberaubenden Schönheit sah.

»Dein Vater hat Don Pedro verehrt.«

»Er hat immer gesagt, ihm hätten wir alles zu verdanken«, antwortete Cristina.

Ich reiste weiter durch die Erinnerungen des armen Manuel, bis ich auf ein Foto stieß, das nicht zu den anderen passen wollte. Darauf war ein Mädchen von acht oder neun Jahren zu sehen, das einen in die silbern leuchtende Meeresfläche hinausführenden Holzsteg entlangspazierte. Sie ging an der Hand eines Mannes in weißem Anzug, der nicht mehr ganz auf dem Bild war.

Am Ende des Stegs konnte man ein kleines Segelboot und einen unendlichen Horizont erkennen, an dem die Sonne unterging. Das Mädchen, von hinten aufgenommen, war Cristina.

»Das ist mein Lieblingsfoto«, flüsterte sie.

»Wo ist es aufgenommen?«

»Ich weiß es nicht. Ich kann mich nicht an diesen Ort erinnern, auch nicht an den Tag. Auch bin ich nicht sicher, ob dieser Mann mein Vater ist. Es ist, als hätte es diesen Augenblick gar nicht gegeben. Ich habe es vor Jahren im Album meines Vaters gefunden und nie verstanden, was es damit auf sich hat. Aber es ist, als wollte es mir etwas mitteilen.«

Ich blätterte weiter. Cristina erläuterte mir, wer auf den Bildern zu sehen war.

»Schau, das bin ich mit vierzehn Jahren.«

»Das weiß ich schon.«

Sie sah mich traurig an.

»Ich habe nichts gemerkt, nicht wahr?«, fragte sie.

Ich zuckte die Schultern.

»Du wirst mir sicher nie verzeihen.«

Ich blätterte lieber weiter, als ihr in die Augen zu schauen.

»Ich habe nichts zu verzeihen.«

»Schau mich an, David.«

Ich klappte das Album zu und tat wie geheißen.

»Das war gelogen«, sagte sie. »Natürlich habe ich es gemerkt. Ich habe es jeden Tag gemerkt, aber ich dachte, ich hätte kein Recht dazu.«

»Warum denn?«

»Weil unser Leben nicht uns gehört. Weder meines noch das meines Vaters, noch das deine ...«

»Alles gehört Vidal«, sagte ich bitter.

Langsam nahm sie meine Hand und führte sie an ihre Lippen.

»Heute nicht«, flüsterte sie.

Ich wusste, dass ich sie verlieren würde, kaum wäre diese Nacht vorbei und der Schmerz und die Einsamkeit, die sie zernagten, allmählich zum Verstummen gebracht. Ich wusste, dass sie recht hatte, nicht weil es stimmte, was sie gesagt hatte, sondern weil wir es im Grunde beide glaubten und weil es immer so sein würde. Wie zwei Einbrecher versteckten wir uns in einem der Zimmer und wagten keine Kerze anzuzünden, ja nicht einmal zu sprechen. Langsam zog ich sie aus, wanderte mit den Lippen über ihre Haut im Bewusstsein, dass ich das nie wieder tun würde. Cristinas Hingabe war heftig und absolut, und als uns die Müdigkeit übermannte, schlief sie in meinen Armen ein, ohne dass Worte nötig waren. Ich hielt der Müdigkeit stand, genoss die Wärme ihres Körpers und dachte, falls mich am nächsten Tag der Tod holen käme, würde ich ihn in Frieden empfangen. Ich streichelte Cristina im Halbdunkeln, während sich hinter den Mauern das Gewitter verzog, und ich wusste, dass sie mir entgleiten würde, dass wir aber für einige Minuten nur einander und sonst niemandem gehört hatten.

Als der erste Morgenhauch über die Fenster strich, öffnete ich die Augen und sah, dass das Bett neben mir leer war. Ich trat auf den Korridor hinaus und ging in die Veranda. Cristina hatte das Album liegen lassen und dafür Vidals Roman mitgenommen. Ich löschte in der ganzen, bereits nach ihrer Abwesenheit riechenden Wohnung eine nach der anderen die Kerzen, die ich am Abend zuvor angezündet hatte.

17

Neun Wochen später stand ich vor der zwei Jahre zuvor eröffneten Buchhandlung Catalonia an der Plaza de Catalunya Nr. 17 und starrte verblüfft in ein riesiges Schaufenster voller Bücher mit dem Titel *Das Aschenhaus* von Pedro Vidal. Ich musste schmunzeln. Mein Mentor hatte sogar den Titel gewählt, den ich ihm vor langer Zeit zusammen mit dem Abriss der Handlung vorgeschlagen hatte. Ich ging hinein und verlangte ein Exemplar. An einer zufällig aufgeschlagenen Stelle begann ich einige Passagen zu lesen, die ich auswendig wusste, da ich vor wenigen Monaten noch daran gefeilt hatte. Im ganzen Buch fand ich kein einziges Wort, das nicht von mir stammte, mit Ausnahme der Widmung: *»Für Cristina Sagnier, ohne deren Hilfe …«*

Als ich dem Geschäftsführer das Buch zurückgab, sagte er, ich solle es mir nicht zweimal überlegen.

»Wir haben es vorgestern bekommen, und ich habe es bereits gelesen. Ein großer Roman. Hören Sie auf meine Empfehlung. Ich weiß, dass es in allen Zeitungen über den grünen Klee gelobt wird, was fast immer ein schlechtes Zeichen ist, aber in diesem Fall bestätigt die

Ausnahme die Regel. Wenn es Ihnen nicht gefällt, bringen Sie es wieder, und ich erstatte Ihnen das Geld zurück.«

»Danke«, antwortete ich, für die Empfehlung und vor allem für alles Weitere. »Aber ich habe es ebenfalls gelesen.«

»Kann ich Ihnen denn etwas anderes empfehlen?«

»Haben Sie nicht einen Roman mit dem Titel *Die Schritte des Himmels*?«

Der Buchhändler dachte einen Augenblick nach.

»Das ist der von David Martín, nicht wahr, dem von *Die Stadt* ... ?«

Ich nickte.

»Ich hatte ihn bestellt, aber der Verlag hat mir keine Exemplare geliefert. Warten Sie, ich erkundige mich noch einmal.«

Ich folgte ihm zu einem Auslagentisch, wo er mit einem seiner Kollegen sprach, der den Kopf schüttelte.

»Er hätte gestern kommen sollen, aber der Verlag sagt, er habe keine Exemplare mehr. Tut mir leid. Wenn Sie wollen, reserviere ich Ihnen eines, wenn er doch noch eintrifft.«

»Bemühen Sie sich nicht. Ich werde wieder vorbeischauen. Und vielen Dank.«

»Tut mir leid, mein Herr. Ich weiß auch nicht, was da geschehen ist – ich sagte ja, eigentlich müsste ich das Buch hierhaben ...«

Anschließend ging ich zu einem Zeitungskiosk oben an den Ramblas und kaufte von der *Vanguardia* bis zur *Stimme der Industrie* fast alle Tageszeitungen. Ich setzte mich ins Café Canaletas, um mich in sie zu vertiefen. Vidals Roman wurde überall in ganzseitiger Aufmachung besprochen, mit großer Schlagzeile und einem Bild von Don Pedro, auf dem er nachdenklich und geheimnisvoll aussah, einen neuen Anzug trug und mit einstudierter Geringschätzung an einer Pfeife sog. Ich überflog jeweils die Titel und dann den ersten und letzten Absatz der Kritik.

Die erste begann so: »*Das Aschenhaus* ist ein reifes, wunderbares, hocherhabenes Werk, das zum Besten zählt, was die Gegenwartsliteratur zu bieten hat.« Eine andere Zeitung teilte ihren Lesern mit, in Spanien schreibe »niemand besser als Pedro Vidal, unser beliebtester und angesehenster Romancier«, und eine dritte fand, das Buch sei »ein kapitaler Roman, meisterlich geschrieben und von höchster Qualität«. Eine vierte Zeitung kommentierte den großen internationalen Erfolg von Vidal und seinem Roman: »Europa wirft sich dem Meister zu Füßen« (obwohl das Buch in Spanien erst zwei Tage zuvor erschienen war und, sollte es übersetzt werden, in keinem anderen Land vor Ablauf eines Jahres zu finden sein würde). Weitschweifig ließ sich der Artikel über die große Anerkennung und den enormen Respekt aus, auf die Vidals Name bei den »renommiertesten internationalen Kritikern« gestoßen sei, obwohl meines Wissens keines seiner Bücher jemals in eine andere Sprache übertragen worden war, außer einem Roman, dessen Übersetzung ins Französische Don Pedro selbst finanziert hatte und von dem 126 Stück verkauft worden waren. Aber Wunder hin oder her – die Presse war übereinstimmend der Ansicht, es sei »ein Klassiker geboren« worden und der Roman stehe für »die Rückkehr eines der Großen, der besten Feder unserer Zeit: Vidal, der unbestrittene Meister«.

Auf der gegenüberliegenden Seite fand ich in einigen Zeitungen auch eine ein- oder zweispaltige Besprechung des Romans von David Martín. Die gnädigste begann so: »*Die Schritte des Himmels,* ein Erstlingswerk von David Martín in plattem Stil, offenbaren von der ersten Seite an, dass es dem Autor an Mitteln und Talent fehlt«. Eine zweite war der Meinung, »der Anfänger Martín« versuche, »den Meister Pedro Vidal zu imitieren, was ihm aber nicht gelingt«. Die letzte, die ich zu lesen vermochte, war die der *Stimme der Industrie,* und sie begann mit einem knappen Resümee in Fettdruck: »David Martín, ein gänzlich unbekannter Redakteur von Kleinanzeigen, überrascht uns mit etwas, was vielleicht das schlechteste literarische Debüt dieses Jahres ist.«

Ich ließ die Zeitungen auf dem Tisch liegen und den Kaffee unberührt stehen und ging die Ramblas hinunter zu den Büros von Barrido und Escobillas. Unterwegs kam ich an vier oder fünf Buchhandlungen vorbei, alle mit zahllosen Exemplaren von Vidals Roman im Schaufenster. In keinem fand ich auch nur ein einziges Exemplar des meinen. Und in allen wiederholte sich die Szene aus der Catalonia.

»Wissen Sie, ich kann auch nicht sagen, was da los ist, er hätte vorgestern eintreffen sollen, aber der Verleger sagt, die Auflage sei vergriffen und er wisse nicht, wann er nachdrucken werde. Wenn Sie Ihren Namen und Ihre Telefonnummer hinterlassen wollen, kann ich Sie benachrichtigen, sobald er kommt ... Haben Sie schon in der Catalonia gefragt? Wenn die ihn nicht haben ...«

Die beiden Teilhaber empfingen mich mit düsterem, unfreundlichem Blick. Barrido hinter seinem Schreibtisch mit einem Füllfederhalter spielend und Escobillas hinter ihm stehend und mich mit dem Blick durchbohrend. Die Giftige saß in einem Stuhl neben mir und genoss die Aussicht auf das Kommende in vollen Zügen.

»Sie wissen nicht, wie leid mir das tut, mein lieber Martín«, erklärte Barrido. »Das Problem ist folgendes: Die Bestellungen der Buchhändler richten sich nach den Zeitungskritiken, fragen Sie mich nicht, warum. Wenn Sie ins Lager nebenan gehen, werden Sie sehen, dass da dreitausend Exemplare Ihres Romans liegen, die schon Staub ansetzen.«

»Mit den entsprechenden Kosten und Verlusten«, ergänzte Escobillas in deutlich feindseligem Ton.

»Ich war im Lager, bevor ich hergekommen bin, und habe festgestellt, dass da dreihundert Exemplare liegen. Der Chef hat mir gesagt, dass nicht mehr gedruckt wurden.«

»Das ist eine Lüge«, rief Escobillas.

Barrido unterbrach ihn versöhnlich.

»Entschuldigen Sie meinen Partner, Martín. Sie müssen verstehen, wir sind ebenso empört wie Sie, wenn nicht noch empörter, dass die lokale Presse ein Buch so schändlich misshandelt hat, an dem wir alle in diesem Haus größten Gefallen gefunden haben, aber bitte begreifen Sie, dass uns in diesem Fall trotz unseres begeisterten Glaubens an Ihr Talent Hände und Füße gebunden sind durch die Verwirrung, welche diese hinterhältigen Pressenotizen ausgelöst haben. Aber lassen Sie sich nicht entmutigen – Rom wurde auch nicht an zwei Tagen erbaut. Wir bemühen uns nach Kräften, Ihrem Werk die Tragweite zu verleihen, die sein hohes literarisches Niveau verdient ...«

»Mit einer Auflage von dreihundert Exemplaren.«

Barrido seufzte, beleidigt durch mein mangelndes Vertrauen.

»Die Auflage beträgt fünfhundert«, präzisierte Escobillas. »Die anderen zweihundert haben Barceló und Sempere gestern persönlich abgeholt. Der Rest wird mit der nächsten Lieferung hinausgehen – mit dieser war es nicht möglich, weil die Häufung von Novitäten zu Schwierigkeiten führte. Wenn Sie sich einmal unsere Probleme vor Augen führen würden und nicht so egoistisch wären, würden Sie das verstehen.«

Ungläubig schaute ich die drei an.

»Sagen Sie nicht, dass Sie nichts weiter unternehmen werden.«

Barrido wirkte untröstlich.

»Was sollen wir denn tun, mein Freund? Wir setzen bereits alles für Sie aufs Spiel. Helfen Sie uns auch ein bisschen.«

»Wenn Sie wenigstens ein Buch geschrieben hätten wie das Ihres Freundes Vidal«, sagte Escobillas.

»Ja, das freilich ist eine Schwarte«, bekräftigte Barrido. »Das findet selbst *Die Stimme der Industrie*.«

»Ich habe ja gewusst, dass es so kommen würde«, fuhr Escobillas fort. »Sie sind ein undankbarer Mensch.«

Die Giftige neben mir schaute mich zerknirscht an. Ich hatte das Gefühl, sie ergreife gleich meine Hand, um mich zu trösten, und ich rückte rasch von ihr ab. Barrido lächelte ölig.

»Vielleicht ist es gut so, Martín. Vielleicht ist das ein Zeichen unseres Herrn, der Ihnen in seiner unendlichen Weisheit den Weg zurück zu der Arbeit weisen will, die die Leser der *Stadt der Verdammten* so glücklich gemacht hat.«

Ich lachte schallend. Barrido fiel ein, und auf sein Zeichen hin taten es ihm Escobillas und die Giftige nach. Ich besah mir diesen Hyänenchor und dachte, unter anderen Umständen hätte ich das als einen Moment auserlesener Ironie empfunden.

»So ist es recht, Sie sollen es positiv nehmen«, rief Barrido. »Was meinen Sie? Wann werden wir den nächsten Roman von Ignatius B. Samson bekommen?«

Die drei schauten mich zuvorkommend und erwartungsvoll an. Ich räusperte mich, um möglichst deutlich sprechen zu können, und schenkte ihnen ein Lächeln.

»Sie können mich mal.«

18

Nach dem Besuch bei den Verlegern streifte ich stundenlang ziellos durch die Straßen von Barcelona. Das Atmen fiel mir schwer, und ich spürte einen Druck auf der

Brust. Kalter Schweiß bedeckte mir Stirn und Hände. Bei Einbruch der Dunkelheit machte ich mich auf den Heimweg, da ich nicht mehr wusste, wo ich mich verstecken sollte. Als ich bei Sempere und Söhne vorbeikam, sah ich, dass der Buchhändler das Schaufenster mit meinem Roman gefüllt hatte. Es war schon spät und der Laden geschlossen, aber im Inneren brannte noch Licht, und obwohl ich rasch weitergehen wollte, bemerkte mich Sempere und lächelte mir so traurig zu, wie ich ihn in all den Jahren unserer Bekanntschaft noch nie gesehen hatte. Er kam zur Tür und öffnete sie.

»Kommen Sie einen Augenblick herein, Martín.«

»Ein andermal, Señor Sempere.«

»Mir zuliebe.«

Er fasste mich am Arm und zog mich hinein. Ich folgte ihm ins Hinterzimmer, wo er mir einen Stuhl anbot, zwei Gläser mit etwas füllte, was dickflüssiger aussah als Teer, und mir bedeutete, es wie er in einem Zug zu leeren.

»Ich habe in Vidals Buch geblättert«, sagte er.

»Der Erfolg der Saison«, bemerkte ich.

»Weiß er, dass Sie es geschrieben haben?«

Ich zuckte die Achseln.

»Und wenn schon?«

Sempere schaute mich mit demselben Blick an, mit dem er eines weit zurückliegenden Tages den Jungen empfangen hatte, der mit Prellungen und abgebrochenen Zähnen bei ihm geklingelt hatte.

»Geht es Ihnen gut, Martín?«

»Hervorragend.«

Sempere schüttelte schwach den Kopf und stand auf, um aus einem Regal mein Buch zu holen. Lächelnd legte er es zusammen mit einer Feder vor mich hin.

»Seien Sie so lieb und schreiben Sie mir eine Widmung hinein.«

Nachdem ich ihm den Wunsch erfüllt hatte, nahm Sempere das Buch und stellte es in die Ehrenvitrine hinter dem Ladentisch mit den unverkäuflichen Erstausgaben. Das war sein Privatheiligtum.

»Das brauchen Sie wirklich nicht zu tun, Señor Sempere«, sagte ich leise.

»Ich tue es, weil ich es will und weil es das wert ist. Dieses Buch ist ein Teil Ihres Herzens, Martín. Und was mich betrifft, auch meines Herzens. Ich stelle es zwischen *Le Père Goriot* und *L'Éducation Sentimentale*.«

»Das ist ein Sakrileg.«

»Dummes Zeug. Es ist eines der besten Bücher, die ich in den letzten zehn Jahren verkauft habe, und ich habe viele Bücher verkauft.«

Semperes freundliche Worte vermochten die eiskalte, undurchdringliche Ruhe kaum anzukratzen, die mich mehr und mehr befiel. Auf einem Umweg ging ich gemächlich zum Haus mit dem Turm. Dort schenkte ich mir ein Glas Wasser ein, und als ich es in der dunklen Küche trank, konnte ich nicht an mich halten und brach in Gelächter aus.

Am nächsten Vormittag bekam ich zweimal Besuch. Der erste Besucher war Pep, Vidals neuer Fahrer. Er brachte mir eine Einladung seines Herrn für ein Mittagessen in der Maison Dorée, zweifellos um das Erscheinen unserer Bücher zu feiern, wie er es mir vor einiger Zeit versprochen hatte. Pep wirkte verkrampft und schien so schnell wie möglich wieder wegkommen zu wollen. Die vormals so vertraute Atmosphäre zwischen uns war verflogen. Er wollte nicht eintreten, sondern im Treppenhaus warten. Den Umschlag mit Vidals Mitteilung übergab er mir, ohne mir in die Augen zu schauen, und sowie ich ihm bestätigt hatte, die Einladung anzunehmen, verschwand er grußlos.

Als zweiter Besuch, eine halbe Stunde später, standen meine beiden Verleger in Begleitung eines Gentleman von finsterer Erscheinung und stechendem Blick vor der Tür, der sich als ihr Anwalt vorstellte. Dieses treffliche Trio trug einen Ausdruck zwischen Trauer und Streitlust zur Schau, der keinen Zweifel an der Natur der Begegnung ließ. Ich bat sie in die Veranda, wo sie sich von links nach rechts in absteigender Größe aufs Sofa setzten.

»Darf ich Ihnen etwas anbieten? Ein Gläschen Zyankali?«

Ich erwartete kein Lachen, und es kam auch keines. Nach einer kurzen Vorrede von Barrido bezüglich der schrecklichen Verluste, welche der Fehlschlag der *Schritte des Himmels* dem Verlag verursachen würde, gab mir der Anwalt in einer unmissverständlichen Zusammenfassung zu verstehen, wenn ich mich nicht in meiner Verkörperung als Ignatius B. Samson wieder an die Arbeit mache und binnen anderthalb Monaten ein

Manuskript von *Die Stadt der Verdammten* abliefere, würden sie mich wegen Nichterfüllung meines Vertrags auf Schadensersatz verklagen – sowie in weiteren fünf oder sechs Belangen, die mir entgingen, weil ich da schon nicht mehr hinhörte. Es gab aber nicht nur schlechte Nachrichten. Trotz des durch mein Verhalten verursachten Ärgers hatten Barrido und Escobillas in ihrem Herzen eine Perle der Großzügigkeit gefunden, um die Meinungsverschiedenheiten zu beseitigen und eine neue Allianz von Freundschaft und Nutzen zu begründen.

»Wenn Sie möchten, können Sie zum Vorzugspreis von siebzig Prozent des Verkaufspreises alle Exemplare von *Die Schritte des Himmels* erwerben, die nicht ausgeliefert worden sind, da wir festgestellt haben, dass der Titel nicht läuft und wir sie unmöglich in die nächste Auslieferung einbeziehen können«, erklärte Escobillas.

»Warum geben Sie mir nicht die Rechte zurück? Schließlich haben Sie keinen Heller dafür gezahlt und wollen nicht einmal versuchen, ein einziges Exemplar abzusetzen.«

»Das können wir nicht, mein Freund«, führte Barrido aus. »Obwohl kein Vorschuss an Sie gezahlt wurde, war die Herausgabe für den Verlag eine höchst bedeutsame Investition, und der von Ihnen unterzeichnete Vertrag hat eine Laufzeit von zwanzig Jahren und verlängert sich automatisch zu denselben Bedingungen, falls der Verlag sein legitimes Recht ausüben will. Sie müssen verstehen, dass auch wir etwas bekommen müssen. Nicht alles kann an den Autor gehen.«

Am Ende seiner Tirade forderte ich die drei Herren auf, sich jetzt hinauszubegeben, je nach Wahl aus eigenem Antrieb oder mit einem Tritt. Bevor ich hinter ihnen die Tür zuschlug, warf mir Escobillas noch einen seiner bösen Blicke zu.

»In einer Woche erwarten wir eine Antwort, oder Sie sind geliefert«, knirschte er.

»In einer Woche sind Sie und Ihr schwachsinniger Partner tot«, erwiderte ich ganz ruhig, ohne recht zu wissen, warum ich das sagte.

Den Rest des Vormittags starrte ich an die Wand, bis mich die Glocken von Santa María daran erinnerten, dass die Stunde meiner Verabredung mit Pedro Vidal nahte.

Er erwartete mich am besten Tisch des Saales, mit einem Weißweinglas spielend und dem Pianisten lauschend, der mit Samtfingern ein Stück von Enrique Granados liebkoste. Als er mich erblickte, stand er auf und gab mir die Hand.

»Herzlichen Glückwunsch«, sagte ich.

Vidal lächelte unerschütterlich und wartete, bis ich mich gesetzt hatte, ehe er wieder Platz nahm. In die Klänge der Musik gehüllt, ließen wir schweigend eine Minute verstreichen, während Menschen vornehmen Geblüts Vidal anschauten, ihm zuwinkten oder an den Tisch traten, um ihn zu seinem Erfolg zu beglückwünschen, der das Stadtgespräch war.

»David, du weißt gar nicht, wie leid mir tut, was geschehen ist«, begann er.

»Es soll Ihnen nicht leidtun, Sie sollen es genießen.«

»Glaubst du, das bedeutet mir etwas? Die Schmeicheleien von ein paar Trotteln? Ich hatte vor allem gehofft,
deinen Erfolg zu erleben.«

»Ich bedaure, Sie abermals enttäuscht zu haben, Don
Pedro.«

Vidal seufzte.

»Es ist nicht meine Schuld, David, dass sie auf dich
losgegangen sind. Es ist deine Schuld. Du hast es herausge-
gefordert. Du bist mittlerweile alt genug, um zu wissen,
wie so etwas läuft.«

»Sagen *Sie* es mir.«

Er schnalzte mit der Zunge, als beleidigte ihn meine
Naivität.

»Was hast du erwartet? Du bist keiner von ihnen. Du
wirst es nie sein. Du hast es nicht sein wollen und
glaubst, man wird dir das verzeihen. Du vergräbst dich
in deinem alten Kasten und meinst, du kannst überleben, ohne dich dem Chor der Messknaben anzuschließen und die Uniform anzuziehen. Da irrst du dich, David. Du hast dich immer geirrt. Das Spiel läuft anders.
Wenn du allein spielen willst, pack die Koffer und geh
irgendwohin, wo du Herr deines Schicksals bist. Aber
wenn du hierbleibst, schließt du dich besser einer Gemeinde an, welcher auch immer. So einfach ist das.«

»Und das tun Sie, Don Pedro? Sich der Gemeinde anschließen?«

»Ich habe das nicht nötig, David. Ich gebe ihnen zu
essen. Auch das hast du nie begriffen.«

»Sie wären erstaunt, wie schnell ich dazulerne. Aber
machen Sie sich keine Gedanken, diese Kritiken haben

nichts zu bedeuten. So oder so wird sich morgen keiner mehr an sie erinnern, weder an meine noch an Ihre.«

»Was ist dann das Problem?«

»Schwamm drüber.«

»Sind es diese beiden Dreckskerle? Barrido und der Leichenfledderer?«

»Vergessen Sie es, Don Pedro. Wie Sie selbst sagen, es ist meine Schuld, ausschließlich meine.«

Der Oberkellner näherte sich mit fragendem Blick. Ich hatte nicht in die Karte geschaut und gedachte es auch nicht zu tun.

»Das Übliche, für beide«, sagte Don Pedro.

Der Oberkellner entfernte sich mit einer Verneigung. Vidal beobachtete mich wie ein gefährliches Tier hinter Käfigstangen.

»Cristina konnte nicht kommen«, sagte er. »Ich habe das mitgebracht, damit du ihr eine Widmung hineinschreibst.«

Er legte die in purpurfarbenes Papier mit dem Firmenzeichen von Sempere und Söhne gehüllten *Schritte des Himmels* auf den Tisch und schob mir das Buch zu. Ich machte keine Anstalten, es in die Hand zu nehmen. Vidal war blass geworden, sein Ton weniger heftig und weniger defensiv. Jetzt kommt der tödliche Stoß, dachte ich.

»Sagen Sie mir endlich, was Sie mir zu sagen haben, Don Pedro. Ich werde Sie nicht beißen.«

Vidal leerte sein Weinglas in einem Zug.

»Es gibt zwei Dinge, die ich dir sagen wollte. Sie werden dir nicht gefallen.«

»Langsam gewöhne ich mich dran.«

»Das eine hat mit deinem Vater zu tun.«

Ich spürte, wie mir das Lächeln auf den Lippen erstarb.

»Ich wollte es dir seit Jahren sagen, aber ich dachte, es würde dir nichts bringen. Du wirst glauben, ich hätte es dir aus Feigheit verschwiegen, aber ich schwöre dir, ich schwöre es dir bei allem, was mir heilig ist, dass …«

»Was?«, unterbrach ich ihn.

Er seufzte.

»In der Nacht, als dein Vater starb …«

»… ermordet wurde«, stellte ich in eisigem Ton richtig.

»Das war ein Irrtum. Der Tod deines Vaters war ein Missverständnis.«

Verständnislos schaute ich ihn an.

»Diese Typen hatten es nicht auf ihn abgesehen. Sie irrten sich.«

Ich erinnerte mich an die Blicke der drei Angreifer im Nebel, an den Schießpulvergeruch und das Blut meines Vaters, das schwarz zwischen meinen Fingern hindurchsickerte.

»*Mich* wollten sie umbringen«, sagte Vidal mit hauchdünner Stimme. »Ein ehemaliger Geschäftspartner meines Vaters hatte entdeckt, dass seine Frau und ich …«

Ich schloss die Augen und hörte in mir ein düsteres Lachen aufsteigen. Mein Vater von Kugeln durchlöchert wegen einer Weibergeschichte des großen Pedro Vidal.

»Sag etwas, bitte«, flehte er.

Ich öffnete die Augen.

»Und was ist das Zweite, was Sie mir zu sagen haben?«

Die Angst hatte ihn fest im Griff. Sie stand ihm gut.

»Ich habe Cristina gebeten, mich zu heiraten.«

Langes Schweigen.

»Sie hat eingewilligt.«

Er senkte den Blick. Einer der Kellner brachte die Vorspeisen und stellte sie mit einem »*Bon appétit*« auf den Tisch. Vidal wagte mich nicht mehr anzusehen. Die Vorspeisen wurden kalt. Kurz darauf nahm ich *Die Schritte des Himmels* und ging.

Nachdem ich die Maison Dorée verlassen hatte, ertappte ich mich dabei, wie ich mit meinem Buch die Ramblas hinabging. Je näher ich der Ecke kam, wo die Calle del Carmen abzweigte, desto mehr zitterten meine Hände. Vor dem Schaufenster des Juweliers Bagués blieb ich stehen, als wollte ich die rubingespickten Goldmedaillons in Form von Feen und Blumen studieren. Die barock wuchernde Fassade des Warenhauses El Indio befand sich nur wenige Meter entfernt – es sah eher aus wie ein Basar für Wunderdinge denn wie eine Tuchhalle. Langsam ging ich darauf zu und trat in den Vorraum. Ich wusste, dass sie mich nicht erkennen konnte, dass vielleicht nicht einmal ich sie wiedererkannte, aber trotzdem blieb ich fünf Minuten dort draußen stehen, bevor ich hineinzugehen wagte. Schließlich trat ich mit klopfendem Herzen und schweißnassen Händen ein.

An den Wänden reihten sich Regale mit großen Stoffballen aneinander, und auf den Tischen zeigten die Verkäufer, mit Maßbändern und am Gürtel befestigten Spezialscheren, den von ihren Zofen und Schneiderinnen eskortierten betuchten Damen die erstklassigen Stoffe.

»Kann ich Ihnen behilflich sein, mein Herr?«, fragte ein korpulenter Mann mit Fistelstimme. Er steckte in einem Flanellanzug, der jeden Moment zu zerplatzen und den Laden mit flatternden Stofffetzen zu übersäen drohte. Er schaute mich herablassend und mit gezwungenem, feindseligem Lächeln an.

»Nein«, hauchte ich.

Da sah ich sie. Meine Mutter kam mit einer Handvoll Stoffresten in der Hand eine Treppe hinunter. Sie trug eine weiße Bluse, und ich erkannte sie auf der Stelle. Ihre Figur war ein wenig in die Breite gegangen, und in ihren jetzt weicheren Zügen lag etwas von dem Ausdruck einer durch Routine und Enttäuschung besiegten Frau. Aufgebracht redete der Verkäufer weiter auf mich ein, aber ich nahm ihn kaum noch wahr. Ich sah nur sie, wie sie näher kam und an mir vorüberging. Eine Sekunde lang schaute sie mir in die Augen, und als sie bemerkte, dass ich sie beobachtete, lächelte sie mir artig zu, wie man einem Kunden oder dem Chef zulächelt, dann machte sie sich wieder an die Arbeit. Meine Kehle war wie zugeschnürt, ich brachte kaum die Lippen auseinander, um den Verkäufer zum Schweigen zu bringen, und mit Tränen in den Augen stürzte ich zum Ausgang. In einem Café auf der gegenüberliegenden Straßenseite setzte ich mich an einen Fenstertisch, um den Eingang des El Indio im Auge zu behalten, und wartete.

Nach fast anderthalb Stunden sah ich den Verkäufer heraustreten und das Eingangsgitter herunterlassen. Gleich darauf gingen die Lichter aus, und einige der Verkäuferinnen erschienen am Personaleingang. Ich trat auf die Straße hinaus. Im Hauseingang nebenan saß ein etwa zehnjähriger Junge und schaute mich an. Ich winkte ihn herbei und zeigte ihm eine Münze. Er lächelte so breit, dass man all seine Zahnlücken sah.

»Siehst du dieses Paket? Du sollst es einer Dame geben, die gleich da herauskommen wird. Du sagst ihr, ein Herr habe es dir für sie gegeben, aber sag nicht, dass ich es gewesen bin. Hast du begriffen?«

Er nickte. Ich gab ihm Buch und Münze.

»Und jetzt warten wir.«

Lange dauerte es nicht – nach drei Minuten sah ich sie herauskommen und auf die Ramblas zugehen.

»Diese Dame ist es. Siehst du sie?«

Vor den Strebepfeilern der Bethlehem-Kirche blieb meine Mutter einen Augenblick stehen, und ich gab dem Jungen ein Zeichen, woraufhin er zu ihr lief. Ich verfolgte die Szene aus der Entfernung und konnte nicht hören, was er sagte. Er reichte ihr das Paket, und sie schaute es befremdet an und zögerte, ob sie es nehmen sollte oder nicht. Er beharrte darauf, und schließlich nahm sie es und sah dem weglaufenden Jungen nach. Fragend und verwirrt schaute sie sich nach allen Seiten um. Sie wog das Paket ab und untersuchte das purpurne Einschlagpapier. Schließlich obsiegte die Neugier, und sie riss es auf.

Ich sah sie das Buch herausnehmen. Sie hielt es in beiden Händen, las den Titel und studierte den Umschlag. Mir stockte der Atem. Ich wollte zu ihr treten, etwas zu ihr sagen, aber ich konnte nicht. So blieb ich stehen, zehn Meter von meiner Mutter entfernt, beobachtete sie, ohne dass sie meine Anwesenheit bemerkte, bis sie mit dem Buch in der Hand Richtung Kolumbus-Denkmal weiterging. Als sie am Palacio de la Virreina vorbeikam, warf sie es in einen Papierkorb. Ich sah sie die Ramblas hinuntergehen, bis sie sich in der Menge verlor und es war, als wäre sie nie da gewesen.

19

Sempere senior befand sich allein in der Buchhandlung und verleimte den Rücken einer auseinanderfallenden Ausgabe von Galdós' *Fortunata und Jacinta*. Als er aufschaute, erblickte er mich vor der Tür. Zwei Sekunden genügten ihm, um meinen Zustand zu erkennen. Er winkte mich herein und bot mir einen Stuhl an.

»Sie sehen schlecht aus. Sie sollten zum Doktor gehen. Wenn Ihnen die Nerven flattern, gehe ich mit. Auch mir graut vor den Ärzten, alle tragen diese weißen Kittel und fuchteln mit spitzen Gegenständen herum, aber manchmal muss man eben in den sauren Apfel beißen.«

»Es sind bloß Kopfschmerzen, Señor Sempere. Es geht gleich vorüber.«

Sempere brachte mir ein Glas Selters.

»Da. Das kuriert alles, außer der Dummheit, die ist eine wahre Pandemie.«

Widerwillig lächelte ich über seinen Scherz und trank mit einem Seufzer das Glas aus. Ich spürte Übelkeit auf den Lippen und hinter dem linken Auge einen heftig pulsierenden Druck. Einen Moment befürchtete ich, die Besinnung zu verlieren, und schloss die Augen. Ich atmete tief ein und schickte ein Stoßgebet zum Himmel. Des Schicksals Sinn für Humor konnte doch nicht so pervers sein, dass es mich zu Semperes Buchhandlung führte, um ihm zum Dank für alles, was er für mich getan hatte, eine Leiche zu bescheren. Ich spürte, wie mir eine Hand sanft die Stirn hielt. Sempere. Als ich die Augen öffnete, sah ich, dass mich der Buchhändler und sein Sohn, der den Kopf hereinstreckte, mit Trauermienen anschauten.

»Soll ich den Arzt rufen?«, fragte Sempere junior.

»Ich fühle mich schon besser, danke. Viel besser.«

»Bei Ihrer Art, sich besser zu fühlen, sträuben sich einem ja die Haare. Sie sind ganz grau im Gesicht.«

»Noch etwas Wasser?«

Der junge Sempere schenkte mir eilig nach.

»Entschuldigen Sie bitte dieses Schauspiel«, sagte ich. »Ich versichere Ihnen, ich habe es nicht einstudiert.«

»Reden Sie keinen Unsinn.«

»Vielleicht würde Ihnen etwas Süßes guttun. Es kann ja eine Unterzuckerung gewesen sein ...«, bemerkte der Sohn.

»Geh zum Bäcker an der Ecke und bring was Süßes mit«, stimmte der Buchhändler zu.

Als wir allein waren, heftete Sempere seinen Blick auf mich.

»Ich schwöre Ihnen, dass ich zum Arzt gehe«, sagte ich.

Zwei Minuten später kam der Sohn mit einer Tüte voller Köstlichkeiten aus der Konditorei in der Nähe zurück. Er bot sie mir an, und ich wählte eine Brioche, die mir unter anderen Umständen etwa so verlockend erschienen wäre wie der Hintern einer Chorsängerin.

»Beißen Sie schon hinein«, befahl Sempere.

Gehorsam verzehrte ich die Brioche, und allmählich fühlte ich mich wirklich besser.

»Sieht aus, als kehrte er ins Leben zurück«, stellte der Sohn fest.

»Was die Milchbrötchen von der Ecke nicht alles kurieren ...«

In diesem Moment läutete die Glocke an der Ladentür. Auf ein Nicken des Vaters hin ging Sempere junior nach vorn, um die Kundschaft zu bedienen. Der Buchhändler blieb bei mir und drückte mir den Zeigefinger aufs Handgelenk, um den Puls zu messen.

»Señor Sempere, erinnern Sie sich noch daran, dass Sie mir vor vielen Jahren gesagt haben, wenn ich eines Tages ein Buch in Sicherheit bringen müsse, wirklich in Sicherheit, dann solle ich zu Ihnen kommen?«

Sempere warf einen Blick auf das Buch, das ich aus dem Papierkorb gerettet hatte und noch immer in den Händen hielt.

»Geben Sie mir fünf Minuten.«

Es wurde schon dunkel, als wir im Gedränge der Menschen, die an diesem feuchtheißen Abend durch die Straßen bummelten, die Ramblas hinuntergingen. Nur ein leises Lüftchen wehte, die Balkontüren und Fenster standen weit offen, und die Leute schauten heraus, um unter dem orange leuchtenden Himmel die Silhouetten vorbeiziehen zu sehen. Sempere schlug eine flotte Gangart an und verlangsamte seine Schritte erst, als wir die schattige Mündung der Calle Arc del Teatre erblickten. Bevor wir einbogen, schaute er mich feierlich an und sagte:

»Martín, was Sie jetzt sehen werden, dürfen Sie niemandem erzählen, nicht einmal Vidal. Niemandem.«

Ich nickte, neugierig geworden durch die ernste, geheimniskrämerische Miene des Buchhändlers. Ich folgte ihm durch die enge Straße, bloß eine Scharte zwischen düsteren, baufälligen Häusern, die sich einander wie steinerne Weiden zuneigten, als wollten sie auf Dachhöhe die Öffnung zum Himmel verschließen. Wenig später gelangten wir vor ein großes Holztor, das aussah, als verschließe es eine alte, seit hundert Jahren auf dem Grund eines Stausees stehende Basilika. Sempere stieg die beiden Stufen zum Tor hinauf, ließ den Bronzeklopfer in Form eines grinsenden Teufelchens dreimal fallen und kam wieder zu mir zurück.

»Was Sie jetzt sehen werden, dürfen Sie …«

»… niemandem erzählen. Nicht einmal Vidal. Niemandem.«

Sempere nickte gravitätisch. Wir warteten zwei Minuten, bis ein Geräusch wie von hundert ineinandergreifenden Schlössern zu hören war. Mit schwerem Ächzen öffnete sich das Tor einen Spaltbreit, und es erschien das Gesicht eines Mannes mittleren Alters mit schütterem Haar und durchdringendem Blick in einem Raubvogelgesicht.

»Ich glaube, mich laust der Sempere, oder so ähnlich«, stieß er hervor. »Wen bringen Sie mir denn heute mit? Wieder eine von diesen Buchstabenleichen, die sich keine Freundin zulegen, weil sie lieber bei Muttern wohnen?«

Sempere kümmerte sich nicht um den sarkastischen Empfang.

»Martín, das ist Isaac Monfort, Wachhund des Hauses und ein unvergleichlicher Sympath. Gehorchen Sie ihm in allem aufs Wort. Isaac, das ist David Martín, ein guter Freund, Schriftsteller und Mann meines Vertrauens.«

Isaac musterte mich mit wenig Begeisterung von Kopf bis Fuß und wechselte dann einen Blick mit Sempere.

»Einem Schriftsteller kann man niemals vertrauen. Na, hat Ihnen Sempere die Regeln erläutert?«

»Nur, dass ich niemandem erzählen darf, was ich hier sehen werde.«

»Das ist das A und O. Wenn Sie sich nicht daran halten, werde ich Sie persönlich aufsuchen, um Ihnen den Hals umzudrehen. Haben Sie verstanden?«

»Vollkommen.«

»Na, dann los.« Isaac winkte mich herein.

»Ich verabschiede mich jetzt, Martín, und lasse euch beide allein. Hier sind sie in Sicherheit.«

Ich begriff, dass Sempere die Bücher meinte, nicht mich. Er umarmte mich herzlich und verschwand dann in der Nacht. Ich trat über die Schwelle, und Isaac zog an einem Hebel innen an der Tür. Tausend mit einem Gewirr von Stangen und Rollen verbundene Mechanismen verriegelten sie. Isaac nahm eine Öllampe vom Boden und hob sie auf die Höhe meines Gesichts.

»Sie sehen schlecht aus.«

»Verdorbener Magen.«

»Wovon?«

»Vom Leben.«

»Da sind Sie nicht der Einzige.«

Wir gingen durch einen langen Flur, und im Halbdunkel konnte ich links und rechts Fresken und Marmortreppen erahnen. Nachdem wir immer tiefer in dieses palastartige Gebäude eingedrungen waren, erkannte ich auf einmal vor uns den Eingang zu einem großen Saal.

»Was bringen Sie mit?«, fragte Isaac.

»*Die Schritte des Himmels*. Einen Roman.«

»Was für ein kitschiger Titel. Sie werden doch nicht etwa der Autor sein?«

»Ich fürchte, doch.«

Isaac schüttelte seufzend den Kopf.

»Und was haben Sie sonst noch geschrieben?«

»*Die Stadt der Verdammten*, Band eins bis hundertsiebenundzwanzig, unter anderem.«

Mit einem zufriedenen Grinsen wandte er sich um.

»Ignatius B. Samson?«

»Gott hab ihn selig, stets zu Diensten.«

Nun blieb der geheimnisvolle Wächter stehen und

platzierte die Lampe auf einer Art Balustrade, die vor einem riesigen Raum errichtet worden war. Ich schaute auf und war sprachlos. Regale mit Hunderttausenden Büchern, verbunden durch Brücken und Passagen, erhoben sich zu einer gigantischen Bibliothek und bildeten ein unübersehbares Labyrinth. In seinem Gewirr aus Gängen war der enorme Bau nicht zu erfassen. Er schien spiralförmig zu einer großen Glaskuppel aufzusteigen, durch welche Vorhänge aus Licht und Dunkel fielen. Ich erkannte einige vereinzelte Gestalten, die sich über Stege und Treppen bewegten oder eingehend die Regalreihen dieser Bücher- und Wortkathedrale besahen. Ich traute meinen Augen nicht und schaute Isaac Monfort verblüfft an. Er grinste wie ein alter Fuchs, der seinen Lieblingstrick genießt.

»Willkommen im Friedhof der Vergessenen Bücher, Ignatius B. Samson.«

20

Ich folgte dem Aufseher hinab auf den Boden der großen Halle, die das Labyrinth beherbergte. Der Belag unter unseren Füßen war ein Flickwerk aus Fliesen und groben Platten, voller Grabinschriften, Kreuze und ausgewaschener Steingesichter. Isaac blieb stehen und ließ zu meinem Ergötzen das Licht der Öllampe über einige Teile dieses makabren Puzzles gleiten.

»Reste eines alten Gräberfeldes«, erklärte er. »Aber kommen Sie mir nicht auf die Idee, hier tot umzufallen.«

Wir gingen weiter bis zu einem offenbar als Eingang dienenden Bereich. Isaac leierte die Regeln und Pflichten herunter und warf mir ab und an einen Blick zu, den ich mit mildem Nicken aufzufangen suchte.

»Artikel eins: Das erste Mal, wenn jemand herkommt, hat er das Recht, sich aus allen Büchern, die es hier gibt, nach Belieben eines auszusuchen. Artikel zwei: Wenn man ein Buch adoptiert, geht man die Verpflichtung ein, es zu beschützen und alles zu tun, damit es nie verloren geht. Ein Leben lang. Irgendwelche Unklarheiten bis dahin?«

Ich schaute in die labyrinthischen Weiten der Bibliothek hinauf.

»Wie kann man unter so vielen Büchern ein einziges aussuchen?«

»Manch einer glaubt, das Buch suche *ihn* aus ... Das Schicksal sozusagen. Was Sie hier sehen, ist die Summe von Jahrhunderten verlorener und vergessener Bücher, Bücher, die dazu verdammt waren, für immer vernichtet und zum Schweigen gebracht zu werden, Bücher, die die Erinnerung und die Seele von Zeiten und Wundern bewahren, an die niemand mehr denkt. Keiner von uns, nicht einmal einer der Ältesten, weiß mit Bestimmtheit, wann das alles hier geschaffen wurde und von wem. Wahrscheinlich ist es so alt wie die Stadt selbst und ist mit ihr gewachsen, in ihrem Schatten. Wir wissen, dass das Gebäude auf den Überresten von Palästen, Kirchen, Gefängnissen und Krankenhäusern errichtet wurde, die einmal an diesem Ort gestanden haben mögen. Die Grundmauern des Hauptbaus stammen ursprünglich aus dem frühen achtzehnten Jahrhundert. Vorher war der Friedhof der Vergessenen Bücher unter der mittelalterlichen Stadt verborgen. Es heißt, in den Zeiten der Inquisition hätten Gebildete und Freidenker verbotene Bücher in Sarkophagen versteckt und zu ihrem Schutz auf den Gottesackern vergraben, die es überall in der Stadt gab, im Vertrauen darauf, dass kommende Generationen sie wieder ausgraben würden. Mitte des letzten Jahrhunderts fand man einen langen Tunnel, der vom Inneren des Friedhofs der Vergessenen Bücher zu den Kellergeschossen einer alten Bibliothek führt, die heute versiegelt und in den Ruinen einer ehemaligen Synagoge des Call-Viertels verborgen ist. Beim Einsturz der letzten Stadtmauern entstand ein Erdrutsch, und der Tunnel wurde von dem unterirdischen Strom überschwemmt, der seit Jahrhunderten unter den jetzigen Ramblas entlangfließt. Heute ist der Tunnel ungangbar, aber wir nehmen an, dass er lange einer der Hauptzugänge zu diesem Ort war. Der größte Teil des Baus, den Sie vor sich sehen, wurde im neunzehnten Jahrhundert errichtet. Nicht mehr als hundert Menschen in der ganzen Stadt kennen diesen Ort, und ich hoffe, Sempere hat keinen Fehler gemacht, als er Sie unter sie aufgenommen hat …«

Obwohl ich energisch den Kopf schüttelte, schaute mich Isaac skeptisch an.

»Artikel drei: Sie dürfen Ihr Buch begraben, wo Sie wollen.«

»Und wenn ich mich verirre?«

»Eine Zusatzklausel, auf meinem Mist gewachsen: Sorgen Sie dafür, dass Sie sich nicht verirren.«

»Hat sich jemals jemand verirrt?«

Isaac schnaufte.

»Als ich hier angefangen habe, vor vielen Jahren, hat man sich die Geschichte von Darío Alberti de Cymerman erzählt. Vermutlich hat Sempere Ihnen nichts davon gesagt ...«

»Cymerman? Der Historiker?«

»Nein, der Robbenbändiger. Wie viele Darío Alberti de Cymermänner kennen Sie denn? Jedenfalls drang Cymerman im Winter 1889 in dieses Labyrinth ein und verschwand für eine Woche darin. Man fand ihn in einem Tunnel, halb tot vor Angst. Er hatte sich hinter mehreren Reihen heiliger Texte verschanzt, um nicht gesehen zu werden.«

»Um von wem nicht gesehen zu werden?«

Isaac schaute mich lange an.

»Vom Mann in Schwarz. Hat Ihnen Sempere wirklich nichts davon erzählt?«

»Wirklich nicht.«

Isaac senkte die Stimme und sagte in vertraulichem Ton:

»Einige der Mitglieder haben im Lauf der Jahre in den Tunnels des Labyrinths manchmal einen Mann in Schwarz gesehen. Alle beschreiben ihn anders. Manche wollen sogar mit ihm gesprochen haben. Es gab eine Zeit, da wurde gemunkelt, der Mann in Schwarz sei der Geist eines verfluchten Autors, den ein Mitglied verraten habe, indem es eines seiner Bücher mitgenommen und das Versprechen nicht gehalten habe. Das Buch ging für immer verloren, und der verstorbene Autor irrt nun auf ewig durch die Gänge und sinnt auf Rache, Sie wissen ja, wie in dieser Schauergeschichte von Henry James, die den Leuten so zusagt.«

»Sie wollen mir doch nicht weismachen, dass Sie das glauben.«

»Natürlich nicht. Ich habe eine andere Theorie. Die von Cymerman.«

»Und die wäre?«

»Dass der Mann in Schwarz der Schutzheilige dieses Orts ist, der Vater allen geheimen und verbotenen Wissens, der Erkenntnis und der Erinnerung, Lichtbringer von Erzählern und Schriftstellern seit unvordenklichen Zeiten ... Er ist unser Schutzengel, der Engel der Lügen und der Nacht.«

»Sie nehmen mich auf den Arm.«

»Jedes Labyrinth hat seinen Minotaurus«, sagte der Aufseher. Er lächelte geheimnisvoll und deutete auf den Eingang. »Alles Ihrs.«

Ich wählte einen Steg, der zu einem der Eingangstore führte, und drang langsam in einen langen, in einer Kurve ansteigenden Büchergang ein. Am Ende der Kurve bildete der Tunnel ein kleines Rund, von dem vier schmale Gänge abzweigten und eine Wendeltreppe hinanstieg, um sich in der Höhe zu verlieren. Ich ging hinauf, bis ich zu einem Absatz mit drei weiteren Tunneleingängen gelangte. Ich wählte denjenigen, der mutmaßlich ins Herz des Baus führte, und wagte mich hinein. Im Vorübergehen strich ich mit den Fingern über Hunderte von Buchrücken. Ich sog den Geruch und das Licht auf, das aus den in die Holztäfelung eingelassenen

Glaslaternen drang und in Spiegeln und im Halbdunkeln flackerte. Fast eine halbe Stunde ging ich ziellos weiter. Schließlich stand ich in einem abgeschlossenen kleinen Raum mit Tisch und Stuhl. Die Wände bestanden aus Büchern und schienen massiv zu sein, bis auf eine kleine Lücke, die aussah, als hätte dort jemand ein Buch entnommen. Ich erwählte sie als neue Heimat für *Die Schritte des Himmels*. Ein letztes Mal betrachtete ich das Titelblatt und las den ersten Abschnitt. Ich stellte mir den Augenblick vor, in dem jemand, falls es das Schicksal so wollte, viele Jahre nach meinem Tod, wenn ich längst vergessen wäre, denselben Weg beschreiten und in diesem kleinen Raum ein unbekanntes Buch entdecken würde, in das ich alles hineingegossen hatte, was ich zu bieten hatte. Ich stellte es hinein mit dem Gefühl, dort im Regal selbst zurückzubleiben. In diesem Moment spürte ich etwas in meinem Rücken, und als ich mich umwandte, sah ich den Mann in Schwarz, der mich anstarrte.

21

Anfänglich erkannte ich meinen eigenen Blick im Spiegel nicht, einem der vielen, die längs der Gänge des Labyrinths eine Kette schwachen Lichts bildeten. Es war mein Gesicht, das ich reflektiert sah, aber die Augen waren die eines Fremden. Trüb und dunkel und triefend vor Bosheit. Ich wandte den Blick ab und spürte, wie mich abermals Übelkeit umschlich. Ich setzte mich auf den Stuhl vor dem Tisch und atmete tief. Ich vermutete, selbst Dr. Trías könnte die Vorstellung amüsieren, der Untermieter meines Hirns, das krebsartige Geschwür, wie er es zu nennen beliebte, wäre auf den Gedanken gekommen, mir an Ort und Stelle den Gnadenstoß zu versetzen und mich zum ersten Dauerbewohner des Friedhofs der Vergessenen Bücher zu machen. Bestattet in Gesellschaft seines letzten, kümmerlichen Werks, das ihn ins Grab gebracht hat. In zehn Monaten oder zehn Jahren würde mich hier drin jemand finden – oder vielleicht auch nie. Ein großes Finale, der *Stadt der Verdammten* würdig.

Ich glaube, was mich rettete, war mein eigenes bitteres Lachen, das mir den Kopf reinfegte und mich wieder daran erinnerte, wo ich war und was ich hier suchte. Eben wollte ich vom Stuhl aufstehen, als ich ihn erblickte. Es war ein plumper, dunkler Band ohne erkennbaren Titel auf dem Rücken. Er lag am anderen Ende des Tisches, zuoberst auf einem Stapel mit vier weiteren Büchern. Ich nahm ihn in die Hand. Der Einband fühlte sich an wie Leder oder sonst eine gegerbte, dunkel gewordene Haut. Die Schrift auf dem Deckel, vermutlich mit einer Art Brandzeichen geprägt, war ausgeblichen, aber auf der vierten Seite war der Titel deutlich zu lesen.

Lux Aeterna
D. M.

Die mit den meinen übereinstimmenden Initialen waren wohl die des Autors, aber kein weiterer Hinweis in dem Buch bestätigte diese Annahme. Ich überflog mehrere Seiten und erkannte mindestens fünf verschiedene Sprachen, die sich im Text abwechselten – Spanisch, Deutsch, Latein, Französisch und Hebräisch. Ich las aufs Geratewohl einen Abschnitt, der mich an ein Gebet denken ließ, welches ich aber aus der traditionellen Liturgie nicht in Erinnerung hatte, und fragte mich, ob es sich hier wohl um eine Art Messbuch oder Sammlung von Fürbitten handelte. Der Text war durchsetzt mit Zahlen und in Abschnitte unterteilt, deren unterstrichene Einsätze auf Episoden oder thematische Unterteilungen hinzuweisen schienen. Je genauer ich es untersuchte, desto deutlicher erinnerte es mich an die Evangelien und die Katechismen meiner Schulzeit.

Ich hätte den Raum verlassen, irgendeinen anderen von den Hunderttausenden Bänden aussuchen und weggehen können, um nie wiederzukehren. Beinahe glaubte ich auch, das zu tun, als ich auf dem Rückweg durch die Tunnel und Gänge des Labyrinths merkte, dass mir das Buch noch immer in der Hand haftete wie ein Parasit. Einen Augenblick ging mir der Gedanke durch den Kopf, dieses Buch habe noch mehr den Wunsch, hier wegzukommen, als ich selbst und lenke auf irgendeine Weise meine Schritte. Nachdem ich auf einigen Umwegen zweimal am vierten Band von Le Fanus gesammelten Werken vorbeigekommen war, gelangte ich plötzlich, ohne zu wissen, wie, zu der spiralförmig absteigenden Treppe, und von da fand ich den Weg zum Ausgang des Labyrinths. Eigentlich hatte ich Isaac an der Schwelle erwartet, aber es war keine Spur von ihm zu sehen, obwohl ich das sichere Gefühl hatte, dass mich jemand aus der Dunkelheit heraus beobachtete. Das ganze Gewölbe des Friedhofs der Vergessenen Bücher war in tiefe Stille getaucht.

»Isaac?«, rief ich.

Das Echo meiner Stimme verlor sich in den dunklen Ecken. Ich wartete vergeblich einige Sekunden und machte mich dann auf zum Ausgang. Das durch die Kuppel sickernde blaue Licht verlor sich allmählich, bis mich fast völlige Dunkelheit umgab. Nach einigen Schritten sah ich am Ende der Galerie ein Licht flackern und stellte fest, dass der Aufseher die Öllampe neben dem Tor hatte stehen lassen. Ich wandte mich ein letztes Mal um und spähte in die Finsternis der Galerie. Dann zog ich an dem Griff, der den Mechanismus von Stangen und Rollen in Gang setzte. Die Schlösser öffneten sich eines nach dem anderen, und die Tür gab einige Zentimeter nach. Ich drückte sie so weit auf, dass ich hindurchschlüpfen konnte, und trat ins Freie. Nach einigen Sekunden fiel sie mit tiefem Widerhall in die Schlösser.

22

Je weiter ich mich von diesem Ort entfernte, desto mehr verlor sich seine Magie, und ich spürte wieder die Übelkeit und den Schmerz. Ich fiel der Länge nach hin, zuerst auf den Ramblas und dann, als ich die Vía Layetana überqueren wollte, wo mir ein Junge aufhalf und mich davor bewahrte, vor eine Straßenbahn zu geraten. Mit Mühe und Not schaffte ich es bis zu meiner Tür. Die Wohnung war den ganzen Tag verschlossen gewesen, und diese feuchtgiftige Hitze, die die Stadt jeden Tag etwas mehr erstickte, hing als dunstiges Licht darin. Ich ging ins Arbeitszimmer im Turm und riss die Fenster weit auf. Es wehte kaum eine Brise unter dem von schwarzen, langsam über Barcelona kreisenden Wolken gequälten Himmel. Ich legte das Buch auf den Schreibtisch und dachte, ich hätte noch genügend Zeit, es ausführlich zu studieren. Oder vielleicht auch nicht. Vielleicht war meine Zeit schon um. Aber das spielte jetzt keine große Rolle mehr.

Inzwischen konnte ich mich kaum noch auf den Beinen halten. Ich schluckte drei oder vier Kodeinpillen auf einmal, steckte das Fläschchen in die Tasche und steuerte die Treppe an, nicht ganz sicher, ob ich das Schlafzimmer erreichen würde. Im Korridor angelangt, glaubte ich in dem hellen Spalt unter der Eingangstür einen Schatten zu sehen, als stünde jemand auf der anderen Seite. Ich tastete mich die Wände entlang zur Tür.

»Wer ist da?«, fragte ich.

Weder eine Antwort noch sonst ein Geräusch war zu hören. Ich zögerte einen Moment, dann öffnete ich und trat hinaus. Ich beugte mich vor, um die Treppe hinunterzuschauen. Die Stufen führten in einem Halbkreis abwärts und verloren sich in der Finsternis. Niemand da. Ich drehte mich wieder zur Tür um und sah, dass das kleine Licht im Treppenhaus flackerte. Drinnen schloss ich mit dem Schlüssel ab, etwas, was ich oft vergaß. Da erblickte ich einen cremefarbenen Umschlag mit gezacktem Rand. Jemand hatte ihn unter der Tür durchgeschoben. Ich bückte mich danach. Es war ein schweres, poröses Papier, versiegelt und mit meinem Namen versehen. Das Lacksiegel zeigte die Silhouette des Engels mit den ausgebreiteten Flügeln.

Ich öffnete ihn.

Sehr geehrter Señor Martín,
ich werde eine gewisse Zeit in der Stadt verbringen und würde mich sehr freuen, in den Genuss Ihrer Gesellschaft zu kommen und mit Ihnen noch einmal mein Angebot zu erörtern. Ich würde es Ihnen sehr danken, wenn Sie mir, falls Sie keine anderweitigen Verpflichtungen haben, am nächsten Freitag, dem 13. dieses Monats, abends um zehn Uhr bei einem Abendessen in der kleinen Villa Gesellschaft leisten würden, die ich für meinen Aufenthalt gemietet habe. Sie befindet sich in der Calle Olot, Ecke Calle San José de la Montaña, neben dem Eingang zum Park Güell. Ich hoffe und wünsche mir, dass es Ihnen möglich ist zu kommen.
Ihr Freund

Andreas Corelli

Ich ließ das Billett zu Boden fallen und schleppte mich in die Veranda, wo ich mich im Halbdunkeln aufs Sofa legte. Noch eine Woche bis zu dem Rendezvous. Ich musste lächeln. Ich glaubte nicht, dass ich in sieben Tagen noch leben würde. Ich schloss die Augen und versuchte einzuschlafen. Das dauernde Pfeifen in meinen Ohren kam mir jetzt gellender vor denn je. Mit jedem Herzschlag flammte in meinem Kopf ein stechendes weißes Licht auf.

Sie werden nicht einmal ans Schreiben denken können.

Ich machte die Augen wieder auf und starrte in die blaue Finsternis der Veranda. Neben mir auf dem Tisch lag immer noch das alte Fotoalbum, das Cristina zurückgelassen hatte. Ich hatte nicht den Mut gefunden, es wegzuwerfen, oder auch nur, es anzurühren. Ich blätterte bis zu der gesuchten Aufnahme, die ich herausriss und aufmerksam betrachtete. Cristina, die als kleines Mädchen an der Hand eines Unbekannten auf dem Steg ins Meer hinausspaziert. Ich drückte das Bild an meine Brust und überließ mich der Müdigkeit. Langsam erlosch die Bitterkeit und Wut dieses Tages, dieser Jahre, und eine warme Dunkelheit voller erwartungsvoller Stimmen und Hände hüllte mich ein. Ich wünschte mir, mich in ihr zu verlieren, wie ich mir in meinem Leben noch nie etwas gewünscht hatte, aber etwas zog an mir, und ein Dolchstich von Licht und Schmerz riss mich aus diesem behaglichen Traum, der ohne Ende zu sein versprochen hatte.

Noch nicht, flüsterte die Stimme, *noch nicht.*

Dass die Tage vergingen, wusste ich, weil ich manchmal erwachte und durch die Lamellen der Fensterläden das

Sonnenlicht zu sehen glaubte. Mehrmals hatte ich den Eindruck, es werde an die Tür geklopft und Stimmen riefen meinen Namen, um nach einer Weile wieder zu verstummen. Irgendwann stand ich auf, und als ich mit den Händen meinen Kopf betastete, entdeckte ich Blut auf meinen Lippen. Ich weiß nicht, ob ich wirklich auf die Straße hinausging oder es nur träumte, aber ohne zu wissen, wie ich dahin gelangt war, befand ich mich auf dem Paseo del Born, wo ich zur Kathedrale Santa María del Mar schritt. Die Straßen unter dem Quecksilbermond waren menschenleer. Ich schaute auf und glaubte den Geist eines großen schwarzen Gewitters seine Flügel über der Stadt ausbreiten zu sehen. Ein feines weißes Licht riss den Himmel entzwei, und dichte Regentropfen fielen wie Dolche aus Glas zur Erde herab. Kurz bevor der erste Tropfen den Boden berührte, stand die Zeit still, und Hunderttausende Lichttränen schwebten in der Luft. Ich wusste, dass jemand oder etwas hinter mir war, und konnte seinen Atem im Nacken fühlen, kalt und nach fauligem Fleisch und Feuer stinkend. Ich spürte, wie sich seine langen, schmalen Finger meiner Haut näherten, und in diesem Augenblick erschien in dem schwebenden Regen dieses Mädchen, das nur auf dem Porträt lebte, welches ich an die Brust gedrückt hielt. Sie nahm mich bei der Hand, zog mich mit und führte mich zum Haus mit dem Turm, fort von dieser eiskalten, mir nachkriechenden Gegenwart. Als ich wieder zu Bewusstsein kam, waren sieben Tage vergangen.

Es war Freitag, der 13. Juli.

23

Pedro Vidal und Cristina Sagnier heirateten an ebendiesem Nachmittag. Die Zeremonie fand um fünf Uhr in der Kapelle des Klosters Pedralbes statt, und nur ein kleiner Teil des Vidal-Clans fand sich ein – die Creme der Familie, mitsamt dem Vater des Bräutigams, glänzte durch Unheil ankündigende Abwesenheit. Hätte es böse Zungen gegeben, so hätten sie gesagt, der sonderbare Einfall des Benjamins, die Tochter des Fahrers zu ehelichen, sei für den Großteil der Dynastie eine herbe Enttäuschung gewesen. Aber es gab keine bösen Zungen. Aufgrund eines diskreten Stillhalteabkommens hatten die Klatschreporter an diesem Nachmittag anderes zu tun, und kein einziges Blatt verbreitete die Nachricht von der Hochzeit. Niemand war da, um zu berichten, dass sich vor dem Kircheneingang eine Handvoll ehemalige Geliebte von Don Pedro eingefunden hatten, die leise vor sich hin weinten wie welke Witwen, denen die letzte Hoffnung abhandengekommen war. Niemand war da, um zu berichten, dass Cristina ein Bund weißer Rosen in der Hand hielt und ein elfenbeinfarbenes Kleid trug, das mit ihrer Haut verschmolz und den Eindruck erweckte, sie trete nackt vor den Altar, ohne weiteren Schmuck als den weißen Schleier vor dem Gesicht und einen Himmel, der sich über dem Zeiger der Turmuhr zu einem bernsteinfarbenen Wolkenwirbel ballte. Niemand war da, um daran zu erinnern, wie sie aus dem Auto stieg und einen Augenblick stehen blieb, um sich auf dem Platz vor dem Kirchenportal umzuschauen, wo sie den todkranken Mann mit den zitternden Händen erblickte. Ohne dass es jemand vernahm, murmelte er Worte vor sich hin, die er mit sich ins Grab nehmen sollte.

»Seid verdammt. Seid verdammt alle beide.«

Zwei Stunden später öffnete ich im Sessel meines Arbeitszimmers das Kästchen, das mir vor Jahren in die Hände gekommen war und das Einzige enthielt, was mir von meinem Vater geblieben war. Ich zog die in ein Tuch gewickelte Pistole heraus, entriegelte die Trommel, lud sie mit sechs Kugeln und schwenkte die Trommel wieder ein. Ich setzte die Pistole auf die Schläfe, spannte sie und schloss die Augen. Im selben Augenblick peitschte ein Windstoß plötzlich den Turm und ließ die großen Fenster des Arbeitszimmers laut an die Wand schlagen. Eine eisige Brise strich mir über die Haut und trug den verlorenen Hauch großer Erwartungen herein.

24

Das Taxi fuhr langsam an den Rand des Gracia-Viertels hinauf, zu dem einsamen, düsteren Gelände des Park Güell. Da und dort auf dem Hügel lugten große Häuser aus besseren Zeiten aus einem Waldstück, das sich im Wind wellte wie schwarzes Wasser. Oben am Hang machte ich das große Tor zum Park aus. Drei Jahre zuvor hatten nach dem Tode Gaudís die Erben des Grafen

Güell diese verlassene Villenkolonie, die nie einen weiteren Bewohner gesehen hatte als ihren Architekten, der Stadt zu einem Schleuderpreis verkauft. Vergessen und vernachlässigt, erinnerte der Park mit seinen Säulen und Türmen an ein verfluchtes Eden. Ich hieß den Fahrer vor dem Gittertor anhalten und zahlte ihm die Fahrt.

»Sind Sie sicher, dass Sie hier aussteigen möchten?«, fragte er ängstlich. »Wenn der Herr es wünschen, kann ich auch einige Minuten warten ...«

»Das wird nicht nötig sein.«

Das Brummen des Taxis verlor sich hügelab, und ich blieb mit dem Rauschen des Windes in den Bäumen allein. Das dürre Laub wehte auf den Parkeingang zu und wirbelte mir um die Füße. Ich trat an das mit rostzerfressenen Ketten verschlossene Gittertor und spähte hindurch. Sanft strich das Mondlicht um den Drachen, der am Fuß der breiten Parktreppe saß. Ganz langsam glitt eine dunkle Form die Stufen herunter und beobachtete mich mit Augen, die wie Perlen im Wasser glänzten. Ein schwarzer Hund. Unten an der Treppe blieb er stehen, und erst jetzt bemerkte ich, dass er nicht allein war. Zwei weitere Hunde starrten mich lautlos an. Einer hatte sich im Schatten des Pförtnerhäuschens neben dem Eingang auf leisen Pfoten genähert. Der andere, der größte der drei, war auf die Mauer gesprungen und behielt mich aus nur zwei Meter Entfernung im Auge. Zwischen den entblößten Reißzähnen sah man den Dunst seines Atems. Ich zog mich ganz langsam zurück, ohne den Blick von ihm abzuwenden. Schritt für Schritt näherte ich mich dem gegenüberliegenden Gehsteig. Ein weiterer der Hunde war auf die Mauer gesprungen und verfolgte mich mit den Augen. Ich suchte den Boden nach einem Stock oder Stein ab, um mich zu verteidigen, falls sie herunterzuspringen und über mich herzufallen beschlossen, aber außer verdorrten Blättern fand ich nichts. Ich wusste, dass mir die Tiere nachsetzen würden, sollte ich den Blick abwenden und losrennen, und dass ich keine zwanzig Meter weit käme, bevor sie sich auf mich stürzen und mich in Stücke reißen würden. Der größte trippelte auf der Mauer ein paar Meter weiter, und ich war überzeugt, dass er springen würde. Der dritte, der, den ich als ersten gesehen und der möglicherweise als Köder gedient hatte, sprang auf die Mauer, wo sie am niedrigsten war, um sich den beiden anderen zuzugesellen. Ich bin geliefert, dachte ich.

Da fiel ein Lichtschein auf die Wolfsgesichter der drei Tiere, die abrupt innehielten. Ich schaute nach links und sah in fünfzig Meter Entfernung eine kleine Erhebung. Die Lichter des Hauses darauf waren angegangen, die einzigen am ganzen Hang. Eines der Tiere gab ein dumpfes Winseln von sich und zog sich ins Parkinnere zurück. Einen Augenblick später folgten ihm die beiden anderen.

Ohne lange zu überlegen, ging ich auf das Haus zu. Genau wie von Corelli in seiner Einladung beschrieben, stand es an der Calle Olot, Ecke Calle San José de la Montaña. Es war ein schlanker, verwinkelter, turmförmiger Bau mit drei Stockwerken und von Mansarden gekrönt, der wie eine Schildwache auf die Stadt und den geisterhaften Park hinabschaute.

Das Haus stand oben am Ende einer steilen Treppe, die zum Eingang führte. Aus seinen Fenstern drang goldenes Licht. Je weiter ich die steinernen Stufen hinanstieg, desto deutlicher glaubte ich auf einer Balustrade im zweiten Stock eine Silhouette zu erkennen, unbeweglich wie eine in ihrem Netz hockende Spinne. Auf der letzten Stufe blieb ich stehen, um Atem zu schöpfen. Die Eingangstür war nur angelehnt, und ein Lichtfleck reichte bis an meine Füße. Langsam trat ich näher und blieb auf der Schwelle stehen. Ein Geruch nach verwelkten Blumen drang heraus. Ich klopfte an, und die Tür öffnete sich einige Zentimeter. Vor mir lagen ein Vorzimmer und ein langer, ins Haus hineinführender Korridor. Ich vernahm ein hartes, monotones Geräusch, als schlüge irgendwo im Haus ein Laden im Wind ans Fenster. Es klang wie ein schlagendes Herz. Ich trat einige Meter hinein und erblickte zu meiner Linken die in den Turm hinaufführende Treppe. Da glaubte ich leichte Schritte, Kinderschritte, zu hören, die in den obersten Stock hinaufeilten.

»Guten Abend«, rief ich fragend.

Bevor sich das Echo meiner Stimme im Korridor verlor, verstummte das schlagende Geräusch. Absolute Stille senkte sich um mich herab, und ein eiskalter Luftzug strich mir übers Gesicht.

»Señor Corelli? Ich bin es, Martín. David Martín …«

Da ich keine Antwort erhielt, wagte ich mich durch den Korridor tiefer ins Haus hinein. Die Wände hingen voll von gerahmten Porträtaufnahmen in verschiedenen Größen. An den Posen und Kleidern war zu erkennen, dass die meisten Bilder mindestens zwanzig Jahre alt waren. Unten am Rahmen waren auf einem Täfelchen der Name des Abgebildeten und das Entstehungsjahr der Fotografie zu lesen. Ich betrachtete aufmerksam diese Gesichter, die mich aus einer anderen Zeit heraus beobachteten. Kinder und Alte, Damen und Herren. Sie alle vereinte ein Schatten von Traurigkeit im Blick, eine lautlose Klage. Alle schauten mit einer Sehnsucht in die Kamera, die einem das Blut in den Adern gefrieren ließ.

»Interessieren Sie sich für Fotografie, lieber Martín?«, fragte die Stimme neben mir.

Erschrocken fuhr ich herum. An meiner Seite betrachtete Andreas Corelli die Bilder mit einem melancholischen Lächeln. Ich hatte sein Kommen nicht bemerkt, und sein Lächeln ließ mich schaudern.

»Ich dachte schon, Sie würden ausbleiben.«

»Ich auch.«

»Dann erlauben Sie mir, Sie zu einem Glas Wein einzuladen, um auf unseren Irrtum anzustoßen.«

Ich folgte ihm in einen geräumigen Salon mit großen, sich zur Stadt hin öffnenden Fenstern. Corelli bot mir einen Sessel an und schenkte dann aus einer Kristallkaraffe, die auf dem Tisch zwischen uns stand, zwei Gläser ein. Er reichte mir eins und setzte sich mir gegenüber.

Der Wein schmeckte ausgezeichnet. Ich trank ihn fast in einem Zug aus und spürte sofort, wie die den Hals hinabgleitende Wärme meine Nerven beruhigte. Corelli schnupperte an seinem Glas und schaute mich mit ruhigem, freundlichem Lächeln an.

»Sie hatten recht«, sagte ich.

»Das habe ich fast immer«, antwortete er. »Es ist eine Angewohnheit, die mir selten Befriedigung verschafft. Manchmal denke ich, nichts wäre mir angenehmer als die Gewissheit, mich geirrt zu haben.«

»Das ist leicht zu beheben. Fragen Sie mich. Ich irre mich ständig.«

»Nein, Sie irren sich nicht. Ich glaube, Sie sehen die Dinge fast genauso klar wie ich, und auch Ihnen verschafft das keine Befriedigung.«

Als ich ihm zuhörte, ging mir auf, dass mir nur eine Sache in diesem Moment Befriedigung verschaffen könnte: die ganze Welt in Brand zu stecken und mit ihr zu verbrennen. Als hätte Corelli meine Gedanken gelesen, lächelte er breit und nickte.

»Ich kann Ihnen helfen, mein Freund.«

Ich ertappte mich dabei, wie ich seinem Blick auswich und mich auf die kleine Brosche mit dem Silberengel an seinem Revers konzentrierte.

»Hübsche Brosche«, sagte ich, auf sie deutend.

»Ein Erbstück.«

Für diesen Abend hatten wir nun genügend Höflichkeiten und Banalitäten ausgetauscht.

»Señor Corelli, was tue ich hier?«

Seine Augen glänzten in derselben Farbe wie der Wein, der sich langsam in seinem Glas wiegte.

»Ganz einfach. Sie sind hier, weil Sie endlich begriffen haben, dass Sie hier am rechten Ort sind. Sie sind hier, weil ich Ihnen vor einem Jahr ein Angebot gemacht habe. Ein Angebot, das anzunehmen Sie damals noch nicht bereit waren, das Sie aber nicht vergessen haben.

Und ich bin hier, weil ich nach wie vor der Überzeugung bin, dass Sie der Mann sind, den ich suche, und daher habe ich lieber zwölf Monate gewartet, als die Gelegenheit ungenutzt zu lassen.«

»Ein Angebot, das Sie nie detaillierter ausgeführt haben«, rief ich ihm in Erinnerung.

»Tatsächlich habe ich Ihnen *nur* Details genannt.«

»Hunderttausend Francs, um ein Jahr lang ein Buch für Sie zu schreiben.«

»Genau. Viele würden denken, das sei das Wesentliche. Aber Sie nicht.«

»Sie sagten mir, sobald ich wüsste, um welche Art Buch es sich handelt, würde ich es sogar ohne Bezahlung schreiben.«

Corelli nickte.

»Sie haben ein gutes Gedächtnis.«

»Ich habe ein ausgezeichnetes Gedächtnis, Señor Corelli, und ich kann mich nicht erinnern, jemals ein von Ihnen verlegtes Buch gesehen oder davon gelesen oder gehört zu haben.«

»Zweifeln Sie an meiner Glaubwürdigkeit?«

Ich schüttelte den Kopf und versuchte, das Verlangen und die Geldgier zu verbergen, die mich innerlich zerfraßen. Je mehr Desinteresse ich zeigte, desto mehr führten mich die Verheißungen des Verlegers in Versuchung.

»Mich interessieren einfach Ihre Motive«, sagte ich.

»Das sollten sie ja auch.«

»Jedenfalls erinnere ich Sie daran, dass ich für weitere fünf Jahre einen Exklusivvertrag mit Barrido und Escobillas zu erfüllen habe. Neulich habe ich sehr aufschlussreichen Besuch bekommen – die beiden und ein Anwalt, der so aussah, als machte er nicht viel Federlesens. Aber vermutlich ist das egal, fünf Jahre sind eine lange Zeit. Wenn ich eines weiß, dann dies: Zeit ist das, von dem ich am wenigsten habe.«

»Machen Sie sich keine Sorgen wegen der Anwälte. Meine machen noch viel weniger Federlesens als die dieser beiden Eiterbeulen, und sie verlieren nie einen Fall. Überlassen Sie die rechtlichen Einzelheiten und die Prozessführung ruhig mir.«

Sein Lächeln bei diesen Worten zeigte mir, dass ich besser nie eine Unterhaltung mit den Rechtsberatern der Éditions de la Lumière führen sollte.

»Ich glaube Ihnen. Kommen wir also zu der Frage, welches die anderen Details Ihres Angebotes sind, die wesentlichen.«

»Eine einfache Antwort darauf gibt es nicht, also spreche ich am besten ohne Umschweife.«

»Ich bitte darum.«

Corelli beugte sich vor und schaute mir fest in die Augen.

»Martín, ich will, dass Sie für mich eine Religion begründen.«

Ich glaubte, mich verhört zu haben.

»Wie meinen Sie?«

Corelli hielt meinem Blick stand, seine Augen von unendlicher Tiefe.

»Ich habe gesagt, ich will, dass Sie für mich eine Religion erschaffen.«

Lange schaute ich ihn stumm an.

»Sie machen sich lustig über mich.«

Er schüttelte den Kopf und nippte genussvoll an seinem Wein.

»Ich will, dass Sie ein Jahr lang mit Leib und Seele und Ihrem ganzen Talent an dem größten Werk arbeiten, das Sie je schaffen werden: an einer Religion.«

Ich konnte nicht umhin, laut zu lachen.

»Sie sind vollkommen verrückt. Das ist Ihr Angebot? Das ist das Buch, das ich für Sie schreiben soll?«

Corelli nickte gelassen.

»Sie haben sich im Schriftsteller geirrt. Ich habe keine Ahnung von Religion.«

»Darüber machen Sie sich mal keine Gedanken. Das übernehme ich. Ich suche keinen Theologen. Ich suche einen Erzähler. Wissen Sie, was eine Religion ist, mein lieber Martín?«

»Ich erinnere mich mit Mühe und Not ans Vaterunser.«

»Ein wunderbares, sehr kunstvolles Gebet. Aber Poesie beiseite, eine Religion ist ein Moralkodex, der sich mithilfe von Legenden, Mythen oder irgendeiner anderen literarischen Form ausdrückt. So wird ein Netz von Werten und Normen gespannt, das eine Kultur oder eine Gemeinschaft zusammenhält und leitet.«

»Amen«, erwiderte ich.

»Wie in der Literatur, überhaupt bei jeder Äußerung, ist es die Form und nicht der Inhalt, die dem Ganzen Wirksamkeit verleiht«, fuhr er fort.

»Sie wollen mir also sagen, eine Lehre sei eine Erzählung.«

»Alles ist eine Erzählung, Martín. Das, was wir glauben, was wir wissen, woran wir uns erinnern und sogar was wir träumen. Alles ist eine Erzählung, eine Geschichte, eine Folge von Ereignissen und Personen, die etwas Emotionales vermittelt. Ein Glaubensakt ist ein Akt der Annahme – wir akzeptieren eine Geschichte, die uns erzählt wird. Und wir akzeptieren nur als wahr, was erzählt werden kann. Sagen Sie nicht, Sie finden den Gedanken nicht verlockend.«

»Nein.«

»Reizt es Sie nicht, eine Geschichte zu schreiben, für die die Menschen leben und sterben würden, für die sie töten und den eigenen Tod in Kauf nehmen würden, für die sie opfern und verdammen und ihre Seele aushauchen würden? Kann es für einen Schriftsteller eine größere Herausforderung geben, als eine so gewaltige Geschichte zu erschaffen, dass sie ihr Erdichtetsein vergessen lässt und zur offenbarten Wahrheit wird?«

Wir schauten uns einige Sekunden schweigend an.

»Ich glaube, Sie kennen meine Antwort schon«, sagte ich schließlich.

Corelli lächelte.

»Ich schon. Der, der sie, glaube ich, noch nicht kennt, sind Sie.«

»Danke für Ihre Gesellschaft, Señor Corelli. Und für den Wein und den Vortrag. Sehr provokativ. Passen Sie gut auf, vor wem Sie ihn halten. Ich wünsche Ihnen, dass Sie Ihren Mann finden und dass sein Pamphlet ein voller Erfolg wird.«

Ich stand auf, um zu gehen.

»Werden Sie irgendwo erwartet, Señor Martín?«

Ich gab keine Antwort, blieb aber stehen.

»Macht es einen nicht wütend, zu wissen, dass es so viele Dinge gibt, für die es sich zu leben lohnt, gesund und vermögend, ungebunden?«, sagte Corelli in meinem Rücken. »Macht es einen nicht wütend, wenn sie einem aus der Hand gerissen werden?«

Langsam wandte ich mich um.

»Was ist schon ein Jahr Arbeit angesichts der Möglichkeit, dass alles Wirklichkeit wird, was man sich wünscht? Was ist ein Jahr Arbeit angesichts der Aussicht auf ein langes, erfülltes Leben?«

Nichts, dachte ich gegen meinen Willen. Nichts.

»Ist es das, was Sie mir versprechen?«

»Nennen Sie Ihren Preis. Wollen Sie die Welt in Brand stecken und mitbrennen? Tun wir es gemeinsam. Sie bestimmen den Preis. Ich bin bereit, Ihnen zu geben, was Sie sich am meisten wünschen.«

»Ich weiß nicht, was ich mir am meisten wünsche.«

»Ich glaube, das wissen Sie sehr wohl.«

Der Verleger lächelte und blinzelte mir zu. Er stand auf und ging zu einer Kommode, auf der eine Lampe stand. Er zog die oberste Schublade auf, entnahm ihr einen Pergamentumschlag und streckte ihn mir hin, aber ich lehnte ab. Er legte ihn auf den Tisch zwischen uns und setzte sich wieder, wortlos. Der Umschlag war offen, und ich glaubte, darin mehrere Bündel Hundert-Francs-Scheine zu erkennen. Ein Vermögen.

»Sie verwahren so viel Geld in einer Schublade und lassen Ihre Tür offen?«, fragte ich.

»Sie können es nachzählen. Wenn es Ihnen zu wenig scheint, nennen Sie eine Zahl. Ich habe Ihnen bereits gesagt, dass ich mit Ihnen nicht über Geld streiten werde.«

Lange schaute ich dieses gewaltige Vermögen an und schüttelte schließlich den Kopf. Wenigstens hatte ich es gesehen. Es war real. Das Angebot und die Eitelkeit, die mich in diesem Moment von Elend und Verzweiflung erfasste, waren echt.

»Ich kann es nicht annehmen«, sagte ich.

»Glauben Sie, es ist befleckt?«

»Alles Geld ist befleckt. Wenn es sauber wäre, würde es niemand wollen. Aber das ist nicht das Problem.«

»Sondern?«

»Ich kann es nicht annehmen, weil ich Ihr Angebot nicht annehmen kann. Ich könnte es nicht, selbst wenn ich wollte.«

Corelli wog meine Worte ab.

»Darf ich nach dem Grund fragen?«

»Weil ich sehr bald sterben werde, Señor Corelli. Weil mir nur noch einige Wochen, vielleicht einige Tage bleiben. Weil ich nichts anzubieten habe.«

Corelli senkte den Blick und hüllte sich in ein langes Schweigen. Ich hörte den Wind an den Fenstern kratzen und über das Haus fegen.

»Sagen Sie mir nicht, Sie hätten es nicht gewusst«, fügte ich hinzu.

»Ich habe es geahnt.«

Er blieb sitzen, ohne mich anzuschauen.

»Es gibt eine Menge andere Schriftsteller, die dieses Buch für Sie schreiben können, Señor Corelli. Ich danke

Ihnen für Ihr Angebot. Mehr, als Sie sich vorstellen können. Guten Abend.«

Ich tat ein paar Schritte in Richtung Haustür.

»Sagen wir, ich könnte Ihnen helfen, Ihre Krankheit zu überwinden«, sagte er.

Ich blieb mitten im Korridor stehen und wandte mich um. Corelli stand bloß zwei Handbreit von mir entfernt und schaute mir fest in die Augen. Er kam mir größer vor als zuvor, und auch seine Augen erschienen mir größer und dunkler. Ich konnte in seinen Pupillen mein Spiegelbild sehen, das immer weiter schrumpfte, je weiter jene wurden.

»Beunruhigt Sie mein Aussehen, mein lieber Martín?«

Ich schluckte.

»Ja«, gestand ich.

»Kommen Sie bitte in den Salon zurück und setzen Sie sich. Geben Sie mir die Chance, Ihnen noch mehr zu erklären. Was haben Sie schon zu verlieren?«

»Nichts, vermutlich.«

Sanft legte er mir die Hand auf den Arm. Er hatte lange, blasse Finger.

»Sie haben nichts von mir zu befürchten, Martín. Ich bin Ihr Freund.«

Seine Berührung hatte etwas Tröstliches. Ich ließ mich wieder in den Salon führen und setzte mich folgsam hin, wie ein kleiner Junge, der auf die Worte eines Erwachsenen wartet. Corelli kniete sich neben den Sessel und schaute mir in die Augen. Er ergriff meine Hand und drückte sie kräftig.

»Wollen Sie leben?«

Ich wollte antworten, fand aber keine Worte. Meine Kehle war wie zugeschnürt, und meine Augen füllten sich mit Tränen. Bis zu diesem Augenblick war mir nicht klar gewesen, wie sehr ich weiter atmen, weiterhin jeden Morgen die Augen öffnen wollte, wie sehr es mich auf die Straße hinauszog, um übers Pflaster zu gehen und den Himmel zu sehen, und, vor allem, wie sehr ich mich weiter erinnern wollte.

Ich nickte.

»Ich werde Ihnen helfen, mein lieber Martín. Ich bitte Sie einzig, mir zu vertrauen. Nehmen Sie mein Angebot an. Lassen Sie mich Ihnen helfen. Lassen Sie mich Ihnen geben, was Sie sich am meisten wünschen. Das ist es, was ich Ihnen verspreche.«

Wieder nickte ich.

Corelli lächelte und lehnte sich vor, um mich auf die Wange zu küssen. Seine Lippen waren eiskalt.

»Sie und ich, mein Freund, wir werden zusammen Großes schaffen, Sie werden schon sehen«, flüsterte er.

Er gab mir ein Taschentuch, damit ich die Tränen trocknen konnte. Das tat ich ohne die stumme Scham, mit der man vor einem Fremden weint, was ich seit dem Tod meines Vaters nicht mehr getan hatte.

»Sie sind erschöpft, Martín. Bleiben Sie die Nacht über hier. In diesem Haus gibt es mehr als genügend Zimmer. Ich versichere Ihnen, morgen werden Sie sich besser fühlen und die Dinge klarer sehen.«

Ich zuckte die Achseln, obwohl ich ahnte, dass er recht hatte. Ich fiel fast um vor Müdigkeit und hatte nur noch den Wunsch, tief zu schlafen. Ich war nicht einmal mehr fähig, aus diesem Sessel aufzustehen, dem bequemsten, gemütlichsten Sessel der Welt.

»Wenn es Ihnen recht ist, bleibe ich am liebsten gleich hier.«

»Aber selbstverständlich. Ich werde Sie schlafen lassen. Bald werden Sie sich besser fühlen. Ich gebe Ihnen mein Wort.«

Corelli trat zu der Kommode und löschte das Gaslicht. Der Salon versank in blauem Halbdunkel. Die Lider fielen mir zu, und ein Gefühl von Trunkenheit überschwemmte mich, aber ich konnte eben noch sehen, wie Corelli durch den Salon ging und im Schatten verschwand. Ich schloss die Augen und hörte das Flüstern des Windes hinter den Scheiben.

25

Ich träumte, das Haus gehe langsam unter. Anfänglich quollen aus den Fugen zwischen den Fliesen, aus den Rissen in den Wänden, den Deckenreliefs, den Lampenkugeln, den Schlüssellöchern nur kleine, dunkle Wassertropfen. Diese kalte Flüssigkeit glitt schwerfällig wie träges Quecksilber dahin und bildete mit der Zeit eine Schicht, die erst den Boden und meine Füße bedeckte und dann rasch anstieg. Ich blieb im Sessel sitzen und sah zu, wie das Wasser meine Kehle und in wenigen Sekunden die Decke erreichte. Ich trieb dahin und sah blasse Lichter hinter den Fenstern flackern. Es waren menschliche Gestalten, die ebenfalls in der Wasserfinsternis schwebten. Sie wurden von der Strömung erfasst und streckten mir die Hände entgegen, doch ich konnte ihnen nicht helfen, das Wasser riss sie unaufhaltsam mit. Corellis hunderttausend Francs umschwammen mich wie Papierfische. Ich durchkreuzte den Salon und näherte mich einer geschlossenen Tür am anderen Ende. Durchs Schlüsselloch drang schwaches Licht. Ich öffnete die Tür und sah, dass dahinter eine Treppe nach unten führte. Ich ließ mich hinuntersinken.

Am Ende der Treppe tat sich ein ovaler Saal auf, in dessen Mitte eine Reihe von Gestalten im Kreis beisammenstanden. Als ich eintrat, drehten sie sich um, und ich sah, dass sie weiß gekleidet waren und Masken und Handschuhe trugen. Helle weiße Lampen beleuchteten etwas, was wie ein Operationstisch aussah. Ein Mann ohne Gesichtszüge und Augen ordnete auf einem Tablett chirurgische Instrumente. Eine der Gestalten winkte mich heran. Ich folgte der Aufforderung und spürte, wie ich an Kopf und Körper gepackt und auf den Tisch gebettet wurde. Das Licht blendete mich, aber ich konnte dennoch sehen, dass alle Gestalten identisch waren und Dr. Trías' Gesicht besaßen. Ich lachte lautlos. Einer der Ärzte hatte eine Spritze in der Hand und setzte sie mir an den Hals. Ich spürte keinen Einstich, nur ein angenehmes, warmes Gefühl von Taubheit, das sich in meinem Körper ausbreitete. Zwei der Ärzte legten meinen Kopf in eine Halterung und passten den Kranz der Schrauben an, an deren Ende eine gepolsterte Platte befestigt war. Ich spürte, wie meine Arme und

Beine mit Riemen festgeschnallt wurden, und leistete keinen Widerstand. Als mein Körper von Kopf bis Fuß fixiert war, reichte einer der Ärzte einem seiner Doppelgänger ein Skalpell, und der beugte sich über mich. Ich spürte, wie jemand meine Hand nahm und festhielt. Es war ein Kind, das mich zärtlich anschaute und aussah wie ich am Tag der Ermordung meines Vaters.

Ich sah die Schneide des Skalpells sich in der flüssigen Finsternis herabsenken und fühlte, wie das Messer in meine Stirn schnitt, ohne dass ich irgendwelchen Schmerz empfand. Ich spürte, wie etwas aus dem Schnitt floss, und eine schwarze Blutwolke breitete sich langsam im Wasser aus. Das Blut stieg wie Rauchkringel zu den Lampen empor und bildete immer neue Formen. Ich schaute den Jungen an, der mir zulächelte und kräftig die Hand drückte. Da spürte ich es. In mir bewegte sich etwas. Etwas, was noch vor einem Augenblick meinen Geist fest umklammert hatte. Ich spürte, dass sich etwas zurückzog, wie ein Stachel, der einem im Fleisch steckt und der dann mit der Pinzette herausgezogen wird. Ich wurde von Panik gepackt und wollte aufstehen, aber ich konnte mich nicht bewegen. Der Junge schaute mich fest an und nickte. Ich glaubte, das Bewusstsein zu verlieren oder aber ganz zu erwachen, und da sah ich sie. Ich sah sie in den Lampen über dem Operationstisch gespiegelt. Zwei schwarze Fäden ragten aus der Wunde und bewegten sich auf meiner Haut. Eine faustgroße schwarze Spinne. Sie krabbelte mir übers Gesicht, und bevor sie vom Tisch huschen konnte, spießte einer der Chirurgen sie mit dem Skalpell auf. Er hielt sie gegen das Licht, damit ich sie sehen konnte. Sie zappelte mit den Beinen und blutete dem Licht entgegen. Auf ihrem Panzer war ein weißer Fleck, der aussah wie eine Silhouette mit ausgebreiteten Flügeln. Ein Engel. Nach einer Weile wurden ihre Beine schlaff, und ihr Körper ergab sich. Er schwebte dahin, und als ihn der Junge berühren wollte, löste er sich auf. Die Ärzte befreiten meinen Schädel aus der schraubstockähnlichen Halterung und banden mich los. Ich richtete mich mit ihrer Hilfe auf dem Tisch auf und hielt mir die Hand an die Stirn. Die Wunde begann sich bereits langsam zu schließen. Als ich mich abermals umschaute, sah ich, dass ich allein war.

Die Lampen gingen aus, und der Operationssaal lag im Halbdunkel. Ich bewegte mich zur Treppe und schwebte zum Salon hinauf. Das erste Licht des Tages sickerte durchs Wasser und erfasste tausend treibende Partikel. Ich war müde – müder, als ich in meinem Leben je gewesen war. Ich kämpfte mich zum Sessel und ließ mich hineinsinken. Mein Körper sackte langsam zusammen, und als er endlich zur Ruhe kam, sah ich an der Decke kleine Bläschen herumschwirren. Dann bildete sich dort eine kleine Luftkammer, und ich begriff, dass der Wasserspiegel abzufallen begann. Das Wasser, dicht und glänzend wie Gelatine, sprudelte durch die Fensterritzen, als wäre das Haus ein aus den Tiefen auftauchendes Unterseeboot. Ich rollte mich im Sessel zusammen und gab mich einem Gefühl von Schwerelosigkeit und Frieden hin, von dem ich mir wünschte, es möchte niemals aufhören. Ich schloss die Augen und hörte das

Gurgeln des Wassers um mich herum. Als ich sie wieder öffnete, sah ich ganz langsam Tropfen wie Tränen herabfallen, die jederzeit versiegen konnten. Ich war müde, sehr müde, und sehnte mich nach tiefem Schlaf.

Ich öffnete die Augen in der grellen Helle eines warmen Mittags. Das Licht fiel durch die großen Fenster wie Staub. Als Erstes sah ich, dass die hunderttausend Francs noch immer auf der Kommode lagen. Ich stand auf, trat ans Fenster und zog die Vorhänge auf, sodass gleißendes Sonnenlicht den Salon überschwemmte. Barcelona war noch da, flirrend wie eine Fata Morgana. Da bemerkte ich, dass das Sausen in meinen Ohren, das sonst nur vom Straßenlärm übertönt wurde, vollkommen verschwunden war. Ich hörte eine dichte Stille, rein wie kristallklares Wasser, wie ich sie noch nie zuvor wahrgenommen hatte. Ich hörte mich selbst lachen. Ich fasste mir an den Kopf, betastete die Haut und spürte nicht den leisesten Druck. Mein Sehvermögen war nicht im Geringsten beeinträchtigt, überhaupt hatte ich den Eindruck, meine fünf Sinne seien eben erst zum Leben erwacht. Ich konnte das alte Holz der Täfelung an Decken und Pfeilern riechen. Ich schaute mich nach einem Spiegel um, aber im ganzen Salon gab es keinen. So machte ich mich auf die Suche nach einem Bad oder einem anderen Zimmer, um mich anhand meines Ebenbildes versichern zu können, dass ich nicht im Körper eines Unbekannten erwacht war, dass die Haut, die ich spürte, dass diese Knochen mir gehörten. Sämtliche Türen waren verschlossen. Wieder im Salon, stellte ich fest, dass dort, wo ich eine Tür zum Keller geträumt hatte, bloß das Bild eines Engels hing, der mitten in einem unendlichen See auf einem Felsen hockte. Ich ging zu der in die oberen Stockwerke hinaufführenden Treppe, aber vor der ersten Stufe blieb ich stehen. Jenseits der Helle um mich herum schien eine schwere, undurchdringliche Dunkelheit zu hausen.

»Señor Corelli?«, rief ich.

Meine Stimme verlor sich ohne jeden Nachhall, als wäre sie verschluckt worden. Ich ging in den Salon zurück und sah das Geld auf dem Tisch. Hunderttausend Francs. Ich nahm den Umschlag und wog ihn in der Hand. Das Papier war samtweich. Ich steckte das Kuvert in die Tasche und ging abermals durch den Korridor in Richtung Ausgang. Noch immer sahen mich die unzähligen porträtierten Gesichter mit der Intensität eines Versprechens an. Ich mochte mich diesen Blicken nicht aussetzen und ging auf die Tür zu, aber kurz vor dem Hinausgehen bemerkte ich, dass einer der Rahmen leer war. Ich nahm einen süßen, pergamentartigen Geruch wahr und merkte, dass er von meinen Fingern kam. Es war der Geruch des Geldes. Ich öffnete die Eingangstür und trat ins Tageslicht hinaus. Schwer fiel die Tür hinter mir ins Schloss. Ich wandte mich um und betrachtete das düstere, stille Haus, so fern des strahlenden Lichts dieses makellosen Tages. Die Uhr zeigte mir, dass es schon nach ein Uhr mittags war. Ich hatte über zwölf Stunden ohne Unterbrechung in einem alten Sessel geschlafen und mich in meinem ganzen Leben nie besser gefühlt.

Mit einem Lächeln auf dem Gesicht und der Gewissheit, dass mir die Welt zum ersten Mal seit langem zulächelte, vielleicht zum ersten Mal überhaupt in meinem Leben, machte ich mich hügelabwärts auf den Rückweg in die Stadt.

Zweiter Akt

Lux Aeterna

1

Meine Rückkehr in die Welt der Lebenden feierte ich, indem ich einem der mächtigsten Tempel der Stadt meine Reverenz erwies: dem Stammhaus der Bank Hispano Colonial in der Calle Fontanella. Beim Anblick der hunderttausend Francs gerieten der Direktor, die Rechnungsprüfer und ganze Heerscharen von Kassierern und Buchhaltern in Ekstase und hoben mich geradewegs auf den Altar für jene Kunden, die beinahe wie Heilige verehrt wurden. Nachdem die Bankangelegenheiten geregelt waren, beschloss ich, mich mit einem weiteren apokalyptischen Reiter anzulegen, und ging zu einem Zeitungskiosk auf der Plaza Urquinaona. Ich schlug *Die Stimme der Industrie* in der Mitte auf und suchte die Vermischten Meldungen, für die seinerzeit ich verantwortlich gewesen war. Immer noch war in den Schlagzeilen Don Basilios kundige Hand erkennbar, und ich fand fast sämtliche Namenskürzel der Redaktion wieder, als wäre kaum Zeit vergangen. Die sechs Jahre Diktatur von General Primo de Rivera hatten der Stadt eine giftige, trübe Ruhe gebracht, die dem Ressort für Verbrechen und Gräuel gar nicht gut bekam. Es fanden sich kaum noch Geschichten von Bomben oder Schießereien in der Presse. Barcelona, die schreckliche »Feuerrose«, glich immer mehr einem Dampfkochtopf. Eben wollte ich die Zeitung zusammenfalten und das Wechselgeld entgegennehmen, als ich die Meldung erblickte. Es war nur eine Kurznachricht von insgesamt vier in einer Spalte auf der letzten Seite der Vermischten Meldungen.

Mitternächtlicher Brand im Raval mit einem Toten und zwei Schwerverletzten

Von Joan Marc Huguet, Barcelona

Kurz nach Mitternacht ereignete sich am Freitag ein Großbrand im Haus Nr. 6 an der Plaza dels Àngels, Sitz des Verlages Barrido und Escobillas, bei dem der Geschäftsführer der Firma, Sr. D. José Barrido, ums Leben kam. Schwere Verletzungen erlitten sein Teilhaber, Sr. D. José Luis López Escobillas, sowie der Arbeiter Sr. Ramón Guzmán, der von den Flammen erfasst wurde, als er den beiden Firmenchefs zu Hilfe eilen wollte. Die Feuerwehr hält es für möglich, dass der Brand durch eine Chemikalie verursacht wurde, die bei der Renovierung der Büros verwendet worden war. Derzeit werden jedoch auch andere Ursachen nicht ausgeschlossen, da Augenzeugen berichten, sie hätten kurz vor Ausbruch des Brandes einen Mann aus den Geschäftsräumen kommen sehen. Die Opfer wurden ins Hospital gebracht, wo eines bereits tot eintraf, während bei den beiden anderen nur geringe Überlebenschancen bestehen.

Ich eilte hin, so schnell mich meine Füße trugen. Der Brandgeruch war bis zu den Ramblas wahrzunehmen. Auf dem Platz vor dem Gebäude hatte sich eine Schar von Anwohnern und Neugierigen versammelt. Weiße Rauchfäden stiegen von einem Schutthaufen vor dem Eingang auf. Ich erkannte mehrere Verlagsangestellte, die das wenige, das übrig war, aus den Trümmern zu retten versuchten. Auf der Straße stapelten sich Kisten mit angesengten Büchern und von den Flammen versehrte Möbel. Die Fassade war rußgeschwärzt, die Fenster waren von der Hitze des Feuers geborsten. Ich durchbrach den Kreis der Gaffer und ging ins Haus. Ein beißender Geruch setzte sich mir im Hals fest. Einige Verlagsangestellte, die sich mit der Bergung ihrer Habseligkeiten abrackerten, erkannten mich und grüßten mich niedergeschlagen.

»Señor Martín ... Was ein Unglück«, murmelten sie.

Ich ging quer durch den ehemaligen Empfangsraum zu Barridos Büro. Die Teppiche waren den Flammen zum Opfer gefallen und die Möbel bis auf glühende Skelette verbrannt. In einer Ecke war die Wandtäfelung heruntergefallen und ließ einen Lichtstrahl vom Hinterhof hinein. Asche hing in der Luft. Wie durch ein Wunder hatte ein Stuhl den Brand überlebt. Mitten im Raum saß darauf die Giftige und weinte. Ich kniete mich vor sie hin. Sie erkannte mich und lächelte durch die Tränen hindurch.

»Ist alles in Ordnung?«, fragte ich.

Sie nickte.

»Er hat mich heimgeschickt, weißt du. Er sagte, es sei

schon spät und ich solle schlafen gehen, weil heute ein langer Tag würde. Wir haben die Buchhaltung für den ganzen Monat abgeschlossen … Wenn ich auch nur eine Minute länger geblieben wäre …«

»Was genau ist denn geschehen, Herminia?«

»Wir hatten bis spät gearbeitet. Es war schon fast Mitternacht, als Señor Barrido sagte, ich solle nach Hause gehen. Die Verleger haben auf einen Herrn gewartet, der sie besuchen wollte …«

»Um Mitternacht? Was für ein Herr?«

»Ein Ausländer, glaube ich. Es hatte was mit einer Offerte zu tun, was weiß ich. Ich wäre gern geblieben, aber es war schon sehr spät, und Señor Barrido sagte …«

»Herminia, dieser Herr – erinnerst du dich an seinen Namen?«

Die Giftige sah mich befremdet an.

»Alles, woran ich mich erinnere, habe ich schon dem Inspektor gesagt, der heute früh gekommen ist. Er hat sich auch nach dir erkundigt.«

»Ein Inspektor? Nach mir?«

»Sie reden mit allen.«

»Ja, natürlich.«

Die Giftige starrte mich misstrauisch an, als versuchte sie meine Gedanken zu lesen.

»Es ist nicht sicher, ob er überleben wird«, flüsterte sie. Sie meinte Escobillas. »Alles ist zerstört, die Archive, die Verträge – alles. Mit dem Verlag ist es aus.«

»Das tut mir leid, Herminia.«

Ein verschlagenes Lächeln trat auf ihre Lippen.

»Es tut dir leid? Aber hattest du nicht genau das gewollt?«

»Wie kannst du so was denken?«

Sie schaute mich argwöhnisch an.

»Jetzt bist du frei.«

Ich wollte ihr die Hand auf den Arm legen, aber Herminia stand auf und wich einen Schritt zurück, als machte ihr meine Gegenwart Angst.

»Herminia ...«

»Geh«, sagte sie.

Ich ließ sie in den rauchenden Trümmern zurück. Als ich wieder auf die Straße hinaustrat, stieß ich auf eine Gruppe kleiner Jungen, die in den Schutthaufen herumstocherten. Einer hatte ein Buch aus der Asche ausgegraben und musterte es neugierig und verächtlich zugleich. Der Deckel war von den Flammen versengt, und die Seiten waren an den Rändern geschwärzt, aber sonst war es noch intakt. An der Rückenprägung erkannte ich, dass es sich um einen Band aus der Reihe *Die Stadt der Verdammten* handelte.

»Señor Martín?«

Ich wandte mich um und sah mich drei Männern in schäbigen Anzügen gegenüber, kaum die richtige Kleidung bei dieser feuchtklebrigen Hitze, die in der Luft flimmerte. Einer der Männer, offensichtlich der Vorgesetzte, trat einen Schritt vor und lächelte mich an wie ein routinierter Verkäufer. Die beiden anderen, deren Konstitution und Temperament einer hydraulischen Presse ähnelte, starrten mich mit unverhüllter Feindseligkeit an.

»Señor Martín, ich bin Inspektor Víctor Grandes, und das sind meine Kollegen, die Beamten Marcos und Castelo vom Ermittlungs- und Observationsdienst. Ob Sie wohl freundlicherweise einige Minuten für uns hätten?«

»Aber selbstverständlich.«

Der Name Víctor Grandes war mir noch aus meiner Zeit bei den Vermischten Meldungen bekannt. Vidal hatte ihm die eine oder andere Kolumne gewidmet, und ich erinnerte mich besonders an eine, wo er ihn als den kommenden Mann des Polizeidienstes bezeichnet hatte, als einen, an dem man nicht vorbeikäme und der für den Anspruch einer neuen Generation von Elitebeamten stehe, besser ausgebildet als ihre Vorgänger, unbestechlich und stahlhart. So hatte Vidal es formuliert. Vermutlich war Inspektor Grandes seither in der Polizeidirektion unaufhaltsam aufgestiegen, und seine Anwesenheit an diesem Ort bezeugte, dass man den Brand bei Barrido und Escobillas ernst nahm.

»Wenn Sie nichts dagegen haben, gehen wir in ein Café, wo wir uns ungestört unterhalten können«, sagte Grandes, ohne dass sich sein professionelles Lächeln auch nur ein wenig verlor.

»Wie Sie wünschen.«

Grandes führte mich zu einem kleinen Lokal in der Calle Doctor Dou, Ecke Pintor Fortuny. Marcos und Castelo gingen hinter uns, um mich im Auge zu behalten. Grandes bot mir eine Zigarette an, die ich ablehnte, und steckte die Schachtel wieder ein. Er tat den Mund nicht auf, bis wir in dem Lokal angekommen waren, wo ich zu einem Tisch im Hintergrund eskortiert wurde und die drei sich um mich herum setzten. Hätte man mich in ein dunkles, modriges Verlies geführt, die Atmosphäre wäre mir freundlicher vorgekommen.

»Señor Martín, ich glaube, Sie haben bereits Kenntnis erhalten von dem, was heute Nacht geschehen ist.«

»Ich weiß nur das, was in der Zeitung zu lesen war. Und was mir die Giftige erzählt hat.«

»Die *Giftige*?«

»Entschuldigung. Señorita Herminia Duaso, Mitarbeiterin der Geschäftsleitung.«

Marcos und Castelo wechselten einen vielsagenden Blick. Grandes lächelte.

»Interessanter Spitzname. Sagen Sie, Señor Martín, wo waren Sie gestern Abend?«

Heilige Einfalt – die Frage überrumpelte mich.

»Das ist eine Routinefrage«, erklärte Grandes. »Wir versuchen bei allen Personen, die in den letzten Tagen mit den Opfern Kontakt gehabt haben könnten, festzustellen, wo sie waren.«

»Ich war bei einem Freund.«

Sowie ich den Mund auftat, bereute ich meine Wortwahl. Grandes bemerkte es.

»Einem Freund?«

»Es ist eigentlich weniger ein Freund als jemand, der mit meiner Arbeit zu tun hat. Ein Verleger. Gestern Abend war ich mit ihm zu einem Gespräch verabredet.«

»Können Sie uns sagen, bis wann Sie mit dieser Person zusammen waren?«

»Bis spät am Abend. Tatsächlich habe ich dann sogar die Nacht bei ihm verbracht.«

»Ich verstehe. Und die Person, von der Sie sagen, sie hätte mit Ihrer Arbeit zu tun – wie heißt sie?«

»Corelli. Andreas Corelli. Ein französischer Verleger.«

Grandes notierte sich den Namen in einem kleinen Heft.

»Der Name klingt eher italienisch«, bemerkte er.

»Ich weiß gar nicht genau, welcher Nationalität er ist.«

»Verstehe. Und dieser Señor Corelli, welcher Nationalität er auch sein mag, könnte bestätigen, dass er sich gestern Abend mit Ihnen getroffen hat?«

Ich zuckte die Schultern.

»Vermutlich schon.«

»Vermutlich?«

»Ganz sicher sogar. Warum sollte er es nicht tun?«

»Ich weiß es nicht, Señor Martín. Gibt es irgendeinen Grund, warum er es Ihrer Meinung nach nicht tun sollte?«

»Nein.«

»Dann wäre das Thema also erledigt.«

Marcos und Castelo schauten mich an, als hätten sie nichts als Lügen von mir gehört.

»Könnten Sie mir zum Schluss noch schildern, worum es in diesem Gespräch ging, das Sie gestern Abend mit diesem Verleger unbestimmter Nationalität führten?«

»Señor Corelli hatte mich zu sich bestellt, um mir ein Angebot zu unterbreiten.«

»Ein Angebot welcher Natur?«

»Beruflicher Natur.«

»Aha. Ein Buch zu schreiben vielleicht?«

»Genau.«

»Sagen Sie, ist es üblich, dass man nach einer geschäftlichen Besprechung beim, nun, beim Vertragspartner zuhause übernachtet?«

»Nein.«

»Aber Sie sagen mir, Sie hätten die Nacht bei diesem Verleger zuhause verbracht.«

»Ich bin dortgeblieben, weil ich mich nicht wohlfühlte und mir den Heimweg nicht zutraute.«

»Ist Ihnen vielleicht das Essen schlecht bekommen?«

»Ich hatte in letzter Zeit gesundheitliche Probleme.«

Grandes setzte eine bestürzte Miene auf und nickte.

»Schwindelanfälle, Kopfschmerzen«, ergänzte ich.

»Aber ich gehe recht in der Annahme, dass Sie sich mittlerweile besser fühlen?«

»Ja. Viel besser.«

»Freut mich. Jedenfalls sehen Sie beneidenswert aus. Ist es nicht so?«

Castelo und Marcus nickten bedächtig.

»Man könnte fast meinen, Ihnen sei ein großer Stein vom Herzen gefallen«, bemerkte der Inspektor.

»Ich verstehe Sie nicht.«

»Ich meine die Schwindelanfälle und Beschwerden.«

Es war zum Verzweifeln, wie sehr Grandes bei dieser Farce das Tempo vorgab.

»Entschuldigen Sie meine Ignoranz hinsichtlich der Details Ihrer beruflichen Tätigkeit, Señor Martín, aber ist es nicht so, dass Sie mit den beiden Verlegern einen

Vertrag unterschrieben hatten, der erst in sechs Jahren ausläuft?«

»In fünf.«

»Und hat Sie dieser Vertrag nicht sozusagen exklusiv an den Verlag von Barrido und Escobillas gebunden?«

»So lauteten die Bestimmungen.«

»Warum sollten Sie dann mit einem Konkurrenten ein Angebot besprechen, wenn Ihnen Ihr Vertrag verbietet, es anzunehmen?«

»Es war nur ein Gespräch. Nichts weiter.«

»Das aber in einen Abend bei diesem Herrn zuhause gemündet ist.«

»Mein Vertrag verbietet mir nicht, mit Drittpersonen zu sprechen. Oder die Nacht außer Haus zu verbringen. Es steht mir frei, zu übernachten, wo ich will, und zu sprechen, mit wem ich will und worüber ich will.«

»Natürlich. Ich wollte auch nichts anderes andeuten, aber danke, dass Sie diesen Punkt geklärt haben.«

»Kann ich sonst noch etwas klären?«

»Nur eine Kleinigkeit. Sollte der Verlag nach dem Tod von Señor Barrido und, falls er sich nicht erholt – aber da sei Gott vor –, dem von Señor Escobillas aufgelöst werden, so würde dasselbe auch mit Ihrem Vertrag passieren. Oder täusche ich mich?«

»Ich bin nicht sicher. Ich weiß nicht genau, nach welchem Modell der Verlag gegründet wurde.«

»Aber wahrscheinlich wäre es so?«

»Möglicherweise. Das müssten Sie den Anwalt der Verleger fragen.«

»Das habe ich bereits getan. Und er hat mir bestätigt,

dass es so wäre – sollte eintreten, was wir uns alle nicht wünschen, und Señor Escobillas das Zeitliche segnen.«

»Dann haben Sie ja Ihre Antwort.«

»Und Sie die volle Freiheit, das Angebot von Señor ...«

»Corelli.«

»... von Señor Corelli anzunehmen. Sagen Sie, haben Sie es schon angenommen?«

»Darf ich fragen, was das mit der Brandursache zu tun hat?«, gab ich zurück.

»Nichts. Reine Neugier.«

»Ist das alles?«, fragte ich.

Grandes schaute seine Kollegen an und dann mich.

»Für meine Person ja.«

Ich wollte aufstehen. Die drei Ermittler blieben auf ihren Stühlen kleben.

»Señor Martín, eh ich's vergesse«, sagte Grandes. »Können Sie bestätigen, dass die Herren Barrido und Escobillas Sie vor einer Woche in Ihrer Wohnung in der Calle Flassaders Nr. 30 in Gesellschaft des vorhin erwähnten Anwalts aufgesucht haben?«

»Ja, das taten sie.«

»War das ein freundschaftlicher oder gar ein Höflichkeitsbesuch?«

»Die Verleger sind gekommen, um ihrem Wunsch Ausdruck zu verleihen, ich möge meine Arbeit an einer Reihe wieder aufnehmen, die ich hatte liegen lassen, um mich einige Monate einem anderen Projekt zu widmen.«

»Würden Sie das Gespräch als herzlich und entspannt bezeichnen?«

»Ich kann mich nicht erinnern, dass jemand einen ungebührlichen Ton angeschlagen hätte.«

»Und wissen Sie noch, dass Sie ihnen geantwortet haben, und ich zitiere wörtlich, ›in einer Woche sind Sie tot‹? Natürlich ohne einen ungebührlichen Ton anzuschlagen.«

Ich seufzte.

»Ja«, gab ich zu.

»Was meinten Sie damit?«

»Ich war verärgert und sagte das Erstbeste, was mir durch den Kopf schoss, Inspektor. Das heißt nicht, dass ich es ernst meinte. Manchmal sagt man Dinge, die man nicht meint.«

»Danke für Ihre Aufrichtigkeit, Señor Martín. Sie waren uns eine große Hilfe. Guten Tag.«

Als ich ging, spürte ich ihre Blicke wie Dolche im Rücken und war mir sicher, dass ich, hätte ich auf jede Frage des Inspektors gelogen, mich nicht schuldiger hätte fühlen können.

2

Der üble Nachgeschmack meiner Begegnung mit Víctor Grandes und seinen beiden Basilisken überdauerte kaum hundert Meter des Spaziergangs, den ich danach bei Sonnenschein in einem nicht wiederzuerkennenden Körper unternahm: voller Kraft, ohne Schmerzen und Schwindelgefühle, ohne Ohrensausen und mörderische Stiche im Schädel, ohne Müdigkeit und kalte Schweißausbrüche. Ohne die geringste Erinnerung an die Gewissheit meines baldigen Todes, die mich vor kaum vierundzwanzig Stunden noch zu ersticken gedroht hatte. Irgendetwas sagte mir, dass mich die Tragödie der vergangenen Nacht, Barridos Tod und Escobillas' so gut wie sicheres Ableben, mit Gram und Kummer hätte erfüllen müssen, aber mein Gewissen und ich waren außerstande, etwas anderes als angenehme Gleichgültigkeit zu empfinden. An diesem Julivormittag waren mir die Ramblas ein Fest und ich selbst der Fürst.

Der Spaziergang führte mich zur Calle Santa Ana, wo ich Señor Sempere einen Überraschungsbesuch abstatten wollte. Als ich den Laden betrat, stimmte der Buchhändler hinter dem Ladentisch Konten ab, während sein Sohn auf einer Leiter die Regale neu ordnete. Bei meinem Anblick lächelte Sempere senior herzlich, und mir wurde klar, dass er mich im ersten Augenblick nicht erkannt hatte. Eine Sekunde später verschwand das Lächeln aus seinem Gesicht, und er kam offenen Mundes um den Tisch herum auf mich zu, um mich zu umarmen.

»Martín? Sind Sie es? Heilige Muttergottes – Sie sind ja nicht wiederzuerkennen! Ich habe mir schon große Sorgen gemacht. Wir haben mehrmals bei Ihnen vorbeigeschaut, aber Sie haben nie aufgemacht. Dann habe ich in Krankenhäusern und auf Polizeirevieren nachgefragt.«

Sein Sohn starrte mich von der Leiter herunter ungläubig an. Es kam mir in den Sinn, dass sie mich eine gute Woche zuvor in einem Zustand gesehen hatten, mit dem ich gut ins Leichenschauhaus des fünften Bezirks gepasst hätte.

»Tut mir leid, dass ich Ihnen Sorgen gemacht habe. Ich war aus beruflichen Gründen ein paar Tage weg.«

»Aber – Sie haben auf mich gehört und sind zum Arzt gegangen, nicht wahr?«

Ich nickte.

»Es war eine Lappalie. Wie das mit dem Blutdruck so ist. Ich habe einige Tage ein Tonikum genommen, und danach war ich wie neugeboren.«

»Da müssen Sie mir aber den Namen dieses Tonikums nennen, darin will ich baden ... Wie schön, Sie so zu sehen, und was für eine Erleichterung!«

Die Euphorie verflog rasch, als die Nachricht des Tages aus ihm hervorbrach.

»Haben Sie das mit Barrido und Escobillas gehört?«, fragte der Buchhändler.

»Ich komme eben von dort. Nicht zu fassen.«

»Wer hätte das gedacht. Die waren mir ja nicht gerade sympathisch, aber dann gleich so was ... Sagen Sie, in rechtlicher Hinsicht, wie ist das nun für Sie? Entschuldigen Sie, dass ich so unverblümt frage.«

»Ehrlich gesagt, ich weiß es nicht. Ich glaube, die beiden Teilhaber hatten die Trägerschaft der Gesellschaft inne. Vermutlich gibt es irgendwelche Erben, aber möglicherweise löst sich die Gesellschaft als solche auf, wenn beide sterben sollten. Und damit auch meine Vertragsbindung. Das nehme ich jedenfalls an.«

»Das heißt, wenn Escobillas, Gott möge mir verzeihen, ebenfalls abkratzt, sind Sie ein freier Mann.«

Ich bejahte.

»Das ist ja vielleicht ein Dilemma ...«, murmelte Sempere.

»Es kommt, wie es kommen muss.«

Er nickte, aber ich merkte, dass ihn bei alledem etwas beunruhigte und er das Thema wechseln wollte.

»Na ja. Jedenfalls kommen Sie wie gerufen – ich wollte Sie nämlich um einen Gefallen bitten.«

»Stets zu Diensten.«

»Ich mache Sie darauf aufmerksam, dass es Ihnen nicht passen wird.«

»Wenn es mir passen würde, wäre es kein Gefallen, sondern ein Vergnügen. Und wenn es ein Gefallen für Sie ist, wird es auch ein Vergnügen sein.«

»Es geht nicht direkt um mich. Ich erzähle es Ihnen, und dann entscheiden Sie. Ohne jede Verpflichtung, einverstanden?«

Sempere stützte sich auf den Ladentisch und setzte seine Erzählermiene auf, die so viele Kindheitserinnerungen in mir wieder aufleben ließ.

»Es geht um ein junges Mädchen, Isabella. Sie dürfte etwa siebzehn sein. Sehr aufgeweckt. Sie kommt dauernd vorbei, und ich leihe ihr Bücher aus. Sie sagt, sie wolle Schriftstellerin werden.«

»Kommt mir bekannt vor«, sagte ich.

»Jedenfalls hat sie mir vor einer Woche eine ihrer Erzählungen gegeben, nichts Umfangreiches, zwanzig oder dreißig Seiten, und mich um meine Meinung gebeten.«

»Und?«

Sempere senkte die Stimme, als sei die Angelegenheit so vertraulich wie ein Ermittlungsgeheimnis.

»Meisterlich. Besser als neunundneunzig Prozent von allem, was in den letzten zwanzig Jahren veröffentlicht wurde.«

»Ich hoffe, Sie zählen mich zum verbleibenden Prozent, sonst betrachte ich meine Eitelkeit als mit Füßen getreten und hinterhältig gemeuchelt.«

»Darauf wollte ich hinaus. Isabella betet Sie an.«

»Betet mich an? Mich?«

»Ja, als wären Sie die schwarze Madonna von Montserrat und das Jesuskind in einem. Sie hat *Die Stadt der Verdammten* zehnmal von Anfang bis Ende gelesen, und nachdem ich ihr *Die Schritte des Himmels* gegeben hatte, sagte sie, wenn sie ein solches Buch zustande brächte, könnte sie dem Tod beruhigt entgegensehen.«

»Das klingt nach einer Falle.«

»Ich wusste ja, dass Sie sich mir entwinden würden.«

»Ich entwinde mich nicht. Sie haben mir noch nicht gesagt, worin der Gefallen besteht.«

»Das können Sie sich doch vorstellen.«

Ich seufzte. Sempere schnalzte mit der Zunge.

»Ich habe Ihnen ja gesagt, es werde Ihnen nicht passen.«

»Dann bitten Sie mich um etwas anderes.«

»Sie sollen nur mit ihr sprechen. Sie ermutigen, ihr Ratschläge geben ... Sie anhören, etwas von ihr lesen und sie einweisen. Das wird Ihnen doch nicht so schwerfallen. Das Mädchen ist blitzgescheit. Sie wird

Ihnen außerordentlich gefallen, Sie werden Freunde werden. Und sie kann als Ihre Assistentin arbeiten.«

»Ich brauche keine Assistentin. Und schon gar keine, die ich nicht kenne.«

»Dummes Zeug. Und überhaupt – Sie kennen sie bereits. Das sagt sie wenigstens. Sie sagt, sie kenne Sie seit Jahren, aber Sie würden sich sicherlich nicht an sie erinnern. Anscheinend sind ihre Einfaltspinsel von Eltern überzeugt, dass ihre literarischen Ambitionen sie entweder in die Hölle bringen oder als alte Jungfer enden lassen, und wollen sie deshalb ins Kloster stecken oder mit irgendeinem Schwachsinnigen vermählen, damit er ihr acht Kinder macht und sie dann auf ewig unter Pfannen und Töpfen begräbt. Wenn Sie sie nicht retten, grenzt das an Mord.«

»Dramatisieren Sie die Sache nicht, Señor Sempere.«

»Schauen Sie, ich würde Sie nicht darum bitten – ich weiß ja, dass Selbstlosigkeit zu Ihnen etwa so passt wie Sardanas tanzen, aber immer wenn ich sie hereinkommen und mich mit diesen Äuglein anschauen sehe, die ihr vor Intelligenz und Unternehmungslust fast aus dem Kopf purzeln, und dann an die Zukunft denke, die sie erwartet, zerreißt es mir das Herz. Was ich ihr beibringen kann, habe ich ihr bereits beigebracht. Das Mädel lernt rasch, Martín. Wenn sie mich an etwas erinnert, dann an Sie als jungen Burschen.«

Ich seufzte abermals.

»Isabella und wie noch?«

»Gispert. Isabella Gispert.«

»Kenne ich nicht. Diesen Namen habe ich im Leben nicht gehört. Man hat Ihnen einen Bären aufgebunden.«

Der Buchhändler schüttelte den Kopf.

»Isabella wusste, dass Sie genau das sagen würden.«

»Talentiert und Hellseherin. Und was hat sie sonst noch gesagt?«

»Dass Sie vermutlich ein sehr viel besserer Schriftsteller als Mensch seien.«

»Ein richtiges Schätzchen, diese Isabella.«

»Kann ich ihr sagen, sie dürfe Sie aufsuchen? Ohne jede Verpflichtung?«

Ich gab mich geschlagen und willigte ein. Sempere lächelte triumphierend und wollte den Pakt mit einer Umarmung besiegeln, aber ich ergriff die Flucht, ehe der alte Buchhändler mir das Gefühl geben konnte, ich sei ein guter Mensch.

»Sie werden es nicht bereuen, Martín«, hörte ich ihn sagen, als ich schon zur Tür hinausging.

3

Als ich vor meinem Haus eintraf, saß Inspektor Víctor Grandes auf der Stufe zum Eingang und paffte seelenruhig eine Zigarette. Bei meinem Anblick lächelte er sein charmantes Lächeln, als wäre er ein alter Freund, der mir überraschend einen Besuch abstattete. Ich setzte mich neben ihn, und er hielt mir das offene Zigarettenetui hin. Gitanes, stellte ich fest. Ich nahm eine.

»Und Hänsel und Gretel?«

»Marcus und Castelo hatten keine Zeit. Wir haben einen anonymen Wink bekommen, und sie haben sich einen alten Bekannten aus dem Pueblo Nuevo geschnappt, dessen Gedächtnis wahrscheinlich ein wenig aufgefrischt werden muss.«

»Armer Teufel.«

»Wenn ich ihnen gesagt hätte, dass ich Sie aufsuche, wären sie sicher mitgekommen. Sie waren ihnen außerordentlich sympathisch.«

»Ja, Liebe auf den ersten Blick, ich hab es schon bemerkt. Was kann ich für Sie tun, Inspektor? Darf ich Sie oben zu einem Kaffee einladen?«

»Ich würde es nicht wagen, in Ihre Privatsphäre einzudringen, Señor Martín. Ich wollte Ihnen die Nachricht einfach persönlich überbringen, bevor Sie auf anderem Weg davon erfahren.«

»Welche Nachricht?«

»Escobillas ist heute am frühen Nachmittag im Hospital gestorben.«

»Mein Gott. Das wusste ich nicht.«

Grandes zuckte die Schultern und rauchte schweigend weiter. Dann sagte er:

»Es war ja abzusehen. Da kann man nichts machen.«

»Haben Sie etwas über die Brandursache ermitteln können?«, fragte ich.

Er schaute mich lange an und nickte dann.

»Alles scheint darauf hinzudeuten, dass jemand Señor Barrido mit Benzin übergossen und dann angezündet hat. Die Flammen haben sich ausgebreitet, als er in Panik aus seinem Büro zu entkommen versuchte. Sein

Partner und der Angestellte, die ihm zu Hilfe eilten, sind dabei ebenfalls von den Flammen erfasst worden.«

Ich biss mir auf die Lippen. Grandes lächelte beruhigend.

»Der Anwalt der Verleger hat mir heute Nachmittag gesagt, aufgrund der in Ihrem Vertrag mit den beiden festgehaltenen persönlichen Bindung zu ihnen gelte dieser beim Ableben der Verleger als aufgelöst, aber die Erben behalten die Rechte an den bereits publizierten Werken. Vermutlich wird er Ihnen das in einem Brief mitteilen, aber ich dachte, Sie möchten es vielleicht schon vorher wissen, falls Sie bezüglich des Angebots des von Ihnen erwähnten Verlegers eine Entscheidung zu treffen haben.«

»Danke.«

»Nicht der Rede wert.«

Grandes hatte seine Zigarette aufgeraucht und warf die Kippe auf den Boden. Er lächelte freundlich und stand auf. Dann klopfte er mir auf die Schulter und trollte sich in Richtung Calle Princesa.

»Inspektor?«, rief ich ihm nach.

Grandes blieb stehen und wandte sich um.

»Sie werden doch nicht etwa denken …«

Er schenkte mir ein mattes Lächeln.

»Passen Sie auf sich auf, Martín.«

Ich ging früh schlafen und schreckte in dem Glauben auf, es sei schon Morgen, um dann festzustellen, dass es erst kurz nach Mitternacht war.

Im Traum hatte ich Barrido und Escobillas gesehen, wie sie in ihrem Büro gefangen waren. Die Flammen züngelten an ihren Kleidern empor, bis jeder Zentimeter des Körpers von ihnen erfasst war. Unter den Kleidern schälte sich ihre Haut in Fetzen ab, und die panikerfüllten Augen brachen im Feuer. Ihre Körper wurden von Schreckens- und Todeskrämpfen geschüttelt, bis sie auf die Trümmer sanken, während sich das Fleisch wie geschmolzenes Wachs von den Knochen löste und zu meinen Füßen eine dampfende Pfütze bildete, in der ich mein eigenes Grinsen gespiegelt sah, als ich das Streichholz in meinen Fingern auspustete.

Ich stand auf, um mir ein Glas Wasser zu holen, und in dem Glauben, den Fängen meines Traums entkommen zu sein, ging ich ins Arbeitszimmer hinauf und holte aus der Schreibtischschublade das Buch, das ich aus dem Friedhof der Vergessenen Bücher gerettet hatte. Ich knipste die Leselampe an und bog sie so, dass das Licht auf die Seiten fiel. Ich schlug das Buch auf und begann zu lesen.

Lux Aeterna
D. M.

Auf den ersten Blick bestand das Opus aus einer scheinbar zusammenhanglosen Sammlung von Texten und Gebeten. Es war ein Originalmanuskript, eine Handvoll Seiten in Maschinenschrift, die schmucklos in Leder gebunden waren. Nach einer Weile der Lektüre konnte ich in der Abfolge von Begebenheiten, Gesängen und Reflektionen, aus denen der Text bestand, eine gewisse Methode entdecken. Die Sprache hatte ihren eigenen Rhythmus, und was anfänglich jeder Form und jeden Stils zu entbehren schien, entpuppte sich nach und nach als hypnotischer Gesang, dessen Sog den Leser immer stärker erfasste, um ihn schließlich in einen Zustand zwischen Benommenheit und Selbstvergessenheit versinken zu lassen. Ähnlich ging es mir mit dem Inhalt, dessen zentrale Achse erst im ersten Teil deutlich wurde – oder im ersten Gesang, denn das Werk schien nach der Art alter Dichtungen in Gesänge aufgeteilt, in denen man mit Zeit und Raum nach freiem Ermessen verfuhr. Da wurde mir klar, dass dieses *Lux Aeterna*, in Ermangelung eines anderen Begriffs, eine Art Totenbuch war.

Nach den ersten dreißig oder vierzig Seiten voller Ausschmückungen und Rätsel geriet man in ein präzises, ausgefallenes, zunehmend beunruhigendes Wechselspiel von Gebeten und Fürbitten, in dem der Tod, in Zeilen unbekannten Versmaßes einmal als weißer Engel mit Reptilienaugen dargestellt und ein andermal als lichtvolles Kind, als einzige, allgegenwärtige Gottheit definiert wurde, die sich in der Natur, im Verlangen und in der Zerbrechlichkeit des Daseins manifestiere.

Wer immer dieser geheimnisvolle D. M. sein mochte, in seinen Versen zeigte sich der Tod als gefräßige, ewige Kraft. Eine raffinierte Mischung von Anleihen aus verschiedenen Paradies- und Höllenvorstellungen schillerte hier auf einer einzigen Ebene. Laut D. M. gab es nur einen Anfang und ein Ende, nur einen Schöpfer und Zerstörer, der sich unter verschiedenen Namen offenbarte, um die Menschen zu verwirren und ihre Schwächen zu prüfen, einen einzigen Gott, dessen wahres Wesen zwei Seiten hatte, eine sanft-barmherzige und eine grausam-dämonische.

So weit konnte ich folgen, doch nach diesen Anfängen schien der Autor vom Kurs seiner Erzählung abgekommen zu sein, sodass es kaum noch möglich war, die Bezüge und Bilder zu enträtseln, die den Text wie düstere Visionen erfüllten. Unwetter, bei denen es Blut und Feuer regnete. Heerscharen uniformierter Leichen, die durch endlose Ebenen zogen und dabei alles Leben vernichteten. Infanten, mit Fahnenfetzen vor Festungstoren erhängt. Schwarze Meere, in denen Tausende gequälter Seelen bis in alle Ewigkeit in giftigem Eiswasser dahintrieben. Aschewolken und Ozeane aus Knochen und verfaultem Fleisch, durchzogen von Insekten und Schlangen. Diese infernalischen, ekelerregenden Bilder setzten sich bis zum Überdruss fort.

Je weiter ich mit der Lektüre kam, desto mehr hatte ich das Gefühl, die Landkarte eines kranken, zerrütteten Geistes zu durchwandern. Mit jeder Zeile hatte der Autor, ohne es zu wissen, sein Abgleiten in den Wahn dokumentiert. Das letzte Drittel des Buches schließlich schien vom Willen zur Umkehr zu zeugen, ein verzweifelter Ruf des Verfassers aus der Zelle seiner Unvernunft, um dem dunklen Labyrinth zu entrinnen, das sich in seinem Geist aufgetan hatte. Der Text erstarb mitten in einem flehenden Satz, ohne jegliche Erklärung.

An diesem Punkt fielen mir fast die Augen zu. Durchs

Fenster drang ein leichter Meereswind herein, der den Nebel von den Dächern wischte. Ich wollte das Buch eben zuklappen, als ich merkte, dass im Filter meines Verstandes etwas hängen geblieben war, etwas, was mit der Schreibmaschinenschrift dieser Seiten zu tun hatte. Ich blätterte zum Anfang zurück und begann den Text durchzugehen. In der fünften Zeile fand ich es zum ersten Mal. Von da an tauchte dasselbe Merkmal alle paar Zeilen auf: Einer der Buchstaben, das große S, war immer leicht nach rechts geneigt. Ich zog ein weißes Blatt aus der Schublade und spannte es in die Underwood auf dem Schreibtisch ein. Aufs Geratewohl schrieb ich einen Satz.

```
Sanft klingen die Glocken von
     Santa María del Mar.
```

Ich zog das Blatt heraus und betrachtete es unter der Lampe.

```
Sanft ... von Santa María
```

Ich stöhnte auf. *Lux Aeterna* war auf ebendieser Schreibmaschine geschrieben worden und vermutlich auch an ebendiesem Schreibtisch.

4

Am nächsten Morgen ging ich zum Frühstück in ein Café gegenüber von Santa María del Mar. Im Born-Viertel wimmelte es von Karren und Leuten auf dem Weg zum Markt und von Klein- und Großhändlern, die ihre Läden öffneten. Ich setzte mich an einen Tisch im Freien und bestellte einen Milchkaffee. Auf dem Nebentisch lag ein verwaistes Exemplar der *Vanguardia*, das ich adoptierte. Während ich Schlagzeilen und Kurztexte überflog, bemerkte ich, dass jemand die Treppe zur Kathedrale hinaufstieg und sich auf die oberste Stufe setzte, um mich verstohlen zu beobachten. Das junge Mädchen mochte sechzehn oder siebzehn Jahre alt sein und gab vor, sich in einem Heft Notizen zu machen, während sie mir heimliche Blicke zuwarf. Ich genoss in Ruhe meinen Kaffee. Nach einer Weile winkte ich den Kellner herbei.

»Sehen Sie die Señorita, die dort vor der Kirchentür sitzt? Sagen Sie ihr, sie soll bestellen, worauf sie Lust hat, sie ist eingeladen.«

Der Kellner nickte und ging hin. Als sie ihn auf sich zukommen sah, vergrub sie sich mit einem Ausdruck höchster Konzentration, der mir ein Lächeln entlockte, in ihr Heft. Der Kellner blieb vor ihr stehen und räusperte sich. Sie hob den Blick und schaute ihn an. Er erläuterte ihr seinen Auftrag und deutete dann auf mich. Sie warf mir einen beunruhigten Blick zu. Ich winkte grüßend. Ihre Wangen erglühten. Sie stand auf und näherte sich mit kurzen Schritten und gesenktem Blick meinem Tisch.

»Isabella?«, fragte ich.

Sie schaute auf und seufzte, verärgert über sich selbst.

»Woher wissen Sie das?«

»Hellseherische Kräfte.«

Sie reichte mir die Hand, die ich ohne großen Enthusiasmus drückte.

»Darf ich mich setzen?«, fragte sie.

Sie nahm Platz, ohne eine Antwort abzuwarten. In der folgenden halben Minute änderte sie ein halbes Dutzend Mal die Stellung, um dann wieder zur ersten zurückzukehren. Ich schaute ihr ruhig und mit kalkuliertem Desinteresse zu.

»Sie erinnern sich nicht an mich, nicht wahr, Señor Martín?«

»Sollte ich das?«

»Ich habe Ihnen jahrelang den Korb mit Ihrer Wochenbestellung von Can Gispert hinaufgebracht.«

Das Bild des Mädchens, das mir so lange die Lebensmittel geliefert hatte, erschien vor meinem geistigen Auge und verschmolz mit dem erwachseneren, etwas kantigeren Gesicht dieser zur Frau gewordenen Isabella mit den weichen Formen und dem schneidenden Blick.

»Das Mädchen mit dem Trinkgeld«, sagte ich, obwohl sie nicht mehr viel von einem Mädchen hatte.

Sie nickte.

»Ich habe mich immer gefragt, was du wohl mit all den Münzen angefangen hast.«

»Bücher bei Sempere und Söhne gekauft.«

»Hätte ich das gewusst …«

»Wenn ich Sie störe, gehe ich.«

»Du störst mich nicht. Möchtest du was trinken?«

Sie schüttelte den Kopf.

»Señor Sempere sagt, du hättest Talent.«

Isabella zuckte die Achseln und lächelte mich skeptisch an.

»Im Allgemeinen zweifelt man umso mehr an seinem Talent, je mehr man davon hat«, sagte ich. »Und umgekehrt.«

»Dann muss ich ein wahres Wunderkind sein.«

»Nicht nur du. Sag, was kann ich für dich tun?«

Sie atmete tief ein.

»Señor Sempere hat gesagt, vielleicht könnten Sie etwas von meinen Sachen lesen und mir Ihre Einschätzung und ein paar Ratschläge geben.«

Ich schaute ihr einige Sekunden wortlos in die Augen. Sie hielt meinem Blick stand, ohne mit der Wimper zu zucken.

»Ist das alles?«

»Nein.«

»Hab ich's mir doch gedacht. Was folgt in Kapitel zwei?«

Isabella zögerte nur einen kurzen Augenblick.

»Wenn Ihnen gefällt, was Sie lesen, und Sie glauben, ich habe Talent, möchte ich Sie darum bitten, mir zu erlauben, Ihre Assistentin zu sein.«

»Was veranlasst dich zur Annahme, dass ich eine Assistentin brauche?«

»Ich kann Ihre Papiere ordnen, sie abtippen, Irrtümer und Fehler korrigieren ...«

»Irrtümer und Fehler?«

»Ich wollte damit nicht sagen, dass Sie Fehler machen ...«

»Was wolltest du denn dann sagen?«

»Nichts. Aber vier Augen sehen immer mehr als zwei. Und zudem kann ich die Korrespondenz übernehmen, Besorgungen machen, Ihnen bei der Recherche behilflich sein. Und ich kann kochen und ...«

»Bittest du mich nun um eine Stelle als Assistentin oder als Köchin?«

»Ich bitte Sie um eine Chance.«

Sie senkte den Blick. Ich konnte mir ein Lächeln nicht verkneifen. Dieses merkwürdige Geschöpf war mir ganz gegen meinen Willen sympathisch.

»Wir werden Folgendes tun. Du bringst mir die besten zwanzig Seiten, die du geschrieben hast, die, von denen du glaubst, sie zeigen am ehesten, was du kannst. Bring mir keine einzige mehr, ich habe nicht vor, sie zu lesen. Ich werde sie mir in aller Ruhe ansehen, und dann unterhalten wir uns.«

Ihr Gesicht leuchtete auf, und für einen Moment verschwand der Schleier von Härte und Anspannung, der über ihren Zügen lag.

»Es wird Ihnen nicht leidtun«, sagte sie.

Sie stand auf und schaute mich nervös an.

»Ist es recht, wenn ich Ihnen die Seiten nach Hause bringe?«

»Steck sie in den Briefkasten. War das alles?«

Sie nickte mehrmals und zog sich mit kurzen, hektischen Schrittchen zurück. Als sie sich eben umdrehen und davonlaufen wollte, rief ich ihr nach.

»Isabella?«

Sie schaute mich hellwach an, im Blick eine gewisse Besorgnis.

»Warum gerade ich?«, fragte ich. »Und sag nicht, weil ich dein Lieblingsautor bin und all diese Schmeicheleien, mit denen du mich laut Sempere einseifen sollst – wenn du das tust, wird das unser erstes und letztes Gespräch gewesen sein.«

Sie zögerte einen Moment. Dann sah sie mir direkt in die Augen und antwortete schonungslos:

»Weil Sie der einzige Schriftsteller sind, den ich kenne.«

Sie lächelte bang und ging mit ihrem Heft, ihrem unsicheren Schritt und ihrer Aufrichtigkeit davon. Ich schaute ihr nach, wie sie in die Calle Mirallers einbog und hinter der Kathedrale verschwand.

5

Als ich eine knappe Stunde später nach Hause zurückkam, saß sie vor der Tür und erwartete mich mit ihrer mutmaßlichen Erzählung auf dem Schoß. Bei meinem Anblick stand sie auf und rang sich ein Lächeln ab.

»Ich habe dir doch gesagt, du sollst die Seiten in den Briefkasten stecken«, sagte ich.

Isabella nickte und zuckte die Achseln.

»Als Zeichen meiner Dankbarkeit habe ich Ihnen aus dem Laden meiner Eltern ein wenig Kaffee mitgebracht. Kolumbianischen, der ist wunderbar. Er ging nicht durch den Schlitz, und so habe ich gedacht, ich warte besser auf Sie.«

Dieser Vorwand konnte nur einer künftigen Romanautorin in den Sinn kommen. Mit einem Seufzer öffnete ich die Tür.

»Rein mit dir.«

Ich stieg die Treppe hinauf, und Isabella folgte mir mit ein paar Stufen Abstand wie ein Schoßhündchen.

»Frühstücken Sie immer so lange? Das geht mich natürlich nichts an, aber ich habe hier fast eine Dreiviertelstunde gewartet und mir schon Sorgen gemacht, ich dachte, hoffentlich ist ihm nichts im Hals stecken geblieben, da lerne ich endlich einen Schriftsteller aus Fleisch und Blut kennen, und bei meinem sprichwörtlichen Glück wäre es durchaus normal, dass er hingeht und eine Olive in den falschen Hals kriegt, und das wäre dann das Ende meiner literarischen Karriere«, sprudelte sie hervor.

Ich blieb mitten auf der Treppe stehen und schaute sie mit dem feindseligsten Ausdruck an, den ich zustande brachte.

»Isabella, damit es zwischen uns funktioniert, werden wir einige Regeln aufstellen müssen. Die erste ist, dass ich die Fragen stelle und du dich auf die Antworten beschränkst. Wenn es von meiner Seite her keine Fragen gibt, sind deinerseits weder Antworten noch Stegreifreden angezeigt. Die zweite Regel lautet: Ich nehme mir zum Frühstücken oder Vespern oder Tagträumen so viel Zeit, wie es mir passt, und darüber wird nicht diskutiert.«

»Ich wollte Sie nicht beleidigen. Ich verstehe ja, dass in Ruhe zu verdauen der Inspiration förderlich ist.«

»Die dritte Regel: Vor dem Mittag lasse ich dir keinen Sarkasmus durch. Verstanden?«

»Ja, Señor Martín.«

»Die vierte ist, dass du mich nicht Señor Martín nennen sollst, nicht einmal am Tag meiner Beerdigung. Dir komme ich vielleicht wie ein Fossil vor, aber mir gefällt die Vorstellung, noch jung zu sein. Und ich bin es auch, Punktum!«

»Wie soll ich Sie denn nennen?«

»Bei meinem Vornamen: David.«

Sie nickte. Ich öffnete die Wohnungstür und bedeutete ihr einzutreten. Sie zögerte einen Moment und schlüpfte dann hinein.

»Ich glaube, für Ihr Alter sehen Sie noch ziemlich jung aus, David.«

Verblüfft schaute ich sie an.

»Was glaubst du denn, wie alt ich bin?«

Isabella sah mich von oben bis unten an.

»So um die dreißig? Was man Ihnen aber nicht ansieht.«

»Bitte halt den Mund und mach eine Kanne von dem Gebräu, das du mitgebracht hast.«

»Wo ist die Küche?«

»Such sie.«

Gemeinsam tranken wir in der Veranda den köstlichen kolumbianischen Kaffee. Isabella hielt ihre große Tasse in beiden Händen und betrachtete mich argwöhnisch, während ich ihre zwanzig Seiten las. Jedes Mal, wenn ich ein Blatt beiseite legte und aufschaute, traf ich auf ihren erwartungsvollen Blick.

»Wenn du mich weiterhin wie eine Schleiereule anstarrst, werde ich nie damit fertig.«

»Was soll ich denn sonst tun?«

»Wolltest du nicht meine Assistentin sein? Dann assistiere. Such zum Beispiel etwas, was geordnet werden muss, und ordne es.«

Isabella schaute sich um.

»Hier ist nichts geordnet.«

»Dann pack die Gelegenheit beim Schopf.«

Sie nickte und machte sich mit militärischer Entschlossenheit auf, des in meiner Behausung allenthalben herrschenden Chaos Herr zu werden. Ich hörte ihre Schritte sich im Korridor entfernen und fuhr mit der Lektüre fort. Ihre Erzählung wies kaum eine Handlung auf. Sie schilderte mit großer Sensibilität und wohlgesetzten Worten die Gefühle und Sehnsüchte eines jungen Mädchens, das in ein kaltes Dachzimmer des Ribera-Viertels verbannt war, von wo aus sie dem Treiben in den engen, düsteren Gassen zusah. Die Bilder und die traurige Musik ihrer Prosa verrieten eine an Verzweiflung grenzende Einsamkeit. Das junge Mädchen der Erzählung war in ihrer eigenen Welt gefangen und trat manchmal vor einen Spiegel, wo sie sich mit einer Scherbe in Arme und Schenkel schnitt: Davon blieben Narben zurück wie die, die man unter Isabellas Ärmeln erraten konnte. Kurz vor Ende der Lektüre sah ich, wie sie mich von der Verandatür aus anschaute.

»Was ist?«

»Entschuldigen Sie die Störung, aber was ist in dem Zimmer am Ende des Flurs?«

»Nichts.«

»Riecht seltsam.«

»Die Feuchtigkeit.«

»Wenn Sie wollen, kann ich dort sauber machen und…«

»Nein. Dieses Zimmer wird nicht benutzt. Und zudem bist du nicht mein Dienstmädchen und hast keine Veranlassung, irgendwo sauber zu machen.«

»Ich will bloß helfen.«

»Hilf mir, indem du mir noch eine Tasse Kaffee bringst.«

»Warum? Macht Sie die Erzählung müde?«

»Wie spät ist es, Isabella?«

»Es muss etwa zehn Uhr sein.«

»Und das heißt?«

»… kein Sarkasmus bis zum Mittag«, antwortete sie.

Ich lächelte triumphierend und hielt ihr die leere Tasse hin.

Als sie mit dem dampfenden Kaffee aus der Küche zurückkam, hatte ich die letzte Seite gelesen. Isabella setzte sich mir gegenüber. Ich lächelte ihr zu und schlürfte in aller Ruhe den wunderbaren Kaffee. Das junge Mädchen rang die Hände, presste die Lippen zusammen und warf verstohlene Blicke auf ihre Erzählung, deren Seiten jetzt umgedreht auf dem Tisch lagen. Zwei Minuten hielt sie es aus, ohne den Mund aufzutun.

»Und?«, fragte sie schließlich.

»Vorzüglich.«

Ihr Gesicht begann zu leuchten.

»Meine Erzählung?«

»Der Kaffee.«

Verletzt schaute sie mich an und stand auf, um ihre Seiten zu holen.

»Lass sie liegen«, befahl ich.

»Wozu? Es ist doch klar, dass sie Ihnen nicht gefallen hat und dass Sie denken, ich sei eine arme Idiotin.«

»Das habe ich nicht gesagt.«

»Gar nichts haben Sie gesagt, das ist schlimmer.«

»Isabella, wenn du wirklich schreiben willst oder wenigstens so schreiben willst, dass andere dich lesen, dann wirst du dich daran gewöhnen müssen, dass man dich mitunter nicht zur Kenntnis nimmt, dass man dich beschimpft, dich verachtet und dass man dir in den meisten Fällen mit Gleichgültigkeit begegnet. Das ist einer der Vorteile dieses Berufs.«

Sie senkte den Blick und atmete tief durch.

»Ich weiß nicht, ob ich Talent habe. Ich weiß nur, dass ich gern schreibe. Oder besser gesagt, dass ich schreiben muss.«

»Schwindlerin.«

Sie sah mich hart an.

»Also gut. Ich habe Talent. Und es interessiert mich einen feuchten Dreck, ob Sie glauben, ich habe keins.«

Ich lächelte.

»Das gefällt mir schon besser. Ich bin vollkommen einverstanden.«

Verwirrt schaute sie mich an.

»Damit, dass ich Talent habe, oder damit, dass Sie glauben, ich habe keins?«

»Was meinst denn du?«

»Dann glauben Sie, dass ich begabt bin?«

»Ich glaube, du hast Talent und Lust, etwas damit anzufangen. Mehr, als du denkst, und weniger, als du erwartest. Aber es gibt viele Leute mit Talent und Lust, und viele von ihnen bringen es nie zu etwas. Das ist erst der Ausgangspunkt, um im Leben etwas zu erreichen. Das Talent ist wie die Kraft eines Athleten. Man kann mit mehr oder weniger Fähigkeiten geboren werden, aber niemand wird nur aus dem Grund Athlet, weil er von Natur aus groß oder stark oder schnell ist. Was den Athleten – oder den Künstler – ausmacht, das ist die Arbeit, das Handwerk, die Technik. Die Intelligenz, die einem in die Wiege gelegt wird, ist bloß die Munition. Um damit etwas anfangen zu können, muss man seinen Geist zu einer Präzisionswaffe machen.«

»Warum dieser kriegerische Vergleich?«

»Jedes Kunstwerk ist aggressiv, Isabella. Und jedes Künstlerleben ist ein kleiner oder großer Krieg, angefangen bei einem selbst und den eigenen Beschränkungen. Um zu erreichen, was man sich vorgenommen hat, braucht man vor allem Ehrgeiz, dann Talent, Wissen und schließlich eine Chance.«

Sie wog meine Worte ab.

»Haben Sie diesen Vortrag schon öfter gehalten, oder ist er Ihnen eben eingefallen?«

»Der Vortrag ist nicht von mir. Es hat ihn mir jemand ›gehalten‹, wie du sagst, dem ich dieselben Fragen gestellt habe wie du mir. Das ist viele Jahre her, aber es vergeht kein Tag, an dem ich nicht erfahre, wie recht er damit hatte.«

»Dann darf ich also Ihre Assistentin werden?«

»Ich werde darüber nachdenken.«

Isabella nickte zufrieden. Sie hatte sich an eine Ecke des Tisches gesetzt, auf der Cristinas Fotoalbum lag. Sie schlug es von hinten auf und besah sich ein Porträt der frischgebackenen Señora Vidal, das zwei oder drei Jahre zuvor vor der Villa Helius aufgenommen worden war. Ich musste schlucken. Isabella klappte das Album wieder zu und ließ den Blick durch die Veranda und dann erneut zu mir gleiten. Ich beobachtete sie ungeduldig. Sie lächelte erschrocken, als hätte ich sie beim Herumschnüffeln ertappt.

»Sie haben eine sehr hübsche Freundin«, sagte sie.

Der Blick, den ich ihr zuwarf, fegte ihr das Lächeln vom Gesicht.

»Das ist nicht meine Freundin.«

»Oh.«

Langes Schweigen.

»Vermutlich heißt die fünfte Regel, ich soll meine Nase nicht in Dinge stecken, die mich nichts angehen, was?«

Ich gab keine Antwort. Isabella nickte für sich selbst und stand auf.

»Dann lasse ich Sie jetzt besser in Frieden und störe nicht weiter für heute. Wenn es Ihnen recht ist, komme ich morgen wieder, und wir fangen an.«

Sie nahm die Seiten ihrer Erzählung und lächelte mir schüchtern zu. Ich antwortete mit einem Nicken.

Isabella zog sich diskret zurück und verschwand im Flur. Ich hörte ihre Schritte leiser werden und dann die Tür ins Schloss fallen. Als sie weg war, nahm ich zum ersten Mal die Stille wahr, die dieses Haus verhexte.

6

Vielleicht war es das Übermaß an Koffein in meinen Adern oder auch nur mein Gewissen, das langsam zurückkehrte wie das Licht nach einem Stromausfall – jedenfalls verbrachte ich den Rest des Vormittags damit, einem alles andere als tröstlichen Gedanken nachzuhängen. Dass der Brand, dem Barrido und Escobillas zum Opfer gefallen waren, das Angebot Corellis, von dem ich nichts mehr gehört hatte – was mich stutzig machte –, und das seltsame Manuskript vom Friedhof der Vergessenen Bücher, das vermutlich in diesen vier Wänden verfasst worden war, in keinem Zusammenhang zueinander stehen sollten, war schwer vorstellbar.

Es erschien mir wenig ratsam, ohne vorherige Einladung erneut die Villa von Andreas Corelli aufzusuchen, um ihn über den zeitlichen Zusammenfall des Brandes mit unserem Gespräch zu befragen. Mein Instinkt sagte mir, dass der Verleger selbst verfügen würde, wann er mich wiedersehen wollte, und was diese unvermeidliche Begegnung betraf, verspürte ich nicht die geringste Eile. Die Ermittlungen rund um das Feuer lagen bereits in der Hand von Inspektor Víctor Grandes und seinen beiden Bullenbeißern Marcos und Castelo, zu deren Lieblingen ich mich zählen durfte. Je größeren Abstand ich hielt, desto besser. So blieb mir nur noch, das Buch und seine Beziehung zum Haus mit dem Turm zu untersuchen. Nachdem ich mir jahrelang eingeredet hatte, es sei kein Zufall, dass ich hier wohnte, bekam diese Vorstellung nun eine ganz andere Bedeutung.

Ich begann an dem Ort, an den ich die meisten der von den ehemaligen Bewohnern zurückgelassenen Gegenstände und Habseligkeiten verbannt hatte. Den Schlüssel zum hintersten Zimmer holte ich aus der Küchenschublade, wo er Jahre gelegen hatte. Seit die Elektriker die Kabel verlegt hatten, hatte ich den Raum nicht mehr betreten. Als ich den Schlüssel ins Schloss steckte, spürte ich einen kalten Luftzug an meinen Fingern und stellte fest, dass Isabella recht gehabt hatte – aus diesem Zimmer drang ein seltsamer Geruch nach verwelkten Blumen und umgegrabener Erde.

Ich öffnete die Tür und riss die Hand vors Gesicht. Der Gestank war gewaltig. Ich tastete an der Wand nach dem Schalter, aber die nackte Glühbirne an der Decke ging nicht an. In dem vom Korridor einfallenden Licht konnte man die Konturen des Stapels von Kisten, Büchern und Koffern sehen, die ich vor Jahren hier untergebracht hatte. Ich betrachtete all das mit Abscheu. Die hintere Wand war vollkommen mit einem großen Eichenschrank verstellt. Ich kniete mich vor eine Schachtel mit alten Fotos, Brillen, Uhren und anderen persönlichen Gegenständen und begann darin zu kramen, ohne genau zu wissen, was ich suchte. Nach einer Weile gab ich das Unterfangen mit einem Seufzer wieder auf. Wenn ich etwas herauszufinden hoffte, musste ich planmäßig vorgehen. Ich war drauf und dran, das Zimmer wieder zu verlassen, als ich hörte, wie sich hinter mir ganz langsam eine Schranktür öffnete. Ein feuchtkalter Luftzug strich mir um den Nacken. Langsam drehte ich mich um. Eine der Türen stand halb auf, sodass man im Innern die alten Kleider und Anzüge an ihren Bügeln hängen sah, zerfressen von der Zeit und sich wiegend wie Algen im Wasser. Der kalte Luftzug und der Gestank kamen von dort. Ich trat näher und öffnete die Türen weit, um die an den Bügeln hängenden Kleider zu teilen. Das Holz der Rückwand war morsch und teilweise gesplittert. Dahinter konnte man eine Gipswand erkennen, in der sich ein etwa zwei Zentimeter breites Loch aufgetan hatte. Ich beugte mich vor, um zu sehen, was sich auf der anderen Seite befand, aber die Dunkelheit war fast vollkommen. Das schwache Licht aus dem Korridor sickerte durch das Loch und warf einen dunstigen Lichtstreifen auf die andere Seite. Es war nicht viel mehr zu erahnen als abgestandene Luft. Ich näherte mich mit einem Auge dem Loch, um hindurchzuspähen, aber genau in diesem Augenblick krabbelte eine schwarze Spinne heraus. Ich wich jäh zurück, und die Spinne sauste das Schrankinnere hinauf und verschwand im Schatten. Ich machte die Schranktüren zu, verließ das Zimmer und schloss ab. Den Schlüssel legte ich in die oberste Schublade der Kommode im Korridor. Der bisher in diesem Raum gefangene Gestank hatte sich wie

Gift bis hierhin ausgebreitet. Ich verfluchte die Stunde, in der es mir in den Sinn gekommen war, diese Tür zu öffnen, und verließ das Haus in der Hoffnung, die im Herzen dieser Wohnung pochende Dunkelheit zu vergessen, und sei es nur für einige Stunden.

Schlechte Ideen kommen selten allein. Zur Feier der Entdeckung dieser verborgenen Dunkelkammer ging ich zu Sempere und Söhne, um den Buchhändler zum Mittagessen in die Maison Dorée einzuladen. Er las gerade in einer kostbaren Ausgabe von Potockis *Handschrift von Saragossa* und mochte von meinem Vorschlag nichts hören.

»Wenn ich Snobs und sonstige Trottel sehen will, die sich aufspielen und gegenseitig beglückwünschen, brauche ich dafür nicht zu bezahlen, Martín.«

»Seien Sie kein Spielverderber – ich lade Sie ja ein.«

Er lehnte ab. Sein Sohn, der das Gespräch auf der Schwelle zum Hinterzimmer verfolgt hatte, schaute mich zweifelnd an.

»Und wenn ich Ihren Sohn einlade, was dann? Verbieten Sie es mir?«

»Sie müssen selbst wissen, wofür Sie Zeit und Geld verschwenden. Ich bleibe hier und lese, das Leben ist kurz.«

Sempere junior war ein Musterbeispiel an Schüchternheit und Verschwiegenheit. Obwohl wir uns von Kindesbeinen an kannten, konnte ich mich nicht entsinnen, mit ihm mehr als drei, vier Unterhaltungen geführt zu haben, die länger als fünf Minuten gedauert hätten. Ich kannte an ihm weder Laster noch Sünden. Dagegen wusste ich aus verlässlicher Quelle, dass er bei den Mädchen des Viertels als der offizielle Frauenschwarm und gute Partie galt. Mehr als eine kam unter irgendeinem Vorwand zur Buchhandlung und blieb seufzend vor dem Schaufenster stehen, doch Semperes Sohn, wenn er es denn überhaupt bemerkte, unternahm nie einen Schritt, um diese Wechsel auf Ergebenheit und schmachtende Lippen einzulösen. Jeder andere hätte mit einem Zehntel dieses Kapitals eine glänzende Karriere als Windhund gemacht. Jeder außer Sempere junior, bei dem man manchmal nicht wusste, ob man ihn seligsprechen sollte.

»Wenn das so weitergeht, bekommt er noch einen Heiligenschein«, lamentierte Sempere bisweilen.

»Haben Sie schon mal versucht, ihm ein wenig Paprika in die Suppe zu geben, um an den Schlüsselstellen die Bewässerung zu stimulieren?«, fragte ich.

»Lachen Sie nur, Sie Halunke, ich bin bald siebzig und habe noch immer keinen gottverdammten Enkel.«

Wir wurden von dem Oberkellner empfangen, den ich von meinem letzten Besuch her noch in Erinnerung hatte, allerdings ohne serviles Lächeln oder Willkommensgeste. Als ich ihm sagte, ich hätte nicht reserviert, nickte er verächtlich und schnippte mit den Fingern einen Hilfskellner herbei, der uns formlos an den schlechtesten Tisch des Saals führte, neben der Küchentür in einem dunklen, lauten Winkel. In den folgenden fünfundzwanzig Minuten bequemte sich niemand an unseren Tisch, nicht einmal, um uns die Karte oder ein Glas Wasser zu bringen. Das Personal ging türenschlagend vorbei, ohne uns und unsere Winke auch nur im Geringsten zur Kenntnis zu nehmen.

»Meinen Sie nicht, wir sollten wieder gehen?«, fragte Sempere junior schließlich. »Ich komme gut mit einem belegten Brötchen aus, egal, wo …«

Er hatte noch nicht zu Ende gesprochen, als sie hereinkamen. In Begleitung des Oberkellners und zweier Kellner, die sich in Beglückwünschungen ergingen, steuerten Vidal und seine Gattin ihren Tisch an. Sie nahmen Platz, und zwei Minuten später setzte die Prozession der Gäste ein, die einer nach dem anderen an Vidals Tisch traten, um ihm zu gratulieren. Er empfing sie mit gottgleicher Gnade und entließ sie kurz darauf wieder. Der junge Sempere, der die Situation erfasst hatte, beobachtete mich.

»Martín, fühlen Sie sich gut? Warum gehen wir nicht?«

Ich nickte langsam. Wir standen auf und gingen in größtmöglicher Entfernung von Vidals Tisch an der Wand entlang dem Ausgang zu. Der Oberkellner würdigte uns keines Blickes, und kurz vor dem Ausgang sah ich im Spiegel über dem Türrahmen, wie Vidal sich zu Cristina hinüberbeugte und sie auf die Lippen küsste. Auf der Straße sah mich Sempere gequält an.

»Tut mir leid, Martín.«

»Machen Sie sich keine Sorgen. Es war eine schlechte

Wahl, das ist alles. Wenn es Ihnen nichts ausmacht, bitte zu Ihrem Vater ...«

»... kein Wort davon«, versicherte er.

»Danke.«

»Keine Ursache. Wie wäre es, wenn *ich* Sie an einen etwas volkstümlicheren Ort einlade? In der Calle del Carmen gibt es einen ganz außergewöhnlichen Mittagstisch.«

Mir war der Appetit vergangen, aber ich stimmte gern zu.

»Gehen wir.«

Das Lokal befand sich in der Nähe der Bibliothek und servierte günstige Hausmannskost für die Leute aus dem Viertel. Ich rührte das Essen kaum an, obwohl es unendlich viel besser duftete als alles, was ich in der Maison Dorée je erschnuppert hatte. Als der Nachtisch kam, hatte ich ganz allein bereits anderthalb Flaschen Roten geleert und verspürte einen ordentlichen Rausch.

»Sempere, sagen Sie mir eines. Was haben Sie eigentlich dagegen, frisches Blut in ihre Sippe zu bringen? Oder wie sonst erklärt es sich, dass ein junger, gesunder, vom Allmächtigen mit Ihrem Aussehen gesegneter Bürger noch nicht das saftigste Wild seines Reviers erlegt hat?«

Der Buchhändlersohn lachte.

»Was bringt Sie auf den Gedanken, ich hätte es nicht getan?«

Ich führte meinen Zeigefinger an die Nase und zwinkerte ihm zu. Er nickte.

»Auf die Gefahr hin, dass Sie mich für scheinheilig halten – ich mag die Vorstellung, dass ich warte.«

»Worauf? Darauf, dass Sie die Maschinerie nicht mehr in Gang kriegen?«

»Sie reden wie mein Vater.«

»Weise Männer sind sich immer einig.«

»Ich denke, es gibt noch was anderes, oder?«, fragte er.

»Etwas anderes?«

Er nickte.

»Was weiß ich«, sagte ich.

»Ich glaube, Sie wissen es durchaus.«

»Tja, so ist es wohl.«

Ich wollte mir nachschenken, aber Sempere hielt mich zurück.

»Vorsicht«, murmelte er.

»Sehen Sie, wie scheinheilig Sie sind?«

»Jeder ist, wie er ist.«

»Dem kann abgeholfen werden. Was halten Sie davon, wenn wir beide jetzt auf Brautschau gehen?«

Er sah mich mitleidig an.

»Martín, ich glaube, Sie gehen jetzt besser nach Hause und ruhen sich aus. Morgen ist ein neuer Tag.«

»Sie werden Ihrem Vater doch nicht sagen, dass ich mir einen Affen angetrunken habe, nicht wahr?«

Auf dem Heimweg machte ich in nicht weniger als sieben Kneipen halt, um von ihren Hochprozentigen zu kosten, bis man mich jeweils unter irgendeinem Vorwand auf die Straße setzte und ich nach hundert Metern einen neuen Hafen anlief. Ich war nie ein ausdauernder Trinker gewesen, und so war ich am Abend schließlich sternhagelvoll und wusste nicht einmal mehr, wo ich wohnte. Ich erinnere mich, dass mich zwei Kellner des Gasthauses Ambos Mundos auf der Plaza Real je an einem Arm auf eine Bank vor dem Brunnen schleppten, wo ich in einen tiefen, dunklen Schlaf fiel.

Ich träumte, ich ginge zu Don Pedros Beerdigung. Ein blutiger Himmel überzog das Labyrinth von Kreuzen und Engeln rund um das große Mausoleum der Vidals auf dem Montjuïc-Friedhof. Eine schwarz verschleierte Trauerschar säumte das dunkle Marmorrund, das die Säulen vor dem Mausoleum bildeten. Jeder der Anwesenden trug eine hohe weiße Altarkerze. Im Licht von hundert Flammen wurde der Umriss eines großen, schmerzvoll blickenden Marmorengels auf einem Sockel sichtbar, zu dessen Füßen sich das offene Grab meines Mentors mit einem gläsernen Sarg befand. Vidals Leiche, ganz in Weiß, ruhte mit offenen Augen unter dem Glas. Schwarze Tränen rannen ihm über die Wangen. Die Gestalt der Witwe, Cristina, löste sich aus dem Gefolge und fiel tränenüberströmt vor dem Sarg auf die Knie. Der Reihe nach zogen die Trauernden am Verstorbenen vorbei und legten schwarze Rosen auf den Glassarg, bis er so weit bedeckt war, dass man nur noch das Antlitz sah. Zwei gesichtslose Totengräber senkten den Sarg ins Grab, dessen Grund von einer dicken, dunklen Flüssigkeit überschwemmt war. Der Sarg schwamm auf einem Teppich von Blut, das langsam durch die Ritzen der gläsernen Verschlüsse drang. Nach und nach füllte er sich, und das Blut bedeckte Vidals Leichnam. Bevor sein Gesicht ganz verschwand, bewegte mein Mentor die Augen und schaute mich an. Ein Schwarm schwarzer Vögel flog auf, und ich lief davon und verirrte mich auf den Wegen der unendlichen Totenstadt. Nur durch ein fernes Weinen fand ich wieder zum Ausgang und konnte den Klagen und Bitten der dunklen Schattengestalten entkommen, die sich mir in den Weg stellten und mich anflehten, sie mitzunehmen, um sie aus ihrer ewigen Finsternis zu erretten.

Zwei Polizisten weckten mich mit leichten Knüppelschlägen aufs Bein. Es war schon dunkel geworden, und ich brauchte einige Sekunden, um zu erkennen, ob es sich um reguläre Ordnungskräfte oder um Abgesandte der Parzen mit Sonderauftrag handelte.

»Los, der Herr, ab nach Hause den Rausch ausschlafen, verstanden?«

»Zu Befehl, mein Oberst.«

»Los, los, oder ich werfe Sie in die Arrestzelle, das dürfte weniger lustig sein.«

Er musste es nicht zweimal sagen. Ich stand auf, so gut es ging, und machte mich auf den Heimweg in der Hoffnung, dort anzukommen, bevor mich meine Schritte abermals in eine elende Spelunke führten. Der Weg, für den ich normalerweise zehn oder fünfzehn Minuten gebraucht hätte, kostete mich jetzt das Dreifache an Zeit. Schließlich gelangte ich dank einer glücklichen Drehung in letzter Sekunde vor meine Haustür, wo ich, als wäre ich verflucht, erneut auf Isabella traf, die diesmal im Treppenhaus saß und mich erwartete.

»Sie sind ja betrunken«, sagte sie.

»Das muss ich wohl sein, denn mitten im Delirium tremens war mir, als sähe ich dich um Mitternacht vor meiner Wohnungstür schlafen.«

»Ich konnte sonst nirgends hin. Ich habe mich mit meinem Vater gestritten, und er hat mich rausgeschmissen.«

Ich schloss die Augen und seufzte. Mein von Schnaps und Verbitterung stumpfes Hirn war außerstande, all die Verwünschungen zu formulieren, die mir auf der Zunge lagen.

»Hier kannst du nicht bleiben, Isabella.«

»Bitte, nur für diese eine Nacht. Morgen suche ich mir eine Pension. Ich flehe Sie an, Señor Martín.«

»Schau mich nicht an wie ein Opferlamm«, sagte ich drohend.

»Außerdem ist es Ihre Schuld, wenn ich auf der Straße stehe«, fügte sie hinzu.

»Meine Schuld. Wunderbar. Ob du Talent zum Schreiben hast, weiß ich nicht, aber fieberhafte Phantasie hast du mehr als genug. Darf ich fragen, aus welchem unglücklichen Grund es meine Schuld sein soll, dass dich dein Herr Vater rausgeworfen hat?«

»Wenn Sie betrunken sind, reden Sie seltsam.«

»Ich bin nicht betrunken. Ich war in meinem ganzen Leben noch nie betrunken. Beantworte meine Frage.«

»Ich sagte meinem Vater, Sie hätten mich als Assistentin eingestellt und fürderhin würde ich mich der Literatur widmen und könne nicht mehr im Laden arbeiten.«

»Was?«

»Können wir hineingehen? Mir ist kalt, und mein Hintern fühlt sich mittlerweile an wie Stein.«

Mein Kopf drehte sich, und Übelkeit erfasste mich. Ich schaute in den durch das Oberlicht eindringenden schwachen Schein hinauf.

»Ist das die Strafe, die mir der Himmel schickt, damit ich Reue empfinde für mein ausschweifendes Leben?«

Neugierig folgte Isabella meinem Blick.

»Mit wem sprechen Sie?«

»Mit niemandem, ich monologisiere. Ein Vorrecht des Betrunkenen. Aber morgen früh werde ich in einen Dialog mit deinem Vater treten, um dieser unsinnigen Geschichte ein Ende zu setzen.«

»Ich weiß nicht, ob das eine gute Idee ist. Er hat geschworen, Sie umzubringen, wenn er Sie sieht. Er hat unter dem Ladentisch eine doppelläufige Flinte versteckt. So ist er. Einmal hat er damit einen Esel erschossen. Es war im Sommer, in der Nähe von Argentona …«

»Halt den Schnabel. Kein Wort mehr. Ruhe.«

Isabella nickte und schaute mich erwartungsvoll an. Ich nahm die Suche nach dem Schlüssel wieder auf. Das war nicht der Moment, mich mit den Schwindeleien dieses geschwätzigen Backfischs auseinanderzusetzen. Was ich brauchte, war, aufs Bett zu fallen und das Bewusstsein zu verlieren, vorzugsweise in dieser Reihenfolge. Zwei Minuten lang suchte ich ohne greifbares Ergebnis. Schließlich sprang mir Isabella wortlos bei und nestelte den Schlüssel aus der Jacketttasche, wo meine Hand hundertmal gesucht hatte. Sie hielt ihn mir unter die Nase, und ich nickte geschlagen.

Isabella öffnete die Wohnungstür und zog mich hoch. Wie einen Invaliden führte sie mich ins Schlafzimmer und half mir, mich aufs Bett zu legen. Sie legte mir ein Kissen unter den Kopf und befreite mich von meinen Schuhen. Verwirrt schaute ich sie an.

»Keine Angst, die Hose werde ich Ihnen nicht ausziehen.«

Sie öffnete die Kragenknöpfe, setzte sich neben mich und sah mich an. Ihr Lächeln war erfüllt von einer Melancholie, für die sie viel zu jung war.

»Ich habe Sie noch nie so traurig gesehen, Señor Martín. Es ist wegen dieser Frau, nicht wahr? Der von der Fotografie.«

Sie ergriff meine Hand und streichelte sie beruhigend.

»Alles geht vorüber, glauben Sie mir. Alles geht vorüber.«

Gegen meinen Willen traten mir Tränen in die Augen, und ich wandte den Kopf ab, damit sie mein Gesicht nicht sah. Isabella löschte das Licht auf dem Nachttisch und blieb neben mir im Halbdunkel sitzen, hörte diesem jämmerlichen Betrunkenen beim Weinen zu; und ohne mich auszufragen oder zu verurteilen, schenkte sie mir ihre Gesellschaft und Güte, bis ich einschlief.

7

Ich wurde von einem quälenden Kater, der einem Schraubstock um die Schläfen glich, und dem Duft des kolumbianischen Kaffees geweckt. Isabella hatte ein

Tischchen mit einer Kanne und einem Teller mit Brot, Käse, Schinken und einem Apfel ans Bett gerückt. Beim Anblick der Speisen wurde mir übel, aber ich langte nach dem frischen Kaffee. Isabella, die mich von der Schwelle aus betrachtet hatte, ohne dass ich es bemerkte, kam mir zuvor und schenkte mir, ein einziges Lächeln, eine Tasse ein.

»Trinken Sie ihn so, sehr stark, er wirkt Wunder.«

Ich nahm die Tasse und trank.

»Wie spät ist es?«

»Ein Uhr mittags.«

Ein leises Schnauben entfuhr mir.

»Wie lange bist du schon wach?«

»Etwa sieben Stunden.«

»Und hast was getan?«

»Sauber gemacht und Ordnung geschaffen, aber hier gibt es Arbeit für Monate.«

Ich nahm einen weiteren großen Schluck.

»Danke«, murmelte ich. »Für den Kaffee. Und fürs Ordnungschaffen und Saubermachen, aber du bist dazu nicht verpflichtet.«

»Ich mache es nicht für Sie, falls das Ihre Sorge ist. Ich mache es für mich. Wenn ich hier wohnen soll, ist mir die Vorstellung lieber, nicht kleben zu bleiben, falls ich mich zufällig irgendwo abstütze.«

»Hier wohnen? Ich dachte, wir hätten gesagt ...«

Als ich die Stimme erhob, durchschnitt mir ein schmerzhafter Stich das Wort und den Gedanken.

»Pssst«, flüsterte Isabella.

Ich nickte und gab mich fürs Erste geschlagen. Jetzt

konnte und mochte ich nicht mit Isabella streiten. Später, wenn der Kater den Rückzug anträte, wäre immer noch Zeit, sie zu ihrer Familie zurückzubringen. Ich trank die Tasse aus und stand langsam auf. Fünf bis sechs Schmerzensstiche bohrten sich in meinen Kopf. Ein Stöhnen entfuhr mir. Isabella stützte mich am Arm.

»Ich bin kein Invalide. Ich weiß mir schon zu helfen.«

Vorsichtig ließ sie mich los. Ich tat ein paar Schritte auf den Korridor zu. Sie folgte mir dichtauf, als fürchtete sie, ich würde jeden Augenblick zusammenbrechen. Vor dem Bad blieb ich stehen.

»Darf ich allein pinkeln?«

»Zielen Sie genau«, murmelte sie. »Ich stelle Ihnen das Frühstück in die Veranda.«

»Ich habe keinen Hunger.«

»Sie müssen etwas essen.«

»Bist du mein Lehrmädchen oder meine Mutter?«

»Ich meine es nur gut mit Ihnen.«

Ich suchte hinter der geschlossenen Badezimmertür Zuflucht. Meine Augen brauchten zwei Sekunden, um sich auf das einzustellen, was sie sahen. Das Bad war nicht wiederzuerkennen. Sauber und glänzend. Alles an seinem Ort. Ein neues Stück Seife auf dem Waschbecken. Saubere Handtücher, die ich nicht einmal in meinem Besitz gewusst hatte. Der Geruch nach Lauge.

»Heilige Muttergottes«, murmelte ich.

Ich hielt den Kopf unter den Hahn und ließ das kalte Wasser zwei Minuten lang laufen. Dann trat ich wieder in den Flur hinaus und schlenderte zur Veranda. War das

Bad schon nicht wiederzuerkennen, so war die Veranda von einer anderen Welt. Isabella hatte die Fensterscheiben geputzt und den Fußboden gescheuert sowie die Sessel und anderen Möbel zurechtgerückt. Reines, klares Licht fiel durch die Scheiben, und der muffige Geruch war verflogen. Mein Frühstück erwartete mich auf dem Tisch gegenüber dem Sofa, den Isabella mit einer sauberen Decke versehen hatte. Die von Büchern überquellenden Regale schienen neu sortiert, und das Glas der Vitrinen war auf einmal wieder durchsichtig. Isabella hatte mir eine zweite Tasse Kaffee eingeschenkt.

»Ich weiß, was du da im Schilde führst, und es wird nicht funktionieren«, sagte ich.

»Eine Tasse Kaffee einschenken?«

Sie hatte die in Stapeln auf Tischen und in Ecken verteilten Bücher geordnet. Sie hatte die seit über einem Jahrzehnt überquellenden Zeitungsständer geleert. In nur sieben Stunden hatte sie mit ihrem Eifer und ihrer bloßen Anwesenheit Jahre der Düsterkeit und Finsternis weggefegt, und noch immer fand sie Zeit und Lust zu lächeln.

»Vorher hat es mir besser gefallen«, sagte ich.

»Sicher. Ihnen und den hunderttausend Kakerlaken, die Sie in Untermiete hatten und die ich mit frischer Luft und Ammoniak davongejagt habe.«

»Das also ist dieser grässliche Gestank?«

»Der grässliche Gestank ist der Geruch von Sauberkeit«, protestierte sie. »Sie könnten auch ein wenig dankbar sein.«

»Bin ich auch.«

»Merkt man aber nicht. Morgen geh ich ins Arbeitszimmer hinauf und …«

»Untersteh dich!«

Sie zuckte die Achseln, aber ihr Blick behielt seine
Entschlossenheit, und ich wusste, dass vierundzwanzig
Stunden später das Arbeitszimmer im Turm für immer
verändert sein würde.

»Übrigens habe ich heute Morgen einen Briefum-
schlag im Vorraum gefunden. Jemand muss ihn gestern
Abend unter der Tür durchgeschoben haben.«

Ich schaute sie über die Tasse hinweg an.

»Die Eingangstür unten ist abgeschlossen«, sagte ich.

»Das dachte ich auch. Es kam mir auch sehr merkwürdig vor, und obwohl Ihr Name draufsteht …«

»… hast du ihn geöffnet.«

»Ich fürchte, ja. Es ist ganz ohne Absicht geschehen.«

»Isabella, die Post anderer Leute zu öffnen ist ziemlich ungezogen. An manchen Orten steht darauf sogar
Gefängnis.«

»Das sage ich meiner Mutter auch immer, die es nicht
lassen kann, meine Briefe zu öffnen. Und sie ist immer
noch auf freiem Fuß.«

»Wo ist der Brief?«

Sie zog einen Umschlag aus der Schürzentasche und
reichte ihn mir mit einem ausweichenden Blick. Er war
aus dickem, porösem, elfenbeinfarbenem Papier mit gezackten Rändern, und es zierten ihn das rote – erbro-
chene – Lacksiegel des Engels und mein Name in kar-
mesinroter, parfümierter Tinte. Ich öffnete ihn und zog
ein zusammengefaltetes Blatt heraus.

Verehrter David,

ich hoffe, Sie sind wohlauf und haben die vereinbarte Summe problemlos auf ein Konto einzahlen können. Was halten Sie davon, wenn wir uns heute Abend bei mir treffen, um mit der Erörterung der Einzelheiten unseres Projekts zu beginnen? Gegen zehn Uhr wird ein leichtes Abendessen aufgetragen. Ich erwarte Sie.

Ihr Freund   *Andreas Corelli*

Ich faltete das Blatt zusammen und steckte es wieder in den Umschlag. Isabella betrachtete mich neugierig.

»Gute Nachrichten?«

»Nichts, was dich etwas anginge.«

»Wer ist dieser Señor Corelli? Er hat eine schöne Schrift, nicht so wie Sie.«

Ich schaute sie streng an.

»Wenn ich Ihre Assistentin sein soll, muss ich doch wissen, mit wem Sie Umgang pflegen. Falls ich jemanden vor die Tür setzen soll.«

Ich schnaubte.

»Er ist Verleger.«

»Er muss gut sein, schauen Sie nur, was für Briefpapier und Umschläge er verwendet. Was für ein Buch schreiben Sie denn für ihn?«

»Nichts, was dich etwas anginge.«

»Wie soll ich Ihnen helfen, wenn Sie mir nicht sagen wollen, woran Sie arbeiten? Nein, besser, Sie antworten nicht. Ich schweige ja.«

Zehn gesegnete Sekunden lang schwieg sie. Dann fragte sie:

»Wie ist dieser Señor Corelli?«

Ich schaute sie kühl an.

»Eigen.«

»Gleich und Gleich … Ich sag ja nichts.«

Als ich dieses junge Mädchen mit dem edelmütigen Herzen so anschaute, fühlte ich mich, sofern das überhaupt möglich war, noch elender. Mir wurde klar, dass ich sie wegschicken musste, je eher, desto besser für uns beide.

»Warum schauen Sie mich so an?«

»Heute Abend werde ich ausgehen, Isabella.«

»Soll ich Ihnen etwas zu essen vorbereiten? Werden Sie sehr spät zurückkommen?«

»Ich werde auswärts essen und weiß nicht, wann ich zurückkomme, aber wann es auch sein mag, ich will, dass du gegangen bist, wenn ich komme. Ich will, dass du deine Siebensachen mitnimmst und gehst. Wohin, ist mir egal. Hier ist kein Platz für dich. Verstanden?«

Sie wurde bleich, und ihre Augen flossen über. Sie biss sich auf die Lippen und lächelte mir mit Tränen auf den Wangen zu.

»Ich bin überflüssig. Ich verstehe.«

»Und mach nicht weiter sauber.«

Ich stand auf, ließ sie in der Veranda stehen und verkroch mich im Arbeitszimmer im Turm. Ich öffnete die Fenster. Von unten drang Isabellas Weinen herauf. Ich betrachtete die in der Mittagssonne daliegende Stadt und schaute dann zum anderen Ende hinauf, wo ich beinahe die glänzenden Ziegel auf der Villa Helius zu sehen glaubte und mir Cristina, Señora Vidal, vorstellte, wie sie oben von den Turmfenstern zum Ribera-Viertel her-abschaute. Etwas Dunkles, Trübes legte sich mir aufs Herz. Ich vergaß Isabellas Tränen und sehnte nur noch die Begegnung mit Corelli herbei, um mit ihm über das verdammte Buch zu sprechen.

Ich blieb im Arbeitszimmer im Turm, bis sich die Däm-merung über der Stadt ausbreitete wie Blut im Wasser. Es war heiß, heißer als den ganzen Sommer über, und die Dächer des Viertels flirrten im Dunst. Ich ging in die Wohnung hinunter und zog mich um. Alles war still, die Jalousien in der Veranda waren halb heruntergelassen und die Scheiben in ein bernsteinfarbenes Licht ge-taucht, das bis in den Korridor hinein schien.

»Isabella?«, rief ich.

Ich erhielt keine Antwort. Ich schaute in die Veranda und sah, dass sie gegangen war. Davor hatte sie es sich nicht nehmen lassen, Ignatius B. Samsons gesammelte Werke, die in einer jetzt makellos glänzenden Vitrine jahrelang verstaubt und vergessen waren, zu ordnen und zu reinigen. Eines der Bücher hatte sie, in der Mitte auf-geschlagen, auf ein Stehpult gelegt. Ich las aufs Gerate-wohl eine Zeile und hatte das Gefühl, in eine Zeit zu-rückzureisen, in der alles ebenso einfach wie unvermeid-lich schien.

»›Ein Gedicht wird mit Tränen geschrieben, ein Ro-man mit Blut und die Geschichte mit Lappalien‹, sagte der Kardinal, während er die Messerschneide im Licht des Kandelabers mit Gift bestrich.«

Die bemühte Naivität dieser Zeilen entlockte mir ein Lächeln und weckte erneut einen Verdacht, der mich nie ganz verlassen hatte: Vielleicht wäre es für alle, vor allem für mich selbst, besser gewesen, wenn Ignatius B. Samson nie aus dem Leben geschieden wäre und David Martín seinen Platz überlassen hätte.

8

Es wurde bereits dunkel, als ich aus dem Haus ging. Wärme und Feuchtigkeit hatten zahllose Nachbarn mit Stühlen auf die Straße hinausgetrieben, um in den Genuss einer Brise zu kommen, die nicht aufkommen wollte. Ich wich den Grüppchen vor den Hauseingängen und an den Ecken aus und wandte mich zum Francia-Bahnhof, wo immer zwei, drei Taxis auf Kundschaft warteten. Ich stieg ins erste der Reihe. Wir brauchten etwa zwanzig Minuten für den Weg quer durch die Stadt und hinauf auf den Hügel mit dem geisterhaften Wald des Architekten Gaudí. Die Lichter von Corellis Haus waren schon von weitem zu sehen.

»Ich wusste nicht, dass hier jemand wohnt«, bemerkte der Fahrer.

Sowie ich ihm die Fahrt bezahlt und ein Trinkgeld ausgehändigt hatte, suchte er in aller Eile das Weite. Ich blieb einige Augenblicke stehen, um die seltsame Stille dieses Ortes zu genießen. Kaum ein Blatt bewegte sich im Wald. In alle Richtungen dehnte sich der Sternenhimmel mit einigen hingepinselten Wolken aus. Ich konnte meinen eigenen Atem, das leichte Rascheln meiner Kleider beim Gehen, meine sich der Tür nähernden Schritte hören. Ich zog an der Klingel und wartete.

Wenig später wurde geöffnet. Ein Mann mit schlaffem Blick und schlaffen Schultern nickte angesichts meines Erscheinens und bat mich herein. Seine Gewandung wies ihn als eine Art Butler oder Diener aus. Er gab keinen Laut von sich. Ich folgte ihm durch den von Porträts gesäumten Korridor, an dessen Ende er mir den Vortritt in den großen Salon ließ, von dem aus man auf die ganze Stadt hinuntersah. Mit einer leichten Verneigung ließ er mich allein und zog sich ebenso langsam zurück, wie er mich begleitet hatte. Ich trat an die hohen Fenster und spähte, auf Corelli wartend, zwischen den Gardinen hindurch. Nach zwei Minuten bemerkte ich, dass mich aus einer Ecke des Salons eine Gestalt beobachtete. Der Mann saß vollkommen reglos in einem Sessel am Rand des Lichtscheins einer Öllampe, sodass nur die Beine und die auf den Armlehnen ruhenden Hände beleuchtet waren. Ich erkannte ihn an seinen glänzenden Augen, die nie blinzelten, und am Widerschein des Öllichts auf der Engelsbrosche, die stets an seinem Revers steckte. Sowie ich ihn ins Auge fasste, stand er auf und kam mit raschen, allzu raschen Schritten auf mich zu. Das wölfische Lächeln auf seinen Lippen ließ mir das Blut in den Adern gefrieren.

»Guten Abend, Martín.«

Ich nickte und versuchte zurückzulächeln.

»Ich habe Sie schon wieder erschreckt«, sagte er. »Das tut mir leid. Darf ich Ihnen etwas zu trinken anbieten, oder wollen wir ohne große Vorreden zum Essen schreiten?«

»Ehrlich gesagt, ich habe gar keinen Hunger.«

»Zweifellos die Hitze. Lassen Sie uns doch in den Garten gehen und uns dort unterhalten.«

Der schweigsame Butler erschien, um die Türen zum Garten zu öffnen, wo ein von Kerzen auf Porzellantellern gesäumter Weg zu einem weißen Metalltisch mit zwei Stühlen führte. Die Kerzen brannten mit aufrechten Flammen und ohne jedes Flackern. Der Mond tauchte alles in ein schwaches, bläuliches Licht. Ich setzte mich, und Corelli tat ein Gleiches, während uns der Butler aus einem Krug zwei Gläser von etwas einschenkte, was wie Wein oder irgendein Likör aussah – ich hatte nicht vor, davon zu kosten. Im Licht des Dreiviertelmondes erschien Corelli jünger, seine Gesichtszüge schärfer. Er schaute mich mit an Gier grenzender Intensität an.

»Irgendetwas beunruhigt Sie, Martín.«

»Vermutlich haben Sie von dem Brand gehört.«

»Ein bedauerliches Ende und dennoch von poetischer Gerechtigkeit.«

»Sie finden es gerecht, dass zwei Menschen auf diese Art umkommen?«

»Fänden Sie eine weniger brutale Art akzeptabler? Gerechtigkeit ist eine gekünstelte Sichtweise, kein universeller Wert. Ich mag keine Bestürzung vortäuschen, die ich nicht empfinde, und Sie vermutlich ebenso wenig, sosehr Sie es auch versuchen. Aber wenn es Ihnen lieber ist, können wir ruhig eine Schweigeminute einlegen.«

»Das wird nicht nötig sein.«

»Natürlich nicht. Das ist nur nötig, wenn man nichts von Wert zu sagen hat. Im Schweigen erscheinen selbst Narren als Weise. Beunruhigt Sie sonst noch irgendetwas, Martín?«

»Die Polizei scheint anzunehmen, dass ich etwas mit dem Vorfall zu tun habe. Sie haben sich nach Ihnen erkundigt.«

Corelli nickte unbesorgt.

»Die Polizei muss ihre Arbeit tun und wir die unsere. Wollen wir es dabei bewenden lassen?«

Ich nickte langsam. Corelli lächelte.

»Vor einer Weile, als ich auf Sie wartete, ist mir klar geworden, dass zwischen Ihnen und mir noch eine kleine Unterhaltung aussteht, reine Formsache. Je eher wir das hinter uns bringen, desto schneller kommen wir zur Sache. Zuallererst möchte ich Sie fragen, was für Sie Glaube bedeutet.«

Ich zögerte einige Augenblicke.

»Ich bin nie ein frommer Mensch gewesen. Ich zweifle eher, als dass ich glaube oder nicht glaube. Mein Glaube ist der Zweifel.«

»Sehr klug und sehr bürgerlich. Aber indem man Bälle ins Aus befördert, gewinnt man kein Spiel. Warum, würden Sie sagen, tauchen in der Geschichte immer wieder Glaubenslehren auf, um dann wieder zu verschwinden?«

»Ich weiß es nicht. Vermutlich aus gesellschaftlichen, wirtschaftlichen oder politischen Gründen. Sie sprechen mit einem, der als Zehnjähriger von der Schule abgegangen ist. Geschichte ist nicht meine Stärke.«

»Die Geschichte ist die Müllhalde der Biologie, Martín.«

»Offenbar habe ich geschwänzt, als wir das gelernt haben.«

»Das lernt man nicht im Klassenzimmer, Martín. Das lehren uns die Vernunft und die Beobachtung der Wirklichkeit. Es ist die Lektion, die niemand lernen will, die wir also am genauesten analysieren müssen, um gute Arbeit zu leisten. Jede Gelegenheit zu einem Geschäft entspringt der Unfähigkeit der anderen, ein einfaches, unvermeidliches Problem zu lösen.«

»Sprechen wir nun von Religion oder von Wirtschaft?«

»Die Wahl der Nomenklatur überlasse ich Ihnen.«

»Wenn ich Sie richtig verstehe, deuten Sie an, der Glaube, also der Akt, an Mythen oder Ideologien oder Legenden von übernatürlichen Dingen zu glauben, sei eine Folge der Biologie.«

»Nicht mehr und nicht weniger.«

»Eine etwas zynische Sicht für einen Herausgeber von religiösen Texten«, bemerkte ich.

»Eine professionelle, leidenschaftslose Sicht«, präzisierte Corelli. »Der Mensch glaubt, wie er atmet – um zu überleben.«

»Ist das Ihre Theorie?«

»Das ist keine Theorie, das ist Statistik.«

»Ich denke, mindestens drei Viertel der Welt wären mit dieser Behauptung nicht einverstanden.«

»Natürlich. Wären sie einverstanden, so wären sie keine potenziellen Gläubigen. Man kann niemanden von etwas wirklich überzeugen, was er nicht aus biologischem Zwang zu glauben genötigt ist.«

»Sie wollen also sagen, es liegt in unserer Natur, als Betrogene zu leben?«

»Es liegt in unserer Natur zu *über*leben. Der Glaube ist eine instinktive Antwort auf Aspekte des Daseins, die wir nicht anders erklären können, sei es das moralische Vakuum, das wir im Universum wahrnehmen, die Gewissheit des Todes, das Rätsel vom Ursprung der Dinge oder der Sinn des Lebens – oder sein Fehlen. Das sind ganz einfache, elementare Fragen, aber unsere eigenen Beschränkungen hindern uns daran, darauf eine klare Antwort zu geben, und daher legen wir uns zur Abwehr eine emotionale Antwort zurecht. Das ist schlichte, reine Biologie.«

»Dann wäre also jeder Glaube, jedes Ideal nichts weiter als eine Fiktion.«

»Das gilt notgedrungen für jede Interpretation oder Beobachtung der Wirklichkeit. In diesem Fall besteht das Problem darin, dass der Mensch ein in einem amoralischen Universum ausgesetztes moralisches Tier ist, verdammt zu einem endlichen Leben ohne weitere Bedeutung als die, den natürlichen Kreislauf der Spezies aufrechtzuerhalten. Es ist unmöglich, für längere Zeit in der Realität zu überleben, wenigstens für einen Menschen. Wir verbringen das Leben zum großen Teil träumend, vor allem, wenn wir wach sind. Wie gesagt, schlichte Biologie.«

Ich seufzte.

»Und ich soll also eine Fabel erfinden, die die Leichtgläubigen in die Knie zwingt und davon überzeugt, dass sie das Licht gesehen haben, dass es etwas gibt, woran man glauben, wofür man leben und sterben und sogar töten kann.«

»Ganz genau. Sie sollen aber nichts erfinden, was nicht in der einen oder anderen Form schon erfunden wäre. Ich bitte Sie einfach, mir dabei behilflich zu sein, dem Durstigen zu trinken zu geben.«

»Ein löbliches und frommes Vorhaben«, sagte ich ironisch.

»Nein, eine rein kommerzielle Offerte. Die Natur ist ein großer freier Markt. Das Gesetz von Angebot und Nachfrage ist eine molekulare Tatsache.«

»Vielleicht sollten Sie sich für diese Arbeit einen Intellektuellen suchen. Was die molekularen und merkantilen Tatsachen angeht, kann ich Ihnen versichern, dass die meisten in ihrem ganzen Leben noch nie hunderttausend Francs beisammen gesehen haben, und ich gehe jede Wette ein, dass sie bereit wären, für einen Bruchteil dieser Summe ihre Seele zu verkaufen – oder zu erfinden.«

Der metallische Glanz in seinen Augen ließ mich vermuten, Corelli würde mir eine weitere seiner bissigen Kurzpredigten halten. Ich vergegenwärtigte mir den Stand meines Kontos bei der Bank Hispano Colonial und dachte, hunderttausend Francs seien wohl eine Messe oder eine Sammlung von Moralpredigten wert.

»Ein Intellektueller ist in der Regel jemand, der sich gerade nicht durch seinen Intellekt auszeichnet«, sagte Corelli. »Er bezeichnet sich selbst als solchen, um das naturgegebene Defizit seiner Fähigkeiten zu kompensieren, das er irgendwie erahnt. Es ist die alte Geschichte: Sage mir, für wen du dich hältst, und ich sage dir, was dir fehlt. Der Inkompetente tritt immer als Fachmann auf, der Grausame als Barmherziger, der Sünder als Frömmler, der Wucherer als Wohltäter, der Schäbige als Patriot, der Arrogante als Demütiger, der Plebejer als edler Herr und der Einfaltspinsel als Intellektueller. Und noch einmal: Die Geschöpfe der Natur haben nichts gemein mit den von den Dichtern besungenen Sylphen, sondern ähneln einer grausamen, gefräßigen Mutter, die sich von ihren eigenen Kindern ernährt, welche sie gebiert und gebiert, um am Leben zu bleiben.«

Corelli und seine Poetik von der grausamen Biologie begannen mir Übelkeit zu verursachen. Die Heftigkeit und Wut seiner Worte berührte mich unangenehm, und ich fragte mich, ob es irgendetwas auf der Welt gab, was ihm nicht widerlich und verachtenswert war, mich eingeschlossen.

»Sie sollten am Palmsonntag in Schulen und Gemeinden inspirierende Kurzvorträge halten. Sie würden rauschenden Beifall ernten«, schlug ich vor.

Corelli lachte kalt.

»Schweifen Sie nicht ab. Was ich suche, ist das Gegenteil eines Intellektuellen, nämlich jemand Intelligentes. Ich habe ihn bereits gefunden.«

»Sie schmeicheln mir.«

»Noch besser – ich bezahle Sie. Und zwar sehr gut, das ist die einzige echte Schmeichelei in dieser käuflichen Welt. Nehmen Sie niemals eine Auszeichnung an, die nicht auf der Rückseite eines Schecks gedruckt ist. Sie kommt nur dem zustatten, der sie verleiht. Und da ich Sie bezahle, erwarte ich, dass Sie mir zuhören und meine Anweisungen befolgen. Sie können mir glauben, ich habe nicht das geringste Interesse daran, Ihre Zeit zu vergeuden. Solange Sie bei mir in Lohn und Brot stehen, ist Ihre Zeit auch meine Zeit.«

Sein Ton war freundlich, aber der stählerne Glanz in seinen Augen ließ keinen Zweifel aufkommen.

»Sie brauchen mich nicht alle fünf Minuten daran zu erinnern.«

»Entschuldigen Sie meinen Nachdruck, lieber Martín. Wenn ich Sie mit all diesen weitschweifigen Reden schwindlig mache, dann, um sie so schnell wie möglich hinter uns zu bringen. Was ich von Ihnen will, ist die Form, nicht der Inhalt. Der Inhalt ist immer derselbe und in der Welt, seit es den Menschen gibt. Er ist seinem Herzen eingeprägt wie eine Seriennummer. Was ich von Ihnen will, ist, dass Sie eine intelligente, verführerische Art finden, die Fragen zu beantworten, die uns allen unter den Nägeln brennen, und dass sie es von Ihrer eigenen Interpretation der menschlichen Seele aus tun und Ihre Kunst und Ihr Handwerk in die Tat umsetzen. Ich will, dass Sie mir eine Erzählung bringen, die die Seele erweckt.«

»Nicht mehr …«

»… und nicht weniger.«

»Sie sprechen davon, Gefühle und Emotionen zu manipulieren. Wäre es nicht leichter, die Leute mit einer rationalen, einfachen und klaren Darlegung zu überzeugen?«

»Nein. Man kann unmöglich mit jemandem in einen rationalen Dialog über Glaubensinhalte und Ideen treten, die er nicht über den Verstand erworben hat. Ganz egal, ob wir von Gott, der Rasse oder seinem Nationalstolz sprechen. Daher brauche ich etwas Wirkungsvolleres als eine schlichte rhetorische Darlegung. Ich brauche die Kraft der Kunst, der Inszenierung. Bei einem Lied ist es der Text, den wir zu verstehen meinen, aber was uns daran glauben lässt oder nicht, ist die Musik.«

Ich versuchte, dieses Kauderwelsch aufzunehmen, ohne dass es mir im Hals steckenblieb.

»Seien Sie unbesorgt, für heute ist Schluss mit den Abhandlungen«, sagte Corelli. »Und jetzt zum Praktischen: Wir beide treffen uns ungefähr alle zwei Wochen. Sie werden mich über Ihre Fortschritte informieren und mir das Geleistete zeigen. Wenn ich Änderungswünsche oder Bemerkungen habe, werde ich es Sie wissen lassen. Das Ganze wird zwölf Monate dauern – falls Sie für die Fertigstellung so lange brauchen. Nach Ablauf dieser Frist werden Sie mir die ganze Arbeit sowie sämtliche Notizen dazu aushändigen, wie es dem alleinigen Inhaber und Garanten der Rechte zusteht, also mir. Ihr Name wird nirgends erscheinen, und Sie verpflichten sich, seine Nennung nach der Abgabe nicht einzufordern sowie mit niemandem, sei es privat oder öffentlich, über die geleistete Arbeit oder die Bestimmungen dieses Abkommens zu reden. Dafür erhalten Sie den bereits geleisteten Vorschuss von hunderttausend Francs und nach Abschluss der Arbeit zu meiner Zufriedenheit eine zusätzliche Vergütung von fünfzigtausend Francs.«

Ich musste schlucken. Man ist sich der Habgier im eigenen Herzen nicht wirklich bewusst, bis man in der Tasche die Silbermünzen klingeln hört.

»Wünschen Sie nicht einen ordnungsgemäß ausgefertigten schriftlichen Vertrag?«

»Das hier ist ein Abkommen unter Gentlemen. Zwischen Ihnen und mir. Und es ist schon besiegelt worden. Ein Gentlemen's Agreement kann man nicht brechen, weil es den bräche, der es unterschrieben hat«, sagte Corelli in einem Ton, der mich annehmen ließ, ich hätte besser ein Papier unterschrieben, und sei es mit Blut. »Noch irgendeine Frage?«

»Ja. Warum?«

»Ich verstehe Sie nicht, Martín.«

»Wozu wollen Sie dieses Material oder wie Sie es nennen? Was haben Sie damit vor?«

»Gewissensprobleme, Martín – immer noch?«

»Vielleicht halten Sie mich für einen Menschen ohne Grundsätze, aber wenn ich an etwas teilhaben soll, wie Sie es mir vorschlagen, will ich wissen, welchem Zweck es dient. Ich glaube, ich habe ein Recht darauf.«

Corelli lächelte und legte seine Hand auf meine. Bei der Berührung seiner eisigen, marmorglatten Haut erschauerte ich.

»Weil Sie leben wollen.«

»Das klingt irgendwie bedrohlich.«

»Es ist nur eine einfache, freundliche Erinnerung an

das, was Sie längst wissen: Sie werden mir helfen, weil Sie leben wollen und weil Sie weder der Preis noch die Folgen interessieren. Weil Sie vor nicht allzu langer Zeit an der Schwelle des Todes gestanden haben, und jetzt haben Sie eine Ewigkeit vor sich und die Chance auf ein Leben. Sie werden mir helfen, weil Sie ein Mensch sind. Und weil Sie, obwohl Sie es nicht wahrhaben wollen, glauben.«

Ich entzog ihm meine Hand, und er stand auf und ging zum Ende des Gartens.

»Seien Sie unbesorgt, Martín. Alles wird gutgehen. Sie können mir vertrauen«, sagte er in sanftem, einlullendem Ton, fast wie ein Vater.

»Kann ich jetzt gehen?«

»Aber selbstverständlich. Ich will Sie nicht länger als nötig aufhalten. Ich habe unser Gespräch sehr genossen. Jetzt entlasse ich Sie – auf dass Sie sich alles durch den Kopf gehen lassen, worüber wir gesprochen haben. Sie werden sehen, wenn die Verdauungsstörung vorbei ist, werden die wahren Antworten zu Ihnen kommen. Es gibt nichts auf unserem Lebensweg, was wir nicht schon wüssten, lange bevor wir ihn beschreiten. Man lernt nichts Wichtiges im Leben, man erinnert sich bloß.«

Er gab dem schweigsamen Butler, der am Rande des Gartens wartete, ein Zeichen.

»Ein Auto wird Sie nach Hause bringen. Wir sehen uns in zwei Wochen.«

»Hier?«

»Das weiß Gott allein.« Er leckte sich die Lippen, als erscheine ihm das als köstlicher Witz.

Der Butler trat zu uns und bedeutete mir, ihm zu folgen. Corelli nickte und nahm wieder Platz, den Blick über der fernen Stadt verloren.

9

Der Wagen wartete vor der Villa. Es war nicht irgendein Automobil, es war ein Sammlerstück, das mich an eine verzauberte Karosse denken ließ, eine Kathedrale auf Rädern mit technisch vollkommenen Verchromungen und Kurven und einem silbernen Engel als Galionsfigur auf der Motorhaube. Kurzum, ein Rolls-Royce. Der Butler öffnete die Tür und verabschiedete mich mit einer Verneigung. Das Innere erinnerte eher an ein Hotelzimmer als an ein Motorfahrzeug. Sowie ich mich im Sitz zurückgelehnt hatte, startete der Wagen und fuhr den Hügel hinunter.

»Kennen Sie die Adresse?«, fragte ich.

Der Fahrer, eine dunkle Gestalt auf der anderen Seite einer Glasscheibe, nickte. In der betäubenden Stille dieser Metallkutsche, die kaum den Boden zu berühren schien, fuhren wir quer durch Barcelona. Durch die Fenster sah ich Straßen und Häuser wie Felswände unter Wasser vorübergleiten. Es war bereits nach Mitternacht, als der schwarze Wagen in die Calle Comercio einbog und dann auf dem Paseo del Born an der Einmündung der Calle Flassaders stehen blieb, die zu eng für ihn war. Der Fahrer stieg aus und öffnete mit einer Verneigung die Tür. Ich stieg aus, er schloss die Tür und stieg wortlos wieder ein. Ich sah die dunkle Silhouette davonrollen und in einem Schattenschleier zerfließen. Ich fragte mich, was ich da getan hatte, obwohl ich die Antwort gar nicht wissen wollte. Mit dem Gefühl, die ganze Welt sei ein Gefängnis ohne Entrinnen, ging ich nach Hause.

In der Wohnung stieg ich direkt ins Arbeitszimmer hinauf, wo ich nach allen Seiten hin die Fenster öffnete, um die schwülheiße Brise hereinzulassen. Auf einigen Dächern des Viertels konnte man Gestalten auf Matratzen und Laken sehen, die der erstickenden Hitze zu entkommen und Schlaf zu finden suchten. In der Ferne erhoben sich rauchend wie Scheiterhaufen die drei Schlote des Paralelo und breiteten eine Decke aus weißer Asche über Barcelona aus, wie Staub aus Glas; aus der Nähe erinnerte mich die Statue der Mercè, die von der Kirchenkuppel aufflog, an den Engel des Rolls-Royce und den an Corellis Revers. Ich spürte, dass die Stadt nach vielen Monaten des Schweigens wieder mit mir sprach und mir ihre Geheimnisse erzählte.

Da sah ich in dem elenden engen Tunnel zwischen alten Häusern der Calle de las Moscas, der Fliegenstraße, auf einer Eingangsstufe zusammengekauert Isabella sitzen. Ich fragte mich, wie viel Zeit sie da schon verbracht haben mochte, und fand, das sei mir egal. Eben wollte ich das Fenster schließen und mich an den Schreibtisch zurückziehen, als ich sah, dass sie nicht mehr allein war. Vom Straßenende her näherten sich ihr langsam zwei Gestalten, vielleicht allzu langsam. Mit einem Seufzer wünschte ich, sie möchten an ihr vorbeigehen, ohne sie zu beachten. Aber das taten sie nicht. Einer von ihnen postierte sich auf der anderen Seite und blockierte so den Ausgang der Gasse. Der andere kniete sich vor das junge Mädchen und streckte den Arm nach ihr aus. Sie bewegte sich. Einen Augenblick später schlossen sich die beiden Gestalten um Isabella zusammen, und ich hörte sie aufschreien.

Ich brauchte etwa eine Minute. Als ich unten eintraf, hielt einer der beiden Männer Isabella an den Armen fest, der andere hatte ihren Rock hochgestülpt. Ein Ausdruck der Panik verzerrte ihr Gesicht. Der Mann, der sich zwischen ihren Schenkeln grinsend einen Weg suchte, hielt ihr ein Messer an den Hals, das drei blutige Linien gezogen hatte. Ich sah mich um. Zwei Kisten Schutt und ein Stapel Pflastersteine und Baumaterialien waren an einer Hauswand aufgetürmt. Ich packte etwas, was sich als massive Eisenstange von einem halben Meter Länge entpuppte. Als Erster erblickte mich der mit dem Messer. Die Stange schwingend, tat ich einen Schritt auf ihn zu. Sein Blick sprang von der Stange zu meinen Augen, und das Grinsen gefror ihm auf den Lippen. Der andere drehte sich um und sah mich mit erhobener Stange auf sich zukommen. Ein Zeichen mit dem Kopf genügte, damit er Isabella losließ und sich eilig hinter seinem Kumpan verschanzte.

»Los, hauen wir ab«, zischte er.

Der andere reagierte nicht. Er starrte mich mit feurigen Augen und dem Messer in der Hand an.

»Was hast du hier verloren, du Hundesohn?«

Ich nahm Isabella am Arm und half ihr auf, ohne den

anderen aus den Augen zu lassen. Ich suchte die Schlüssel in meiner Tasche und gab sie ihr.

»Geh nach Hause«, sagte ich. »Tu, was ich dir sage.«

Sie zögerte einen Augenblick, aber dann hörte ich ihre Schritte sich in Richtung Calle Flassaders entfernen. Der Typ mit dem Messer sah sie davonlaufen und grinste wütend.

»Du Schweinehund, dich werde ich aufschlitzen.«

Ich bezweifelte nicht, dass er imstande und willens war, seine Drohung wahr zu machen, aber etwas in seinem Blick ließ mich annehmen, dass er alles andere als ein Dummkopf war und es nur deshalb noch nicht getan hatte, weil er sich fragte, wie schwer wohl die Metallstange war, und vor allem, ob ich Kraft, Mut und Zeit hätte, ihm damit den Schädel zu spalten, bevor er seine Klinge in mich rammen konnte.

»Versuch's doch«, forderte ich ihn auf.

Mehrere Sekunden lang hielt er meinem Blick stand, dann lachte er. Erleichtert seufzte sein Begleiter auf. Der Typ klappte das Messer zusammen und spuckte mir vor die Füße. Dann drehte er sich um und verschwand in der Dunkelheit, aus der er gekommen war, und sein Kollege trottete wie ein treuer Hund hinter ihm her.

Ich fand Isabella zusammengekauert auf der Treppe im Haus mit dem Turm. Sie zitterte und hielt die Schlüssel mit beiden Händen fest. Als sie mich hereinkommen sah, schoss sie hoch.

»Soll ich einen Arzt holen?«

Sie schüttelte den Kopf.

»Bist du sicher?«

»Sie hatten es noch nicht geschafft, mir etwas anzutun«, murmelte sie und schluckte ihre Tränen hinunter.

»So hat es aber nicht ausgesehen.«

»Sie haben mir nichts getan, einverstanden?«

»Einverstanden.«

Ich wollte sie am Arm nehmen, als wir die Treppe hinaufstiegen, doch sie entzog sich der Berührung.

In der Wohnung begleitete ich sie zum Badezimmer und machte Licht.

»Hast du frische Wäsche mit?«

Sie deutete auf ihre Tasche und nickte.

»Los, wasch dich, während ich etwas zu essen mache.«

»Wie können Sie jetzt Hunger haben?«

»Habe ich nun mal.«

Sie biss sich auf die Unterlippe.

»Ich eigentlich auch …«

»Dann verlieren wir kein Wort mehr darüber«, sagte ich.

Ich schloss die Badezimmertür und wartete, bis ich den Hahn hörte, ging in die Küche und setzte Wasser auf. Es war noch etwas Reis da, Speck und Gemüse, das Isabella am Vortag mitgebracht hatte, und aus alledem improvisierte ich ein Resteessen. In den nahezu dreißig Minuten, die ich wartete, bis Isabella aus dem Bad kam, trank ich eine halbe Flasche Wein. Durch die Wand hörte ich sie wütend weinen. Als sie mit geröteten Augen in der Küchentür erschien, sah sie mehr nach kleinem Mädchen aus denn je.

»Ich weiß nicht, ob ich noch Hunger habe«, murmelte sie.

»Setz dich und iss.«

Wir setzten uns an den kleinen Tisch mitten in der Küche. Leicht misstrauisch musterte Isabella ihren Teller mit Reis und mehreren Zutaten, den ich vor sie hingestellt hatte.

»Iss«, befahl ich.

Sie nahm probeweise einen Löffel und führte ihn zum Mund.

»Schmeckt gut«, sagte sie.

Ich schenkte ihr ein halbes Glas Wein ein und füllte es mit Wasser auf.

»Mein Vater lässt mich keinen Wein trinken.«

»Ich bin nicht dein Vater.«

Wir aßen schweigend und sahen uns ab und zu an. Isabella putzte ihren Teller leer und verschlang auch das Stück Brot, das ich ihr abgeschnitten hatte. Sie lächelte schüchtern und merkte nicht, dass der Schrecken sie noch gar nicht richtig gepackt hatte. Dann begleitete ich sie zur Tür ihres Zimmers und knipste das Licht an.

»Versuch ein wenig zu schlafen«, sagte ich. »Wenn du etwas brauchst, klopfst du an die Wand. Ich bin im Nebenzimmer.«

Sie nickte.

»Ich habe Sie schon neulich nachts schnarchen hören.«

»Ich schnarche nicht.«

»Dann waren es wohl die Leitungen. Oder irgendein Nachbar, der einen Bären hat.«

»Noch ein Wort und du fliegst raus.«

Sie lächelte und nickte.

»Danke«, flüsterte sie. »Schließen Sie die Tür nicht ganz, bitte. Lassen Sie sie angelehnt.«

»Gute Nacht«. Ich machte das Licht aus und ließ sie im Halbdunkel allein.

Später, während ich mich in meinem Zimmer auszog, sah ich im Spiegel, dass ich eine dunkle Spur auf der Wange hatte, wie eine schwarze Träne. Ich wischte sie mit den Fingern weg – es war eingetrocknetes Blut. Erst da merkte ich, wie erschöpft ich war und wie sehr mein ganzer Körper schmerzte.

10

Noch bevor Isabella am nächsten Morgen erwachte, ging ich zum Kolonialwarenladen ihrer Eltern in der Calle Mirallers. Es wurde gerade erst hell, und der Metall-Rollladen war halb hochgezogen. Ich schlüpfte hinein und sah mich zwei jungen Burschen gegenüber, die Teedosen und andere Waren auf den Ladentisch stapelten.

»Es ist geschlossen«, sagte der eine.

»Sieht aber nicht so aus. Bitte holen Sie den Inhaber.«

Während des Wartens studierte ich das Schlaraffenland der undankbaren Erbin Isabella, die in ihrer unendlichen Unschuld den Verlockungen des Kommerzes abgeschworen hatte, um sich dem Elend der Literatur zu opfern. Der Laden war ein mit Wunderdingen aus allen Ecken der Welt bestückter kleiner Basar. Marmeladen, Süßigkeiten und Tees, Kaffees, Spezereien und Konserven, Obst und luftgetrocknetes Fleisch, Schokoladen und geräucherte Wurstwaren. Ein Schlemmerparadies für gutgepolsterte Taschen. Binnen kurzem erschien in blauem Kittel Don Odón, Vater des bewussten Geschöpfs und Ladeninhaber mit Marschallsschnauzer und einer bestürzten Miene, die aussah, als wäre er einem Infarkt erschreckend nah. Ich beschloss, die Artigkeiten wegzulassen.

»Ihre Tochter sagt mir, Sie besäßen eine doppelläufige Flinte, mit der Sie mich umzubringen geschworen hätten«, sagte ich und breitete die Arme aus. »Da bin ich.«

»Wer sind Sie, Sie unverschämter Kerl?«

»Ich bin der unverschämte Kerl, der ein junges Mädchen hat aufnehmen müssen, weil ihr Hosenscheißer von Vater nicht in der Lage ist, sie in Schach zu halten.«

Der Zorn glitt aus seinem Gesicht, und er setzte ein verzagtes Lächeln auf.

»Señor Martín? Ich habe Sie nicht erkannt … Wie geht's der Kleinen?«

»Die Kleine befindet sich gesund und munter bei mir und schnarcht wie ein Hirtenhund, aber mit unbefleckter Ehre und Tugend.«

Erleichtert bekreuzigte sich der Händler zweimal hintereinander.

»Vergelt's Gott.«

»Ich wünsche Ihnen, dass Sie das erleben, aber in der Zwischenzeit tun Sie mir bitte den Gefallen, sie im Laufe des heutigen Tages unbedingt bei mir abzuholen, oder ich polier Ihnen die Visage, mit oder ohne Flinte.«

»Flinte?«, flüsterte der Händler verwirrt.

Seine kleingewachsene Frau bespitzelte uns mit nervösem Blick durch den Vorhang, der das Hinterzimmer abtrennte. Irgendetwas sagte mir, dass es nicht zu einer Schießerei käme. Don Odón schien schnaufend in sich zusammenzusacken.

»Wie gern würde ich das tun, Señor Martín. Aber die Kleine will ja nicht hier sein«, sagte er betrübt.

Als deutlich wurde, dass er nicht der Grobian war, als den Isabella ihn mir dargestellt hatte, tat es mir leid, ihn so angefahren zu haben.

»Haben Sie sie denn nicht rausgeworfen?«

Beleidigt riss Don Odón die Augen sperrangelweit auf. Seine Frau trat herzu und nahm seine Hand.

»Wir hatten Streit«, sagte er. »Es sind Worte gefallen, die nicht hätten fallen dürfen, von beiden Seiten. Die Kleine hat aber auch einen Dickschädel, gegen den nicht anzukommen ist ... Sie hat gedroht, dass sie wegläuft und wir sie nie wieder zu Gesicht kriegen. Ihrer lieben Mutter ist fast das Herz stehengeblieben. Ich bin laut geworden und habe gesagt, ich werde sie ins Kloster stecken.«

»Dieses Argument verfehlt bei einem jungen Mädchen von siebzehn Jahren seine Wirkung nie«, bemerkte ich.

»Das war das Erste, was mir eingefallen ist ... Wie sollte ich sie auch in ein Kloster stecken?«

»Soweit ich sehen konnte, nur mithilfe eines ganzen Regiments Zivilgardisten.«

»Ich weiß ja nicht, was sie Ihnen erzählt hat, Señor Martín, aber glauben Sie ihr nicht. Wir sind zwar keine Feingeister, aber auch keine Ungeheuer. Ich weiß schon gar nicht mehr, wie ich sie behandeln soll. Ich bin nicht der Mann, der den Gürtel auszieht und sagt, wer nicht hören will, muss fühlen. Und meine Frau Gemahlin da getraut sich nicht mal, die Katze anzuschreien. Ich weiß wirklich nicht, wo die Kleine diesen Charakter herhat. Das kommt sicher vom vielen Lesen. Dabei haben uns die Nonnen gewarnt. Mein seliger Vater hat es schon gesagt: An dem Tag, an dem man die Frauen lesen und schreiben lernen lässt, wird man die Welt nicht mehr regieren können.«

»Ein großer Denker, Ihr Herr Vater, aber das löst weder Ihr Problem noch meines.«

»Was können wir denn tun? Isabella will nicht bei uns bleiben, Señor Martín. Sie sagt, wir sind einfältig, wir verstehen sie nicht, wir wollen sie in diesem Laden begraben … Dabei möchte ich nichts lieber als sie verstehen. Ich arbeite in diesem Laden, seit ich sieben bin, von morgens bis abends, und das Einzige, was ich verstehe, ist, dass es auf der Welt übel zugeht und dass sie kein Pardon kennt mit einem jungen Mädchen, das in den Wolken schwebt«, erklärte er, an ein Fass gelehnt. »Meine größte Angst ist, dass sie uns, wenn ich sie zur Rückkehr zwinge, wirklich wegläuft, und dann fällt sie in die Hände von irgendeinem … Ich mag gar nicht dran denken.«

»So ist es«, fügte seine Frau mit leicht italienischem Akzent hinzu. »Glauben Sie mir, die Kleine hat uns das Herz gebrochen, aber es ist nicht das erste Mal, dass sie verschwindet. Sie ist wie meine Mutter, und die war eine echte Neapolitanerin …«

»Auwei, die *mamma*«, sagte Don Odón.

»Als sie sagte, sie werde sich für einige Tage bei Ihnen einquartieren und Ihnen bei der Arbeit helfen, waren wir sehr beruhigt«, fuhr Isabellas Mutter fort. »Wir wissen, dass Sie ein guter Mensch sind, und im Grunde ist die Kleine ja gleich nebenan, zwei Straßen weiter. Wir wissen, dass Sie sie dazu bringen werden zurückzukommen.«

Ich fragte mich, was ihnen Isabella über mich erzählt haben mochte, dass sie glaubten, meine Wenigkeit wandle auf Wasser.

»Gestern Abend erst sind einen Steinwurf von hier zwei Tagelöhner auf dem Heimweg zusammengeschlagen worden. Was soll man da sagen. Offenbar sind sie mit einer Eisenstange wie Hunde vertrimmt worden, und beim einen weiß man nicht, ob er überhaupt überlebt – der andere soll für den Rest des Lebens ein Krüppel bleiben«, sagte die Mutter. »In was für einer Welt leben wir eigentlich?«

Don Odón schaute mich bestürzt an.

»Wenn ich sie hole, wird sie wieder ausreißen. Und dann weiß ich nicht, ob sie noch mal jemanden wie Sie findet. Wir wissen schon, dass sich ein junges Mädchen nicht bei einem alleinstehenden Herrn einquartieren sollte, aber bei Ihnen wissen wir wenigstens, dass Sie ehrenwert sind und sich um sie kümmern werden.«

Der Krämer schien gleich in Tränen auszubrechen. Mir wäre es lieber gewesen, er hätte die Flinte geholt. Es konnte immer noch irgendein neapolitanischer Vetter bei mir aufkreuzen, um mit dem Stutzen die Ehre der Kleinen zu verteidigen. *Porca miseria.*

»Habe ich Ihr Wort, dass Sie auf sie achtgeben werden, bis sie Vernunft annimmt und zurückkommt?«

Ich schnaubte.

»Sie haben mein Wort.«

Bis an den Hals mit Leckerbissen und Köstlichkeiten
beladen, die mir Don Odón und Gattin aufgedrängt
hatten, ging ich wieder nach Hause. Die Ladeninhaber
hatten mir für Isabellas Unterhalt Geld geben wollen,
was ich ablehnte. Mein Plan bestand darin, sie in weniger als einer Woche zum Schlafen wieder nach Hause zu
schicken, auch wenn ich dazu die Vorstellung aufrecht-
erhalten musste, tagsüber sei sie meine Assistentin. Es
würde mir dadurch kein Zacken aus der Krone fallen.

Als ich nach Hause kam, saß sie am Küchentisch. Sie
hatte alle Teller vom Vorabend gespült, Kaffee gemacht
und sich angezogen und gekämmt wie eine Bilderbuch-
heilige. Isabella, die ja nicht auf den Kopf gefallen war,
wusste ganz genau, woher ich kam, rüstete sich mit
ihrem besten Hundeblick und lächelte mich unterwür-
fig an. Ich stellte die Tüten mit Don Odóns Delikatessen
auf den Spülstein und sah sie an.

»Mein Vater hat nicht mit der Flinte auf Sie geschos-
sen?«

»Die Munition ist ihm ausgegangen, und so hat er mit
diesen Marmeladegläsern und Käsestücken nach mir geworfen.«

Sie presste die Lippen zusammen und machte ein entsprechendes Gesicht.

»Also kommt der Name Isabella von der Großmut-
ter?«

»Die *mamma*«, bestätigte sie. »In ihrem Viertel hieß sie *la Vesuvia*.«

»Das glaube ich gern.«

»Ich gleiche ihr, scheint's, ein wenig. Was den Dickkopf angeht.«

»Deine Eltern sind gute Leute, Isabella. Sie verstehen dich nicht weniger als du sie.«

Sie sagte nichts, sondern schenkte mir eine Tasse Kaffee ein und wartete auf das Urteil. Ich hatte zwei Möglichkeiten: Sie vor die Tür zu setzen und das Krämerehepaar tot umfallen zu lassen oder in den sauren Apfel zu beißen und mich zwei, drei Tage in Geduld zu üben. Wahrscheinlich würden achtundvierzig Stunden meiner zynischsten, schneidendsten Art genügen, um die eiserne Entschlossenheit des jungen Mädchens ins Wanken zu bringen und zu erreichen, dass sie zurück an den Rockzipfel ihrer Mutter floh und sie auf Knien um Verzeihung sowie Kost und Logis bat.

»Für den Moment kannst du hierbleiben …«

»Danke!«

»Nicht so voreilig. Du kannst bleiben unter der Bedingung, dass du erstens jeden Tag in den Laden gehst, um deinen Eltern guten Tag zu sagen und sie wissen zu lassen, dass es dir gutgeht, und zweitens, dass du mir gehorchst und die Hausregeln befolgst.«

Das klang zwar patriarchalisch, aber auch viel zu zaghaft. Ich wahrte meinen mürrischen Ausdruck und beschloss, den Ton etwas anzuziehen.

»Welches sind denn die Hausregeln?«

»Grundsätzlich das, was mir gerade in den Sinn kommt.«

»Scheint mir gerecht.«

»Also abgemacht.«

Sie ging um den Tisch herum und umarmte mich dankbar. Ich spürte die Wärme und die festen Formen ihres jungen Mädchenkörpers an meinem. Sanft schob ich sie mindestens einen Meter von mir weg.

»Die erste Regel lautet, dass das hier nicht *Betty und ihre Schwestern* ist und dass wir uns hier weder umarmen noch bei erstbester Gelegenheit in Tränen ausbrechen.«

»Wie Sie wollen.«

»Das wird das Motto sein, auf das wir unser Zusammenleben gründen: Wie ich will.«

Isabella lachte und huschte in den Flur hinaus.

»Wo gehst du hin?«

»Ins Arbeitszimmer, um sauber zu machen und aufzuräumen. Es soll doch wohl nicht so bleiben, wie es ist, oder?«

11

Ich brauchte unbedingt einen Ort, wo ich nachdenken konnte und vom häuslichen Eifer und der Putzwut meiner neuen Assistentin verschont blieb. Ich fand ihn unter den Spitzbögen in der großen Halle der Bibliothek, die im ehemaligen mittelalterlichen Hospiz in der Calle del Carmen untergebracht war. Den Rest des Tages verbrachte ich inmitten von Büchern, die nach päpstlicher Gruft rochen, und las in Mythologien und Religionsgeschichten, bis meine Augen auf den Tisch zu purzeln drohten. Nach stundenlanger ununterbrochener Lektüre überschlug ich, dass ich kaum ein Millionstel dessen angekratzt hatte, was unter den Bögen dieses Bücherheiligtums zu finden war, ganz zu schweigen von dem, was über das Thema insgesamt geschrieben worden war. Ich beschloss, am nächsten Tag wiederzukehren, ebenso am übernächsten und so mindestens eine ganze Woche, um den Dampfkessel meines Denkens mit Abertausenden Seiten über Götter, Wunder und Prophezeiungen, Heilige und Erscheinungen, Offenbarungen und Mysterien anzuheizen. Alles, nur nicht an Cristina und Don Pedro und ihr Eheleben denken.

Da ich nun eine emsige Assistentin hatte, wies ich sie an, sich Kopien von den Katechismen und Schulbüchern zu verschaffen, die in der Stadt für den Religionsunterricht verwendet wurden, und mir von jedem einzelnen ein Resümee zu schreiben. Sie stellte die Anordnung zwar nicht infrage, runzelte aber die Stirn, als sie sie empfing.

»Ich will haargenau wissen, wie den Kindern der ganze Klimbim beigebracht wird, von der Arche Noah bis zum Wunder mit den Broten und den Fischen«, erklärte ich.

»Warum denn das?«

»Weil ich so bin und weil ich ein breites Spektrum an Interessen habe.«

»Recherchieren Sie für eine Neufassung von *Mein Jesulein fein*?«

»Nein. Ich plane eine Romanversion der Abenteuer von Catalina de Erauso. Und du tust ganz einfach, was ich dir sage, und zwar ohne Widerspruch, sonst spedier ich dich in den Laden deiner Eltern zurück, wo du nach Lust und Laune Quittengelee verkaufen kannst.«

»Sie sind ein Despot.«

»Schön, dass wir uns allmählich kennenlernen.«

»Hat es etwas mit dem Buch zu tun, das Sie für diesen Verleger schreiben werden, Corelli?«

»Könnte sein.«

»Mein kleiner Finger sagt mir, dass die Verkaufschancen dieses Buches gleich null sind.«

»Was verstehst denn *du* davon?«

»Mehr, als Sie denken. Und Sie brauchen sich gar nicht so zu haben – ich versuche Ihnen nur zu helfen. Oder haben Sie etwa beschlossen, das professionelle Schreiben sein zu lassen und nur noch bei Kaffee und Kuchen zu dilettieren?«

»Im Moment habe ich alle Hände voll zu tun, das Kindermädchen zu spielen.«

»Die Diskussion, wer hier wessen Kindermädchen ist, sollten wir besser nicht eröffnen – da gewinne ich um Längen.«

»Und welches Thema sagt Eurer Exzellenz denn zu?«

»Wohlfeile Kunst versus Blödsinn mit Moral.«

»Liebe Isabella, meine kleine Vesuvin: Was wohlfeile Kunst angeht, und jede Kunst, die diesen Namen verdient, ist über kurz oder lang verkäuflich, so liegt die Dummheit fast immer im Auge des Betrachters.«

»Heißen Sie mich einen Dummkopf?«

»Ich heiße dich schweigen. Tu, was ich dir sage, und Punktum. Kein Mucks mehr.«

Ich deutete auf die Tür, und Isabella verdrehte die Augen und ging leise schimpfend durch den Korridor davon.

Während sie Schulen und Buchhandlungen nach Unterrichtsbüchern und Katechismen durchforstete, um Kurzfassungen zu erstellen, suchte ich weiterhin die Bibliothek in der Calle del Carmen auf, um meine theologische Bildung zu vertiefen, ein Unterfangen, das ich mit exzessivem Kaffeegenuss und Stoizismus betrieb. Die ersten sieben Tage dieses seltsamen Wirkens zeitigten nichts als Zweifel. Eine der wenigen Gewissheiten, die ich erlangte, war, dass die meisten Autoren, die sich berufen gefühlt hatten, über Gott und die Welt und das Heilige zu schreiben, höchst bewanderte, fromme Gelehrte gewesen sein dürften, als Schriftsteller aber nicht das Geringste taugten. Der duldsame Leser, der durch ihre Seiten zu schlingern gezwungen war, musste sich bei jedem Absatz gewaltig anstrengen, um vor Langeweile nicht in Tiefschlaf zu fallen.

Nachdem ich Tausende einschlägige Seiten überlebt hatte, gewann ich immer mehr den Eindruck, dass all die seit Erfindung des Buchdrucks überlieferten Glaubenslehren einander außerordentlich ähnlich waren. Ich schrieb diesen ersten Eindruck meiner Unwissenheit oder unzureichender Recherche zu, aber es kam mir vor, als hätte ich wieder und wieder die eine Geschichte Dutzender Detektivromane gelesen, in denen zwar der jeweilige Mörder ein anderer, die Handlungsmechanik aber grundsätzlich immer dieselbe war. Mythen und Legenden, ob sie nun von Gottheiten oder der Entstehung und Geschichte von Völkern und Geschlechtern handelten, erschienen mir zunehmend wie Puzzles, die das gleiche Gesamtbild ergaben, deren Teile aber unterschiedlich angeordnet wurden.

Nach zwei Tagen hatte ich mich bereits mit Eulalia, der Chefbibliothekarin, angefreundet, die mir aus den Papierfluten ihrer Zuständigkeit Texte und Bände herausfischte und manchmal zu mir in einen versteckten Winkel kam, um sich nach meinen weiteren Bedürfnissen zu erkundigen. Sie war etwa in meinem Alter und hatte Witz im Übermaß, der sich gewöhnlich in spitzen Sticheleien ausdrückte.

»Sie lesen ja tonnenweise Heiligengeschichten, mein Herr. Haben Sie vor, an der Schwelle zum besten Mannesalter noch Messdiener zu werden?«

»Es handelt sich um reine Recherche.«

»Das sagen sie alle.«

Die Scherze und der Esprit der Bibliothekarin waren ein unbezahlbarer Balsam, der mich die knochentrockenen Texte überleben ließ und mir erlaubte, meine Recherchewallfahrt fortzusetzen. Wenn Eulalia ein wenig Muße hatte, kam sie zu mir und half mir, den ganzen Wirrwarr irgendwie zu ordnen. Auf diesen Seiten voller

Verrat und Bekehrung wimmelte es von Vätern und Söhnen, reinen und heiligen Müttern, Prophezeiungen und Propheten, die der Himmel oder die Herrlichkeit geschickt hatte, von Säuglingen, die das Universum erlösen würden, von unheilvollen und abstoßenden Wesen in Tiergestalt, von ätherischen Geschöpfen, die gemäß bestimmter Rassemerkmale gestaltet waren und das Gute vertraten, und von Helden, welche sich schrecklichen Schicksalsprüfungen zu unterziehen hatten. Immer schimmerte die Vorstellung durch, das irdische Dasein sei eine Art Durchgangsstation, deshalb solle man sich in sein Schicksal fügen und die Regeln der Gemeinschaft befolgen, denn als Belohnung warte das Paradies, und dort war alles, was man im leiblichen Leben entbehrt hatte, im Überfluss vorhanden.

Am Donnerstagmittag trat Eulalia während einer ihrer Pausen an meinen Tisch und fragte, ob ich eigentlich nur Messbücher lese oder ab und zu auch etwas esse. Ich lud sie ein, in der vor kurzem in der Nähe eröffneten Casa Leopoldo mit mir zu speisen. Während wir einen köstlichen geschmorten Ochsenschwanz genossen, erzählte sie mir, sie arbeite seit zwei Jahren auf ihrem Posten und weitere zwei an einem Roman, der nicht vorangehen wolle und dessen Hauptschauplatz die Bibliothek in der Calle del Carmen sei, wo sich eine Reihe mysteriöser Verbrechen ereigneten.

»Ich möchte etwas Ähnliches schreiben wie vor Jahren Ignatius B. Samson in seinen Romanen«, erklärte sie. »Sagt Ihnen das was?«

»Vage.«

Eulalia fand einfach nicht den richtigen Einstieg für ihren Roman, und ich riet ihr, dem Ganzen einen leicht unheimlichen Ton zu verleihen und ihre Geschichte rund um ein geheimes Buch aufzubauen, das von einem gequälten Geist heimgesucht wurde, mit einer Nebenhandlung übernatürlichen Anstrichs.

»Das würde jedenfalls Ignatius B. Samson an ihrer Stelle tun«, sagte ich.

»Und was tun Sie, dass Sie so viel über Engel und Teufel lesen? Sagen Sie nicht, Sie seien ein ehemaliger Priesterseminarist, den die Reue plagt.«

»Ich versuche, die Gemeinsamkeiten in den Ursprüngen verschiedener Religionen und Mythen zu erkennen«, erklärte ich.

»Und was haben Sie bisher gelernt?«

»Fast nichts. Aber ich will Sie nicht mit dem Miserere langweilen.«

»Sie langweilen mich nicht. Erzählen Sie.«

»Nun, am interessantesten schien mir bisher, dass die meisten dieser Glaubenslehren ihren Anfang mit einem Geschehnis oder einer Person von einer gewissen historischen Wahrscheinlichkeit nehmen. Sie entwickeln sich dann schnell zu einer gesellschaftlichen Bewegung, die von den politischen, wirtschaftlichen und sozialen Gegebenheiten der Gruppe, die sie annimmt, abhängt und von ihnen geformt wird. Sind Sie noch wach?«

Eulalia nickte.

»Die Mythologie, die sich ausgehend von diesen Doktrinen entwickelt, von ihrer Liturgie bis zu ihren Regeln und Tabus, geht zu einem guten Teil auf die sich herausbildende Bürokratie zurück und nicht auf das vermeintlich übernatürliche Geschehnis, das an ihrem Anfang gestanden haben soll. Die meisten einfachen, erbaulichen Anekdoten, eine Mischung aus gesundem Menschenverstand und Folklore, und die gesamte kriegerische Aufladung, die sie erfahren können, verdanken sich, sofern sie sich nicht selbst widerlegen, der nachträglichen Interpretation dieser Anfänge durch ihre Verwalter. Der Aspekt der Verwaltung und Rangordnung scheint in der Entwicklung von Mythologien eine entscheidende Rolle zu spielen. Im Prinzip wird die Wahrheit allen Menschen offenbart, aber schnell treten Individuen auf den Plan, die sich die Befugnis und die Pflicht anmaßen, diese Wahrheit im Namen des Gemeinwohls zu bewahren, auszulegen und gegebenenfalls zu verändern. Zu diesem Behuf begründen sie eine mächtige, bisweilen diktatorische Organisation. Dieses Phänomen, das, wie uns die Biologie lehrt, typisch ist für jedes im Gruppenverband lebende Tier, macht die Lehre bald zu einem Werkzeug der Kontrolle und des politischen Kampfes. Teilungen, Kriege, Spaltungen sind die Folge. Über kurz oder lang wird das Wort Fleisch, und das Fleisch blutet.«

Ich hatte den Eindruck, schon ganz wie Corelli zu klingen, und seufzte. Eulalia lächelte schwach und schaute mich etwas reserviert an.

»Und das suchen Sie? Blut?«

»Der Nächste im Blut, der Erste am Gut.«

»Da wäre ich nicht so sicher.«

»Ich ahne, dass Sie eine Nonnenschule besucht haben.«

»Die schwarzen Damen. Acht Jahre.«

»Stimmt es, wie man munkelt, dass die Absolventinnen von Nonnenschulen die dunkelsten, unaussprechlichsten Wünsche haben?«

»Ich wette, Sie würden sie liebend gern entdecken.«

»Sie können alle Jetons auf Ja setzen.«

»Was haben Sie in Ihrer Theologie-Schnellbleiche für erregbare Geister sonst noch gelernt?«

»Nicht viel. Meine ersten Erkenntnisse waren ärgerlich: Banalität und Inkonsequenz. All das schien mir schon mehr oder weniger offenkundig, bevor ich mir Enzyklopädien und Traktate über die Kitzligkeit der Engel zu Gemüte geführt habe – vielleicht weil ich nichts verstehen kann, was über meine Vorurteile hinausgeht, oder weil es gar nicht mehr zu verstehen gibt und des Pudels Kern nur im Glauben oder Nichtglauben liegt, ohne dass man über das Warum nachgrübeln muss. Wie finden Sie meine Rhetorik? Beeindruckt sie Sie immer noch?«

»Ich kriege Gänsehaut. Schade, dass ich Sie nicht schon in meiner Zeit als Schülerin mit dunklen Wünschen kennengelernt habe.«

»Sie sind grausam, Eulalia.«

Sie lachte herzlich und schaute mir lange in die Augen.

»Sagen Sie, Ignatius B., wer hat Ihnen so brutal das Herz gebrochen?«

»Ich sehe, Sie können mehr lesen als nur Bücher.«

Wir blieben noch einige Minuten am Tisch sitzen und schauten den Kellnern bei ihrem Hin und Her im Speisesaal der Casa Leopoldo zu.

»Wissen Sie, was das Beste ist an den gebrochenen Herzen?«, fragte die Bibliothekarin.

Ich schüttelte den Kopf.

»Dass sie nur ein einziges Mal wirklich brechen können. Alles andere sind bloß noch Kratzer.«

»Nehmen Sie das in Ihr Buch auf.« Ich deutete auf ihren Verlobungsring. »Ich weiß ja nicht, wer dieser Dummkopf ist, aber hoffentlich weiß er, dass er der glücklichste Mann auf Erden ist.«

Eulalia lächelte ein wenig traurig und nickte. Wir gingen in die Bibliothek und dort jeder an seinen Platz zurück, sie an ihren Schreibtisch, ich in meinen Winkel. Am nächsten Tag befand ich, keine einzige Zeile über Offenbarungen und ewige Wahrheiten mehr lesen zu können und zu wollen. Auf dem Weg zur Bibliothek kaufte ich Eulalia an einem Stand auf den Ramblas eine weiße Rose und legte sie ihr zum Abschied auf den leeren Schreibtisch. Ich traf sie in einem der Korridore beim Büchereinordnen.

»So bald verlassen Sie mich wieder?«, fragte sie, als sie mich erblickte. »Wer macht mir nun Komplimente?«

»Wer nicht?«

Sie begleitete mich zum Ausgang und gab mir oben an der Treppe, die zum Innenhof des ehemaligen Hospizes hinunterführte, die Hand. Ich ging die Treppe hinunter. In der Mitte blieb ich stehen und drehte mich um. Sie stand noch dort und schaute mir nach.

»Viel Glück, Ignatius B. Hoffentlich finden Sie, was Sie suchen.«

12

Beim Abendessen mit Isabella am Verandatisch bemerkte ich, dass sie mich verstohlen anschaute.

»Schmeckt Ihnen die Suppe nicht? Sie rühren Sie ja gar nicht an ...«

Ich sah auf den vollen, erkaltenden Teller hinab, nahm einen Löffel und tat so, als kostete ich die erlesenste Delikatesse.

»Sehr gut.«

»Sie haben auch noch kein Wort gesprochen, seit Sie aus der Bibliothek zurück sind«, fügte sie hinzu.

»Sonst noch eine Beschwerde?«

Verdrießlich schaute sie weg. Ich löffelte die kalte Suppe ohne Appetit und nur, um mich nicht unterhalten zu müssen.

»Warum sind Sie denn so traurig? Ist es wegen dieser Frau?«

Ich legte den Löffel ab, ohne eine Antwort zu geben, und rührte dann damit in der halb aufgegessenen Suppe. Isabellas Blick ruhte auf mir.

»Sie heißt Cristina«, sagte ich. »Und ich bin nicht traurig. Ich bin froh für sie, weil sie meinen besten Freund geheiratet hat und sehr glücklich sein wird.«

»Und ich bin die Königin von Saba.«

»Vorwitzig, das bist du.«

»So gefallen Sie mir schon besser, wenn Sie ein Ekel sind und die Wahrheit sagen.«

»Mal sehen, ob dir auch das gefällt: Hau ab in dein Zimmer und lass mich verdammt noch mal endlich in Ruhe.«

Sie versuchte zu lächeln, doch als ich die Hand nach ihr ausstreckte, hatten sich ihre Augen schon mit Tränen gefüllt. Sie flüchtete mit unseren beiden Tellern in die Küche. Ich hörte, wie sie das Geschirr in den Spülstein fallen ließ und Sekunden später ihre Tür zuschlug. Ich seufzte und genoss das Glas Wein, das noch vor mir stand, ein edler Tropfen aus dem Laden von Isabellas Eltern. Nach einer Weile klopfte ich leise bei ihr an. Sie antwortete nicht, aber ich hörte sie schluchzen. Als ich versuchte, die Tür zu öffnen, merkte ich, dass sie abgeschlossen hatte.

Ich ging ins Arbeitszimmer hinauf, das nach Isabellas Prozedur den Duft frischer Blumen verströmte und aussah wie die Kajüte eines Luxusdampfers. Wieder hatte sie sämtliche Bücher geordnet, Staub gewischt und alles auf Hochglanz gebracht, sodass der Raum nicht wiederzuerkennen war. Die alte Underwood glich einer Skulptur, und die Buchstaben auf den Tasten waren wieder zu lesen. Ein Stapel säuberlich geordnete Blätter ruhte auf dem Schreibtisch mit den Resümees mehrerer Schultexte und Katechismen nebst der Tageskorrespondenz. Auf einer Untertasse lagen zwei herrlich duftende Zigarren. Macanudos, eine der karibischen Wonnen, die ein Vertreter der Tabakgesellschaft Isabellas Vater heimlich zusteckte. Ich zündete mir eine an. In ihrem lauwarmen Rauch mischten sich sämtliche Düfte und Gifte, die sich ein Mann nur wünschen konnte, um in Frieden zu sterben. Ich setzte mich an den Schreibtisch und überflog die Post des Tages. Ich ignorierte alles außer einem Brief aus cremefarbenem Pergament in der Schönschrift, die ich überall sofort erkannt hätte. Mein neuer Verleger und Mäzen Andreas Corelli bestellte mich am Sonntag gegen Abend auf den Turm der neuen Seilbahn, die den Barceloneser Hafen überquerte.

Der San-Sebastián-Turm ragte rund achtzig Meter in die Höhe, ein Gewirr von Kabeln und Stahl, das einen vom bloßen Hinsehen schon schwindeln machte. Die Seilbahn war im selben Jahr anlässlich der Weltausstellung eröffnet worden, die in der Stadt alles auf den Kopf gestellt und aus ihr eine Stadt der Wunder gemacht hatte. Das Seil führte sie quer übers Hafenbecken zu einem großen, dem Eiffelturm nacheifernden Aussichtsturm auf halbem Weg, von dem aus die Kabinen über die zweite Teilstrecke zum Montjuïc-Hügel schwebten, wo das Herzstück der Ausstellung angesiedelt war. Das Wunder der Technik verhieß Ausblicke auf die Stadt, wie sie bisher nur Zeppelinen, Vögeln mit einer gewissen Flügelweite und Hagelkörnern vergönnt gewesen waren. Meiner Ansicht nach waren der Mensch und die Möwe nicht dafür geschaffen, denselben Luftraum zu teilen, und sowie ich den Fuß in den Turmaufzug setzte, schrumpfte mir der Magen zur Murmel. Die Auffahrt erschien mir endlos und das Gerüttel dieser Blechkapsel wie eine Übung in Sachen Übelkeit.

Oben sah ich Corelli durch eines der auf das Hafenbecken und die ganze Stadt hinausgehenden Fenster schauen, in die Aquarelle von Segeln und Masten vertieft. Er trug einen weißen Seidenanzug und ließ zwischen den Fingern ein Stück Zucker hin- und herwandern, um es dann mit der Gier eines Wolfes zu verschlingen. Ich räusperte mich, worauf sich der Patron umdrehte und zufrieden lächelte.

»Eine wundervolle Aussicht, finden Sie nicht?«, fragte er.

Ich nickte und war vermutlich bleich wie ein Stück Pergament.

»Macht die Höhe Eindruck auf Sie?«

»Ich bin ein Geschöpf des Bodens«, antwortete ich in gebührendem Abstand von den Fenstern.

»Ich habe mir erlaubt, Hin- und Rückfahrkarten zu kaufen«, informierte er mich.

»Sehr aufmerksam.«

Ich folgte ihm zu dem Zugangssteg, von dem aus die Kabinen in großer Höhe über eine mir unglaublich lang erscheinende Strecke schaukelten.

»Wie haben Sie die Woche verbracht, Martín?«

»Mit Lesen.«

Er schaute mich kurz an.

»Ihrem gelangweilten Ausdruck entnehme ich, dass es nicht Alexandre Dumas war.«

»Eher eine Auswahl staubtrockener Akademiker und ihrer Zementprosa.«

»Ah, Intellektuelle. Und Sie wollten, dass ich einen einstelle! Warum wohl drücken die Leute, je weniger sie zu sagen haben, dieses wenige auf eine umso pompösere und pedantischere Art aus?«, fragte Corelli. »Um die Welt hinters Licht zu führen oder sich selbst?«

»Möglicherweise beides.«

Er händigte mir die Fahrkarten aus und ließ mich vorgehen. Nachdem ich sie dem Schaffner gegeben hatte, stieg ich ohne Begeisterung ein und hielt mich in der Mitte, so weit von den Fenstern entfernt wie möglich. Corelli strahlte wie ein begeistertes Kind.

»Vielleicht besteht Ihr Problem zum Teil darin, dass Sie die Kommentatoren und nicht die Kommentierten gelesen haben. Ein verbreiteter, aber fataler Fehler, wenn man etwas Nützliches lernen will«, sagte er.

Die Kabinentüren schlossen sich, und mit einem heftigen Ruck schwangen wir frei. Ich klammerte mich an eine Metallstange und atmete tief.

»Ich ahne, dass Gelehrte und Theoretiker nicht die Heiligen sind, denen Ihre Hingabe gilt«, sagte ich.

»Meine Hingabe gilt überhaupt keinem Heiligen, lieber Martín, und am wenigsten denen, die sich selbst oder einander heiligsprechen. Die Theorie ist die Praxis der geistig Armen. Meine Empfehlung lautet, dass Sie die Enzyklopädisten und ihre Abhandlungen vergessen und zu den Quellen vorstoßen. Sagen Sie, haben Sie die Bibel gelesen?«

Ich zögerte einen Augenblick. Die Kabine schwebte ins Leere hinaus. Ich schaute auf den Fußboden.

»Hier und da einzelne Abschnitte vermutlich«, murmelte ich.

»Vermutlich. Wie fast alle. Ein schwerer Fehler. Jedermann müsste die Bibel lesen. Und wieder lesen. Ob gläubig oder nicht, spielt keine Rolle. Ich lese sie mindestens einmal im Jahr. Sie ist mein Lieblingsbuch.«

»Und sind Sie ein Gläubiger oder ein Skeptiker?«

»Ich bin ein Profi. Und Sie auch. Was wir glauben oder nicht, ist irrelevant für das Gelingen unserer Arbeit. Glauben oder nicht glauben ist eine kleinmütige Frage. Man weiß, oder man weiß nicht, Punktum.«

»Dann muss ich gestehen, dass ich nichts weiß.«

»Folgen Sie diesem Weg, und Sie werden in die Fußstapfen des großen Philosophen treten. Und dazwischen lesen Sie die Bibel von vorn bis hinten. Sie ist eine der größten je erzählten Geschichten. Machen Sie nicht den Fehler, das Wort Gottes mit der Messbuchindustrie zu verwechseln, die davon lebt.«

Je länger ich in Gesellschaft des Verlegers war, desto weniger meinte ich ihn zu verstehen.

»Ich glaube, ich habe den Faden verloren. Wir sprechen von Legenden und Fabeln, und jetzt sagen Sie mir, ich soll an die Bibel glauben, als wäre sie das Wort Gottes?«

Ein Schatten der Ungeduld und Gereiztheit legte sich auf seinen Blick.

»Ich spreche im übertragenen Sinn. Gott ist kein Schwätzer. Das Wort ist Menschenwährung.«

Dann lächelte er mir zu, wie man einem Kind, das die elementarsten Dinge nicht versteht, zulächelt, um es nicht ohrfeigen zu müssen. Als ich ihn so anschaute, wurde mir bewusst, dass ich nicht erkennen konnte, wann er es ernst meinte und wann ironisch – so wenig, wie ich den Zweck dieses ausgefallenen Unterfangens erraten konnte, für das er mir das Gehalt eines regierenden Monarchen zahlte. Inzwischen schaukelte die Kabine im Wind wie ein Apfel an einem sturmgeschüttelten Baum. Noch nie hatte ich so sehr an Isaac Newton gedacht.

»Sie sind ein Waschlappen, Martín. Diese Anlage ist absolut sicher.«

»Das glaube ich dann, wenn ich wieder festen Boden unter den Füßen habe.«

Wir näherten uns der Mittelstation der Strecke, dem San-Jaime-Turm, der sich auf einem Pier in der Nähe des großen Zollpalastes erhob.

»Würde es Ihnen etwas ausmachen, hier auszusteigen?«, fragte ich.

Mit einem Schulterzucken stimmte Corelli widerwillig zu. Ich atmete erst wieder ruhig, als der Turmaufzug unten ankam. Auf dem Pier fanden wir eine Bank mit Blick auf den Hafen und den Montjuïc und sahen in der Höhe die Seilbahn schweben – ich erleichtert, Corelli wehmütig.

»Erzählen Sie mir von Ihren ersten Eindrücken und auf welche Gedanken Sie diese Tage des Studiums und der intensiven Lektüre gebracht haben.«

Resümierend erzählte ich ihm, was ich glaubte, gelernt – oder verlernt – zu haben. Er hörte aufmerksam zu, nickte und gestikulierte dabei. Am Ende meines sachkundigen Berichts über Mythen und Glaubenslehren der Menschen war Corelli voll des Lobs.

»Ich glaube, Sie haben das alles ausgezeichnet zusammengefasst. Zwar haben Sie nicht die sprichwörtliche Nadel im Heuhaufen gefunden, aber Sie haben begriffen, dass das Einzige, was an diesem ganzen Heuhaufen interessieren kann, eine verdammte Stecknadel ist und alles andere nur Eselsfutter. Und wenn wir schon bei Grautieren sind: Interessieren Sie sich für Fabeln?«

»Als Kind wollte ich zwei Monate lang Äsop sein.«

»Wir alle geben im Laufe des Lebens große Erwartungen auf.«

»Was wollten Sie als Kind sein, Señor Corelli?«

»Gott.«

Sein Schakalslächeln löschte meines aus.

»Martín, die Fabeln sind möglicherweise eines der interessantesten literarischen Verfahren, die je erfunden wurden. Wissen Sie, was sie uns lehren?«

»Moralische Lektionen?«

»Nein. Sie lehren uns, dass die Menschen Ideen und Vorstellungen durch Erzählungen, durch Geschichten verstehen lernen und aufnehmen, nicht durch Schulmeisterlektionen und theoretische Abhandlungen. Das lehrt uns auch jeder der großen Glaubenstexte. Sie erzählen alle von Personen, die sich dem Leben stellen und Hindernisse überwinden müssen, Figuren, die eine Reise unternehmen und durch Abenteuer und Offenbarungen innerlich reifen. Alle heiligen Bücher sind große Geschichten, die die grundlegenden Fragen der menschlichen Natur berühren und sie in einen moralischen Kontext und einen Rahmen bestimmter metaphysischer Glaubenssätze stellen. Ich wollte, dass Sie zuerst eine elende Woche mit dem Lesen von Abhandlungen, Reden, Meinungen und Kommentaren verbringen, um dann selbst zu merken, dass es von ihnen nichts zu lernen gibt, weil sie tatsächlich zumeist nichts anderes sind als in der Regel der fehlgeschlagene Ausdruck guten oder schlechten Willens, und dass Sie dann selbst etwas zu lernen versuchen. Schluss mit dem Dozieren ex cathedra. Von heute an sollen Sie die Märchen der Brüder Grimm, die Tragödien des Aischylos, das Ramayana oder die keltischen Legenden lesen. Ganz nach Belieben. Sie sollen ihren Gehalt herausdestillieren und analysieren, wie diese Texte funktionieren und warum sie unsere Gefühle ansprechen. Sie sollen die Grammatik, nicht die Moral lernen. Und in zwei, drei Wochen sollen Sie mir bereits etwas Eigenes bringen, den Anfang einer Geschichte. Sie sollen mich glauben machen.«

»Ich dachte, wir seien Profis und dürften nicht die Sünde begehen, an etwas zu glauben.«

Corelli lächelte mit entblößten Zähnen.

»Man kann nur einen Sünder bekehren, nie einen Heiligen.«

13

Die Tage vergingen mit Lektüre und Geplänkel. Da ich es seit Jahren gewohnt war, allein und in der methodischen, stark unterschätzten Anarchie des wahren Junggesellen zu leben, untergrub die dauernde Anwesenheit einer Frau, auch wenn sie nur ein flatterhafter, ungezogener Backfisch war, meinen Alltag auf subtile, aber systematische Art. Ich glaubte an das geordnete Chaos, Isabella nicht; ich glaubte, die Dinge fänden im Durcheinander einer Wohnung ihren Platz von selbst, Isabella nicht; ich glaubte an Einsamkeit und Stille, Isabella nicht.

In nur zwei Tagen musste ich feststellen, dass ich in meiner eigenen Wohnung nichts mehr wiederfand. Wenn ich einen Brieföffner oder ein Glas oder ein Paar Schuhe suchte, musste ich Isabella fragen, wo sie in einem Moment der Eingebung diese Dinge versteckt hatte.

»Ich verstecke nichts. Ich stelle die Dinge an ihren Ort, das ist was anderes.«

Kein Tag verging, an dem ich sie nicht ein halbes Dutzend Mal am liebsten erdrosselt hätte. Wenn ich mich in den Frieden und die Stille des Arbeitszimmers zurückzog, um nachzudenken, erschien nach wenigen Minuten Isabella mit einer Tasse Tee oder mit Gebäck. Danach begann sie im Raum herumzugehen, schaute aus dem Fenster, räumte den Schreibtisch auf und fragte schließlich, was ich denn da oben treibe, so still und geheimnisvoll. Ich entdeckte, dass siebzehnjährige Mädchen ein so mächtiges Sprechvermögen haben, dass ihr Hirn sie alle zwanzig Sekunden davon Gebrauch machen lässt. Am dritten Tag beschloss ich, ihr einen Freund zu suchen, tunlichst einen tauben.

»Isabella, wie ist es möglich, dass ein so gut aussehendes junges Mädchen wie du keine Freier hat?«

»Wer sagt denn, ich hätte keine?«

»Gibt es keinen Jungen, der dir gefällt?«

»Die Jungen in meinem Alter sind langweilig. Sie haben nichts zu sagen, und die Hälfte sind absolute Hohlköpfe.«

Ich wollte sagen, dass sich das mit dem Alter nicht bessert, aber dann fand ich, ich müsse ihr die Illusionen lassen.

»In welchem Alter magst du sie denn?«

»Älter. So wie Sie.«

»Du findest mich älter?«

»Na ja, ein junger Spund sind Sie ja nicht mehr unbedingt.«

Ich nahm das als Hänselei statt als Kränkung und beschloss, mich mit ein wenig Sarkasmus freizustrampeln.

»Die gute Nachricht ist, dass junge Mädchen ältere Männer, und die schlechte, dass ältere Männer, vor allem die Sabbergreise, junge Mädchen mögen.«

»Ist mir bekannt. Ich bin ja nicht blöd.«

Sie schaute mich an, als heckte sie etwas aus, und lächelte maliziös. Jetzt kommt's, dachte ich.

»Mögen Sie auch junge Mädchen?«

Ich hatte die Antwort auf den Lippen, noch ehe sie die Frage formulierte, und sagte in gelassenem Geographielehrerton:

»Ich mochte sie, als ich in deinem Alter war. Grundsätzlich mag ich junge Mädchen in meinem Alter.«

»In Ihrem Alter sind es keine jungen Mädchen mehr, sondern Fräuleins oder, wenn Sie mich fragen, Frauen.«

»Ende der Debatte. Hast du unten nichts zu tun?«

»Nein.«

»Dann setz dich hin und schreibe. Du bist nicht hier, um Teller zu spülen und mir meine Sachen zu verstecken. Ich hab dich hier aufgenommen, weil du sagtest, du willst schreiben lernen, und weil ich der einzige Idiot bin, der dir dabei helfen kann.«

»Sie brauchen nicht gleich böse zu werden. Mir fehlt die Inspiration.«

»Die Inspiration kommt, wenn man sich hinter den Schreibtisch klemmt, den Hintern auf den Stuhl klebt und zu schwitzen beginnt. Such dir ein Thema und press dein Hirn aus, bis es dir wehtut. Das nennt man Inspiration.«

»Das Thema habe ich bereits.«

»Halleluja.«

»Ich werde über Sie schreiben.«

Es folgte eine lange Stille mit hin und her fliegenden Blicken wie bei zwei Gegnern, die sich übers Spielbrett hinweg mustern.

»Warum?«

»Weil ich Sie interessant finde. Und seltsam.«

»Und älter.«

»Und empfindlich. Fast wie ein Junge meines Alters.«

Ganz gegen meinen Willen gewöhnte ich mich allmählich an Isabellas Gesellschaft, an ihre ätzenden Bemerkungen und das Licht, das sie in diese Wohnung gebracht hatte. Wenn das so weiterging, würden sich meine schlimmsten Befürchtungen bewahrheiten und wir uns am Ende noch anfreunden.

»Und Sie, haben Sie schon ein Thema, bei all diesen Schmökern, die Sie da konsultieren?«

Ich dachte, je weniger ich ihr von meinem Auftrag erzähle, desto besser.

»Ich stecke noch in der Recherchephase.«

»Recherche? Und wie funktioniert das?«

»Indem man Tausende Seiten liest, um das Nötige zu

lernen und zum Wesentlichen eines Themas vorzudringen, zu seiner emotionalen Wahrheit, und nachher verlernt man alles wieder, um bei null anzufangen.«

Isabella seufzte.

»Was ist emotionale Wahrheit?«

»Die Ehrlichkeit in der Dichtung.«

»Dann muss man also ehrlich und ein guter Mensch sein, um zu dichten?«

»Nein. Man muss sein Handwerk beherrschen. Die emotionale Wahrheit ist keine moralische Eigenschaft, sie ist eine Technik.«

»Sie reden wie ein Wissenschaftler«, protestierte sie.

»Literatur, wenigstens die gute, ist eine Wissenschaft, die das Blut der Kunst in sich trägt. Wie die Architektur oder die Musik.«

»Ich dachte, sie sprieße einfach so aus dem Künstler hervor.«

»Das Einzige, was einfach so aus ihm hervorsprießt, sind die Haare und die Warzen.«

Isabella erwog diese Worte ohne große Überzeugung.

»Das sagen Sie alles nur, um mich zu entmutigen und damit ich nach Hause gehe.«

»Das wäre zu schön, um wahr zu sein.«

»Sie sind der schlechteste Lehrer der Welt.«

»Der Schüler macht den Lehrer, nicht umgekehrt.«

»Mit Ihnen kann man nicht diskutieren, Sie kennen sämtliche Schliche der Rhetorik. Das ist ungerecht.«

»Nichts ist gerecht. Das Höchste, was man anstreben kann, ist, dass es logisch ist. Die Gerechtigkeit ist eine seltene Krankheit in einer ansonsten kerngesunden Welt.«

»Amen. Ist es das, was passiert, wenn man älter wird? Dass man aufhört, an irgendetwas zu glauben, so wie Sie?«

»Nein. Auch wenn sie älter werden, glauben die meisten Menschen immer noch an Albernheiten, im Allgemeinen an immer größere. Ich schwimme gegen den Strom, weil ich den Leuten gern auf den Geist gehe.«

»Beschwören Sie es nicht. Wenn ich älter bin, werde ich noch immer an irgendetwas glauben.«

»Viel Glück.«

»Und zudem glaube ich an Sie.«

Sie wich meinem Blick nicht aus.

»Weil du mich nicht kennst.«

»Das glauben *Sie*. Sie sind nicht so geheimnisvoll, wie Sie meinen.«

»Ich will gar nicht geheimnisvoll sein.«

»Das war nur eine nette Umschreibung für unsympathisch. Auch ich kenne die eine oder andere rhetorische List.«

»Das ist keine Rhetorik. Das ist Ironie. Und das ist nicht dasselbe.«

»Müssen Sie eigentlich immer das letzte Wort haben?«

»Wenn man es mir so einfach macht, schon.«

»Und dieser Mann, der Patron …«

»Corelli?«

»Corelli. Macht er es Ihnen leicht?«

»Nein. Corelli kennt noch mehr rhetorische Tricks als ich.«

»Dacht ich's mir doch. Trauen Sie ihm?«

»Warum fragst du das?«

»Ich weiß nicht. Trauen Sie ihm?«

»Warum sollte ich ihm nicht trauen?«

Sie zuckte die Achseln.

»Womit hat er Sie konkret beauftragt? Wollen Sie es mir nicht sagen?«

»Ich habe es dir doch schon gesagt. Ich soll ein Buch schreiben für seinen Verlag.«

»Einen Roman?«

»Nicht direkt. Eher eine Fabel. Eine Legende.«

»Ein Kinderbuch?«

»In etwa.«

»Und werden Sie es tun?«

»Er zahlt sehr gut.«

Isabella zog die Brauen zusammen.

»Darum schreiben Sie? Weil Sie gut bezahlt werden?«

»Manchmal.«

»Und diesmal?«

»Diesmal werde ich dieses Buch schreiben, weil ich es tun muss.«

»Stehen Sie in seiner Schuld?«

»Vermutlich könnte man das so sagen.«

Sie dachte nach. Ich hatte den Eindruck, sie wollte eine Bemerkung machen, doch sie verkniff sie sich und biss sich auf die Lippen. Dafür schenkte sie mir ein unschuldiges Lächeln und einen ihrer Engelsblicke, mit denen sie im Handumdrehen das Thema wechseln konnte.

»Ich möchte auch fürs Schreiben bezahlt werden.«

»Das möchte jeder, der schreibt, aber das heißt nicht, dass irgendjemand es tut.«

»Und wie erreicht man es?«

»Indem man zunächst einmal in die Veranda runtergeht, ein Blatt Papier nimmt ...«

»... die Ellbogen aufstemmt und das Hirn auspresst, bis es schmerzt. Ich weiß.«

Unschlüssig schaute sie mir in die Augen. Ich hatte sie bereits seit anderthalb Wochen bei mir und noch keine Anstalten gemacht, sie nach Hause zurückzuschicken. Vermutlich fragte sie sich, wann ich es tun würde oder warum ich es noch nicht getan hatte. Ich fragte es mich ebenfalls und fand keine Antwort darauf.

»Ich bin gern Ihre Assistentin, obwohl Sie sind, wie Sie sind«, sagte sie schließlich.

Sie schaute mich an, als hinge ihr Leben von einem freundlichen Wort ab. Ich erlag der Versuchung. Gute Worte sind eitle Gefälligkeiten, die keinerlei Opfer erfordern und auf mehr Dankbarkeit stoßen als echte Liebenswürdigkeit.

»Auch ich freue mich, dass du meine Assistentin bist, Isabella, obwohl ich bin, wie ich bin. Und noch mehr wird es mich freuen, wenn du nicht mehr meine Assistentin zu sein brauchst, weil du von mir nichts mehr zu lernen hast.«

»Glauben Sie, ich habe Talent?«

»Ganz ohne Zweifel. In zehn Jahren wirst du die Lehrerin sein und ich der Lehrling.« In der Wiederholung kamen mir diese Worte wie ein Verrat vor.

»Schwindler«, sagte sie und küsste mich weich auf die Wange, um dann die Treppe hinunterzusausen.

14

Am Nachmittag ließ ich Isabella vor den leeren Seiten auf dem Schreibtisch zurück, den wir für sie in die Veranda gestellt hatten, und ging zu Don Gustavo Barcelós Buchhandlung in der Calle Fernando, um mir eine gute, lesbare Bibel zu kaufen. Alle Ausgaben des Alten und Neuen Testaments, die ich zuhause hatte, bestanden aus halb durchsichtigem Dünndruckpapier mit mikroskopischer Schrift, sodass ihre Lektüre weniger Inbrunst und göttliche Inspiration als Migräne hervorrief. Barceló, neben vielem anderen ein beharrlicher Sammler von heiligen Schriften und apokryphen christlichen Texten, hatte im hinteren Teil der Buchhandlung einen abgetrennten Raum mit einer famosen Auswahl an Evangelien, Legenden von Seliggesprochenen und Heiligen sowie frommen Texten aller Art.

Als mich einer der Angestellten eintreten sah, benachrichtigte er flugs den Chef in seinem Büro. Euphorisch kam mich Barceló begrüßen.

»Das ist aber eine schöne Überraschung! Sempere hat mir schon gesagt, dass Sie auferstanden sind, aber das ist wirklich unglaublich. Neben Ihnen sieht Valentino aus, als käme er frisch von der Feldarbeit. Wo haben Sie denn gesteckt, Sie Schlingel?«

»Da und dort«, sagte ich.

»Überall außer bei Vidals Hochzeitsschmaus. Man hat Sie vermisst, mein Lieber.«

»Das wage ich zu bezweifeln.«

Der Buchhändler nickte zum Zeichen, dass er meinen

Wunsch, nicht weiter auf das Thema einzugehen, verstanden hatte.

»Darf ich Ihnen eine Tasse Tee anbieten?«

»Auch zwei. Und eine Bibel. Eine handliche, wenn möglich.«

»Das dürfte kein Problem sein. Dalmau?« Ein Angestellter eilte herbei. »Dalmau, der liebe Martín benötigt eine Bibelausgabe nicht dekorativer, sondern lesbarer Natur. Ich denke an Torres Amat, 1825. Was meinen Sie?«

Eine der Besonderheiten von Barcelós Buchhandlung war, dass hier von den Büchern wie von edlen Weinen gesprochen wurde – samt Bouquet, Aroma, Konsistenz und Jahrgang.

»Vortreffliche Wahl, Señor Barceló, obwohl ich eher zur aktualisierten, durchgesehenen Ausgabe neige.«

»1860?«

»1893.«

»Natürlich. Stattgegeben. Packen Sie sie dem lieben Martín ein, geht auf Kosten des Hauses.«

»Kommt überhaupt nicht infrage«, warf ich ein.

»An dem Tag, da ich von einem Ungläubigen wie Ihnen für das Wort Gottes etwas kassiere, soll mich ein Blitz niederschmettern, und zwar mit vollem Recht.«

Dalmau ging meine Bibel holen, und ich folgte Barceló in sein Büro, wo er uns beiden eine Tasse Tee einschenkte und mir aus seinem Humidor eine Zigarre und zum Anzünden eine Kerze anbot.

»Macanudo?«

»Ich sehe, Sie sind dabei, ihren Gaumen zu bilden. Ein Mann muss Laster haben, und zwar möglichst solche mit

Niveau, sonst kann er im Alter von nichts erlöst werden. Ich werde Ihnen Gesellschaft leisten, zum Henker.«

Eine köstliche Qualmwolke hüllte uns ein.

»Vor ein paar Monaten war ich in Paris und hatte die Gelegenheit, einige Nachforschungen anzustellen zu dem Thema, das Sie vor längerer Zeit Sempere gegenüber erwähnt haben«, erklärte Barceló.

»Die Éditions de la Lumière.«

»Genau. Ich hätte gern etwas tiefer geschürft, aber leider sieht es so aus, als hätte seit der Schließung des Verlages niemand die Rechte übernommen, und so war es schwierig für mich, etwas Brauchbares zusammenzukratzen.«

»Sie sagen, er wurde geschlossen? Wann denn?«

»1914, wenn mich mein Gedächtnis nicht täuscht.«

»Das muss ein Irrtum sein.«

»Nicht, wenn wir von den Éditions de la Lumière auf dem Boulevard Saint-Germain sprechen.«

»Genau die.«

»Schauen Sie, ich habe mir alles genau aufgeschrieben, um nichts zu vergessen, wenn wir uns sähen.« Er kramte in seiner Schreibtischschublade und zog ein kleines Notizheft heraus. »Da hab ich's: ›Éditions de la Lumière, Verlag für religiöse Texte mit Büros in Rom, Paris, London und Berlin. Gründer und Herausgeber: Andreas Corelli. Eröffnung des ersten Büros in Paris: 1881.‹«

»Unmöglich«, murmelte ich.

Barceló zuckte die Achseln.

»Na gut, ich kann mich geirrt haben, aber ...«

»Konnten Sie die Geschäftsräume besuchen?«

»Ich habe es versucht – mein Hotel befand sich gegenüber dem Panthéon, ganz in der Nähe, und die ehemaligen Verlagsräume lagen auf der Südseite des Boulevards, zwischen der Rue Saint-Jacques und dem Boulevard Saint-Michel.«

»Und?«

»Das Haus stand leer und war zugemauert, und es sah aus, als hätte es einen Brand gegeben oder so. Das einzige noch Intakte war der Türklopfer, ein erlesenes Stück in Form eines Engels. Bronze, würde ich sagen. Ich hätte es mitgenommen, hätte mich nicht ein Gendarm argwöhnisch beobachtet, und ich hatte nicht den Mut, einen diplomatischen Zwischenfall auszulösen – nicht, dass Frankreich noch einmal einzufallen beschließt.«

»Wenn man sich so umsieht, würde es uns damit vielleicht sogar einen Dienst erweisen.«

»Jetzt, wo Sie es sagen … Aber um auf das Thema zurückzukommen – nachdem ich mir das alles angesehen hatte, ging ich in ein benachbartes Café, um nachzufragen, und man sagte mir, das Haus befinde sich seit über zwanzig Jahren in diesem Zustand.«

»Haben Sie etwas über den Verleger herausfinden können?«

»Corelli? Soweit ich verstanden habe, hat er den Verlag geschlossen, als er sich zur Ruhe setzte, obwohl er offenbar noch nicht einmal fünfzig war. Ich glaube, er zog in eine Villa im Süden Frankreichs, im Luberon, und starb kurze Zeit später. Ein Schlangenbiss, hieß es. Eine Viper. Und dafür zieht man sich in die Provence zurück.«

»Sind Sie sicher, dass er gestorben ist?«

»Père Coligny, ein ehemaliger Konkurrent, hat mir seine Todesanzeige gezeigt, die er wie eine Trophäe eingerahmt hatte. Er sagte, er schaue sie jeden Tag an, um sich daran zu erinnern, dass dieser verdammte Bastard tot und verscharrt sei. Wörtlich – obwohl es auf Französisch sehr viel schöner und melodischer klang.«

»Hat Coligny erwähnt, ob der Verleger Kinder hatte?«

»Ich hatte den Eindruck, dieser Corelli war nicht sein Lieblingsthema, und sobald er konnte, hat er sich mir entwunden. Anscheinend gab es einen Skandal, weil Corelli ihm einen seiner Autoren weggeschnappt hatte, einen gewissen Lambert.«

»Wie war das genau?«

»Das Amüsanteste an der ganzen Geschichte ist, dass Coligny Corelli gar nie zu Gesicht bekommen hat. Sie haben nur korrespondiert. Der springende Punkt war wohl der, dass Monsieur Lambert anscheinend einen Vertrag unterschrieben hatte, um für die Éditions de la Lumière hinter Colignys Rücken ein Buch zu verfassen, obwohl er mit Letzterem einen Exklusivvertrag hatte. Lambert war ein Opiumsüchtiger im Endstadium und hatte genug Schulden auf dem Buckel, um damit die Rue de Rivoli zu pflastern. Coligny argwöhnte, dass Corelli Lambert eine astronomische Summe angeboten und der arme, dem Tod nahe Mann angenommen hatte, damit seine Kinder ein Auskommen hätten.«

»Was für eine Art Buch?«

»Etwas mit religiösem Inhalt. Coligny hat den Titel erwähnt, irgendein gängiger lateinischer Ausdruck, der mir jetzt gerade nicht einfällt. Sie wissen ja, sämtliche Messbücher sind mehr oder weniger ähnlich. *Pax Gloria Mundi* oder etwas in der Art.«

»Und was ist mit Lamberts Buch geschehen?«

»Da wird das Ganze kompliziert. Offenbar wollte der arme Lambert das Manuskript in einem Wahnsinnsanfall verbrennen und hat sich im Verlag damit gleich selbst in Brand gesteckt. Viele nahmen an, das Opium habe ihm das Hirn versengt, aber Coligny hat den Verdacht, Corelli habe ihn in den Selbstmord getrieben.«

»Warum sollte er das?«

»Wer weiß? Vielleicht wollte er die versprochene Summe nicht zahlen. Vielleicht waren das alles auch nur Hirngespinste von Coligny, der, würde ich sagen, rund um die Uhr dem Beaujolais zuspricht. Zum Beispiel sagte er mir, Corelli habe versucht ihn umzubringen, um Lambert aus seinem Vertrag zu befreien, und ihn erst in Ruhe gelassen, nachdem er, Coligny, beschlossen habe, den Schriftsteller aus seinem Vertrag zu entlassen.«

»Haben Sie nicht eben gesagt, er habe ihn nie gesehen?«

»Spricht noch mehr für das, was ich sage. Ich glaube, Coligny delirierte. Als ich ihn in seiner Wohnung aufsuchte, habe ich mehr Kruzifixe, Müttergottes und Heiligenbilder gesehen als in einem Devotionalienladen. Ich hatte den Eindruck, er war nicht ganz richtig im Kopf. Beim Abschied sagte er, ich solle mich von Corelli fernhalten.«

»Aber haben Sie nicht gesagt, er sei gestorben?«

»*Ecco qui.*«

Ich schwieg. Barceló schaute mich neugierig an.

»Ich habe den Eindruck, meine Ermittlungen haben Sie nicht besonders überrascht.«

Ich spielte das Ganze mit einem sorglosen Lächeln herunter.

»Im Gegenteil. Ich bin Ihnen sehr dankbar, dass Sie sich Zeit für diese Nachforschungen genommen haben.«

»Nicht der Rede wert. In Paris auf Klatschtour zu gehen ist für mich ein Heidenvergnügen, Sie kennen mich ja.«

Er riss die Seite mit den Angaben aus seinem Notizheft und gab sie mir.

»Vielleicht können Sie das brauchen. Da steht alles, was ich herausfinden konnte.«

Ich stand auf und gab ihm die Hand. Er begleitete mich zum Ausgang, wo mir Dalmau das eingeschlagene Buch der Bücher überreichte.

»Wenn Sie irgendein Jesusbildchen möchten, wo er die Augen auf- und zuklappt, je nachdem, wie man ihn anschaut, dann habe ich auch das. Oder eines von der Muttergottes, umgeben von Lämmchen, die zu pausbäckigen Cherubim werden, wenn man es dreht. Ein Wunder der Stereoskopie.«

»Für den Augenblick reicht mir das offenbarte Wort.«

»So sei es.«

Ich dankte ihm für seine Unterstützung, aber je weiter ich mich von der Buchhandlung entfernte, desto mehr befiel mich eine kalte Unruhe, und ich hatte den Eindruck, die Straßen und mein Schicksal seien auf Treibsand gebaut.

15

Auf dem Heimweg blieb ich vor dem Schaufenster eines
Schreibwarengeschäfts in der Calle Argenteria stehen.
Auf einem drapierten Tuch glänzte ein Etui mit einigen
Federn und einem Elfenbeinhalter samt dem dazu passenden weißen Tintenfass, auf dem Musen oder Elfen
eingraviert waren. Die Garnitur wirkte etwas melodra-
matisch und sah aus wie vom Schreibtisch eines jener
russischen Romanciers entwendet, die ihr Herz auf Tau-
senden von Seiten ausbluten. Isabella hatte eine Schrift,
um die ich sie beneidete, eine Ballettschrift, rein wie ihr
Gewissen, und ich hatte das Gefühl, diese Schreibgarnitur trage ihren Namen. Ich ging hinein und bat den Inhaber, sie mir zu zeigen. Die Federn waren vergoldet,
und der Spaß kostete ein kleines Vermögen, aber ich
fand es angebracht, die Liebenswürdigkeit und Geduld,
die meine junge Assistentin mir gegenüber aufbrachte,
mit einer großzügigen Geste zu erwidern. Ich ließ sie
mir in purpurn glänzendes Papier mit riesengroßer
Schleife einpacken.

Zuhause wollte ich die egoistische Genugtuung genießen, die man empfindet, wenn man mit einem Geschenk
in der Hand erscheint. Ich schickte mich an, Isabella wie
ein treues Maskottchen zu rufen, das nichts anderes zu
tun hat, als ergeben auf seinen Herrn zu warten, doch der
Anblick, der sich mir bot, als ich die Tür öffnete, ließ
mich verstummen. Der Korridor war dunkel wie ein
Tunnel. Die Tür zum hintersten Zimmer stand offen,
und daraus fiel gelblich flackerndes Licht auf den Boden.

»Isabella?«, rief ich mit trockenem Mund.

»Hier bin ich.«

Die Stimme kam aus dem Inneren. Ich deponierte das Paket auf dem Dielentisch und ging weiter. Auf der Schwelle blieb ich stehen und schaute hinein. Isabella saß mitten im Raum auf dem Boden und gab sich, eine Kerze in einem hohen Glas neben sich, eifrig ihrer nach dem Schreiben zweitwichtigsten Berufung hin: in fremden Behausungen für Ordnung und Sauberkeit zu sorgen.

»Wie bist du hier reingekommen?«

Sie lächelte mich an.

»Ich war in der Veranda und habe ein Geräusch gehört. Ich dachte, das wären Sie, Sie wären zurück, und als ich auf den Flur hinausging, habe ich gesehen, dass die Zimmertür offen stand. Ich dachte, Sie hätten gesagt, sie sei abgeschlossen.«

»Komm da raus. Ich mag es nicht, wenn du in dieses Zimmer gehst. Es ist feucht.«

»Was für ein Unsinn. Wo es hier doch so viel zu tun gibt. Schauen Sie. Schauen Sie, was ich gefunden habe.«

Ich zögerte.

»Na los, kommen Sie schon rein.«

Ich ging hinein und kniete mich neben sie. Sie hatte die Dinge und Schachteln nach Kategorien geordnet: Bücher, Spielsachen, Fotografien, Kleider, Schuhe, Brillen. Misstrauisch musterte ich das alles. Isabella schien begeistert, als wäre sie auf die Minen König Salomos gestoßen.

»Gehört das alles Ihnen?«

Ich schüttelte den Kopf.

»Es gehört dem ehemaligen Besitzer.«

»Haben Sie ihn gekannt?«

»Nein. Das hatte bei meinem Einzug alles schon jahrelang hier gelegen.«

Isabella hielt mir einen Stapel Briefe unter die Nase, als wären es Beweisstücke vor Gericht.

»Ich glaube, ich habe herausgefunden, wie er hieß.«

»Was du nicht sagst.«

Sie lächelte, offensichtlich entzückt von ihrem detektivischen Eifer.

»Marlasca. Er hieß Diego Marlasca. Finden Sie das nicht komisch?«

»Was?«

»Dass die Initialen dieselben sind wie Ihre: D. M.«

»Reiner Zufall. In dieser Stadt haben Zehntausende diese Initialen.«

Sie blinzelte mir zu und amüsierte sich prächtig.

»Schauen Sie, was ich noch gefunden habe.«

Sie zeigte mir eine Blechdose mit alten Fotografien. Es waren Bilder aus einer anderen Zeit, alte Postkarten eines vergangenen Barcelona, von den niedergerissenen Palästen im Ciudadela-Park nach der 1888er-Weltausstellung, von alten zerfallenen Häusern und Alleen mit nach der damaligen steifen Art gekleideten Menschen, von Fuhrwerken und Erinnerungen, die die Farbe meiner Kindheit hatten. Mit verlorenem Blick schauten mich Gesichter aus dreißig Jahren Abstand an. Auf mehreren Aufnahmen glaubte ich die Züge einer Schauspielerin zu erkennen, die in meiner Jugend populär gewesen und dann in Vergessenheit geraten war. Isabella schaute mich an.

»Erkennen Sie sie?«, fragte sie.

»Ich glaube, sie hieß Irene Sabino. Eine Schauspielerin mit einem gewissen Ruf in den Theatern auf dem Paralelo. Das ist lange her. Da warst du noch nicht geboren.«

»Sehen Sie sich das an.«

Sie zeigte mir ein Bild, auf dem Irene Sabino sich an ein Fenster lehnte, das ich mühelos als eines in meinem Arbeitszimmer im Turm identifizierte.

»Interessant, nicht wahr?«, sagte Isabella. »Glauben Sie, sie hat hier gewohnt?«

Ich zuckte die Schultern.

»Vielleicht war sie die Geliebte dieses Diego Marlasca…«

»Jedenfalls glaube ich nicht, dass uns das etwas angeht.«

»Wie langweilig Sie manchmal sind.«

Sie legte die Bilder in die Dose zurück, wobei ihr eines entglitt. Ich hob es auf und studierte es. Darauf posierte Irene Sabino in einem schimmernden schwarzen Kleid mit einer Gruppe festlich gewandeter Leute in einem Raum, in dem ich den großen Saal des Reitklubs zu erkennen glaubte. Es war eine ganz gewöhnliche Aufnahme von einem Fest, die mir nicht weiter aufgefallen wäre, hätte man nicht im Hintergrund oben auf der Treppe verschwommen einen weißhaarigen Herrn ausmachen können. Andreas Corelli.

»Sie sind ganz blass geworden«, sagte Isabella.

Sie nahm mir das Bild aus den Händen und schaute es wortlos an. Ich stand auf und winkte sie aus dem Zimmer.

»Ich will nicht, dass du hier noch mal reingehst«, sagte ich matt.

»Warum nicht?«

Ich wartete, bis sie draußen war, und schloss ab. Sie schaute mich an, als wäre ich nicht ganz richtig bei Verstand.

»Morgen lässt du die Barmherzigen Schwestern kommen, damit sie den ganzen Kram abholen. Sie sollen alles mitnehmen und wegschmeißen, was sie nicht brauchen können.«

»Aber …«

»Keine Widerrede.«

Ich mochte ihrem Blick nicht begegnen und wandte mich zur Wendeltreppe. Isabella sah mir vom Korridor aus nach.

»Wer ist dieser Mann, Señor Martín?«

»Niemand«, murmelte ich. »Niemand.«

16

Ich ging ins Arbeitszimmer hinauf. Es war finstere Nacht, der Himmel ohne Mond und Sterne. Ich öffnete die Fenster weit, um die im Dunkeln liegende Stadt zu betrachten. Es ging kaum ein Luftzug, und der Schweiß brannte auf der Haut. Ich setzte mich aufs Fensterbrett, steckte mir die zweite von Isabellas Zigarren an und wartete auf einen frischen Windhauch und einen etwas originelleren Einfall als meine Sammlung von Gemeinplätzen, um den Auftrag des Patrons in Angriff zu nehmen. Da hörte ich, wie sich im unteren Stock die Fensterläden von Isabellas Zimmer öffneten. In den Innenhof fiel ein Rechteck aus Licht, in dem sich ihre Silhouette abzeichnete. Ohne meine Anwesenheit zu bemerken, trat sie ans Fenster und schien hinauszuschauen. Ich sah, wie sie sich langsam auszog, konnte erahnen, wie sie vor den Schrankspiegel trat und ihren Körper betrachtete, wie sie sich mit den Fingerspitzen über den Bauch und die Schnitte auf der Innenseite von Armen und Beinen strich. Sie schien sich lange zu betrachten und löschte dann das Licht.

Ich setzte mich wieder an den Schreibtisch vor den Stapel Notizen und Anmerkungen, die ich für das Buch des Patrons zusammengetragen hatte und die ich jetzt noch einmal durchging. Entwürfe für Geschichten über mystische Offenbarungen und Propheten, die nach schrecklichen Prüfungen mit einer ihnen offenbarten Wahrheit zurückkehrten, über messianische Thronfolger, die man vor den Türen demütiger, reinherziger Familien ausgesetzt hatte, welche von unheilvollen Imperien verfolgt wurden, Geschichten über Paradiese in anderen Dimensionen, die denen verheißen waren, welche ihr Los und die Gesetze unverzagt hinnahmen, und über müßiggängerische Gottheiten in Menschengestalt, die nichts anderes taten, als das Gewissen von Millionen zarter Primaten telepathisch zu überwinden, Primaten, welche gerade rechtzeitig denken gelernt hatten, um zu entdecken, dass sie in einem verlorenen Winkel des Universums ihrem Schicksal überlassen waren, und deren Eitelkeit – oder Verzweiflung – sie glauben ließ, dass Himmel und Hölle sich tatsächlich um ihre schäbigen kleinen Sünden scherten.

Ich fragte mich, ob es das war, was der Patron in mir gesehen hatte, eine Söldnerseele, die bedenkenlos ein betäubendes Märchen ausheckte, das Kinder zum Einschlafen brachte oder einen verzweifelten armen Teufel dazu verleitete, seinen Nachbarn zu meucheln, und das einzig für die ewige Dankbarkeit von Gottheiten, die sich dem Gesetz des Tötens verschrieben hatten.

Einige Tage zuvor hatte mich der Patron mit einem Schreiben zu einem weiteren Rendezvous bestellt, um den Fortgang meiner Arbeit zu besprechen. Der eigenen Skrupel müde, sagte ich mir, dass bis zu dem Treffen nur noch vierundzwanzig Stunden blieben und ich bei meinem Tempo Gefahr lief, mit leeren Händen und dem Kopf voller Zweifel und Misstrauen zu erscheinen. So tat ich, was ich jahrelang in ähnlichen Lagen getan hatte – ich spannte ein Blatt in die Underwood ein, und mit den Händen auf den Tasten wie ein Pianist in Erwartung des Einsatzes begann ich mein Hirn auszupressen, um zu sehen, was dabei herauskäme.

17

»Interessant«, sagte der Patron nach der zehnten und letzten Seite. »Sonderbar, aber interessant.«

Wir saßen auf einer Bank im goldenen Halbdunkel des Umbráculo-Pavillons im Ciudadela-Park. Die Lamellen filterten die Sonnenstrahlen zu Goldstaub, die Pflanzen modellierten das Hell und Dunkel des seltsamen Dämmerns um uns herum. Ich zündete mir eine Zigarette an und schaute dem in Spiralen aufsteigenden Rauch nach.

»In Ihrem Mund ist ›sonderbar‹ ein beunruhigendes Adjektiv«, bemerkte ich.

»Ich meinte ›sonderbar‹ im Gegensatz zu ›platt‹«, präzisierte Corelli.

»Aber?«

»Kein Aber, lieber Martín. Ich glaube, Sie haben einen interessanten Weg voller Möglichkeiten gefunden.«

Wenn man einem Romanschriftsteller sagt, einige Seiten seien interessant geraten und steckten voller Möglichkeiten, ist das für ihn der Hinweis, dass es gar nicht gut läuft. Corelli schien meine Besorgnis zu erahnen.

»Sie haben das Pferd vom Schwanz her aufgezäumt. Anstatt bei den mythologischen Bezügen zu beginnen, haben Sie bei den prosaischsten Quellen angefangen. Darf ich fragen, woher Sie die Idee eines kriegerischen statt eines friedfertigen Messias haben?«

»Die Biologie haben Sie ins Spiel gebracht.«

»Alles, was wir wissen müssen, steht im großen Buch

der Natur. Es braucht nichts anderes als Mut, einen lauteren Geist und eine reine Seele, um darin zu lesen«, sagte Corelli.

»In einem der Bücher, die ich konsultiert habe, steht, der Mann erreiche den Zenit seiner Fruchtbarkeit im Alter von siebzehn Jahren, die Frau dagegen erst später. Sie erhält sich ihre Fruchtbarkeit länger und beurteilt und wählt auf mysteriöse Weise das Erbgut, das sie für die Reproduktion zulässt oder zurückweist. Der Mann dagegen bietet einfach an und zehrt sich sehr viel schneller auf. Sein höchstes Fortpflanzungsvermögen fällt mit dem Höhepunkt seines Kampfgeistes zusammen – ein junger Bursche ist der perfekte Soldat. Er hat ein großes Aggressionspotenzial und kaum oder kein kritisches Vermögen, um es zu hinterfragen und zu kanalisieren. Im Lauf der Geschichte haben sich zahlreiche Gesellschaften dieses Aggressionskapital auf verschiedene Art zunutze und aus ihren Halbwüchsigen Soldaten gemacht, Kanonenfutter, um ihre Nachbarn zu unterwerfen oder sich ihrer Angriffe zu erwehren. Irgendetwas hat mir gesagt, unser Protagonist sei ein Gesandter des Himmels, aber ein Gesandter, der in seiner Jugend zu den Waffen gegriffen und die Wahrheit mit Gewalt befreit hat.«

»Haben Sie beschlossen, die Geschichte mit der Biologie zu verquicken, Martín?«

»Ihren Worten glaubte ich zu entnehmen, dass das ein und dasselbe ist.«

Corelli lächelte. Ich weiß nicht, ob er sich dessen bewusst war, aber das ließ ihn immer wie einen hungrigen

Wolf aussehen. Ich ignorierte diese Miene, bei der ich Gänsehaut bekam.

»Ich bin zu dem Schluss gekommen, dass die meisten großen Religionen sich immer dann herausgebildet beziehungsweise ihren Zenit erreicht haben, wenn die Bevölkerung der Gesellschaften, die sie sich zu eigen machten, zu einem Großteil jung und verarmt war. In diesen Gesellschaften waren fast drei Viertel der Menschen jünger als achtzehn Jahre, die Hälfte davon Männer mit ungezähmtem Willen und blutigem Eifer. Solche Gesellschaften sind gepflügte Äcker für den Samen und die Blüte des Glaubens.«

»Das ist eine Vereinfachung, aber ich sehe, worauf Sie hinauswollen, Martín.«

»Ich weiß, es ist verkürzt. Aber in Anbetracht dieser Grundzüge habe ich mich gefragt, warum nicht aufs Ganze gehen und eine Mythologie auf diesen kriegerischen Messias aus Blut und Zorn gründen, der sein Volk, sein Erbgut, seine Frauen und seine Vorfahren, die ihm diesen Auftrag gaben, von der politischen und rassischen Doktrin seiner Feinde befreit, die seine neue Lehre nicht akzeptieren oder sich ihr nicht unterwerfen wollen.«

»Und was ist mit den Erwachsenen?«

»Die Erwachsenen erreichen wir, indem wir an ihre Enttäuschung appellieren. Mit dem Älterwerden und der zunehmenden Desillusionierung der Träume und Wünsche der Jugend fühlt man sich immer mehr als Opfer der Welt und seiner Mitmenschen. Wir finden immer jemanden, der an unserem Unglück oder Scheitern schuld ist, oder jemanden, den wir aussondern wollen. Sich einer Lehre anzuschließen, die diesen Groll und dieses Selbstmitleid ins Positive wendet, gibt neuen Mut und Kraft. So fühlt sich der Erwachsene als Teil der Gruppe und überwindet seine verlorenen Wünsche und Sehnsüchte durch die Gemeinschaft.«

»Mag sein«, räumte Corelli ein. »Und diese ganze Heraldik des Todes mit Fahnen und Wappen? Halten Sie das nicht für kontraproduktiv?«

»Nein, das finde ich wesentlich. Die Kutte macht zwar keinen Mönch, wohl aber den Gläubigen.«

»Und die Frauen? Tut mir leid, aber ich kann mir nur schwer vorstellen, dass ein größerer Teil der Frauen in einer Gesellschaft an Fähnchen und Wimpel glaubt. Pfadfinderpsychologie ist etwas für Kinder.«

»Grundpfeiler jeder organisierten Religion ist mit wenigen Ausnahmen die Unterwerfung, Unterdrückung und Entwertung der Frau innerhalb der Gruppe. Die Frau hat ihre Rolle als passives, mütterliches ätherisches Wesen zu akzeptieren, und sollte sie einmal nach Autorität oder Unabhängigkeit streben, wird sie für die Folgen büßen müssen. Sie kann unter den Symbolen einen Ehrenplatz einnehmen, nicht jedoch in der Hierarchie. Religion und Krieg sind Männersache. Und manchmal ist die Frau am Ende die Komplizin und Vollstreckerin ihrer eigenen Unterwerfung.«

»Und die Alten?«

»Das Alter ist das Schmieröl der Leichtgläubigkeit. Wenn der Tod anklopft, springt die Skepsis zum Fenster hinaus. Ein kleiner Herzanfall, und man glaubt sogar an Rotkäppchen.«

Corelli lachte.

»Vorsicht, Martín, ich habe den Eindruck, Sie übertreffen mich bald an Zynismus.«

Ich schaute ihn an wie ein folgsamer Schüler, der nach dem Beifall eines anspruchsvollen Lehrers giert. Er tätschelte mein Knie und nickte befriedigt.

»Das gefällt mir. Mir gefällt das Aroma von alledem. Sie sollten weiter darüber nachdenken und eine Form dafür finden. Ich werde Ihnen mehr Zeit geben. Und wir treffen uns in zwei, drei Wochen wieder – ich benachrichtige Sie dann einige Tage vorher.«

»Müssen Sie die Stadt verlassen?«

»Verlagsgeschäfte erfordern meine Anwesenheit, und ich fürchte, es stehen mir einige Reisetage bevor. Aber ich fahre zufrieden ab. Sie haben gute Arbeit geleistet. Ich wusste ja, dass ich meinen idealen Kandidaten gefunden habe.«

Er stand auf und reichte mir die Hand. Ich trocknete meine verschwitzten Handflächen am Hosenbein ab und schlug ein.

»Man wird Sie vermissen«, improvisierte ich.

»Übertreiben Sie nicht, Martín, bis jetzt haben Sie ihre Sache gut gemacht.«

Ich sah ihn im Schatten des Umbráculo-Pavillons davongehen, während seine Schritte verklangen. Ich blieb noch eine gute Weile sitzen und fragte mich, ob der Patron wohl angebissen und all die Lügen geschluckt hatte, die ich ihm aufgetischt hatte. Jedenfalls war ich sicher, ihm genau das erzählt zu haben, was er hören wollte. Ich hoffte, dass er sich für den Moment mit diesen Ungeheuerlichkeiten zufrieden gab und überzeugt war, seinen Untergebenen, den glücklosen Schriftsteller, zu sich bekehrt zu haben. Alles, womit ich mir etwas Zeit erkaufen konnte, um herauszufinden, auf was ich mich da eingelassen hatte, schien mir die Mühe wert. Als ich aufstand und den Pavillon verließ, zitterten meine Hände noch immer.

18

Wenn man jahrelang Kriminalgeschichten verfasst hat, kennt man einige Grundregeln dafür, wie eine Ermittlung anzugehen ist. Eine von ihnen lautet, dass jede halbwegs solide Handlung, auch die einer Liebesgeschichte, mit dem Geruch nach Geld und Immobilienurkunden beginnt und endet. Vom Ciudadela-Park aus ging ich zum Grundbuchamt in der Calle Consejo de Ciento, um die Akten einzusehen, die mit dem Kauf, Verkauf und der Eigentümerschaft meines Hauses zu tun hatten. In diesen Grundbüchern finden sich fast ebenso viele Wahrheiten über die Realien des Lebens wie in den gesammelten Werken der vortrefflichsten Philosophen, wenn nicht sogar mehr.

Ich begann mit dem Eintrag, der die Vermietung des Hauses Nr. 30 in der Calle Flassaders an mich verzeichnete. Dort fanden sich die nötigen Hinweise, um der Geschichte des Hauses nachzuspüren. Die Bank Hi-

spano Colonial hatte es 1911 im Zuge des Pfändungs-
prozesses gegen die Familie Marlasca übernommen.
Besagte Familie hatte das Haus anscheinend nach dem
Tode seines ehemaligen Eigentümers geerbt. In diesem
Zusammenhang wurde auch ein Anwalt namens S. Valera erwähnt, der in der Streitsache als Vertreter der Familie fungiert hatte. Ein Stück weiter in der Vergangenheit zurück fand ich den Eintrag über den Erwerb der
Liegenschaft durch Don Diego Marlasca Pongiluppi
von einem gewissen Bernabé Massot y Caballé im
Jahre 1902. Auf einem Zettel notierte ich mir sämtliche
Angaben, vom Namen des Anwalts und der Beteiligten
an den Transaktionen bis zu den dazugehörigen Daten.
Einer der Angestellten wies lautstark darauf hin, dass
das Amt in einer Viertelstunde geschlossen werde, und
ich schickte mich an zu gehen, suchte vorher aber noch
in aller Eile nach den Eigentumsverhältnissen von Andreas Corellis Villa am Park Güell. Nach fünfzehn Minuten erfolglosen Nachschlagens schaute ich vom Buch
auf und sah in die aschfahlen Augen des Angestellten.
Es war ein abgehärmter Mann mit von Pomade glän-
zendem Schnurrbart und Haar, der die giftige Trägheit
derer offenbarte, die ihre Anstellung als Tribüne sehen,
um den anderen das Leben schwerzumachen.

»Entschuldigen Sie. Ich finde einen Eigentumseintrag
nicht«, sagte ich.

»Wahrscheinlich weil es ihn nicht gibt oder Sie sich
nicht auskennen. Für heute ist geschlossen.«

Ich erwiderte diese überbordende Liebenswürdigkeit
und Effizienz mit einem strahlenden Lächeln.

»Vielleicht finde ich ihn mit Ihrer erfahrenen Hilfe.«
Er sah mich angewidert an und riss mir das Buch aus
den Händen.

»Kommen Sie morgen wieder.«

Von da aus führten mich meine Schritte zu dem erhabenen Gebäude der Anwaltskammer in der Calle Mallorca, nur drei Querstraßen weiter oben. Über die breite Treppe, die ich unter Kristalllüstern hinanstieg, wachte eine Art Justitia-Statue, deren Büste und Aussehen einer der Heroinen vom Paralelo ähnelte. Im Sekretariat empfing mich ein mausartiges Männchen mit freundlichem Lächeln und fragte mich nach meinem Begehr.

»Ich suche einen Anwalt.«

»Da sind Sie genau am richtigen Ort. Hier wissen wir schon nicht mehr, wie wir sie loswerden sollen. Jeden Tag werden es mehr. Sie vermehren sich wie Kaninchen.«

»Das ist die moderne Welt. Meiner heißt – oder hieß – Valera, S. Valera.«

Mit leisem Gemurmel verlor sich das Männchen in einem Labyrinth von Aktenschränken. Auf den Empfangstisch gestützt, musterte ich während des Wartens die Einrichtung, die von dem erdrückenden Gewicht des Gesetzes zu künden schien. Fünf Minuten später kam das Männchen mit einem Aktendeckel zurück.

»Ich finde zehn Valeras. Zwei mit S, Sebastián und Soponcio.«

»Soponcio?« Soponcio bedeutete so viel wie Ohnmachtsanfall.

»Sie sind noch sehr jung, aber vor Jahren war das ein klangvoller Name, sehr geeignet für die Ausübung des Justizberufs. Dann ist der Charleston gekommen und hat alles ruiniert.«

»Lebt Don Soponcio noch?«

»Laut Archiv und seiner Abmeldung von der Mitgliederliste der Kammer ist Soponcio Valera y Menacho im Jahre 1919 in das Reich Unseres Herrn eingegangen. *Memento mori*. Sebastián ist der Sohn.«

»Ausübend?«

»Stetig und vollamtlich. Ich ahne, dass Sie seine Adresse möchten.«

»Wenn es Ihnen nicht zu viel Mühe macht.«

Das Männchen schrieb sie mir auf ein Zettelchen.

»Diagonal 442. Das ist ein Katzensprung von hier, aber es ist bereits zwei, und um diese Zeit führen Anwälte von Rang reiche Witwen oder Textil- und Sprengstofffabrikanten zum Essen aus. Ich würde bis um vier warten.«

Ich steckte die Adresse in die Jacketttasche.

»Das werde ich. Herzlichen Dank für Ihre Hilfe.«

»Dazu sind wir da. Gott behüte Sie.«

Um die zwei Stunden bis zum Besuch bei Valera totzuschlagen, fuhr ich mit der Straßenbahn zur Vía Layetana hinunter und stieg auf der Höhe der Calle Condal aus. Die Buchhandlung Sempere und Söhne war nur ein paar Schritte von hier entfernt, und ich wusste aus Erfahrung, dass der alte Buchhändler sein Geschäft entgegen der üblichen Praxis seines Gewerbes über Mittag geöffnet hielt. Ich fand ihn wie immer am Ladentisch, wo er Bücher ordnete und zwischendurch zahlreiche Kunden bediente, die zwischen Tischen und Regalen Jagd auf irgendeinen Schatz machten. Als er mich sah, kam er mit einem Lächeln auf mich zu. Er war hagerer und blasser als das letzte Mal. Offenbar erkannte er die Besorgnis in meinem Blick: Er zuckte die Achseln und spielte das Ganze mit einer Handbewegung herunter.

»Lieber reich und gesund als arm und krank. Sie sind ein gestandenes Mannsbild, und ich bin fix und fertig, wie Sie sehen«, sagte er.

»Sind Sie wohlauf?«

»Frisch wie eine Rose. Die verdammte Angina Pectoris. Nichts Ernsthaftes. Was führt Sie her, mein lieber Martín?«

»Ich wollte Sie zum Essen einladen.«

»Vielen Dank, aber ich kann das Ruder nicht verlassen. Mein Sohn ist nach Sarrià gefahren, um eine Sammlung zu schätzen, und es steht nicht so, dass wir schließen können, wenn die Kundschaft unterwegs ist.«

»Sagen Sie nicht, Sie haben Geldprobleme.«

»Das ist eine Buchhandlung, Martín, keine Rechtskanzlei. Hier wirft das Wort gerade das Nötigste ab, und manchmal nicht einmal das.«

»Wenn Sie Hilfe brauchen …«

Sempere stoppte mich mit erhobener Hand.

»Wenn Sie mir helfen wollen, dann kaufen Sie mir ein Buch ab.«

»Wie Sie wissen, ist die Schuld, in der ich bei Ihnen stehe, nicht mit Geld zu bezahlen.«

»Ein Grund mehr, nicht einmal daran zu denken. Machen Sie sich keine Sorgen um uns, Martín, hier trägt man mich höchstens in einem Pinienholzsarg raus. Aber wenn Sie wollen, dürfen Sie mit mir ein schmackhaftes Mahl aus Brot mit Rosinen und Frischkäse aus Burgos teilen. Damit und mit dem *Grafen von Monte Cristo* kann man hundert Jahre überleben.«

19

Sempere rührte kaum einen Bissen an. Er lächelte müde und tat so, als interessierte ihn, was ich sagte, aber ich sah, dass ihm zeitweise sogar das Atmen schwerfiel.

»Erzählen Sie, Martín, woran arbeiten Sie gerade?«

»Schwer zu erklären. Es ist ein Auftrag.«

»Ein Roman?«

»Nicht direkt. Ich weiß auch nicht, wie ich es nennen soll.«

»Wichtig ist, dass Sie arbeiten. Ich habe immer gesagt, Müßiggang weicht den Geist auf. Man muss den Kopf beschäftigt halten. Und wenn man kein Hirn hat, dann wenigstens die Hände.«

»Aber manchmal arbeitet man auch zu viel, Señor Sempere. Sollten Sie sich nicht eine Atempause gönnen? Wie viele Jahre sind Sie hier schon auf Posten?«

Sempere schaute um sich.

»Dieser Ort ist mein Leben, Martín. Was soll ich tun?

Mich auf eine Parkbank in die Sonne setzen, Tauben füttern und übers Rheuma jammern? Ich wäre in zehn Minuten tot. Mein Platz ist hier. Und mein Sohn ist noch nicht so weit, um das Heft in die Hand zu nehmen, auch wenn er es meint.«

»Aber er arbeitet hart. Und er ist ein guter Mensch.«

»Ein zu guter Mensch, unter uns gesagt. Manchmal schaue ich ihn an und frage mich, was wohl aus ihm wird, wenn ich eines Tages nicht mehr bin. Wie er zurechtkommt ...«

»Das tun alle Väter, Señor Sempere.«

»Auch der Ihre? Oh, entschuldigen Sie, ich wollte nicht ...«

»Macht nichts. Mein Vater hatte schon genug mit sich zu tun, als dass er sich noch mit meinen Problemen hätte herumschlagen können. Ihr Sohn hat bestimmt mehr Erfahrung, als Sie glauben.«

Er schaute mich zweifelnd an.

»Wissen Sie, was ich glaube, was ihm fehlt?«

»Gerissenheit?«

»Eine Frau.«

»Es wird ihm ja nicht an Freundinnen mangeln bei all den Täubchen, die sich vorm Schaufenster drängeln, um ihn zu bestaunen.«

»Ich meine eine wirkliche Frau, eine, die einen dazu bringt, das zu sein, was man sein muss.«

»Er ist doch noch jung. Lassen Sie ihn sich noch ein paar Jahre amüsieren.«

»Das wäre ja wunderbar – wenn er sich wenigstens amüsieren würde. Hätte ich in seinem Alter einen solchen Ansturm junger Mädchen erlebt, ich hätte gesündigt wie ein Kardinal.«

»Gott gibt dem Brot, der keine Zähne hat.«

»Genau das fehlt ihm: Zähne. Und die Lust zuzubeißen.«

Ich hatte den Eindruck, etwas gehe ihm durch den Kopf. Er schaute mich an und lächelte.

»Vielleicht können ja Sie ihm helfen ...«

»Ich?«

»Sie sind ein Mann von Welt, Martín. Und machen Sie nicht so ein Gesicht. Wenn Sie sich bemühen, finden Sie sicherlich ein nettes Mädchen für meinen Sohn. Ein hübsches Gesicht hat er ja. Den Rest bringen Sie ihm bei.«

Mir fehlten die Worte.

»Wollten Sie mir nicht helfen?«, fragte der Buchhändler. »Jetzt haben Sie die Möglichkeit dazu.«

»Ich habe von Geld gesprochen.«

»Und ich spreche von meinem Sohn, von der Zukunft dieses Hauses. Von meinem ganzen Leben.«

Ich seufzte. Sempere nahm meine Hand und drückte sie mit dem bisschen Kraft, das er noch hatte.

»Versprechen Sie mir, dass Sie mich nicht von dieser Welt gehen lassen, ohne dass ich meinen Sohn mit einer Frau verheiratet sehe, für die es sich zu sterben lohnt. Und dass er mir einen Enkel schenkt.«

»Hätte ich das geahnt, wäre ich nicht gekommen.«

Sempere lächelte.

»Manchmal denke ich, Sie hätten auch mein Sohn sein können, Martín.«

Ich schaute den Buchhändler an, der zerbrechlicher

und älter war denn je, nur noch ein Schatten des kräftigen, imposanten Mannes, der mir seit meiner Kindheit in Erinnerung war, und es kam mir vor, als bräche für mich eine Welt zusammen. Ich trat zu ihm, und ehe ich mich's versah, tat ich, was ich in all den Jahren, die ich ihn kannte, noch nie getan hatte: Ich küsste ihn auf die fleckenübersäte Stirn mit dem spärlichen grauen Haar.

»Versprechen Sie es mir?«

»Ich verspreche es Ihnen«, sagte ich auf dem Weg zum Ausgang.

20

Valeras Kanzlei nahm das Dachgeschoss eines ausgefallenen modernistischen Hauses in der Avenida Diagonal 442 ein, nur wenige Schritte vom Paseo de Gracia entfernt. Das Gebäude sah aus wie eine Kreuzung zwischen einer gigantischen Standuhr und einem Piratenschiff und hatte hohe Fenster und ein Dach mit grünen Mansarden. Überall sonst auf der Welt wäre dieser barock-byzantinische Bau zum Weltwunder oder zum teuflischen Machwerk eines verrückten, von jenseitigen Geistern besessenen Künstlers erklärt worden. In Barcelona jedoch, wo an jeder Ecke des Ensanche-Viertels derartige Gebäude wie Pilze aus dem Boden schossen, war es kaum ein Wimpernzucken wert.

Im Hausflur fand ich einen Aufzug, der aussah, als hätte ihn eine große Spinne hinterlassen, die Kathedralen statt Netze webte. Der Pförtner öffnete die Tür und sperrte mich in die seltsame Kapsel, die in der Mitte des Treppenhauses aufzusteigen begann. Eine finster dreinblickende Sekretärin öffnete mir die verzierte Eichentür und bat mich herein. Ich nannte ihr meinen Namen und sagte, ich hätte keinen Termin, mein Besuch habe mit dem Kauf einer Liegenschaft im Ribera-Viertel zu tun. In ihrem unerschütterlichen Blick veränderte sich etwas.

»Das Haus mit dem Turm?«, fragte sie.

Ich nickte. Sie führte mich in ein leeres Büro. Ich ahnte, dass das nicht das offizielle Wartezimmer war.

»Bitte warten Sie einen Moment, Señor Martín. Ich sage dem Herrn Anwalt, dass Sie hier sind.«

Ich verbrachte fünfundvierzig Minuten in diesem Büro, umgeben von Regalen mit grabsteingroßen Büchern, auf deren Rücken Titel standen wie »1888–1889, B. C. A. Erste Abteilung. Titel zwei«, die einen zur Lektüre regelrecht verführten. Das Büro hatte ein großes Fenster über der Diagonal, von dem aus man die ganze Stadt betrachten konnte. Die Möbel rochen nach antiken, in Geld eingelegten Edelhölzern. Die Teppiche und schweren Ledersessel erinnerten an die Atmosphäre eines britischen Clubs. Ich versuchte, eine der Lampen auf dem Schreibtisch anzuheben, und schätzte sie auf mindestens dreißig Kilo. Ein großes Ölgemälde über einem noch jungfräulichen Kamin zeigte unzweifelhaft die überheblich-ausladende Gestalt des unaussprechlichen Don Soponcio Valera y Menacho. Der Backenund Schnauzbart des kolossalischen Rechtsanwalts glich der Mähne eines alten Löwen, und mit Augen aus Feuer und Stahl beherrschte er noch aus dem Jenseits jeden

Winkel des Raums, einen Ernst ausstrahlend wie anlässlich eines Todesurteils.

»Er spricht zwar nicht, aber wenn man das Bild eine Weile anschaut, hat man das Gefühl, er fange jeden Augenblick an«, sagte eine Stimme in meinem Rücken.

Ich hatte ihn nicht eintreten hören. Sebastián Valera war ein Mann mit diskretem Gang, der aussah, als habe er den größten Teil seines Lebens versucht, aus dem Schatten seines Vaters hervorzukriechen, und es jetzt mit seinen etwas über fünfzig Jahren endgültig aufgegeben. Er hatte einen intelligenten, durchdringenden Blick und die vortreffliche Haltung, die nur echten Prinzessinnen und wirklich teuren Anwälten eignet. Er gab mir die Hand.

»Es tut mir leid, dass ich Sie habe warten lassen, aber ich hatte nicht mit Ihrem Besuch gerechnet.« Er lud mich ein, Platz zu nehmen.

»Im Gegenteil. Ich danke Ihnen für die Freundlichkeit, mich zu empfangen.«

Valera lächelte, wie es nur jemand kann, der den Preis jeder Minute kennt und festsetzt.

»Meine Sekretärin sagt mir, Ihr Name sei David Martín. David Martín, der Schriftsteller?«

Anscheinend verriet mich mein überraschtes Gesicht.

»Ich stamme aus einer Familie von Leseratten«, erklärte er. »Womit kann ich Ihnen dienen?«

»Ich hätte von Ihnen gern eine Auskunft bezüglich des Verkaufs eines Hauses in –«

»Des Hauses mit dem Turm?«, unterbrach er mich höflich.

»Ja.«

»Kennen Sie es denn?«

»Ich wohne darin.«

Valera schaute mich lange mit erstarrtem Lächeln an. Dann richtete er sich in seinem Sessel auf und nahm eine angespannte und abwehrende Haltung ein.

»Sind Sie der gegenwärtige Besitzer?«

»Eigentlich wohne ich dort zur Miete.«

»Und was möchten Sie wissen, Señor Martín?«

»Wenn es möglich ist, würde ich gern Genaueres darüber erfahren, wie die Bank Hispano Colonial die Liegenschaft erworben hat, und einige Informationen über den ehemaligen Besitzer einholen.«

»Don Diego Marlasca«, murmelte der Anwalt. »Darf ich nach der Art Ihres Interesses fragen?«

»Reine Neugier. Neulich habe ich während eines Umbaus eine Reihe von Dingen gefunden, von denen ich annehme, dass sie ihm gehörten.«

Er runzelte die Stirn.

»Dinge?«

»Ein Buch. Genauer gesagt, ein Manuskript.«

»Señor Marlasca war ein großer Büchernarr. Tatsächlich war er Autor zahlreicher juristischer und historischer Werke und hat auch über andere Themen publiziert. Ein großer Gelehrter. Und auch ein großer Mann, aber am Ende seines Lebens haben gewisse Leute versucht, seinen Ruf zu besudeln.«

Der Anwalt sah mir mein Befremden an.

»Ich nehme an, Sie sind mit den Umständen von Señor Marlascas Tod nicht vertraut.«

»Ich fürchte, nein.«

Valera seufzte, als ränge er mit sich, ob er weitersprechen solle oder nicht.

»Sie werden doch nicht darüber schreiben, nicht wahr? Und auch nicht über Irene Sabino?«

»Nein.«

»Habe ich Ihr Wort?«

Ich nickte.

Valera zuckte die Achseln.

»Ich könnte Ihnen auch nicht mehr sagen als das, was seinerzeit schon erzählt worden ist«, sagte er mehr zu sich selbst.

Er warf einen kurzen Blick auf das Porträt seines Vaters und schaute dann mich an.

»Diego Marlasca war der Partner und beste Freund meines Vaters. Sie haben zusammen diese Kanzlei gegründet. Señor Marlasca war ein überaus brillanter Mann. Leider war er auch ein komplizierter Mensch, der immer wieder in lange Phasen der Melancholie verfiel. Es kam ein Punkt, an dem mein Vater und Señor Marlasca beschlossen, ihre Verbindung aufzulösen. Señor Marlasca hängte den Anwaltsberuf an den Nagel, um sich seiner ersten Berufung zu widmen, dem Schreiben. Insgeheim sollen ja fast alle Anwälte den Wunsch verspüren, ihre Tätigkeit aufzugeben und Schriftsteller zu werden ...«

»... bis sie das Einkommen vergleichen.«

»Jedenfalls hat Don Diego mit einer damals ziemlich populären Schauspielerin eine freundschaftliche Beziehung geknüpft, Irene Sabino, für die er eine Komödie schreiben wollte. Mehr war da nicht. Señor Marlasca war ein Kavalier und seiner Gattin niemals untreu, aber Sie wissen ja, wie die Leute sind. Geschwätz, Gerüchte und Eifersüchteleien. Man munkelte – was nicht stimmte –, Don Diego habe eine heimliche Romanze mit Irene Sabino unterhalten. Seine Frau verzieh ihm das nie, und die Ehe wurde geschieden. Señor Marlasca, am Boden zerstört, erwarb das Haus mit dem Turm und zog dort ein. Leider lebte er kaum ein Jahr darin, bis er bei einem Unfall ums Leben kam.«

»Bei was für einem Unfall?«

»Er ertrank. Eine Tragödie.«

Er hatte die Augen gesenkt und atmete schwer.

»Und der Skandal?«

»Sagen wir, es gab Lästerzungen, die verbreiteten, Señor Marlasca habe nach einer amourösen Enttäuschung mit Irene Sabino Hand an sich gelegt.«

»Und war dem so?«

Valera nahm die Brille ab und rieb sich die Augen.

»Wenn ich Ihnen die Wahrheit sagen soll, ich weiß es nicht. Ich weiß es nicht, und es ist mir auch egal. Man soll die Vergangenheit ruhen lassen.«

»Und was ist aus Irene Sabino geworden?«

Er setzte die Brille wieder auf.

»Ich dachte, Ihr Interesse beschränke sich auf Señor Marlasca und die Aspekte des Kaufes.«

»Ja, aber unter Señor Marlascas persönlichen Dingen fand ich auch zahlreiche Aufnahmen von Irene Sabino sowie Briefe, die sie an ihn geschrieben hatte ...«

»Worauf wollen Sie mit alledem hinaus?«, stieß Valera hervor. »Wollen Sie etwa Geld?«

»Nein.«

»Das freut mich, niemand wird Ihnen nämlich welches geben. Niemand interessiert sich mehr für diese Geschichte. Verstehen Sie mich?«

»Vollkommen, Señor Valera. Ich wollte Ihnen nicht zu nahe treten oder unangebrachte Andeutungen machen. Es tut mir leid, wenn ich Sie mit meinen Fragen verletzt habe.«

Er lächelte und ließ einen artigen Seufzer hören, als wäre das Gespräch für ihn beendet.

»Nein, es ist schon gut. Ich bitte Sie meinerseits um Entschuldigung.«

Die versöhnliche Stimmung des Anwalts nutzend, setzte ich meine sanfteste Miene auf.

»Vielleicht könnte Doña Alicia Marlasca, seine Witwe …«

Valera schrumpfte in seinem Sessel zusammen, er fühlte sich sichtlich unwohl in seiner Haut.

»Señor Martín, Sie dürfen mich nicht missverstehen, aber es gehört zu meiner Pflicht als Anwalt der Familie, deren Privatsphäre zu wahren. Aus naheliegenden Gründen. Es ist viel Zeit vergangen, und ich möchte nicht, dass alte Wunden jetzt wieder aufreißen, das würde nirgends hinführen.«

»Ich verstehe.«

Er schaute mich angespannt an.

»Und Sie sagen, Sie haben ein Buch gefunden?«, fragte er.

»Ja – ein Manuskript. Wahrscheinlich hat es keine Bedeutung.«

»Wahrscheinlich nicht. Wovon handelt es denn?«

»Theologie, würde ich sagen.«

Valera nickte.

»Überrascht Sie das?«, fragte ich.

»Nein, im Gegenteil. Don Diego war eine Autorität auf dem Gebiet der Religionsgeschichte. Ein weiser Mann. In diesem Haus wird seiner immer noch mit großer Zuneigung gedacht. Sagen Sie, zu welchen konkreten Aspekten des Kaufs wollten Sie denn etwas erfahren?«

»Ich glaube, Sie haben mir schon sehr geholfen, Señor Valera. Ich möchte Ihnen nicht noch mehr Zeit stehlen.«

Er nickte erleichtert.

»Sie interessiert das Haus, nicht wahr?«, fragte er.

»Ja, ein merkwürdiger Ort«, pflichtete ich ihm bei.

»Ich kann mich erinnern, als junger Mann einmal dort gewesen zu sein, kurz nachdem Don Diego es gekauft hatte.«

»Wissen Sie, warum er es gekauft hat?«

»Er sagte, er sei seit seiner Jugend fasziniert davon gewesen und habe immer gedacht, er würde gern dort wohnen. Das war ganz Don Diego. Manchmal war er wie ein kleiner Junge, der für eine schlichte Illusion alles hergeben konnte.«

Ich sagte nichts.

»Geht es Ihnen gut?«

»Ausgezeichnet. Wissen Sie etwas über den Besitzer, dem Señor Marlasca es abgekauft hat? Einen gewissen Bernabé Massot?«

»Einer von denen, die in Südamerika reich geworden

und dann wieder heimgekehrt sind. Er war nie länger als eine Stunde im Haus. Er hatte es nach seiner Rückkehr aus Kuba gekauft und ließ es dann jahrelang leerstehen. Warum, hat er nie gesagt. Er lebte in einem großen Haus, das er sich in Arenys de Mar hatte bauen lassen. Dann verkaufte er das Haus mit dem Turm für einen Pappenstiel – er wollte nichts mehr davon wissen.«

»Und vor ihm?«

»Ich glaube, da wohnte ein Geistlicher darin. Ein Jesuit. Ich bin nicht sicher. Mein Vater hat Don Diegos Geschäfte geführt und bei dessen Tod sämtliche Archive vernichtet.«

»Warum hat er das wohl getan?«

»Aus den genannten Gründen. Um Gerüchten vorzubeugen und das Andenken seines Freundes zu wahren, vermute ich. Aber gesagt hat er es mir nie. Mein Vater war kein Mann, der seine Schritte erklärt hätte. Er wird seine Gründe gehabt haben. Zweifellos gute Gründe. Don Diego war sein bester Freund, nicht nur sein Teilhaber, und all das war sehr schmerzhaft für ihn.«

»Was wurde aus dem Jesuiten?«

»Ich glaube, er bekam disziplinarische Probleme mit dem Orden. Er war ein Freund von Mosén Cinto Verdaguer, und ich glaube, er war in einige seiner Probleme mit verwickelt.«

»Exorzismus?«

»Geschwätz.«

»Wie kann sich ein aus dem Orden verstoßener Jesuit ein solches Haus leisten?«

Valera zuckte wieder die Schultern, und ich vermutete, am Boden des Fasses angelangt zu sein.

»Ich würde Ihnen gern noch weiter helfen, Señor Martín, aber ich weiß nicht, wie. Glauben Sie mir.«

»Danke für Ihre Zeit, Señor Valera.«

Der Anwalt nickte und drückte auf einen Knopf auf dem Schreibtisch. Die Sekretärin erschien in der Tür. Valera reichte mir die Hand.

»Señor Martín möchte gehen. Begleiten Sie ihn, Margarita.«

Sie nickte und führte mich hinaus. Bevor ich das Büro verließ, wandte ich mich noch einmal um und sah, dass der Anwalt niedergeschlagen unter dem Bild seines Vaters zusammengesunken war. Ich folgte Margarita zur Tür, und gerade als sie sie hinter mir schließen wollte, drehte ich mich um und fragte mit meinem unschuldigsten Lächeln: »Verzeihen Sie, Anwalt Valera hat mir vorhin Señora Marlascas Adresse genannt, aber jetzt bin ich mir nicht mehr sicher, ob ich die Hausnummer richtig in Erinnerung habe …«

Margarita seufzte, begierig, mich loszuwerden.

»13. Carretera de Vallvidrera 13.«

»Ach ja, natürlich.«

»Auf Wiedersehen«, sagte Margarita.

Bevor ich ihren Abschiedsgruß erwidern konnte, schloss sich die Tür so würdevoll und unwiderruflich wie ein heiliges Grab.

21

Als ich zum Haus mit dem Turm zurückkam, erblickte ich plötzlich das, was mir für schon so lange Zeit Zuhause und Gefängnis war, mit anderen Augen. Schon im Eingang hatte ich das Gefühl, den Schlund eines steinernen Schattenwesens zu durchschreiten. Wie durch dessen Eingeweide stieg ich die Treppe hinauf. Als ich im ersten Stock die Wohnungstür öffnete und in den langen, düsteren Korridor trat, der sich im Halbdunkel verlor, fühlte ich mich erstmals wie im Vorzimmer eines argwöhnischen, vergifteten Geistes. Am anderen Ende zeichnete sich im scharlachroten, von der Veranda her einfallenden Licht der Abenddämmerung Isabella ab, die mir entgegenkam. Ich schloss die Tür und knipste die Lampe an.

Isabella hatte sich wie eine feine junge Dame gekleidet, das Haar hochgesteckt und mit dem Kajalstift einige geschickte Linien gezogen, sodass sie zehn Jahre älter wirkte.

»Du siehst sehr hübsch und elegant aus«, sagte ich frostig.

»Fast wie eine junge Frau Ihres Alters, nicht? Gefällt Ihnen das Kleid?«

»Woher hast du das?«

»Aus einem der Koffer im Zimmer am Ende des Flurs. Ich glaube, es gehörte Irene Sabino. Wie finden Sie es? Passt es mir nicht wie angegossen?«

»Ich habe dir doch gesagt, du sollst das alles abholen lassen.«

»Das habe ich auch versucht. Heute Morgen bin ich zur Kirchgemeinde gegangen, und die haben mir gesagt, sie holen nichts ab, aber wir können es selber hinbringen, wenn wir wollen.«

Ich schaute sie an und sagte nichts.

»Das stimmt wirklich.«

»Zieh das aus und bring es dahin zurück, wo du es gefunden hast. Und wasch dir das Gesicht. Du siehst ja aus wie …«

»Wie eine Nutte?«

Seufzend schüttelte ich den Kopf.

»Nein. Du könntest nie wie eine Nutte aussehen, Isabella.«

»Natürlich. Darum gefalle ich Ihnen auch so wenig«, murmelte sie, machte kehrt und ging auf ihr Zimmer zu.

»Isabella«, rief ich.

Sie überhörte es und ging hinein.

»Isabella!«, wiederholte ich lauter.

Sie warf mir einen feindseligen Blick zu und schmetterte die Tür ins Schloss. Ich hörte sie im Zimmer herumkramen, trat vor die Tür und klopfte an. Keine Antwort. Ich klopfte erneut. Nichts. Als ich die Tür öffnete, sah ich, dass sie dabei war, ihre wenigen Habseligkeiten in eine Tasche zu packen.

»Was machst du da?«

»Ich gehe. Jawohl, ich gehe und lasse Sie in Frieden. Oder im Krieg – bei Ihnen weiß man ja nie.«

»Darf ich fragen, wohin du gehst?«

»Was spielt das schon für eine Rolle? Ist das eine rhetorische oder eine ironische Frage? Natürlich, für Sie ist das gehupft wie gesprungen, aber ich Dummkopf kann das nicht unterscheiden.«

»Isabella, warte mal und –«

»Sorgen Sie sich nicht um das Kleid, ich zieh es gleich aus. Und die Schreibfedern können Sie zurückbringen, ich habe sie nicht benutzt, und gefallen tun sie mir auch nicht. Kitsch für kleine Mädchen im Vorschulalter.«

Ich trat zu ihr und legte ihr die Hand auf die Schulter. Sie zuckte zurück, als hätte eine Schlange sie berührt.

»Rühren Sie mich nicht an.«

Schweigend zog ich mich zur Schwelle zurück. Isabellas Hände und Lippen zitterten.

»Verzeih mir, Isabella. Bitte. Ich wollte dich nicht kränken.«

Sie sah mich mit nassen Augen und einem bitteren Lächeln an.

»Sie haben noch nie etwas anderes getan. Seit ich hier bin. Sie haben nichts anderes getan als mich beschimpft und wie eine dumme Kuh behandelt, die keine Ahnung hat.«

»Verzeih mir. Lass das. Geh nicht.«

»Und warum nicht?«

»Weil ich dich darum bitte.«

»Wenn ich Mitleid und Erbarmen will, finde ich sie auch anderswo.«

»Das ist weder Mitleid noch Erbarmen, es sei denn, du empfindest es für mich. Ich bitte dich zu bleiben – der Dummkopf bin *ich*, und ich will nicht allein sein. Ich kann nicht allein sein.«

»Wie schön. So viel Nächstenliebe. Kaufen Sie sich doch einen Hund.«

Sie ließ die Tasche aufs Bett fallen und trat herausfordernd vor mich hin. Nachdem sie ihre Tränen getrocknet hatte, ließ sie der angestauten Wut freien Lauf.

»Wenn wir schon ›Die Stunde der Wahrheit‹ spielen, dann lassen Sie mich Ihnen sagen, dass Sie immer allein bleiben werden. Sie werden allein bleiben, weil Sie weder lieben noch teilen können. Sie sind genau wie diese Wohnung, die mir die Haare zu Berge stehen lässt. Es wundert mich nicht, dass Ihnen Ihre junge Dame in Weiß einen Korb gegeben hat und alle Sie verlassen. Sie lieben nicht, und Sie lassen sich nicht lieben.«

Unglücklich schaute ich sie an. Ich fühlte mich, als hätte ich aus heiterem Himmel eine Tracht Prügel bekommen. Stammelnd suchte ich nach Worten.

»Gefällt dir die Garnitur wirklich nicht?«, brachte ich schließlich heraus.

Erschöpft verdrehte sie die Augen.

»Machen Sie nicht so ein Gesicht wie ein geprügelter Hund – ich mag ja ein Dummkopf sein, aber so blöd bin ich auch wieder nicht.«

Ich schwieg, an den Türrahmen gelehnt. Isabella beobachtete mich mit einer Mischung aus Argwohn und Mitleid.

»Das habe ich nicht so gemeint mit Ihrer Freundin, der von den Fotos. Entschuldigen Sie«, sagte sie leise.

»Du brauchst dich nicht zu entschuldigen. Es stimmt.«

Mit gesenktem Blick ging ich hinaus und flüchtete

mich in mein Arbeitszimmer, um die dunkle, im Dunst liegende Stadt zu betrachten. Nach einer Weile hörte ich ihre zögernden Schritte auf der Treppe.

»Sind Sie da oben?«, rief sie.

Ich bejahte.

Sie kam herein. Sie hatte sich umgezogen und die Tränen abgewaschen. Sie lächelte mich an, und ich lächelte zurück.

»Warum sind Sie so?«, fragte sie.

Ich zuckte die Schultern. Sie setzte sich neben mich aufs Fensterbrett, wo wir die Stille und die Schatten über den Dächern der Altstadt genossen, ohne etwas sagen zu müssen. Nach einer Weile schaute sie mich an.

»Und wenn wir uns eine dieser Zigarren anzünden, die Ihnen mein Vater schenkt, und sie gemeinsam rauchen?«

»Kommt nicht infrage.«

Sie verstummte wieder. Manchmal streifte sie mich mit einem lächelnden Blick. Ich beobachtete sie aus dem Augenwinkel und merkte, dass es mir schon bei ihrem Anblick leichter fiel zu denken, es könnte auf dieser schlechten Welt und, mit ein wenig Glück, auch in mir selbst doch noch etwas Gutes und Anständiges geben.

»Bleibst du?«, fragte ich.

»Nennen Sie mir einen guten Grund. Einen ehrlichen, in Ihrem Fall also einen egoistischen Grund. Und ich rate Ihnen, mir keine Lüge aufzutischen, sonst geh ich auf der Stelle.«

Sie verschanzte sich hinter einem abwehrenden Blick in Erwartung einer meiner Schmeicheleien, und einen

Augenblick lang erschien sie mir als der einzige Mensch auf der Welt, den ich weder belügen konnte noch wollte. Ich schaute zu Boden und sagte ausnahmsweise die Wahrheit, und sei es nur, damit ich sie selbst einmal laut hörte.

»Weil du die einzige Freundin bist, die ich noch habe.«

Ihr harter Ausdruck verflog, und bevor ich Mitleid in ihren Augen lesen konnte, schaute ich weg.

»Und was ist mit Señor Sempere und dem anderen, diesem Oberpedanten Barceló?«

»Du bist die Einzige, die mir noch die Wahrheit zu sagen wagt.«

»Und Ihr Freund, der Patron, sagt er Ihnen nicht die Wahrheit?«

»Das kannst du nicht miteinander vergleichen. Ein Patron ist kein Freund. Und ich glaube, der hat in seinem Leben noch nie die Wahrheit gesagt.«

Isabella schaute mich lange an.

»Sehen Sie? Ich wusste ja, dass Sie ihm nicht trauen. Ich habe es Ihnen vom ersten Tag an angesehen.«

Ich versuchte, etwas Würde zurückzugewinnen, fand aber nur Sarkasmus.

»Hast du das Gesichterlesen in die Liste deiner Talente aufgenommen?«

»Um in Ihrem zu lesen, braucht man kein Talent«, schlug sie zurück. »Es ist wie im Märchen vom Däumling.«

»Und was liest du noch in meinem Gesicht, werte Hellseherin?«

»Dass Sie Angst haben.«

Ich versuchte zu lachen, aber es gelang mir nicht.

»Sie brauchen sich Ihrer Angst nicht zu schämen. Angst zu haben ist ein Zeichen von gesundem Menschenverstand. Die Einzigen, die keine Angst haben, sind die hoffnungslos Dummen. Das habe ich in einem Buch gelesen.«

»Im Handbuch für Feiglinge?«

»Sie brauchen es ja nicht zuzugeben, wenn Sie dadurch Ihre Männlichkeitsgefühle gefährdet sehen. Ich weiß, dass Männer glauben, das Maß ihrer Verbohrtheit entspreche der Größe Ihrer Geschlechtsteile.«

»Hast du auch das in diesem Buch gelesen?«

»Nein, das ist auf meinem Mist gewachsen.«

Ich konnte mich nicht mehr verstecken und ließ die Hände sinken.

»Na gut. Ja, ich gebe zu, dass ich eine vage Unruhe verspüre.«

»Vage sind nur Sie – Sie vergehen fast vor Angst. Geben Sie es doch zu.«

»Lassen wir die Kirche im Dorf. Sagen wir, ich habe gewisse Zweifel hinsichtlich der Beziehung zu meinem Verleger, was nach all meinen Erfahrungen ja auch verständlich ist. Soweit ich weiß, ist Corelli ein vollkommener Gentleman, und unsere berufliche Beziehung wird für beide Seiten ertragreich und positiv sein.«

»Darum rumort es jedes Mal in Ihrem Bauch, wenn sein Name fällt.«

Mir ging in dieser Debatte langsam die Luft aus.

»Was willst du denn hören, Isabella?«

»Dass Sie aufhören, für ihn zu arbeiten.«

»Das kann ich nicht.«

»Und warum nicht? Können Sie ihm nicht sein Geld zurückgeben und ihn zum Teufel schicken?«

»So einfach ist das nicht.«

»Warum nicht? Stecken Sie in Schwierigkeiten?«

»Ich glaube, ja.«

»In was für welchen?«

»Das versuche ich ja herauszufinden. Jedenfalls bin allein ich dafür verantwortlich und muss da auch wieder allein herauskommen. Darüber brauchst du dir keine Gedanken zu machen.«

Isabella schaute mich an; für den Augenblick schluckte sie es, überzeugt war sie aber nicht.

»Sie sind ein völlig unmöglicher Mensch, wissen Sie das?«

»Ich gewöhne mich langsam an den Gedanken.«

»Wenn ich bleiben soll, dann müssen sich die Regeln hier ändern.«

»Ich bin ganz Ohr.«

»Schluss mit dem aufgeklärten Absolutismus. Von heute an herrscht in dieser Wohnung Demokratie.«

»Freiheit, Gleichheit, Brüderlichkeit.«

»Vorsicht mit der Brüderlichkeit. Aber nichts mehr mit ›Ich befehle und ordne an‹, keine Auftritte mehr als Mister Rochester.«

»Ganz wie Sie meinen, Miss Eyre.«

»Und machen Sie sich keine Illusionen – ich werde Sie nicht heiraten, selbst wenn Sie erblinden.«

Ich reichte ihr die Hand, um unseren Pakt zu besiegeln. Sie ergriff sie zögernd, dann umarmte sie mich. Ich ließ mich von ihren Armen einhüllen und vergrub das Gesicht in ihren Haaren. In der Berührung mit ihr lag Friede und glückliche Ankunft, das Licht des Lebens eines siebzehnjährigen Mädchens, und es fühlte sich an wie die Umarmung, für die meine Mutter nie Gelegenheit gefunden hatte.

»Freunde?«, murmelte ich.

»Bis dass der Tod uns scheidet.«

22

Die neuen Regeln der isabellinischen Herrschaft traten am folgenden Tag um neun Uhr früh in Kraft, als meine Assistentin in der Küche erschien und mich ohne weitere Umschweife davon unterrichtete, wie die Dinge von nun an laufen würden.

»Ich habe gedacht, Sie brauchen feste Regeln in Ihrem Leben. Sonst verzetteln Sie sich und werden liederlich.«

»Wo hast du denn dieses Wort her?«

»Aus einem Ihrer Bücher. Lie-der-lich. Klingt wie ein Lied.«

»Und reimt sich vor-treff-lich.«

»Schweifen Sie nicht ab.«

Tagsüber würden wir beide an unseren jeweiligen Manuskripten arbeiten. Dann würden wir gemeinsam zu Abend essen, und anschließend würde sie mir die am Tag verfassten Seiten vorlegen, damit wir sie besprechen könnten. Ich schwor, aufrichtig zu sein und die angemessen Kommentare abzugeben und nicht einfach irgendetwas zu sagen, um sie zufriedenzustellen. Die Sonntage wären arbeitsfrei, und ich würde sie ausführen, ins Kino, ins Theater oder zu einem Spaziergang. Sie würde mir in Bibliotheken und Archiven bei der Recherche helfen und mit ihren familiären Verbindungen dafür sorgen, dass die Vorratskammer schön gefüllt wäre. Ich würde das Frühstück und sie das Abendessen machen. Fürs Mittagessen wäre der zuständig, der gerade Zeit hätte. Die Putzarbeiten würden wir aufteilen, und ich verpflichtete mich, die unbestreitbare Tatsache zu akzeptieren, dass die Wohnung regelmäßig sauber gemacht werden musste. Unter keinen Umständen würde ich versuchen, einen Freund für sie aufzutreiben, während sie meine Gründe, für den Patron zu arbeiten, nicht infrage stellen und dazu auch keine Meinung äußern würde, es sei denn, ich bäte sie darum. Bei allem anderen würden wir so verfahren, wie es sich gerade ergäbe.

Ich hob meine Kaffeetasse, und wir stießen auf meine bedingungslose Kapitulation an.

Nach ein paar Tagen hatte ich mich dem Frieden und der Gelassenheit des Vasallen vollständig ergeben. Isabella wurde nur sehr schwer und langsam wach, und wenn sie mit halbgeschlossenen Augen in meinen ihr viel zu großen Pantoffeln dahergeschlurft kam, hatte ich schon das Frühstück gemacht, zu dem nicht nur der Kaffee, sondern auch eine täglich wechselnde Morgenzeitung gehörte.

Die Routine ist die Haushälterin der Inspiration. Kaum achtundvierzig Stunden waren seit der Begründung des neuen Regimes vergangen, als ich entdeckte, dass ich nach und nach die Disziplin meiner fruchtbarsten Jahre wiedererlangte. Die Stunden der Zurückgezogenheit im Arbeitszimmer schlugen sich schnell in zahlreichen Seiten nieder. Nicht ohne eine gewisse Beunruhigung erkannte ich allmählich, dass die Arbeit diese besondere Dichte erreicht hatte, wo sie nicht mehr nur eine Idee ist, sondern Wirklichkeit wird.

Der Text war brillant und entwickelte einen elektrisierenden Sog. Er las sich wie eine Legende, eine mythische Saga voller Wunder und Entbehrungen. Das Bindeglied der Figuren und Schauplätze bildete eine Prophezeiung, die für das Volk, von dem erzählt wurde, voller Hoffnung war. Die Erzählung bereitete das Kommen eines kriegerischen Erlösers vor, der die Nation von allem Schmerz und aller Schande befreien sollte und sie wieder zu altem Ruhm und Stolz führen würde, nachdem verschlagene Feinde, die ewigen Feinde aller Völker, der Nation diese Herrlichkeit entrissen hatten. Der Handlungsmechanismus war tadellos und funktionierte immer, egal auf welches Credo, welches Geschlecht oder welchen Stamm er angewandt wurde. Fahnen, Götter und Verkündigungen waren Joker in einem Spiel, in dem immer dieselben Karten ausgegeben wurden. Angesichts der Natur dieser Unternehmung hatte ich beschlossen, einen der komplexesten und am schwierigsten durchzuführenden Kunstgriffe anzuwenden: das scheinbare Fehlen jeglichen Kunstgriffs. Die

Sprache klang einfach und schlicht, die Stimme zeugte von Ehrlichkeit und einem Geist, der nicht erzählt, sondern bloß offenbart. Manchmal hielt ich inne, um das bisher Geschriebene durchzulesen, und dann schlug mich blinde Eitelkeit in ihren Bann, wenn ich spürte, wie perfekt die Maschinerie funktionierte, die ich da aufbaute. Mir wurde bewusst, dass ich erstmals seit Monaten über Stunden nicht an Cristina oder Pedro Vidal dachte. Es geht wieder bergauf, sagte ich mir. Vielleicht aus diesem Grund, weil ich das Gefühl hatte, wieder Licht zu sehen, tat ich, was ich immer getan habe, wenn mein Leben auf einem guten Weg war: Ich verpfuschte alles.

Eines Morgens kleidete ich mich nach dem Frühstück als achtbarer Bürger. Als ich in die Veranda ging, um mich von Isabella zu verabschieden, war sie über ihren Schreibtisch gebeugt und las die Seiten des Vortages.

»Schreiben Sie heute nicht?«, fragte sie, ohne aufzuschauen.

»Ich brauch einen Tag zum Nachdenken.«

Ich bemerkte, dass sie die Schreibgarnitur mit dem Musentintenfass neben ihrem Heft stehen hatte.

»Ich dachte, du findest das kitschig«, sagte ich.

»Finde ich auch, aber ich bin ein junges Mädchen von siebzehn Jahren und habe alles Recht der Welt, Kitsch schön zu finden. Das ist wie bei Ihnen mit den Havannas.«

Sie schnappte den Duft von Kölnischwasser auf und

blickte mich neugierig an. Als sie Anzug und Krawatte bemerkte, runzelte sie die Stirn.

»Gehen Sie wieder Detektiv spielen?«

»Ein wenig.«

»Brauchen Sie keine Leibwächterin? Eine Frau Dr. Watson? Jemand mit gesundem Menschenverstand?«

»Lerne erst zu schreiben, bevor du Vorwände suchst, es nicht zu tun. Das ist ein Privileg der Profis, das man sich erarbeiten muss.«

»Ich glaube, wenn ich Ihre Assistentin bin, dann für alle Bereiche.«

Ich lächelte sanft.

»Jetzt, da du es sagst – ja, da ist tatsächlich etwas, worum ich dich bitten wollte. Nein, keine Angst. Es geht um Sempere. Ich habe gehört, dass er Geldprobleme hat und die Buchhandlung in Gefahr ist.«

»Das kann nicht sein.«

»Leider ist es aber so, aber es macht nichts – wir werden verhüten, dass es noch schlimmer wird.«

»Aber Señor Sempere ist sehr stolz und wird nicht zulassen, dass ... Sie haben es doch schon versucht, oder?«

Ich nickte.

»Darum müssen wir cleverer sein und zu unorthodoxen Methoden, also zu List und Tücke, greifen.«

»Ihre Spezialität.«

Ich überhörte den missbilligenden Ton und setzte meine Darlegung fort.

»Ich habe mir Folgendes überlegt: Du gehst wie zufällig in die Buchhandlung und sagst Sempere, ich sei ein Ungeheuer und würde dir auf den Geist gehen …«

»Bis dahin hundertprozentig glaubhaft.«

»Unterbrich mich nicht. Du sagst ihm all das und auch, dass ich dir nur einen schäbigen Assistentinnenlohn zahle.«

»Aber Sie zahlen mir ja keinen Céntimo …«

Ich übte mich in Geduld.

»Wenn er dir sagt, das tue ihm aber leid, und das wird er tun, dann setzt du ein Gesicht auf wie eine verfolgte Unschuld und gestehst ihm, möglichst mit einem verdrückten Tränchen, dein Vater habe dich enterbt und wolle dich ins Kloster stecken. Und daher hättest du gedacht, dass du vielleicht einige Stunden bei ihm arbeiten könntest, für drei Prozent Kommission von dem, was du verkaufst, um dir fern vom Kloster eine Zukunft als Anarchistin aufzubauen und dich der Verbreitung der Literatur zu widmen.«

Isabella verdrehte die Augen.

»Drei Prozent? Wollen Sie Sempere nun helfen oder ihn schröpfen?«

»Zieh ein Kleid an wie neulich abends, putz dich wieder so schön heraus und geh in die Buchhandlung, wenn sein Sohn auch da ist, normalerweise nachmittags.«

»Sprechen wir von dem hübschen Jüngling?«

»Wie viele Söhne hat Señor Sempere?«

In Isabellas Kopf arbeitete es, und als sie verstand, wie der Hase lief, warf sie mir einen giftigen Blick zu.

»Wenn mein Vater wüsste, was für einen verdorbenen Geist Sie haben, würde er tatsächlich eine Flinte kaufen.«

»Ich will ja nur, dass der Sohn dich sieht. Und der Vater soll sehen, wie der Sohn dich sieht.«

»Sie sind ja noch schlimmer, als ich dachte. Jetzt betreiben Sie auch noch Mädchenhandel.«

»Das ist nichts weiter als christliche Nächstenliebe. Außerdem hast du als Erste zugegeben, dass Semperes Sohn hübsch aussieht.«

»Hübsch und etwas dämlich.«

»Wir wollen doch nicht übertreiben. Sempere junior ist bloß in Gegenwart des weiblichen Geschlechts ein wenig schüchtern, was ihm zur Ehre gereicht. Er ist ein vorbildlicher Bürger, der sich, obwohl er um die überzeugende Wirkung seines gefälligen Aussehens und seiner Männlichkeit weiß, in Selbstbeherrschung und Askese übt, aus Achtung und Respekt vor der makellosen Reinheit der barcelonesischen Frau. Du willst mir doch nicht sagen, dass ihm das nicht eine Aura von Redlichkeit und Anmut verleiht, die an deine Instinkte appelliert, sowohl den mütterlichen wie auch die anderen.«

»Manchmal denke ich, ich hasse Sie, Señor Martín.«

»Klammere dich ruhig an dieses Gefühl, aber hänge nicht dem armen Sempere junior meine Fehler als menschliches Wesen an, denn er ist ganz eindeutig eine Seele von Mensch.«

»Wir haben doch ausgemacht, dass Sie keinen Freund für mich suchen.«

»Niemand hat von einem Freund gesprochen. Wenn du mich ausreden lässt, erläutere ich dir den Rest.«

»Fahren Sie fort, Rasputin.«

»Wenn Sempere senior einwilligt, und er wird einwilligen, dann sollst du täglich zwei, drei Stunden hinter dem Ladentisch der Buchhandlung stehen.«

»Und wie gekleidet? Als Mata Hari?«

»So schicklich und geschmackvoll wie stets. Anmutig, anregend, aber ohne Aufsehen zu erregen. Wenn nötig, nimmst du eines von Irene Sabinos Kleidern, aber ein hübsch züchtiges.«

»Es gibt zwei oder drei, die mir wie angegossen sitzen.« Isabella leckte sich die Lippen.

»Dann ziehst du das an, das dich am meisten verhüllt.«

»Sie sind ein Reaktionär. Und was wird aus meiner literarischen Bildung?«

»Gibt es ein besseres Klassenzimmer als die Buchhandlung Sempere und Söhne? Da stehen Meisterwerke in Hülle und Fülle, von denen du lernen kannst.«

»Und was soll ich tun? Tief einatmen, damit etwas hängen bleibt?«

»Es sind ja nur ein paar Stunden täglich. Dann kannst du hier mit deiner Arbeit fortfahren wie bisher und meine unbezahlbaren Ratschläge entgegennehmen, die aus dir eine neue Jane Austen machen werden.«

»Und wo ist die List?«

»Die List ist, dass ich dir jeden Tag ein paar Peseten gebe, und immer wenn ein Kunde bezahlt und du die Registrierkasse öffnest, legst du sie ganz diskret hinein.«

»Das also ist der Plan ...«

»Das ist der Plan, und er hat nichts Verdorbenes, wie du siehst.«

Sie blickte finster drein.

»Das wird nicht funktionieren. Er wird merken, dass

etwas nicht stimmt. Señor Sempere ist ein schlauer Fuchs.«

»Es wird funktionieren. Und wenn Sempere sich wundert, sagst du, wenn die Kunden hinter dem Ladentisch ein hübsches, sympathisches Mädchen sähen, säße das Geld locker und sie zeigten sich spendabler.«

»Das mag in den Spelunken so sein, in denen Sie verkehren, aber nicht in einer Buchhandlung.«

»Da bin ich anderer Meinung. Wenn ich eine Buchhandlung betrete und mich einer so entzückenden Verkäuferin wie dir gegenübersehe, kaufe ich ihr sogar den letzten nationalen Literaturpreisträger ab.«

»Ja, weil Sie eine schmutzige Phantasie haben.«

»Ich habe auch – oder vielleicht sollte ich sagen: wir haben auch eine Dankesschuld gegenüber Sempere.«

»Das geht unter die Gürtellinie.«

»Dann lass mich nicht noch tiefer zielen.«

Jedes Überzeugungsmanöver, das etwas taugt, appelliert zuerst an die Neugier, dann an die Eitelkeit und zuletzt an die Güte oder das schlechte Gewissen. Isabella senkte den Blick und nickte langsam.

»Und wann wollten Sie Ihren Plan mit der barmherzigen Nymphe in die Tat umsetzen?«

»Was du heute kannst besorgen, das verschiebe nicht auf morgen.«

»Heute?«

»Heute Nachmittag.«

»Sagen Sie die Wahrheit: Ist das eine Kriegslist, um das Geld in Umlauf zu bringen, das Ihnen der Patron zahlt, und um Ihr Gewissen zu reinigen – oder was auch immer Sie an seiner Stelle haben?«

»Du weißt ja, dass meine Gründe immer egoistisch sind.«

»Und was ist, wenn Señor Sempere nicht mitspielt?«

»Du musst nur sichergehen, dass der Sohn da ist und dass du hübsch sonntäglich gekleidet bist, aber nicht wie für die Messe.«

»Das ist ein beleidigender Plan, entwürdigend.«

»Und er entzückt dich.«

Endlich lächelte sie wie eine Katze.

»Und wenn dem Sohn plötzlich der Kamm schwillt und er zu weit gehen will?«

»Ich garantiere dir, dass der Erbe es nicht wagen wird, dich auch nur mit einer Fingerspitze anzurühren, außer in Gegenwart eines Geistlichen und mit einer Urkunde der Diözese in der Hand.«

»Besser ein Spatz in der Hand als eine Taube auf dem Dach.«

»Wirst du es tun?«

»Für Sie?«

»Für die Literatur.«

23

Als ich aus dem Haus trat, überraschte mich eine kalte, schneidende Brise, die ungeduldig durch die Straßen fegte, und mir wurde klar, dass in Barcelona allmählich der Herbst Einzug hielt. Auf der Plaza Palacio bestieg ich eine leere Straßenbahn, die wie eine große, eiserne Mausefalle dort wartete. Ich setzte mich ans Fenster und löste beim Schaffner eine Fahrkarte.

»Fahren Sie bis Sarrià?«, fragte ich.

»Bis zur Plaza.«

Ich lehnte den Kopf an die Scheibe, bis die Bahn wenig später mit einem Ruck losfuhr. Ich schloss die Augen und sank in eines dieser Nickerchen, die man nur an Bord solch einer mechanischen Missgeburt genießen kann, und mich umfing der Traum des modernen Menschen. Ich durchquerte in einem Zug aus schwarzen Knochen und sargförmigen Wagen ein menschenleeres Barcelona, in dem überall leere Kleider lagen, als hätten sich alle Körper verflüchtigt. Eine Steppe aus Hüten und Kleidern, Anzügen und Schuhen bedeckte die zu Stille verdammten Straßen. Die Lokomotive puffte eine scharlachrote Rauchfahne aus, die sich wie vergossene Farbe über den Himmel ausbreitete. Neben mir saß lächelnd der Patron, ganz in Weiß und mit Handschuhen. Von seinen Fingerspitzen troff etwas Dunkles, Gallertartiges.

»*Was ist mit den Leuten geschehen?*«

»*Haben Sie Vertrauen, Martín. Haben Sie Vertrauen.*«

Als ich erwachte, glitt die Straßenbahn soeben langsam auf die Plaza de Sarrià. Noch bevor sie ganz zum Stillstand gekommen war, sprang ich ab und begann die Calle Mayor de Sarrià hinaufzusteigen. Eine Viertelstunde später gelangte ich an mein Ziel.

Die Carretera de Vallvidrera entsprang einem schattigen Waldstück hinter dem schlossartigen roten Backstein-bau des Colegio San Ignacio. Die bergan steigende, laubbedeckte Straße war von einsamen alten Häusern gesäumt. Niedrige Wolken zogen die Bergflanke entlang und lösten sich in Nebelfetzen auf. Ich wählte die Seite mit den ungeraden Hausnummern und versuchte beim Gehen an Mauern und Gittertoren die Ziffern zu lesen. Auf der anderen Seite sah man Fassaden aus verrußtem Stein und trocken gefallene Brunnen zwischen unkraut-überwucherten Pfaden. Ein Stück des Gehsteigs war von einer langen Reihe Zypressen überschattet, und ich sah, dass die Nummerierung von elf zu fünfzehn sprang. Verwirrt ging ich zurück und suchte die Dreizehn. Schon argwöhnte ich, Anwalt Valeras Sekretärin sei doch gerissener, als ich gedacht hatte, und habe mir eine falsche Adresse angegeben, als ich eine Passage ge-wahrte, die vom Bürgersteig aus über fast fünfzig Meter zu einem dunklen Gitterzaun mit einem Lanzenkamm führte.

Durch dieses schmale Gässchen ging ich auf den Zaun zu. Ein verwilderter Garten hatte ihn überwuchert, und zwischen den Lanzen des Zauns ragten die Zweige eines Eukalyptus hervor wie flehende Arme zwischen den Stä-ben einer Gefängniszelle. Ich schob die Blätter beiseite, die einen der gemauerten Pfeiler verdeckten, und stieß auf die in den Stein gehauenen Buchstaben und Zahlen.

Haus Marlasca
13

Während ich dem Garten entlang den Zaun abschritt, versuchte ich hineinzuspähen. Nach etwa zwanzig Metern kam ich zu einer zwischen zwei Pfeilern eingelassenen Metalltür. Auf der verrosteten Eisenplatte ruhte ein Klopfer. Die Tür war nur angelehnt. Ich stieß sie mit der Schulter so weit auf, dass ich hindurchkam, ohne dass mir die aus dem Mauersockel ragenden Steinkanten die Kleider zerrissen. Ein unangenehmer Geruch nach nasser Erde lag in der Luft.

Zwischen den Bäumen tat sich ein Pfad aus Marmorplatten auf und führte zu einem mit weißen Steinen gepflasterten Platz. Auf der einen Seite sah man eine Garage mit offener Tür und den Überresten eines Mercedes-Benz, der jetzt an einen seinem Schicksal überlassenen Leichenwagen erinnerte. Das Haus war ein Jugendstilbau, der sich in gebogenen Linien zu drei Stockwerken erhob und gekrönt war von einer Reihe in Türmen und Bögen zusammengedrängter Mansarden. Schmale Fenster, spitz wie Dolche, waren in die von Reliefs und Wasserspeiern übersäte Fassade eingelassen. In den Scheiben spiegelten sich die langsam vorüberziehenden Wolken. Hinter einem der Fenster im ersten Stock glaubte ich undeutlich ein Gesicht zu sehen.

Ich hob die Hand zu einem angedeuteten Gruß – ich mochte nicht für einen Einbrecher gehalten werden. Die Gestalt beobachtete mich weiterhin, reglos wie eine Spinne. Für einen Augenblick senkte ich den Blick, und als ich wieder hinaufschaute, war sie verschwunden.

»Guten Tag!«, rief ich.

Ich wartete ein paar Sekunden, und da die Antwort

ausblieb, näherte ich mich langsam dem Haus. Ein ovales Schwimmbecken zog sich vor einer verglasten Veranda die Ostfassade entlang. Zerfranste Segeltuchstühle umstanden das Becken. Ein efeuüberwachsenes Sprungbrett ragte über den dunklen Wasserspiegel. Ich trat an den Rand und stellte fest, dass das Becken voll mit Laub und Algen war, die sich an der Oberfläche kräuselten. Als ich ins Wasser starrte, spürte ich, dass sich mir von hinten etwas Dunkles näherte.

Ich wandte mich jäh um und sah mich einem schmalen, finsteren Gesicht gegenüber, das mich unruhig und argwöhnisch musterte.

»Wer sind Sie, und was tun Sie hier?«

»Mein Name ist David Martín – ich komme von Anwalt Valera«, erfand ich.

Die Frau presste die Lippen zusammen.

»Sind Sie Señora Marlasca? Doña Alicia?«

»Was ist mit dem, der sonst immer gekommen ist?«, fragte sie.

Offensichtlich hielt sie mich für einen der Referendare des Büros Valera und dachte, ich brächte Papiere zur Unterschrift oder sonst eine Mitteilung der Anwälte. Einen Augenblick erwog ich die Möglichkeit, diese Identität anzunehmen, aber irgendetwas im Gesicht der Frau sagte mir, dass sie in ihrem Leben genug Lügen aufgetischt bekommen hatte und keine weitere mehr akzeptieren würde.

»Ich arbeite nicht für das Büro, Señora Marlasca. Der Grund meines Besuches ist privater Natur. Ich dachte, vielleicht hätten Sie ein paar Minuten Zeit, um mit mir über eines der ehemaligen Besitztümer ihres verstorbenen Gatten, Don Diego, zu sprechen.«

Die Witwe wurde blass und wandte den Blick ab. Sie stützte sich auf einen Stock, und ich sah an der Schwelle der Veranda einen Rollstuhl stehen, in dem sie vermutlich mehr Zeit verbrachte, als sie zugeben mochte.

»Es gibt keinen einzigen Besitz meines Mannes mehr, Señor …«

»Martín.«

»Die Banken haben alles genommen, Señor Martín. Alles außer diesem Haus, das er dank des Ratschlags von Señor Valera, dem Vater, auf meinen Namen eingetragen hat. Alles andere haben sich diese Aasfresser geschnappt …«

»Ich meinte das Haus mit dem Turm, in der Calle Flassaders.«

Sie seufzte. Ich schätzte sie auf sechzig oder fünfundsechzig. Ihr war noch ein Abglanz ihrer einstigen blendenden Schönheit geblieben.

»Vergessen Sie dieses Haus. Es ist ein verfluchter Ort.«

»Das kann ich leider nicht. Ich wohne dort.«

Señora Marlasca runzelte die Stirn.

»Ich dachte, dort will niemand wohnen. Es hat viele Jahre leer gestanden.«

»Ich habe es schon vor einiger Zeit gemietet. Der Grund meines Besuches ist, dass ich im Laufe einiger Umbauarbeiten eine Reihe persönlicher Dinge gefunden habe, die vermutlich Ihrem verstorbenen Mann und Ihnen gehört haben.«

»Von mir gibt es nichts in diesem Haus. Was Sie gefunden haben mögen, muss dieser Frau gehören ...«

»Irene Sabino?«

Alicia Marlasca lächelte bitter.

»Was wollen Sie wirklich wissen, Señor Martín? Sagen Sie mir die Wahrheit. Sie sind nicht hierhergekommen, um mir die Habe meines verstorbenen Mannes zurückzubringen.«

Wir schauten uns schweigend an, und ich wusste, dass ich diese Frau um keinen Preis belügen konnte.

»Ich versuche herauszufinden, was mit Ihrem Mann geschehen ist, Señora Marlasca.«

»Warum?«

»Weil ich glaube, dass dasselbe mit mir geschieht.«

Das Haus Marlasca hatte jene Atmosphäre einer Familiengruft, wie sie große, von Abwesenheit und Entbehrung gezeichnete Häuser aufwiesen. Fern waren die Tage des Reichtums und der Herrlichkeit, da ganze Heerscharen von Bediensteten es in seiner ursprünglichen Pracht erhielten; jetzt war es nur noch eine Ruine. Die Farbe an den Wänden blätterte ab, die Fliesen lösten sich, die Möbel wurden von Feuchtigkeit zerfressen, die Decken hingen durch, und die großen Teppiche waren abgetreten und ausgeblichen. Ich half der Witwe in den Rollstuhl und schob sie gemäß ihren Anweisungen in das Bibliothekszimmer, in dem es kaum noch Bücher oder Bilder gab.

»Ich musste das meiste verkaufen, um zu überleben«,

erklärte sie. »Hätte ich nicht Anwalt Valera, der mir monatlich zulasten des Büros eine kleine Pension schickt, ich hätte nicht gewusst, wohin ich gehen sollte.«

»Leben Sie alleine?«

Sie nickte.

»Das ist mein Haus. Der einzige Ort, an dem ich glücklich gewesen bin, obwohl das schon viele Jahre her ist. Ich habe immer hier gelebt, und hier werde ich auch sterben. Verzeihen Sie, dass ich Ihnen nichts angeboten habe. Ich bekomme schon lange keinen Besuch mehr und weiß gar nicht mehr, wie man mit Gästen umgeht. Möchten Sie Kaffee oder Tee?«

»Gar nichts, danke.«

Señora Marlasca lächelte und deutete auf meinen Sessel.

»Das war der Lieblingssessel meines Mannes. Da hat er sich immer hingesetzt, vors Feuer, und bis in die Nacht gelesen. Manchmal habe ich mich hierher gesetzt, neben ihn, und ihm zugehört. Er hat gern erzählt, damals wenigstens. Wir sind sehr glücklich gewesen in diesem Haus …«

»Was ist geschehen?«

Sie zuckte die Achseln und starrte in die Asche im Kamin.

»Sind Sie sicher, dass Sie diese Geschichte hören wollen?«

»Bitte.«

24

»Offen gestanden weiß ich nicht genau, wann mein Mann sie kennenlernte. Ich weiß nur noch, dass er sie irgendwann plötzlich erwähnte, zuerst ganz beiläufig, und dann fiel ihr Name bald täglich: Irene Sabino. Er sagte, sie sei ihm von einem Mann namens Damián Roures vorgestellt worden, der in einem Lokal in der Calle Elisabets spiritistische Sitzungen veranstaltete. Diego war ein versierter Kenner der verschiedensten Religionen und hatte als Beobachter an mehreren dieser Sitzungen teilgenommen. Damals war Irene Sabino eine der populärsten Schauspielerinnen am Paralelo. Sie war eine Schönheit, das will ich nicht bestreiten. Aber sie konnte, glaube ich, nicht einmal bis zehn zählen. Es hieß, sie sei zwischen den Hütten am Strand des Bogatell zur Welt gekommen, von ihrer Mutter im Somorrostro-Viertel ausgesetzt worden und unter Bettlern und zwielichtigen Gestalten aufgewachsen. Mit vierzehn begann sie in den Nachtklubs und Lokalen im Raval und am Paralelo zu tanzen. Tanzen ist ein Euphemismus – vermutlich begann sie mit der Prostitution, bevor sie lesen lernte, falls sie es überhaupt je lernte. Eine Zeitlang war sie der große Star des Varietés La Criolla, so sagte man wenigstens. Dann schaffte sie es in andere, bessere Lokale. Ich glaube, es war im Apolo, wo sie einen gewissen Juan Corbera kennenlernte, den alle Jaco nannten. Jaco war ihr Impresario und wahrscheinlich auch ihr Geliebter. Er war es, der sich den Namen Irene Sabino und die Legende ausdachte, sie sei die heimliche Tochter einer großen Pariser Vedette und eines Prinzen aus europäischem Geblüt. Wie ihr wirklicher Name lautete, weiß ich nicht. Ich weiß nicht, ob sie überhaupt je einen hatte. Jaco führte sie in die spiritistischen Sitzungen ein, ich glaube, auf Roures' Empfehlung, und die beiden teilten den Gewinn aus dem Verkauf ihrer angeblichen Jungfräulichkeit an wohlhabende, gelangweilte Männer, die an diesen Farcen teilnahmen, um der Monotonie zu entfliehen. Ihre Spezialität sollen Paare gewesen sein.

Was Jaco und sein Partner Roures nicht ahnten, war, dass Irene von diesen Sitzungen besessen war und allen Ernstes glaubte, bei diesen Pantomimen könne man mit der Welt der Geister Kontakt aufnehmen. Sie war überzeugt, ihre Mutter schicke ihr Botschaften aus dem Jenseits, und selbst als sie allmählich berühmt wurde, versuchte sie dort weiterhin mit ihr in Verbindung zu treten. Dort lernte sie auch meinen Mann Diego kennen. Vermutlich steckten wir da schon mitten in einer der schwierigen Zeiten, wie sie in jeder Ehe vorkommen. Diego wollte schon lange den Anwaltsberuf aufgeben und sich nur noch dem Schreiben widmen. Ich gebe zu, dass er in mir nicht die nötige Unterstützung fand. Ich dachte, wenn er es täte, würde er sein Leben wegwerfen, obwohl ich wahrscheinlich nur befürchtete, all das hier zu verlieren, das Haus, die Diener ... Und dann habe ich tatsächlich alles verloren, und ihn dazu. Was uns am Ende auseinanderbrachte, war der Verlust von Ismael. Ismael war unser Sohn. Diego war ganz verrückt nach ihm. Nie habe ich einen so hingebungsvollen Vater gesehen. Ismael war sein Leben, nicht ich. Einmal hatten wir einen Streit im Schlafzimmer im ersten Stock. Es hatte damit begonnen, dass ich ihm vorwarf, zu viel Zeit mit dem Schreiben zu verbringen, sodass ihm Valera, sein Teilhaber, der es satthatte, die Arbeit für zwei zu erledigen, ein Ultimatum stellte und daran dachte, die Kanzlei aufzulösen und sich selbständig zu machen. Diego sagte, das sei ihm egal, er sei bereit, seinen Anteil an der Kanzlei zu verkaufen und sich seiner Berufung zu widmen. An diesem Abend vermissten wir plötzlich Ismael. Er war weder in seinem Zimmer noch im Garten. Ich dachte, er sei, erschrocken über unseren Streit, womöglich aus dem Haus gelaufen. Das wäre nicht das erste Mal gewesen. Monate zuvor hatte man ihn weinend auf einer Bank auf der Plaza de Sarrià gefunden. Als es dunkel wurde, gingen wir ihn suchen. Nirgends eine Spur von ihm. Wir gingen zu Nachbarn, in Krankenhäuser … Als wir nach einer Nacht des Suchens in der Morgendämmerung zurückkehrten, fanden wir seine Leiche auf dem Grund des Schwimmbeckens. Er war am Vorabend ertrunken, und wir hatten seine Hilferufe nicht gehört, weil wir einander angeschrien hatten. Er war sieben. Diego verzieh mir das nie und sich selbst auch nicht. Bald ertrugen wir nicht einmal mehr die Anwesenheit des anderen. Immer wenn wir uns anschauten oder berührten, sahen wir die Leiche unseres Sohns in diesem verdammten Schwimmbecken. Eines schönen Tages erwachte ich und wusste, dass mich Diego verlassen hatte. Er verließ auch die Kanzlei und zog in ein altes Haus im Ribera-Viertel, das ihm seit Jahren keine Ruhe gelassen hatte. Er sagte, er schreibe, er habe einen sehr wichtigen Auftrag von einem Pariser Verleger bekommen, wegen des Geldes brauche ich mir keine Sorgen zu machen. Ich wusste, dass er mit Irene zusammen war, obwohl er es nicht zugab. Er war ein gebrochener Mann und überzeugt, er habe nicht mehr lange zu leben. Er dachte, er habe sich eine Krankheit zugezogen, eine Art Parasit, der ihn innerlich aufzehre. Er sprach nur noch vom Tod und hörte auf niemanden mehr. Weder auf mich noch auf Valera ... Nur auf Irene und Roures, die ihm mit Geistergeschichten den Kopf vergifteten und mit Versprechungen, ihn mit Ismael in Verbindung zu bringen, das Geld aus der Tasche zogen. Einmal ging ich zum Haus mit dem Turm und flehte ihn an, mir zu öffnen. Er ließ mich nicht herein und sagte, er sei beschäftigt, er arbeite an etwas, um Ismael zu retten. Da wurde mir klar, dass er allmählich den Verstand verlor. Er dachte, wenn er dieses verdammte Buch für den Pariser Verleger schriebe, würde unser Sohn wieder lebendig. Ich glaube, Irene, Roures und Jaco erleichterten ihn um alles Geld, das er noch hatte, das wir noch hatten ... Monate später, in denen er niemanden mehr gesehen und sich an diesem schrecklichen Ort abgekapselt hatte, wurde er tot aufgefunden. Die Polizei sagte, es sei ein Unfall gewesen, aber daran habe ich nie geglaubt. Jaco war verschwunden, und von dem Geld gab es keine Spur mehr. Roures behauptete, von nichts zu wissen. Er erklärte, seit Monaten keinen Kontakt zu Diego mehr gehabt zu haben, weil der verrückt geworden sei und ihm Angst gemacht habe. Bei den spiritistischen Sitzungen habe er zuletzt mit seinen Geschichten von verdammten Seelen die Kundschaft erschreckt, sodass er ihm irgendwann verboten habe, noch einmal zu kommen. Diego habe gesagt, unter der Stadt liege ein großer See aus Blut, Ismael spreche im Traum zu ihm, er sei Gefangener eines Schattens in Schlangenhaut, der sich als ein anderer Junge ausgebe und mit ihm spiele … Niemand war überrascht, als man ihn tot fand. Irene sagte, Diego habe sich meinetwegen das Leben genommen; diese eiskalt berechnende Ehefrau, die ihren Sohn hatte sterben lassen, weil sie nicht auf ihr luxuriöses Leben verzichten wollte, habe ihn in den Tod getrieben, sie dagegen sei die Einzige, die ihn je wirklich geliebt habe, und sie habe nie einen Céntimo angenommen. Und ich glaube, wenigstens darin war sie ehrlich. Ich glaube, Jaco benutzte sie, um Diego zu verführen und ihm alles wegzunehmen. Dann, in der Stunde der Wahrheit, ließ er sie sitzen und haute ab, ohne einen Céntimo mit ihr zu teilen. Das sagte die Polizei, oder zumindest einige der Ermittler. Ich hatte immer den Eindruck, sie wollten nicht zu tief in dieser Geschichte herumstochern und die Selbstmordversion komme ihnen sehr gelegen. Aber ich glaube nicht, dass sich Diego umgebracht hat. Ich glaubte es weder damals, noch glaube ich es heute. Ich glaube, Irene und Jaco haben ihn umgebracht. Und nicht nur wegen des Geldes. Da gab es noch etwas. Einer der mit dem Fall betrauten Beamten, ein sehr junger Mann namens Salvador, Ricardo Salvador, glaubte das ebenfalls. Er sagte, da gebe es etwas, was sich nicht mit der offiziellen Version der Tatsachen decke, und jemand verhülle die wahre Ursache von Diegos Tod. Salvador kämpfte, um Licht in die Angelegenheit zu bringen, bis man ihm den Fall wegnahm und ihn mit der Zeit vom Dienst suspendierte. Aber danach ermittelte er noch auf eigene Faust weiter. Manchmal kam er mich besuchen. Wir wurden gute Freunde … Ich war eine alleinstehende Frau, ruiniert und verzweifelt. Valera sagte, ich solle doch wieder heiraten. Auch er gab mir die Schuld an dem, was meinem Mann widerfahren war, und ging so weit, anzudeuten, es gebe doch viele alleinstehende Krämer, denen eine aristokratisch wirkende, gutaussehende Witwe in den besten Jahren das Bett wärmen könnte. Mit der Zeit besuchte mich auch Salvador nicht mehr. Ich gebe ihm keine Schuld. Bei dem Versuch, mir zu helfen, hatte er sein eigenes Leben ruiniert. Manchmal denke ich, das ist das Einzige, was ich in meinem Leben für die anderen getan habe – ihnen ihr Leben zu zerstören … Diese Geschichte habe ich bis heute niemandem erzählt, Señor Martín. Wenn Sie einen Rat wollen, dann vergessen Sie dieses Haus, mich, meinen Mann und die ganze Geschichte. Gehen Sie weit weg. Diese Stadt ist verdammt. Verdammt.«

25

Ich verließ das Haus Marlasca mit zitternden Knien und irrte ziellos durch das Labyrinth einsamer Straßen in Richtung Pedralbes. Der Himmel war überzogen von einem Gespinst grauer Wolken, die kaum die Sonne durchließen. Ab und zu durchbohrten Nadeln von Licht diese tote Fläche und zogen über die Bergflanke hinweg. Ich folgte diesen hellen Streifen mit den Augen und sah, wie sie in der Ferne über das emaillierte Dach der Villa Helius strichen. Die Fenster glänzten bis zu mir hinüber. Gegen alle Vernunft machte ich mich auf den Weg dorthin. Je näher ich dem Haus kam, desto dunkler wurde der Himmel, und ein schneidender Wind wirbelte Laubspiralen auf. Als ich zur Kreuzung mit der Calle Panamá kam, blieb ich stehen. Gegenüber erhob sich die Villa Helius. Ich wagte nicht, die Straße zu überqueren und mich der Gartenmauer zu nähern. Unfähig, zu fliehen oder zur Tür zu gehen, um zu klingeln, blieb ich Gott weiß wie lange so stehen. Da sah ich sie an einem der Fenster des zweiten Stocks vorbeigehen. Eiseskälte durchfuhr mich. Als ich mich zurückziehen wollte, wandte sie sich um und blieb stehen. Sie trat an die Scheibe, und ich konnte ihre Augen auf meinen spüren. Wie zum Gruß hob sie die Hand, ohne aber die Finger zu spreizen. Ich hatte nicht den Mut, ihrem Blick standzuhalten, machte kehrt und ging die Straße hinunter. Meine Hände zitterten, und ich steckte sie in die Tasche, damit sie mich nicht in diesem Zustand sähe. Bevor ich um die Ecke bog, blickte ich noch einmal zurück und sah sie noch immer dort stehen und mir hinterherschauen. Um sie zu hassen, fehlte mir die Kraft.

Zuhause angekommen, spürte ich in meinen Knochen die Kälte oder was ich dafür hielt. Aus dem Briefkasten ragte ein Umschlag. Pergament und Siegellack. Nachrichten vom Patron. Ich öffnete den Brief, während ich mich die Treppe hinaufschleppte. Seine adrette Schrift bestellte mich für den nächsten Tag ein. Die Wohnungstür stand halb offen, und lächelnd erwartete mich Isabella.

»Ich war im Arbeitszimmer und habe Sie kommen sehen«, sagte sie.

Ich versuchte, ihr zuzulächeln, was anscheinend nicht sehr überzeugend wirkte. Sowie sie mir in die Augen blickte, wurde ihr Gesicht sorgenvoll.

»Geht es Ihnen gut?«

»Es ist nichts. Ich glaube, ich habe mich ein wenig erkältet.«

»Ich habe eine Brühe auf dem Feuer, die wird Wunder wirken. Kommen Sie herein.«

Sie hakte mich unter und führte mich in die Veranda.

»Isabella, ich bin kein Invalide.«

Sie ließ mich los und senkte den Blick.

»Entschuldigen Sie.«

Ich war nicht imstande, mich mit jemandem anzulegen, und schon gar nicht mit meiner hartnäckigen Assistentin, sodass ich mich zu einem der Sessel in der Veranda geleiten ließ, in den ich wie ein Sack Knochen fiel. Isabella setzte sich mir gegenüber und schaute mich besorgt an.

»Was ist geschehen?«

Ich lächelte beruhigend.

»Nichts. Nichts ist geschehen. Wolltest du mir nicht eine Tasse Brühe bringen?«

»Sofort.«

Sie schoss in die Küche, wo ich sie herumfuhrwerken

hörte. Ich atmete tief durch und schloss die Augen, bis sich ihre Schritte wieder näherten.

Sie reichte mir eine dampfende Tasse ungewöhnlicher Größe.

»Sieht aus wie ein Nachttopf«, sagte ich.

»Trinken Sie und sparen Sie sich die Grobheiten.«

Ich schnupperte an der Brühe. Sie roch gut, aber ich mochte mich nicht allzu nachgiebig zeigen.

»Riecht seltsam«, sagte ich. »Was ist drin?«

»Sie riecht nach Hähnchen, weil Hähnchen drin ist, dazu Salz und ein Schuss Sherry. Trinken Sie.«

Ich trank einen Schluck und gab ihr die Tasse zurück. Sie schüttelte den Kopf.

»Alles.«

Ich seufzte und trank noch einen Schluck. Zu meinem Leidwesen schmeckte sie gut.

»Wie war also Ihr Tag?«

»Nicht allzu schlecht. Und wie ist es dir ergangen?«

»Sie stehen vor der neuen Starverkäuferin von Sempere und Söhne.«

»Ausgezeichnet.«

»Noch vor fünf Uhr hatte ich schon zwei Exemplare von *Das Bildnis des Dorian Gray* und einem sehr distinguierten Herrn aus Madrid die gesammelten Werke von Pirandello verkauft, und er hat mir ein Trinkgeld gegeben. Machen Sie nicht so ein Gesicht – auch das habe ich in die Kasse getan.«

»Und Sempere junior, was hat er gesagt?«

»Gesagt hat er gar nichts. Er hat die ganze Zeit Maulaffen feilgehalten und so getan, als sähe er mich nicht, aber er hat mich keinen Moment aus den Augen gelassen. Ich kann mich schon gar nicht mehr hinsetzen, so sehr hat er mir auf den Hintern gestarrt, immer wenn ich auf die Leiter gestiegen bin, um ein Buch runterzuholen. Zufrieden?«

Ich nickte lächelnd.

»Danke, Isabella.«

Sie schaute mir fest in die Augen.

»Sagen Sie das noch einmal.«

»Danke, Isabella. Von ganzem Herzen.«

Sie errötete und schaute weg. Eine Weile blieben wir in friedlicher Stille sitzen und genossen diese Art Freundschaft, die manchmal keiner Worte bedarf. Ich trank die ganze Brühe aus, obwohl ich kaum noch etwas hinunterbrachte, und zeigte ihr die leere Tasse. Sie nickte.

»Sie haben sie besucht, nicht wahr? Diese Frau, Cristina«, sagte sie und wich meinem Blick aus.

»Isabella, die Gesichterleserin …«

»Sagen Sie die Wahrheit.«

»Ich habe sie nur von weitem gesehen.«

Sie blickte mich vorsichtig an, als kämpfte sie mit sich, ob sie mir etwas, was ihr auf der Seele lag, sagen sollte oder nicht.

»Lieben Sie sie?«, fragte sie schließlich.

Wir schauten uns schweigend an.

»Ich kann niemanden lieben, das weißt du doch. Ich bin ein Egoist. Reden wir von was anderem.«

Sie nickte, den Blick auf dem Umschlag, der aus meiner Jacketttasche herauslugte.

»Nachrichten vom Patron?«

»Die Einberufung des Monats. Seine Exzellenz Señor Andreas Corelli freut sich, mich morgen früh um sieben vor die Tore des Friedhofs von Pueblo Nuevo zu bestellen. Einen besseren Ort hätte er nicht aussuchen können.«

»Und werden Sie hingehen?«

»Was bleibt mir denn anderes übrig?«

»Sie können noch diesen Abend einen Zug nehmen und für immer verschwinden.«

»Du bist schon die Zweite, die mir das heute nahelegt. Von hier zu verschwinden.«

»Das muss ja einen Grund haben.«

»Und wer wird dann dein Lehrmeister und Mentor sein und dich durch die Fährnisse der Literatur geleiten?«

»Ich geh mit Ihnen.«

Ich lächelte und ergriff ihre Hand.

»Mit dir bis ans Ende der Welt, Isabella.«

Sie entriss mir ihre Hand und schaute mich verletzt an.

»Sie lachen mich aus.«

»Isabella, sollte es mir eines Tages einfallen, dich auszulachen, dann jage ich mir eine Kugel durch den Kopf.«

»Sagen Sie das nicht. Ich mag es nicht, wenn Sie so sprechen.«

»Entschuldige.«

Sie ging an ihren Schreibtisch zurück und verfiel in langes Schweigen. Ich sah, wie sie die Seiten des Tages überflog und mit einer meiner Schreibfedern Korrekturen anbrachte und ganze Absätze strich.

»Wenn Sie mir zuschauen, kann ich mich nicht konzentrieren.«

Ich stand auf und ging um den Schreibtisch herum.

»Dann lasse ich dich weiterarbeiten, und nach dem Abendessen zeigst du mir, was du hast.«

»Es ist noch nicht fertig. Ich muss alles korrigieren und neu schreiben und …«

»Es ist nie fertig, Isabella. Daran musst du dich langsam gewöhnen. Nach dem Essen schauen wir es uns zusammen an.«

»Morgen.«

Ich ergab mich.

»Morgen.«

Sie nickte. Ich wollte schon die Verandatür schließen, um sie mit ihren Worten allein zu lassen, als sie mich rief.

»David?«

Schweigend blieb ich im Gang stehen.

»Es stimmt nicht. Es stimmt nicht, dass Sie niemanden lieben können.«

Ich zog mich in mein Zimmer zurück und machte die Tür zu. Auf dem Bett drehte ich mich zusammengekrümmt zur Wand und schloss die Augen.

26

Ich verließ das Haus nach Tagesanbruch. Dunkle Wolken schleppten sich über die Dächer und nahmen den Straßen ihre Farbe. Während ich durch den Ciudadela-Park ging, sah ich die ersten Tropfen auf die Blätter der Bäume prasseln und wie kleine Geschosse auf dem Weg zerplatzen, wobei sie Staubkügelchen aufspringen ließen. Jenseits des Parks zeichnete sich gegen den Horizont ein Wald aus Fabriken und Gastürmen ab, und der im Regen aufgelöste Kohlenstaub ihrer Schlote fiel in teerigen Tropfen vom Himmel. Ich ging durch die unwirtliche Zypressenpromenade, die zum Eingang des Ostfriedhofs führte, denselben Weg, den ich so oft mit meinem Vater zurückgelegt hatte. Der Patron war schon da. Ich sah ihn von weitem, wie er unerschütterlich im Regen wartete, neben einem der großen steinernen Engel, die das Haupttor zum Friedhof bewachten. Er trug Schwarz, und das Einzige, was ihn von den Hunderten Statuen hinter den Gittern des Geländes unterschied, waren seine Augen. Er blieb völlig reglos, bis ich wenige Meter von ihm entfernt war. Ich wusste nicht, wie ich mich verhalten sollte, und winkte ihm zu. Es war kalt, und der Wind roch nach Kalk und Schwefel.

»Sporadische Besucher meinen naiverweise, in dieser Stadt sei es immer sonnig und heiß«, sagte der Patron. »Aber ich sage immer, über kurz oder lang wird sich Barcelonas alte, trübe, dunkle Seele am Himmel widerspiegeln.«

»Sie sollten Reiseführer herausgeben statt religiöse Texte«, empfahl ich.

»Das läuft auf dasselbe hinaus. Wie waren denn diese friedlichen, ruhigen Tage? Sind Sie mit der Arbeit vorangekommen? Haben Sie gute Nachrichten für mich?«

Ich knöpfte das Jackett auf und reichte ihm ein Bündel Seiten. Wir gingen in den Friedhof hinein, um uns irgendwo unterzustellen. Der Patron wählte ein altes Mausoleum mit einer Kuppel auf Marmorsäulen, umgeben von Engeln mit schmalen Gesichtern und zu langen Fingern. Wir setzten uns auf eine kalte Steinbank. Der Patron schenkte mir sein hündisches Lächeln und zwinkerte mir zu. Seine glänzenden gelben Pupillen schlossen sich zu einem schwarzen Punkt, in dem ich mein blasses, sichtlich unruhiges Gesicht gespiegelt sah.

»Entspannen Sie sich, Martín. Sie messen den Requisiten zu viel Bedeutung bei.«

Ruhig begann er die Seiten zu lesen, die ich ihm mitgebracht hatte.

»Ich glaube, ich mache einen Spaziergang, während Sie lesen«, sagte ich.

Corelli nickte, ohne von den Seiten aufzuschauen.

»Entwischen Sie mir nicht«, murmelte er.

Ich entfernte mich, so schnell ich konnte, ohne dass es auffiel, und verlor mich auf den Wegen und in den Winkeln der Totenstadt. Ich ging um Obelisken und Gräber herum und gelangte allmählich ins Zentrum. Der Grabstein war noch da, davor ein Gefäß mit einem Skelett vertrockneter Blumen. Vidal war für die Beerdigung aufgekommen und hatte sogar einen einigermaßen bekannten Bildhauer der Bestattungszunft mit einer Pietà beauftragt, die das Grab behütete, den Blick himmelwärts gewandt, die Hände flehentlich auf der Brust. Ich kniete mich vor den Grabstein und schabte das Moos von der eingemeißelten Inschrift.

JOSÉ ANTONIO MARTÍN CLARÉS
1875–1908
Held des Philippinenkrieges
Sein Land und seine Freunde werden ihn nie vergessen

»Guten Tag, Vater«, sagte ich.

Ich schaute zu, wie der schwarze Regen über das Gesicht der Pietà rann und auf den Grabstein trommelte, und lächelte zum Gruß dieser Freunde, die er nie gehabt hatte, und dieses Landes, das ihn in den Tod geschickt hatte, damit sich ein paar Bonzen bereichern konnten, die nie erfuhren, dass es ihn überhaupt gab. Ich setzte mich auf den Stein und legte die Hand auf den Marmor.

»Wer hätte das gedacht, nicht wahr?«

Mein Vater, der stets am Rande des Elends gelebt hatte, ruhte auf immer in einem bürgerlichen Grab. Als Kind hatte ich nie begriffen, warum ihm die Zeitung eine Beerdigung mit einem vornehmen Geistlichen und Klageweibern, mit Blumen und einem Grab wie für einen Zuckerimporteur bezahlt hatte. Niemand hatte mir gesagt, dass Vidal es war, der den Prunk für den Mann finanziert hatte, welcher an seiner Stelle gestorben war, dabei hatte ich immer geahnt, dass er dafür aufgekommen war, und hatte die Geste der unendlichen Güte und Großzügigkeit zugeschrieben, mit der der Himmel meinen Mentor, mein Idol gesegnet hatte, den großen Pedro Vidal.

»Ich muss Sie um Verzeihung bitten, Vater. Jahrelang habe ich Sie gehasst, weil Sie mich allein hier zurückgelassen haben. Ich sagte mir, Sie hätten den Tod gefunden, den Sie immer wollten. Darum habe ich Sie nie besucht. Vergeben Sie mir.«

Mein Vater hatte Tränen nicht gemocht. Er dachte, ein Mann, der weine, vergieße seine Tränen nie um andere, sondern nur für sich selbst. Und dann sei er schwach und verdiene kein Mitleid. Ich mochte nicht um ihn weinen und ihn noch einmal verraten.

»Es wäre schön gewesen, wenn Sie meinen Namen auf einem Buch gesehen hätten, auch wenn Sie es nicht hätten lesen können. Es wäre schön gewesen, wenn Sie hier gewesen wären, bei mir, um zu sehen, dass Ihr Sohn sich durchgesetzt und einige der Dinge erreicht hat, die man Sie nie hatte tun lassen. Es wäre schön gewesen, zu wissen, wer Sie waren, Vater, und es wäre schön gewesen, wenn Sie mich gekannt hätten. Um Sie zu vergessen, habe ich Sie zu einem Fremden gemacht, und jetzt bin ich selbst der Fremde.«

Ich hatte ihn nicht kommen hören, aber als ich den Kopf hob, sah ich, dass mich der Patron aus wenigen Meter Abstand schweigend beobachtete. Ich stand auf und ging zu ihm wie ein gut dressierter Hund. Ich fragte mich, ob er wohl wusste, dass mein Vater hier beerdigt war, und ob er mich gerade aus diesem Grund hierher bestellt hatte. Anscheinend war in meinem Gesicht wie in einem offenen Buch zu lesen, denn er schüttelte den Kopf und legte mir eine Hand auf die Schulter.

»Ich habe es nicht gewusst, Martín. Es tut mir leid.«

Ich war nicht bereit, ihm die Tür zur Freundschaft zu öffnen, und wandte mich ab, um seine Geste der Zuneigung und des Mitleids abzuschütteln und mit zusammengekniffenen Augen die Tränen der Trauer zurückzuhalten. Dann machte ich mich langsam auf den Weg zum Ausgang, ohne auf ihn zu warten. Nach einigen Sekunden folgte er mir. Er ging schweigend neben mir her, bis wir zum Ausgang kamen. Dort blieb ich stehen und schaute ihn ungeduldig an.

»Und? Haben Sie irgendeine Bemerkung zu machen?«

Er überhörte meinen leicht feindseligen Ton und lächelte geduldig.

»Die Arbeit ist hervorragend.«

»Aber…«

»Wenn ich etwas anzumerken hätte, dann, dass Sie meiner Ansicht nach goldrichtig damit liegen, die ganze Geschichte aus der Perspektive eines Zeugen der Ereignisse aufzubauen, der sich als Opfer fühlt und im Namen eines Volkes spricht, das diesen kriegerischen Erlöser herbeisehnt. Machen Sie so weiter.«

»Finden Sie es nicht forciert, künstlich…?«

»Im Gegenteil. Nichts bringt uns so sehr zum Glauben wie die Angst, die Gewissheit, bedroht zu sein. Wenn wir uns als Opfer fühlen, sind alle unsere Handlungen und Glaubenslehren gerechtfertigt, so anfechtbar sie auch sein mögen. Unsere Gegner – oder auch nur unsere Nachbarn – stehen nicht mehr auf der gleichen Stufe wie wir und werden zu Feinden. Wir sind nicht mehr Angreifer, sondern werden Verteidiger. Der Neid, die Habsucht oder das Ressentiment, die uns antreiben, sind gerechtfertigt, weil wir uns sagen, dass wir ja zum Zweck der Selbstverteidigung handeln. Das Böse, die Bedrohung liegt immer beim anderen. Der erste Schritt zum leidenschaftlichen Glauben ist die Angst. Die Angst, unsere Identität, unser Leben, unseren Rang oder unseren Glauben zu verlieren. Die Angst ist das Pulver und der Hass der Docht. Letzten Endes ist das Dogma nur ein brennendes Streichholz. Hier weist Ihre Arbeit meines Erachtens noch die eine oder andere Lücke auf.«

»Erklären Sie mir eines: Geht es Ihnen um den Glauben oder um das Dogma?«

»Es darf uns nicht genügen, dass die Menschen glauben. Sie sollen glauben, was sie glauben sollen. Und sie sollen das weder infrage stellen noch auf die Stimme von irgendjemandem hören, der es infrage stellt. Das Dogma muss zur Identität selbst gehören. Wer immer es infrage stellt, ist unser Feind. Ist das Böse. Und wir haben das Recht und die Pflicht, ihm gegenüberzutreten und ihn zu zerstören. Das ist der einzige Weg zur Erlösung. Glauben, um zu überleben.«

Ich seufzte, schaute weg und nickte widerwillig.

»Ich sehe, Sie sind nicht überzeugt, Martín. Sagen Sie mir, was Sie denken. Glauben Sie, ich irre mich?«

»Ich weiß es nicht. Ich glaube, das alles ist eine gefährliche Vereinfachung. Ihre ganze Rede scheint auf einen

Mechanismus hinauszulaufen, mit dem sich Hass erzeugen und lenken lässt.«

»Das Adjektiv, das Sie gebrauchen wollten, war nicht *gefährlich*, sondern *widerwärtig*, aber ich will es überhört haben.«

»Warum sollen wir den Glauben auf einen Akt der Abwehr und des blinden Gehorsams reduzieren? Kann man nicht an Werte der Annahme, der Eintracht glauben?«

Der Patron lächelte amüsiert.

»Man kann an alles glauben, Martín, an den freien Markt oder an die Zahnfee. Man kann sogar glauben, dass wir an nichts glauben, so wie Sie, dazu muss man nur besonders leichtgläubig sein. Habe ich recht?«

»Der Kunde hat immer recht. Welches ist die Lücke, die Sie in der Geschichte sehen?«

»Ich vermisse einen Schurken. Die meisten von uns definieren sich bewusst oder unbewusst eher darüber, dass sie etwas oder jemanden ablehnen, als dass sie sich mit etwas oder jemandem identifizieren. Mit anderen Worten: Reagieren ist einfacher als agieren. Nichts belebt den Glauben, den Eifer und das Dogma so sehr wie ein guter Widersacher. Je unwahrscheinlicher, desto besser.«

»Ich hatte gedacht, das funktioniere besser auf abstrakte Weise. Der Widersacher wäre der Ungläubige, der Fremde, der außerhalb der Gemeinschaft steht.«

»Schon, aber ich möchte, dass Sie konkreter werden. Es ist schwierig, eine Idee zu hassen. Das erfordert eine gewisse intellektuelle Disziplin und einen obsessiven, krankhaften Geist, der nicht allzu oft anzutreffen ist. Es ist viel einfacher, jemanden mit einem erkennbaren Gesicht zu hassen, dem man an allem, was einem nicht passt, die Schuld in die Schuhe schieben kann. Es muss nicht unbedingt eine Person sein. Es kann auch eine Nation, eine Rasse, eine Gruppe sein, irgendetwas.«

Gegen den präzisen, gelassenen Zynismus des Patrons konnte selbst ich nichts ausrichten. Ich schnaubte niedergeschlagen.

»Spielen Sie jetzt nicht den Musterschüler, Martín. Ihnen ist es egal, und wir brauchen einen Schurken in diesem Vaudeville. Das sollten Sie besser wissen als jeder andere. Es gibt kein Drama ohne Konflikt.«

»Was für einen Schurken möchten Sie denn? Einen tyrannischen Eroberer? Einen falschen Propheten? Den schwarzen Mann?«

»Die Verkleidung überlasse ich Ihnen. Jeder der üblichen Verdächtigen ist mir recht. Unser Schurke soll es uns ermöglichen, die Opferrolle anzunehmen und unsere moralische Überlegenheit einzufordern. Wir werden all das in ihm sehen, was wir in uns selbst nicht zu erkennen vermögen und je nach unseren besonderen Interessen dämonisieren. Das ist das Einmaleins des Pharisäertums. Ich sage ja, Sie sollen die Bibel lesen. Darin finden sich alle Antworten, die Sie suchen.«

»Ich bin dabei.«

»Man braucht nur den Frömmler davon zu überzeugen, dass er frei von Sünde ist, und schon fängt er begeistert an, Steine oder Bomben zu werfen. Tatsächlich ist kein großer Aufwand erforderlich, es braucht nur etwas

Ermutigung und ein Alibi, dann überzeugt er sich selbst. Habe ich mich deutlich genug ausgedrückt?«

»Sie drücken sich hervorragend aus. Ihre Argumente sind so subtil wie der Hochofen in einer Eisenhütte.«

»Ich glaube, mir gefällt dieser herablassende Ton nicht ganz, Martín. Finden Sie vielleicht, das alles sei nicht ganz auf der Höhe Ihrer moralischen oder intellektuellen Reinheit?«

»Überhaupt nicht«, murmelte ich kleinlaut.

»Was liegt Ihnen denn sonst auf der Seele, mein Freund?«

»Dasselbe wie immer. Ich bin nicht sicher, ob ich der Nihilist bin, den Sie benötigen.«

»Das ist niemand. Nihilismus ist eine Pose, keine Doktrin. Halten Sie einem Nihilisten eine Kerzenflamme unter die Hoden, und Sie werden sehen, wie schnell er das Licht des Lebens sieht. Was Sie stört, ist etwas anderes.«

Ich schaute ihm direkt in die Augen und gewann meinen herausforderndsten Ton zurück.

»Vielleicht stört mich, dass ich zwar alles verstehe, was Sie sagen, dass ich es aber nicht fühle.«

»Bezahle ich Sie dafür, dass Sie fühlen?«

»Manchmal ist Fühlen und Denken dasselbe. Der Gedanke ist von Ihnen, nicht von mir.«

Der Patron lächelte in einer seiner dramatischen Pausen, wie ein Schullehrer, der den tödlichen Stoß vorbereitet, um einen ungezogenen, widerspenstigen Schüler zum Schweigen zu bringen.

»Und was fühlen Sie, Martín?«

Die Ironie und Verachtung in seiner Stimme ermutigten mich, und ich öffnete dem in seinem Schatten über Monate angehäuften Gefühl der Erniedrigung die Schleusen. Ich spürte Wut und Scham darüber, dass ich mich von seiner Gegenwart einschüchtern ließ und seine vergifteten Abhandlungen duldete. Wut und Scham darüber, dass er mir, obwohl ich glauben wollte, in mir gebe es nichts als Verzweiflung, gezeigt hatte, dass meine Seele genauso schäbig und elend war wie seine Gossenphilosophie. Wut und Scham, weil ich spürte und wusste, dass er in allem recht hatte, besonders dann, wenn es am schwersten zu akzeptieren war.

»Ich habe Sie etwas gefragt, Martín. Was *fühlen* Sie?«

»Ich habe das Gefühl, dass ich die Dinge am besten so belasse, wie sie sind, und Ihnen Ihr Geld zurückgebe. Ich habe das Gefühl, dass ich, was immer Sie mit diesem absurden Unterfangen erreichen wollen, lieber keinen Anteil daran haben möchte. Und vor allem habe ich das Gefühl, ich hätte Sie besser nie kennengelernt.«

Der Patron schloss die Augen und versank in ein langes Schweigen. Er wendete sich um und ging einige Schritte in Richtung Friedhofstor. Ich beobachtete seine sich vor dem Marmorgarten abzeichnende dunkle Gestalt, seinen reglosen Schatten im Regen. Ich hatte Angst, eine undeutliche Angst, die in mir wuchs und mir den kindlichen Gedanken eingab, um Verzeihung zu bitten und jede beliebige Strafe zu akzeptieren, wenn ich nur dieses Schweigen nicht mehr ertragen musste. Und ich verspürte Ekel. Vor seiner Gegenwart und vor allem vor mir selbst.

Der Patron drehte sich um und kam zurück. Wenige Zentimeter von mir blieb er stehen und beugte sein Gesicht über meines. Ich spürte seinen kalten Atem und verlor mich in seinen bodenlosen schwarzen Augen. Diesmal war der Ton seiner Stimme reines Eis, frei von der zweckmäßigen, einstudierten Menschlichkeit, mit der er seine Gespräche und Gebärden zu garnieren pflegte.

»Ich werde es Ihnen nur ein einziges Mal sagen. Sie werden Ihren Teil erfüllen und ich den meinen. Das ist das Einzige, was Sie fühlen können und sollen.«

Erst als er das Bündel Seiten aus der Tasche zog, wurde mir bewusst, dass ich wiederholt nickte. Bevor ich die Seiten ergreifen konnte, ließ er sie fallen. Der Wind wirbelte die Blätter weg, und ich sah, wie sie sich zum Friedhofstor hin zerstreuten. Ich wollte sie vor dem Regen retten, aber einige waren in Pfützen gefallen und bluteten im Wasser aus – die Worte lösten sich vom Papier wie Fasern. Ich sammelte sie alle zu einem Klumpen Makulatur ein. Als ich aufschaute und mich umblickte, war der Patron verschwunden.

27

Wenn ich je bei einem vertrauten Gesicht Zuflucht finden musste, dann jetzt. Ich ging zu dem alten, sich hinter den Friedhofsmauern erhebenden Gebäude der *Stimme der Industrie*, in der Hoffnung, meinen alten Lehrer Don Basilio dort anzutreffen. Er war einer der wenigen gegen die Dummheit der Welt gefeiten Menschen und konnte immer mit einem guten Rat aufwarten. Beim Betreten des Zeitungsgebäudes fiel mir auf, dass ich die meisten der Beschäftigten, die mir begegneten, noch kannte. Seit meinem Weggang vor Jahren schien keine Minute vergangen zu sein. Diejenigen, die mich ebenfalls wiedererkannten, streiften mich mit einem argwöhnischen Blick und schauten dann weg, um mich nicht grüßen zu müssen. Ich schlich mich durch den Redaktionsraum und ging geradewegs nach hinten zu Don Basilios Büro. Es war leer.

»Wen suchen Sie?«

Hinter mir stand Rosell, einer der Redakteure, die mir schon alt erschienen waren, als ich als junger Bursche dort gearbeitet hatte. Er hatte für die Zeitung die boshafte Kritik über *Die Schritte des Himmels* geschrieben, in der ich als »Verfasser von Kleinanzeigen« bezeichnet worden war.

»Señor Rosell, ich bin's, Martín, David Martín. Erinnern Sie sich nicht mehr an mich?«

Rosell musterte mich mehrere Sekunden, als könnte er mich nur mit großer Mühe wiedererkennen, und nickte schließlich.

»Und Don Basilio?«

»Der ist vor zwei Monaten gegangen. Sie finden ihn in der Redaktion der *Vanguardia*. Wenn Sie ihn sehen, grüßen Sie ihn von mir.«

»Das werde ich tun.«

»Tut mir leid, das mit Ihrem Buch«, sagte er nachsichtig.

Zwischen ausweichenden Blicken, manch falschem

Lächeln und galligem Gemurmel hindurch verließ ich die Redaktion. Die Zeit heilt alles, dachte ich, außer der Wahrheit.

Eine halbe Stunde später setzte mich ein Taxi vor dem Hauptsitz der *Vanguardia* in der Calle Pelayo ab. Im Gegensatz zu dem düsteren, heruntergekommenen Inventar meiner ehemaligen Zeitung strahlte hier alles Gediegenheit und Üppigkeit aus. Ich wies mich beim Pförtner aus, und ein junger Bursche, der nach Volontär aussah und mich an mich selbst in meinen jungen Jahren als Mädchen für alles erinnerte, wurde ausgesandt, Don Basilio den Besuch zu melden. Die Erscheinung meines alten Lehrers hatte im Lauf der Jahre nichts von ihrer Löwenhaftigkeit verloren. In der zu der erlesenen Umgebung passenden neuen Gewandung war Don Basilio eine so imposante Gestalt wie zu seinen besten Zeiten in der *Stimme der Industrie*. Bei meinem Anblick leuchteten seine Augen auf, und entgegen seinem strengen Protokoll empfing er mich mit einer Umarmung, bei der ich mühelos zwei, drei Rippen hätte einbüßen können, hätte Don Basilio vor Publikum nicht Schein und Ruf wahren müssen.

»Werden wir langsam bürgerlich, Don Basilio?«

Mein ehemaliger Chef zuckte die Schultern und spielte die Bedeutung der neuen Kulisse mit einer Handbewegung herunter.

»Lassen Sie sich nicht beeindrucken.«

»Seien Sie nicht so bescheiden, Don Basilio, da sind

Sie ja in eine Schatzkammer geraten. Und machen Sie den Leuten Dampf?«

Er zog seinen unsterblichen Rotstift hervor und hielt ihn mir mit einem Augenzwinkern unter die Nase.

»Vier pro Woche.«

»Zwei weniger als in der *Stimme*.«

»Geben Sie mir ein wenig Zeit, da gibt's noch so eine Eminenz, die die Flinte auf mich anlegt und meint, Cicero sei ausschließlich der Name eines römischen Konsuls.«

Dennoch fühlte sich Don Basilio offensichtlich wohl in seinem neuen Zuhause, und er sah sogar gesünder aus als früher.

»Sagen Sie nicht, Sie seien gekommen, weil Sie Arbeit suchen – ich bin imstande und gebe Ihnen welche«, drohte er.

»Ich danke Ihnen, Don Basilio, aber Sie wissen ja, dass ich den Beruf an den Nagel gehängt habe und dass Journalismus nicht meine Sache ist.«

»So sagen Sie schon, wie Ihnen dieser alte Brummbär helfen kann.«

»Ich brauche für eine Geschichte, an der ich arbeite, Informationen zu einem alten Fall – dem Tod eines renommierten Anwalts namens Marlasca, Diego Marlasca.«

»Und von welchem Jahr ist die Rede?«

»1904.«

Don Basilio stieß einen Pfiff aus.

»Spät kommt Ihr, doch Ihr kommt! Seither ist viel Wasser den Ebro hinuntergeflossen.«

»Nicht genug, um die Sache reinzuwaschen.«

Don Basilio legte mir die Hand auf die Schulter und bedeutete mir, ihm in die Redaktion zu folgen.

»Keine Sorge, hier sind Sie goldrichtig. Diese guten Leute führen ein Archiv, nach dem sich der Vatikan alle zehn Finger lecken würde. Falls etwas durch die Presse ging, finden wir es. Und zudem ist der Chefarchivar ein guter Freund von mir. Ich mache Sie darauf aufmerksam, dass ich neben ihm Schneewittchen bin. Lassen Sie sich von seiner etwas widerborstigen Art nicht einschüchtern. Im Grunde, ganz tief drinnen, ist er ein gutmütiger Kerl.«

Ich folgte ihm durch die große, mit edlen Hölzern ausgekleidete Vorhalle. Auf der einen Seite tat sich ein runder Saal mit einem runden Tisch und einer Reihe Bilder auf, von denen herab uns ernst dreinblickende Aristokraten betrachteten.

»Der Raum der Hexensabbate«, erklärte Don Basilio. »Da treffen sich täglich um sieben Uhr abends die Ressortchefs und der stellvertretende Chefredakteur, also meine Wenigkeit, und der Chef, und sitzen wie die Ritter der Tafelrunde um den Heiligen Gral herum.«

»Beeindruckend.«

»Sie haben noch gar nichts gesehen. Kommen Sie, nehmen Sie alles unter die Lupe.«

Don Basilio trat unter eines der erlauchten Porträts und drückte auf die Holztäfelung. Sie gab knarrend nach und den Zugang zu einem verborgenen Korridor frei.

»Na, was sagen Sie nun, Martín? Und das ist nur einer

der vielen Geheimgänge des Hauses. Nicht einmal die Borgia hatten einen Schuppen wie diesen.«

Ich folgte ihm durch den Gang zu einem großen Lesesaal. Rundherum standen verglaste Vitrinen – die Geheimbibliothek der *Vanguardia*. Ganz hinten im Saal erkannte man im Lichtkegel einer grünlichen Lampe einen Mann mittleren Alters, der an einem Tisch saß und mit der Lupe ein Dokument studierte. Als er uns eintreten hörte, sah er auf und schenkte uns einen Blick, der jeden Minderjährigen oder Hasenfuß versteinert hätte.

»Darf ich vorstellen – Don José María Brotons, Herr der Unterwelt und der Katakomben dieses geweihten Hauses«, verkündete Don Basilio.

Ohne die Lupe wegzulegen, schaute mich Brotons mit seinen sengenden Augen an. Ich trat zu ihm und reichte ihm die Hand.

»Das ist mein ehemaliger Zögling David Martín.«

Brummelnd drückte mir Brotons die Hand und sah zu Don Basilio auf.

»Das ist der Schriftsteller?«

»Höchstselbst.«

Brotons nickte.

»Doch, doch, der hat Mut, nach der Abreibung, die er bekommen hat, noch aus dem Haus zu gehen. Was sucht er hier?«

»Ihre Hilfe, Ihren Segen und Rat bei einer hoch wichtigen Ermittlung im Bereich der Dokumentar-Archäologie«, erklärte Don Basilio.

»Und wo bleibt das Blutopfer?«

Ich musste schlucken.

»Blutopfer?«, fragte ich.

Brotons schaute mich an wie einen Schwachsinnigen.

»Eine Ziege, ein Lämmlein, ein Kapaun, wenn Sie es genau wissen wollen ...«

Ich verstand überhaupt nichts. Brotons starrte mich einen endlosen Moment lang an, ohne zu blinzeln. Dann, als mich schon der Schweiß am Rücken zu jucken begann, brachen der Archivleiter und Don Basilio in Gelächter aus. Ich ließ sie auf meine Kosten lachen, bis sie beinahe erstickten und sich die Tränen aus den Augen wischten. Es war nicht zu übersehen – in seinem neuen Kollegen hatte Don Basilio eine Zwillingsseele gefunden.

»Hier entlang, junger Mann«, sagte Brotons, während sich sein wildes Gesicht glättete. »Sehen wir doch mal, was wir finden.«

28

Das Archiv befand sich in einem Kellergelass des Gebäudes, einen Stock tiefer als die große Rotationsmaschine, eine postviktorianische Ausgeburt der Technik, die aussah wie die Kreuzung zwischen einer gigantischen Dampflokomotive und einem Blitzerzeugungsaggregat.

»Darf ich vorstellen – die Rotationsmaschine, bekannter unter dem Namen Leviathan. Seien Sie vorsichtig – sie soll schon mehr als einen Unvorsichtigen verschluckt haben«, sagte Don Basilio. »Wie bei Jona und dem Wal, aber in Form von Gehacktem.«

»So schlimm wird es wohl nicht sein.«

»Wir könnten ja einmal den neuen Stipendiaten rein-werfen, den, der sich als Neffen von Macià bezeichnet und immer so schlaubergert«, schlug Brotons vor.

»Nennen Sie Tag und Stunde, und wir feiern es mit Kutteln an Tomatensoße«, stimmte Don Basilio zu.

Die beiden wieherten wie zwei Pennäler. Ein perfek-tes Paar, dachte ich.

Der Archivraum bestand aus zahllosen Gängen mit jeweils drei Meter hohen Regalen. Zwei blasse Wesen, die aussahen, als hätten sie seit fünfzehn Jahren kein Sonnenlicht mehr gesehen, fungierten als Brotons' As-sistenten. Als sie ihn erblickten, eilten sie wie treue Mas-kottchen herbei, um seine Befehle entgegenzunehmen. Brotons warf mir einen fragenden Blick zu.

»Was suchen wir?«

»1904. Tod eines Anwalts namens Diego Marlasca. Herausragendes Mitglied der Barceloneser Gesellschaft, Gründungsmitglied der Kanzlei Valera, Marlasca und Sentís.«

»Monat?«

»November.«

Auf ein Zeichen von Brotons entschwirrten die bei-den Assistenten, um die Ausgaben aller Zeitungen vom November 1904 zu holen. Damals war der Tod im Alltag so gegenwärtig, dass die meisten Zeitungen ihre Titel-seite mit großen Nachrufen aufmachten. Man durfte an-nehmen, dass eine Persönlichkeit vom Range Marlascas der städtischen Presse mehr als eine Todesanzeige wert gewesen und die Nachrufe prominent auf der ersten Seite erschienen waren. Die Assistenten kamen mit mehreren Bänden zurück und platzierten sie auf einem großen Tisch. Zu fünft teilten wir uns in die Arbeit, und bald fanden wir Don Diego Marlascas Nachruf wie vermutet auf der ersten Seite der Ausgabe vom 23. November 1904.

»*Habemus corpus*«, verkündete Brotons, der Entdecker.

Es gab vier Nekrologe auf Marlasca – einen von seiner Familie, einen von der Anwaltskanzlei, einen dritten von der Barceloneser Anwaltskammer und schließlich einen vom Barceloneser Athenäum, einem kulturellen Verein.

»So ist das, wenn man reich ist. Man stirbt ein halbes Dutzend Male«, bemerkte Don Basilio.

Die Nachrufe an sich waren nicht weiter von Interesse. Fürbitten für die unsterbliche Seele des Dahingegangenen, der Hinweis darauf, dass die Beisetzung im engsten Familienkreis stattfinde, prächtige Elogen auf einen großen Mitbürger und Gelehrten, ein unersetzliches Mitglied der Barceloneser Gesellschaft und so weiter.

»Was Sie interessiert, muss einen oder zwei Tage vor- oder nachher erschienen sein«, sagte Brotons.

Wir begannen die Ausgaben der gesamten Woche von Marlascas Tod durchzugehen und stießen auf eine ganze Serie von Meldungen. Die erste verkündete, der distinguierte Rechtsgelehrte sei bei einem Unfall ums Leben gekommen. Don Basilio las die Meldung vor.

»Das hat ein Orang-Utan geschrieben«, sagte er.

»Drei redundante Absätze, die nichts aussagen, und erst am Ende wird erklärt, es habe sich um einen Unfall gehandelt, ohne dass gesagt würde, um was für einen.«

»Da haben wir was Interessanteres«, sagte Brotons.

In einem Artikel des darauffolgenden Tages stand, die Polizei untersuche die Umstände des Unfalls, um den exakten Verlauf des Geschehens zu klären. Das Interessanteste war der Hinweis, dass Marlasca dem gerichtsmedizinischen Gutachten zufolge ertrunken sei.

»Ertrunken?«, fiel ihm Don Basilio ins Wort. »Wie? Wo?«

»Das wird nicht angegeben. Wahrscheinlich musste man die Meldung stutzen für diese dringende, ausführliche Apologie der Sardana da – dreispaltig aufgemacht und unter der Überschrift ›Beim Klang der Tenora – Geist und Stimmung‹«, sagte Brotons.

»Steht dort, wer die Ermittlungen geleitet hat?«, fragte ich.

»Da wird ein gewisser Salvador erwähnt, Ricardo Salvador«, antwortete Brotons.

Wir gingen die übrigen Meldungen zu Marlascas Tod durch, aber es fand sich nichts mehr von Belang. Der Inhalt der Texte wiederholte sich wie in einer Litanei, die allzu sehr der von der Kanzlei Valera ausgegebenen Version glich.

»All das riecht auffällig nach Verschleierung«, sagte Brotons.

Ich war entmutigt. Ich hatte gehofft, etwas mehr zu finden als nur süßliche Gedenktexte und leere Meldungen, die keinerlei Licht auf das Vorgefallene warfen.

»Hatten Sie nicht eine gute Verbindung zum Polizei-
präsidium?«, fragte Don Basilio. »Wie hieß der Mann
noch?«

»Víctor Grandes«, sagte Brotons.

»Vielleicht kann er Sie in Kontakt bringen mit diesem
Salvador.«

Ich räusperte mich, und die beiden Männer schauten
mich mit gerunzelter Stirn an.

»Aus Gründen, die nichts mit der Sache zu tun haben
– oder allzu viel –, möchte ich Inspektor Grandes lieber
nicht in diese Geschichte hineinziehen«, sagte ich.

Brotons und Don Basilio wechselten einen Blick.

»Hm. Sonst noch ein Name, der von der Liste zu
streichen ist?«

»Marcos und Castelo.«

»Ich sehe, Sie haben Ihr Talent, sich allenthalben
Freunde zu schaffen, noch nicht verloren«, sagte Don
Basilio.

Brotons rieb sich das Kinn.

»Kein Grund zur Beunruhigung. Ich glaube, ich
werde den einen oder anderen Zugang finden, der keinen Verdacht aufkommen lässt.«

»Wenn Sie mir Salvador aufspüren, werde ich für Ihr
Blutopfer schlachten, was Sie wollen, sogar ein
Schwein.«

»Mit meiner Gicht habe ich notgedrungen von Speck
Abstand genommen, aber zu einer guten Havanna
würde ich nicht nein sagen«, meinte Brotons.

»Es dürfen auch zwei sein«, fügte Don Basilio hinzu.
Während ich zu einem Tabakladen in der Calle Tallers

eilte, um die beiden edelsten und teuersten Zigarren des
Sortiments zu erwerben, tätigte Brotons zwei diskrete
Anrufe im Präsidium und bestätigte, dass Salvador den
Dienst eher unfreiwillig verlassen und dann auf eigene
Faust zu arbeiten begonnen habe, als Leibwächter für
Industrielle oder als Ermittler für mehrere Anwalts-
kanzleien der Stadt. Als ich mit den beiden Zigarren für
meine Wohltäter zurückkam, reichte mir der Archivlei-
ter einen Zettel mit einer Adresse.

Ricardo Salvador
Calle de la Lleona 21, Dachgeschoss

»Der Herr Graf möge es Ihnen vergelten«, sagte ich.
»Und Ihnen wünsche ich, dass Sie es noch erleben.«

29

Die Calle de la Lleona, bei den Anwohnern wegen des
dort ansässigen berüchtigten Bordells besser bekannt
unter dem Namen dels Tres Llits, »der drei Betten«, war
ein Gässchen beinahe so düster wie sein Ruf. Es entsprang den schattigen Bögen der Plaza Real und wuchs
sich ohne Sonnenlicht zu einer feuchten Spalte zwischen
alten, dichtgedrängten, von einem durchgehenden Netz
aufgehängter Wäsche verbundenen Häusern aus. Von
den altersschwachen Fassaden blätterte der Ocker ab,
und über das Pflaster aus Steinplatten war in den Ge-
waltjahren der anarchistischen Aufstände viel Blut ge-

flossen. Mehr als einmal hatte ich sie in meinen Geschichten über die *Stadt der Verdammten* als Schauplatz
benutzt, und auch jetzt, da sie verlassen und vergessen
dalag, roch sie für mich noch nach Intrigen und Schieß-
pulver. Diese triste Kulisse deutete darauf hin, dass
Kommissar Salvador nicht unter sehr großzügigen Bedingungen in den Zwangsruhestand versetzt worden
war.

Nummer 21 war ein bescheidenes, zwischen zwei anderen eingeklemmtes, halb verstecktes Haus. Die Tür
stand offen und führte zu einem dämmrigen Schacht, in
dem eine schmale, steile Stiege spiralförmig hinaufführte. Zwischen den Fugen der Bodenfliesen quoll eine
dunkle, schleimige Flüssigkeit heraus. Beim Hinaufsteigen ließ ich das Geländer nicht los, obwohl ich auch ihm
nicht traute. In jedem Stock gab es nur eine Wohnung,
von denen, der Breite des Hauses nach zu urteilen, keine
größer als vierzig Quadratmeter sein konnte. Ein kleines Oberlicht krönte das Treppenhaus und tauchte die
obersten Stockwerke in mattes Licht. Die Tür zur
Dachwohnung befand sich am Ende eines kurzen Gangs
und stand zu meiner Überraschung offen. Ich klopfte
an, erhielt aber keine Antwort. Man sah in ein kleines
Wohnzimmer mit einem Sessel, einem Tisch und einem
Regal mit Büchern und Blechdosen. Die angrenzende
Kammer war eine Art Küche mit Waschplatz. Der einzige Segen dieses Lochs bestand darin, dass man direkt
aufs flache Dach hinausgelangte. Auch diese Tür stand
offen, und eine frische Brise wehte von den Altstadt-
dächern den Geruch nach Essen und Wäsche herein.

»Ist da jemand?«, rief ich.

Da die Antwort abermals ausblieb, ging ich zur Terrassentür und spähte aufs Dach hinaus. Der Dschungel von Giebeln, Dachterrassen, Türmen, Wassertanks, Blitzableitern und Schornsteinen wucherte nach allen Seiten. Ich hatte noch keinen Schritt hinaus getan, als ich ein kaltes Metallteil im Nacken spürte und das eiserne Klacken eines Revolverhahns hörte, der gespannt wurde. Mir fiel nichts anderes ein, als ohne mit der Wimper zu zucken die Hände zu heben.

»Mein Name ist David Martín. Man hat mir Ihre Adresse im Präsidium gegeben. Ich wollte mit Ihnen über einen Fall sprechen, den Sie geleitet haben, als Sie noch im Dienst waren.«

»Gehen Sie immer in Wohnungen anderer Leute, ohne vorher anzuklopfen, Señor Martín?«

»Die Tür war offen. Ich habe angeklopft, aber anscheinend haben Sie mich nicht gehört. Darf ich die Hände runternehmen?«

»Ich habe nicht gesagt, dass Sie sie hochnehmen sollen. Was für ein Fall?«

»Der Tod von Diego Marlasca. Ich bin der Mieter seiner letzten Wohnung. Des Hauses mit dem Turm in der Calle Flassaders.«

Er blieb stumm. Der Druck des Revolvers hielt an.

»Señor Salvador?«, fragte ich.

»Ich überlege eben, ob ich Ihnen nicht am besten gleich das Hirn wegblase.«

»Wollen Sie nicht vorher meine Geschichte hören?«

Er lockerte den Druck des Revolvers. Ich hörte, wie

der Hahn entspannt wurde, und drehte mich in Zeitlupe um. Ricardo Salvador war von imponierender Gestalt und hatte graue Haare und hellblaue, durchdringende Augen. Ich schätzte ihn auf etwa fünfzig, aber selbst ein halb so alter Mann hätte schwerlich gewagt, sich ihm in den Weg zu stellen. Salvador senkte den Revolver, kehrte mir den Rücken und ging in die Wohnung zurück.

»Entschuldigen Sie diesen Empfang«, murmelte er.

Ich folgte ihm zu der winzigen Küche und blieb auf der Schwelle stehen. Er legte den Revolver auf den Spülstein und brachte mit Papier und Karton die eine Herdflamme zum Brennen. Mit einem Glas Kaffeepulver in der Hand schaute er mich fragend an.

»Nein, danke.«

»Ich mache Sie darauf aufmerksam, dass es das einzig Gute ist, was ich habe«, sagte er.

»Dann leiste ich Ihnen Gesellschaft.«

Salvador gab zwei gehäufte Löffel Kaffee in die Espressomaschine, füllte sie mit Wasser aus einem Krug und setzte sie aufs Feuer.

»Wer hat Ihnen von mir erzählt?«

»Vor einigen Tagen habe ich Señora Marlasca besucht, die Witwe. Sie hat von Ihnen gesprochen und gesagt, Sie seien der Einzige, der versucht habe, die Wahrheit herauszufinden, und das habe Sie die Stelle gekostet.«

»So könnte man es wohl sagen.«

Ich bemerkte, dass die Erwähnung der Witwe seinen Blick getrübt hatte, und fragte mich, was sich in diesen unglücklichen Tagen zwischen den beiden ereignet haben mochte.

»Wie geht es ihr?«, fragte er.

»Ich glaube, sie vermisst Sie.«

Salvador nickte. Seine Wildheit war völlig verschwunden.

»Ich habe sie schon lange nicht mehr besucht.«

»Sie glaubt, Sie geben ihr die Schuld an dem, was Ihnen widerfahren ist. Ich denke, sie würde Sie gern wiedersehen, obwohl es schon so lange her ist.«

»Vielleicht haben Sie recht. Vielleicht sollte ich sie besuchen …«

»Können Sie mir erzählen, was geschehen ist?«

Sein Gesicht wurde wieder ernst, und er nickte.

»Was wollen Sie denn wissen?«

»Marlascas Witwe hat mir gesagt, Sie hätten nie an die Version geglaubt, dass ihr Mann sich das Leben genommen habe, und hätten einen Verdacht gehegt.«

»Mehr als nur einen Verdacht. Hat Ihnen jemand gesagt, wie Marlasca ums Leben gekommen ist?«

»Ich weiß nur, dass es ein Unfall gewesen sein soll.«

»Marlasca ertrank. So stand es jedenfalls im Schlussbericht der Polizei.«

»Wie ist er ertrunken?«

»Es gibt nur eine Art zu ertrinken, aber darauf komme ich später zurück. Das Merkwürdige ist, wo.«

»Im Meer?«

Salvador lächelte. Sein Lächeln war so bitter und schwarz wie der Kaffee, der in der Kanne hochstieg. Salvador schnupperte.

»Sind Sie sicher, dass Sie diese Geschichte hören wollen?«

»In meinem ganzen Leben bin ich mir einer Sache nie so sicher gewesen.«

Er gab mir eine Tasse und musterte mich von oben bis unten.

»Ich gehe davon aus, dass Sie diesen Scheißkerl von Valera schon aufgesucht haben.«

»Wenn Sie Marlascas Partner meinen, der ist tot. Gesprochen habe ich mit seinem Sohn.«

»Ebenfalls ein Scheißkerl, aber mit weniger Schneid. Ich weiß ja nicht, was er Ihnen erzählt hat, aber sicher hat er Ihnen verschwiegen, dass sie es gemeinsam bewirkt hatten, dass man mich aus dem Dienst ausschloss und zu einem Paria machte, dem keiner ein Almosen gab.«

»Ich fürchte tatsächlich, das hat er in seine Darstellung der Ereignisse nicht mit einbezogen«, gab ich zu.

»Erstaunt mich nicht.«

»Sie wollten mir sagen, wie Marlasca ertrank.«

»Genau da wird es interessant«, sagte Salvador. »Wussten Sie, dass Señor Marlasca nicht nur Anwalt, Gelehrter und Schriftsteller war, sondern als junger Mann auch zweimal die weihnächtliche Hafenüberquerung, die der Schwimmklub Barcelona organisiert, gewonnen hat?«

»Wie kann ein Schwimmchampion ertrinken?«, fragte ich.

»Es kommt eben darauf an, wo. Señor Marlascas Leiche wurde im Becken auf dem Dach des Wasserspeichers am Ciudadela-Park gefunden. Kennen Sie diesen Ort?«

Ich nickte mit einem Kloß im Hals. Der Ort, wo ich mich zum ersten Mal mit Corelli getroffen hatte.

»Wenn Sie ihn kennen, wissen Sie auch, dass das volle Becken kaum einen Meter tief, also eigentlich eine Pfütze ist. An dem Tag, an dem der Anwalt tot aufgefunden wurde, war der Teich halb leer, der Wasserspiegel erreichte kaum sechzig Zentimeter.«

»Ein Schwimmchampion ertrinkt nicht mir nichts, dir nichts in sechzig Zentimeter tiefem Wasser.«

»Das habe ich mir auch gesagt.«

»Gab es noch andere Meinungen?«

Salvador lächelte bitter.

»Zunächst ist schon fraglich, ob er überhaupt ertrunken ist. Der Gerichtsarzt, der die Autopsie der Leiche durchführte, fand ein wenig Wasser in der Lunge, aber sein Gutachten besagte, dass der Tod durch Herzstillstand eingetreten sei.«

»Das verstehe ich nicht.«

»Als Marlasca ins Wasser fiel – oder als ihn jemand hineinstieß –, stand er in Flammen. Die Leiche zeigte an Oberkörper, Armen und Gesicht Verbrennungen dritten Grades. Laut Gerichtsmediziner dürfte der Körper gut eine Minute gebrannt haben, bevor er mit dem Wasser in Berührung kam. Im Gewebe von Marlascas Kleidern fanden sich Reste irgendeines Lösungsmittels. Er ist bei lebendigem Leib verbrannt worden.«

Ich brauchte eine Weile, um all das zu verdauen.

»Warum sollte jemand so was tun?«

»Eine Abrechnung? Pure Grausamkeit? Wählen Sie selber. Meiner Meinung nach wollte jemand die Identifizierung von Marlascas Leiche hinauszögern, um Zeit zu gewinnen und die Polizei in die Irre zu führen.«

»Wer denn?«

»Jaco Corbera.«

»Der Impresario von Irene Sabino.«

»Der am Tag von Marlascas Tod verschwunden ist – mit der Einlage eines Privatkontos von Anwalt Marlasca bei der Bank Hispano Colonial, von dem seine Frau nichts wusste.«

»Hunderttausend französische Francs«, sagte ich.

Salvador schaute mich verdutzt an.

»Woher wissen Sie das?«

»Tut nichts zur Sache. Was hatte Marlasca auf dem Dach des Wasserspeichers verloren? Der liegt ja nicht eben am Weg.«

»Das ist ein weiterer ungeklärter Punkt. In Marlascas Arbeitszimmer haben wir ein Notizbuch gefunden, in dem er ein Treffen an diesem Ort eingetragen hatte, um fünf Uhr nachmittags. So sah es wenigstens aus – im Notizbuch waren nur eine Uhrzeit, ein Ort und eine Initiale vermerkt. Ein C. Wahrscheinlich Corbera.«

»Was ist denn Ihrer Meinung nach geschehen?«

»Ich glaube – und eigentlich ist das das Nächstliegende –, dass Jaco Irene Sabino benutzte, um Marlasca zu manipulieren. Sie wissen ja vermutlich, dass der Anwalt besessen war von diesem ganzen Aberglauben der spiritistischen Sitzungen und all dem, besonders seit dem Tod seines Sohnes. Jaco hatte einen Partner, Damián Roures, der sich in diesem Milieu bewegte. Ein Schwindler, wie er im Buche steht. Gemeinsam und mit Irene Sabinos Hilfe führten die beiden Marlasca hinters Licht und versprachen ihm, er könne mit dem Jungen in der Welt der Geister Verbindung aufnehmen. Marlasca war verzweifelt und bereit, alles zu glauben. Das Gaunertrio hatte die Sache perfekt durchgeplant, bis Jacos Geldgier mit ihm durchging. Manche sagen, die Sabino habe nicht böswillig gehandelt, sondern sei tatsächlich in Marlasca verliebt gewesen und habe an den ganzen Zauber ebenso geglaubt wie er. Mich überzeugt diese Version nicht, aber angesichts dessen, was geschah, spielt das auch keine Rolle. Jaco erfuhr von Marlascas Vermögen auf der Bank und beschloss, ihn sich vom Hals zu schaffen und mit dem Geld abzuhauen und nichts als Verwirrung zurückzulassen. Das Treffen im Notizbuch kann ebenso gut eine falsche Fährte gewesen sein, die die Sabino oder Jaco gelegt hatte. Es gibt keinen eindeutigen Hinweis darauf, dass Marlasca es selbst eingetragen hatte.«

»Und woher kamen die hunderttausend Francs, die Marlasca bei der Bank Hispano Colonial hatte?«

»Marlasca hatte sie ein Jahr zuvor in bar selbst einbezahlt. Ich habe nicht die geringste Ahnung, woher er eine solche Summe hatte. Hingegen weiß ich, dass das, was davon noch vorhanden war, am Morgen von Marlascas Todestag abgehoben wurde, ebenfalls in bar. Später behaupteten die Anwälte, das Geld sei auf eine Art Sperrkonto überwiesen worden, also nicht verschwunden, Marlasca habe bloß beschlossen, seine Finanzen neu zu ordnen. Ich kann aber nur schwer glauben, dass einer am Morgen seine Finanzen neu ordnet und fast hunderttausend Francs verschiebt und am Abend lebendigen Leibes verbrannt wird. Ich glaube nicht, dass dieses Geld in irgendeinem geheimnisvollen Fonds verschwand, sondern bin überzeugt, dass es bei Jaco Corbera und Irene Sabino gelandet ist. Wenigstens zuerst – ich bezweifle, dass sie nachher auch nur einen Céntimo gesehen hat. Jaco ist mit dem Geld verschwunden. Auf Nimmerwiedersehen.«

»Und was ist dann aus ihr geworden?«

»Das ist ein weiterer Punkt, der mich annehmen lässt, dass Jaco Roures und Irene Sabino betrogen hat. Kurz nach Marlascas Tod hat Roures das Geschäft mit dem Jenseits aufgegeben und einen Laden für Zauberartikel in der Calle Princesa aufgemacht, den es meines Wissens immer noch gibt. Irene Sabino hat noch zwei Jahre in Nachtklubs und immer schäbigeren Lokalen gearbeitet. Das Letzte, was ich von ihr gehört habe, ist, dass sie im Raval auf den Strich ging und im Elend lebte. Offensichtlich hat sie nicht einen einzigen Franc von diesem Geld bekommen. Und Roures auch nicht.«

»Und Jaco?«

»Höchstwahrscheinlich hat er das Land unter falschem Namen verlassen und lebt irgendwo auf der Welt komfortabel von den Zinsen.«

Statt allmählich klarer zu sehen, taten sich mir nur noch mehr Fragezeichen auf. Anscheinend interpretierte Salvador meinen bekümmerten Blick richtig, denn er schenkte mir ein mitfühlendes Lächeln.

»Valera und seine Freunde im Rathaus haben erreicht, dass die gesamte Presse die Geschichte über den Unfall brachte. Außerdem hat er die ganze Angelegenheit mit einer herrschaftlichen Bestattungsfeier bereinigt. Zum einen, um die Geschäfte der Kanzlei nicht zu gefährden, die zum guten Teil ja auch die Geschäfte von Rathaus und Abgeordnetenversammlung waren, und zum anderen, um Señor Marlascas merkwürdiges Verhalten in den letzten zwölf Monaten seines Lebens vergessen zu machen. Denn er hatte sich schließlich von seiner Familie und seinem Partner getrennt, ein baufälliges Haus in einem Stadtteil erworben, in den er sein Leben lang keinen seiner gutbeschuhten Füße gesetzt hatte, um sich, laut seinem ehemaligen Partner, nur noch dem Schreiben zu widmen.«

»Hat Valera gesagt, was Marlasca schreiben wollte?«

»Einen Gedichtband oder so etwas.«

»Und Sie haben das geglaubt?«

»Ich habe bei meiner Arbeit viel Seltsames gesehen, mein Freund, aber wohlhabende Anwälte, die alles hinschmeißen, um in der Abgeschiedenheit Sonette zu dichten, gehörten bis dahin nicht zu meinem Repertoire.«

»Und dann?«

»Dann wäre es das Vernünftigste gewesen, das Ganze zu vergessen und das zu tun, was mir aufgetragen wurde.«

»Was Sie aber nicht getan haben.«

»Nein. Und nicht, weil ich ein Held oder ein Schwachkopf gewesen wäre. Ich habe so gehandelt, weil es mir jedes Mal den Magen umgedreht hat, wenn ich diese arme Frau sah, Marlascas Witwe, und weil ich nicht mehr in den Spiegel schauen konnte, wenn ich nicht tat, wofür ich meiner Meinung nach bezahlt wurde.«

Er zeigte auf die erbärmliche, kalte Wohnung um uns herum und lachte.

»Glauben Sie mir, wenn ich das hätte kommen sehen, wäre ich lieber ein Feigling gewesen und nicht aus der Reihe getanzt. Ich kann nicht behaupten, man habe mich im Präsidium nicht gewarnt. Nachdem der Anwalt beerdigt war, wäre es Zeit gewesen, das Ganze ad acta zu legen und sich ganz auf die Verfolgung hungerleidender Anarchisten und ideologisch verdächtiger Schulmeister zu konzentrieren.«

»Sie sagen beerdigt – wo ist denn Diego Marlasca eigentlich beerdigt?«

»Ich glaube, im Familiengrab auf dem Friedhof San Gervasio, nicht weit vom Haus der Witwe entfernt. Darf ich fragen, warum Sie diese Geschichte interessiert? Und sagen Sie nicht, Ihre Neugier sei nur darum erwacht, weil Sie im Haus mit dem Turm wohnen.«

»Das ist schwer zu erklären.«

»Wenn Sie einen freundschaftlichen Rat wollen, dann schauen Sie mich an und ziehen Sie eine Lehre daraus. Lassen Sie die Hände davon.«

»Das würde ich ja gern. Dummerweise glaube ich, dass die Geschichte die Hände nicht von mir lässt.«

Salvador sah mich lange an und nickte. Dann schrieb er eine Nummer auf einen Zettel.

»Das ist das Telefon der Nachbarn unten. Nette Menschen und die Einzigen im ganzen Haus, die Telefon haben. Da können Sie mich erreichen oder eine Nachricht hinterlassen. Fragen Sie nach Emilio. Wenn Sie Hilfe brauchen, zögern Sie nicht, mich anzurufen. Und seien Sie vorsichtig. Jaco ist zwar schon vor vielen Jahren von der Bildfläche verschwunden, aber es gibt immer noch Leute, die um keinen Preis wollen, dass wieder in dieser alten Geschichte rumgestochert wird. Hunderttausend Francs sind kein Pappenstiel.«

Ich steckte den Zettel mit der Nummer ein.

»Danke sehr.«

»Nichts zu danken. Na ja, was können sie mir schon anhaben?«

»Hätten Sie vielleicht ein Foto von Diego Marlasca? Ich habe im ganzen Haus kein einziges gefunden.«

»Ich weiß nicht ... Eines habe ich wahrscheinlich irgendwo. Lassen Sie mich nachsehen.«

Salvador ging zu einem Schreibtisch in der Ecke des Wohnzimmers und zog eine Blechdose voller Papiere hervor.

»Ich habe immer noch Material von diesem Fall ... Sie sehen, auch mit den Jahren bin ich nicht klüger geworden. Da, schauen Sie. Dieses Bild hat mir die Witwe gegeben.«

Er reichte mir eine alte Atelieraufnahme, auf der ein großgewachsener, gutaussehender Mittvierziger zu sehen war, der vor einem Samthintergrund in die Kamera lächelte. Ich verlor mich in seinem klaren Blick und fragte mich, wie sich dahinter die finstere Welt verbergen konnte, auf die ich auf den Seiten von *Lux Aeterna* gestoßen war.

»Darf ich es mitnehmen?«

Salvador zögerte.

»Ich glaube schon. Aber verlieren Sie es nicht.«

»Ich verspreche, dass ich es Ihnen zurückgeben werde.«

»Versprechen Sie mir, dass Sie vorsichtig sein werden, dann bin ich etwas ruhiger. Und wenn Sie unvorsichtig sind und in Schwierigkeiten geraten, rufen Sie mich an.«

Ich gab ihm die Hand.

»Versprochen.«

30

Als ich Ricardo Salvador in seiner kalten Dachgeschosswohnung verließ und wieder zur Plaza Real ging, tauchte das staubige Licht der untergehenden Sonne die Passanten in rote Farbe. Entschlossen marschierte ich los, um am einzigen Ort in der ganzen Stadt Zuflucht zu suchen, an dem ich immer gut aufgenommen worden war und mich behütet gefühlt hatte. Als ich in die Calle Santa Ana kam, war bei Sempere und Söhne eben Ladenschluss. Die Dämmerung kroch über die Stadt, und am Himmel hatte sich ein blau-purpurner Spalt aufgetan. Ich stellte mich vors Schaufenster und sah den jungen Sempere einen Kunden zur Tür begleiten. Bei meinem Anblick lächelte er und grüßte mich mit seiner üblichen Schüchternheit.

»Soeben habe ich an Sie gedacht, Martín. Alles in Ordnung?«

»Bestens.«

»Man sieht es Ihnen an. Na, kommen Sie doch herein, wir machen einen Kaffee.«

In der Buchhandlung saugte ich den Geruch nach Papier und Magie ein, den in Flaschen abzufüllen unerklärlicherweise noch nie jemandem eingefallen war. Sempere junior bat mich ins Hinterzimmer, wo er sich anschickte, Kaffee zu machen.

»Und Ihr Vater? Wie geht es ihm? Neulich hat er ein wenig zerbrechlich gewirkt.«

Sempere nickte, als wäre er dankbar für die Frage. Da wurde mir klar, dass er wahrscheinlich mit niemandem sonst darüber sprechen konnte.

»Er hat bessere Zeiten gesehen, das stimmt schon. Der Arzt sagt, er soll aufpassen mit der Angina Pectoris, aber er muss ja unbedingt noch mehr arbeiten als vorher. Manchmal muss ich regelrecht böse werden mit ihm, aber offenbar glaubt er, wenn er die Buchhandlung an mich übergibt, ist es aus mit dem Geschäft. Heute Morgen habe ich ihn gebeten, im Bett zu bleiben, statt runterzukommen und den ganzen Tag zu arbeiten. Sie werden es nicht glauben, aber drei Minuten später schlüpft er im Korridor in die Schuhe.«

»Er ist ein Mann mit festen Prinzipien.«

»Stur wie ein Maulesel, das ist er. Zum Glück haben wir jetzt etwas Hilfe, sonst …«

Ich setzte meinen reichlich abgenutzten Ausdruck von Überraschung und Arglosigkeit auf.

»Das junge Mädchen«, verdeutlichte Sempere. »Isabella, Ihre Assistentin. Darum habe ich an Sie gedacht. Ich hoffe, es macht Ihnen nichts aus, wenn sie ein paar

Stunden hier verbringt. So, wie die Dinge liegen, sind wir tatsächlich sehr dankbar für die Hilfe. Aber wenn Sie etwas dagegen haben …«

Ich verkniff mir ein Lächeln, weil er die beiden »l« von Isabella so im Mund zergehen ließ.

»Nun, solange es nur vorübergehend ist … Isabella ist wirklich ein gutes Mädchen. Intelligent und fleißig«, sagte ich. »Absolut vertrauenswürdig. Wir kommen glänzend miteinander aus.«

»Sie sagt aber, Sie seien ein Despot.«

»Wirklich?«

»Sie hat sogar einen Spitznamen für Sie: Mister Hyde.«

»So ein Engel. Geben Sie nichts drauf. Sie wissen ja, wie Frauen sind.«

»Ja, ja, das weiß ich.« Seinem Ton war zu entnehmen, dass er zwar vieles wusste, von diesem jungen Mädchen aber nicht die geringste Ahnung hatte.

»Isabella sagt das zwar von mir, aber glauben Sie nicht, dass sie mir nicht auch Dinge über Sie sagt.«

In seinem Gesicht geriet etwas in Bewegung. Ich ließ meine Worte langsam seinen Panzer durchdringen. Mit beflissenem Lächeln reichte er mir eine Tasse Kaffee, und dann nahm er das Thema mit einer Wendung wieder auf, die im schlichtesten Operettenlibretto keine Chance gehabt hätte.

»Na, was wird sie über mich schon sagen können.«

Ich ließ ihn einige Augenblicke im Ungewissen.

»Das möchten Sie gern wissen, was?« Ich verbarg das Grinsen hinter der Tasse.

Er zuckte die Achseln.

»Sie sagt, Sie seien ein guter, großherziger Mensch, die Leute verstünden Sie nur nicht, weil Sie ein wenig schüchtern seien, und sähen in Ihnen nichts weniger als, ich zitiere wörtlich, die Figur eines Filmstars mit einer faszinierenden Persönlichkeit.«

Sempere starrte mich ungläubig an.

»Ich will Ihnen nichts vormachen, lieber Sempere. Ich freue mich nämlich, dass Sie das Thema zur Sprache gebracht haben – seit Tagen habe ich mit Ihnen darüber reden wollen und nicht gewusst, wie ich es anstellen soll.«

»Worüber reden?«

Ich schaute ihm gerade in die Augen und sagte etwas leiser: »Unter uns gesagt, Isabella will hier arbeiten, weil sie Sie bewundert und insgeheim, fürchte ich, in Sie verliebt ist.«

Sempere starrte mich an wie vom Donner gerührt.

»Aber eine lautere Liebe, ja? Vorsicht. Eine geistige Liebe. Wie eine Dickens-Heldin, um es deutlich zu machen. Nichts Oberflächliches, keine Kinderei. Isabella ist zwar noch jung, aber schon ganz Frau. Sicherlich haben Sie das auch bemerkt.«

»Jetzt, da Sie es sagen …«

»Und ich rede nicht nur, wenn Sie mir die Freimütigkeit gestatten, von dem exquisit gepolsterten Anblick, sondern auch von der inneren Güte und Schönheit, die sie in sich trägt und die nur auf den passenden Moment wartet, um hervorzukommen und irgendeinen Glückspilz zum glücklichsten Menschen der Welt zu machen.«

Sempere wusste nicht, wohin mit sich.

»Und zudem hat sie verborgene Talente. Spricht Sprachen. Spielt Klavier wie ein Engel. Hat einen Kopf für Zahlen wie weiland Isaac Newton. Und überdies kocht sie sensationell. Sie brauchen mich nur anzuschauen. Seit sie für mich arbeitet, habe ich mehrere Kilo zugenommen. Köstlichkeiten wie nicht mal im Tour d'Argent … Sie wollen mir doch nicht sagen, das hätten Sie nicht bemerkt.«

»Also von Kochen hat sie nichts gesagt.«

»Ich meine Amors Pfeil.«

»Nun, äh …«

»Wissen Sie was? Im Grunde ist das Mädchen, auch wenn sie sich als Widerspenstige gibt, die noch zu zähmen ist, geradezu krankhaft sanft und schüchtern. Schuld daran sind die Nonnen, die die jungen Mädchen in all den Handarbeitsstunden mit ihren Geschichten von der Hölle regelrecht betäuben. Es lebe die freie Schule.«

»Also ich hätte schwören können, dass sie mich mehr oder weniger für einen Dummkopf hält«, sagte Sempere.

»Da haben Sie's. Der unumstößliche Beweis. Mein lieber Sempere, wenn eine Frau Sie wie einen Dummkopf behandelt, dann bedeutet das, dass ihre Drüsen die Produktion aufgenommen haben.«

»Sind Sie da sicher?«

»Das ist sicherer als die Bank von Spanien. Sie können mir glauben – davon versteh ich eine ganze Menge.«

»Das sagt mein Vater auch. Was soll ich also tun?«

»Nun, das kommt ganz drauf an. Gefällt sie Ihnen denn?«

»Gefallen? Ich weiß nicht. Wie kann man wissen, ob ... ?«

»Ganz einfach. Schielen Sie nach ihr und würden Sie am liebsten hineinbeißen?«

»Hineinbeißen?«

»In den Hintern zum Beispiel.«

»Señor Martín ...«

»Seien Sie nicht so schüchtern, wir sind ja unter Kavalieren, und bekanntlich sind wir Männer das verlorene Glied zwischen dem Piraten und dem Schwein. Gefällt sie Ihnen, ja oder nein?«

»Nun ja, Isabella ist ein hübsches Mädchen.«

»Was noch?«

»Intelligent. Sympathisch. Fleißig.«

»Weiter.«

»Und eine gute Christin, glaube ich. Ich bin zwar nicht gerade praktizierender Katholik, aber ...«

»Kein weiteres Wort. Isabella ist von der Messe weniger wegzudenken als der Opferstock. Die Nonnen, ich sag es ja.«

»Aber in sie reinzubeißen, das ist mir wirklich nicht in den Sinn gekommen.«

»Bis jetzt.«

»Ich muss sagen, dass ich es für respektlos halte, so von ihr zu sprechen, oder überhaupt von einer Frau, und Sie sollten sich was schämen ...«, protestierte Sempere junior.

»*Mea culpa.*« Zum Zeichen der Kapitulation hob ich die Hände. »Aber egal – jeder bringt seine Zuneigung auf seine Weise zum Ausdruck. Ich bin ein leichtfertiger und oberflächlicher Mensch, daher meine hündische Einstellung, aber Sie mit Ihrer *aurea gravitas* sind ein Mann von mystischen, tiefen Gefühlen. Was zählt, ist einzig, dass das junge Mädchen Sie anbetet und dass das Gefühl gegenseitig ist.«

»Nun gut …«

»Weder gut noch schlecht. Es ist so, wie es ist, Sempere. Sie sind ein achtbarer, verantwortungsbewusster Mann. Wenn es um mich ginge, was soll ich sagen … aber Sie sind nicht der Mann, der mit den edlen, lauteren Gefühlen einer erblühenden Frau spielen würde. Oder täusche ich mich da?«

»Vermutlich nicht.«

»Na also.«

»Was also?«

»Ist es denn noch nicht klar?«

»Nein.«

»Der Moment des Werbens ist gekommen.«

»Wie bitte?«

»Den Hof machen oder, wissenschaftlich ausgedrückt, rangehen. Schauen Sie, Sempere, aus irgendeinem merkwürdigen Grund haben uns Jahrhunderte angeblicher Zivilisation so weit gebracht, dass wir uns nicht mehr einfach an einer Ecke an eine Frau heranmachen oder ihr die Ehe antragen können. Zuerst muss man sie umwerben.«

»Ehe? Sind Sie übergeschnappt?«

»Was ich sagen will, ist, dass Sie vielleicht, und im Grunde ist das ja Ihre eigene Idee, nur haben Sie es noch nicht gemerkt, heute oder morgen oder übermorgen, wenn sich das Knieschlottern gelegt hat und Sie nicht mehr mit offenem Mund dastehen, dass Sie Isabella dann nach Feierabend an einen hübschen Ort zu Kaffee und Kuchen einladen, und dann werden Sie beide endlich sehen, dass Sie füreinander geschaffen sind. Zum Beispiel ins Quatre Gats, wo man etwas knauserig ist und das Licht runterdreht, um Strom zu sparen, was in solchen Fällen immer förderlich ist. Sie bestellen dem Mädchen einen Quark mit einem kräftigen Löffel Honig, das regt den Appetit an, und dann schenken Sie ihr so ganz nebenbei zwei Schluck von diesem Muskateller ein, der zwangsläufig in den Kopf steigt, und während Sie ihr die Hand aufs Knie legen, benebeln Sie sie mit dem Wortschwall, den Sie sonst immer zurückhalten, Sie Schlitzohr.«

»Aber ich weiß doch gar nichts von ihr oder wofür sie sich interessiert …«

»Sie interessiert sich für dieselben Dinge wie Sie. Bücher, Literatur, den Duft dieser Schätze, die Sie dort haben, die Verheißungen, die in den Romanzen und Abenteuern der Groschenromane liegen. Sie ist daran interessiert, die Einsamkeit zu vertreiben und nicht erst lange zu ergründen, warum auf dieser schlechten Welt nichts auch nur einen Céntimo wert ist, wenn wir es nicht mit jemandem teilen können. Jetzt wissen Sie alles Wesentliche. Alles andere lernen und genießen Sie unterwegs.«

Sempere versank in Grübelei und schaute abwechselnd auf seine unberührte Kaffeetasse und auf mich. Ich konnte mein Börsenmaklergrinsen nur mit Ach und Krach zurückhalten.

»Ich weiß nicht, soll ich mich bei Ihnen bedanken oder Sie bei der Polizei anzeigen«, sagte er schließlich.

In diesem Augenblick waren die schweren Schritte von Sempere senior in der Buchhandlung zu hören. Einige Sekunden später erschien sein Kopf in der Tür, und er schaute uns mit einem Stirnrunzeln an.

»Was ist denn das? Den Laden sich selbst überlassen und munter plappern wie auf dem Jahrmarkt? Und wenn ein Kunde kommt? Oder irgendein Langfinger, der etwas mitgehen lassen will?«

Der junge Sempere verdrehte die Augen.

»Keine Angst, Señor Sempere, Bücher sind das Einzige auf der Welt, was nicht gestohlen wird, vor allem nicht, wenn der Laden schon geschlossen ist.« Ich zwinkerte ihm zu.

Auf seinem Gesicht leuchtete ein schelmisches Lächeln auf. Sempere junior nutzte die Gunst des Augenblicks, um meinen Klauen zu entkommen und in die Buchhandlung zu entschwinden. Sein Vater setzte sich neben mich und witterte den Kaffee, den der Sohn nicht angerührt hatte.

»Was meint denn der Arzt über das Zusammentreffen von Koffein und Herz?«, fragte ich.

»Der findet selbst mit einem Anatomieatlas nicht einmal das Gesäß. Was soll er da vom Herzen verstehen?«

»Sicherlich mehr als Sie.« Ich nahm ihm die Tasse ab.

»Aber ich bin stark wie ein Bär, Martín.«

»Stur wie ein Maulesel sind Sie. Tun Sie mir den Gefallen und gehen Sie nach oben ins Bett.«

»Im Bett zu sein lohnt sich nur, wenn man jung und in angenehmer Gesellschaft ist.«

»Wenn Sie Gesellschaft wollen, suche ich sie Ihnen, aber ich glaube nicht, dass das die geeigneten Umstände für ihr Herz sind.«

»Martín, in meinem Alter reduziert sich die Erotik darauf, einen Wackelpudding zu genießen und den Witwen auf den Hals zu schauen. Was mir hier Sorgen macht, das ist der Thronfolger. Irgendein Fortschritt zu vermelden auf diesem Gebiet?«

»Wir befinden uns in der Phase des Düngens und der Aussaat. Es bleibt abzuwarten, ob das Wetter mitspielt und es etwas zu ernten gibt. In zwei, drei Tagen kann ich Ihnen mit einer Sicherheit von sechzig oder siebzig Prozent eine positive Einschätzung geben.«

Sempere lächelte zufrieden.

»Ein Meisterstück, mir Isabella als Verkäuferin zu schicken«, sagte er. »Aber finden Sie sie nicht ein bisschen jung für meinen Sohn?«

»Wer in meinen Augen ein bisschen unreif ist, das ist er, um ehrlich zu sein. Entweder legt er die Schlafmütze ab, oder Isabella verschluckt ihn in fünf Minuten roh. Zum Glück ist sie ein gutmütiger Mensch, sonst …«

»Wie kann ich Ihnen nur danken?«

»Indem Sie in Ihre Wohnung hinaufgehen und sich ins Bett legen. Wenn Sie pikante Gesellschaft brauchen, nehmen Sie *Fortunata und Jacinta* mit.«

»Sie haben recht. Mit Don Benito liegt man allemal richtig.«

»Unfehlbar. Und jetzt kommen Sie, ab in die Koje.«

Er stand auf. Jede Bewegung fiel ihm schwer, und er atmete mühsam und so röchelnd, dass einem die Haare zu Berge standen. Ich hakte ihn unter und spürte, dass seine Haut kalt war.

»Erschrecken Sie nicht, Martín, das ist mein Stoffwechsel, der ist etwas langsam.«

»Heute scheint er wie der von *Krieg und Frieden* zu sein.«

»Ein Schläfchen, und ich bin wie neugeboren.«

Ich beschloss, ihn in die Wohnung über der Buchhandlung, wo er mit seinem Sohn zusammenlebte, hinaufzubegleiten, um sicher zu sein, dass er sich auch wirklich hinlegte. Wir brauchten eine Viertelstunde, um zum ersten Treppenabsatz zu gelangen. Unterwegs begegneten wir einem Nachbarn, einem liebenswürdigen Gymnasiallehrer namens Don Anacleto, der im Jesuitenkolleg in der Calle Caspe Sprache und Literatur unterrichtete und eben nach Hause kam.

»Wie zeigt sich das Leben heute, mein lieber Sempere?«

»Steil, Don Anacleto.«

Gemeinsam mit dem Lehrer brachte ich Sempere, der mehr oder weniger an meinem Hals hing, in den ersten Stock hinauf.

»Wenn Sie gestatten, ziehe ich mich nach einem langen Tag des Ringens mit dieser Primatenmeute, die ich als Schüler habe, ins traute Heim zurück«, verkündete der Lehrer. »Ich kann Ihnen versichern, dieses Land wird binnen einer einzigen Generation zerfallen. Wie Ratten werden sie einander die Haut abziehen.«

Semperes Blick gab mir zu verstehen, ich solle Don Anacleto nicht allzu wörtlich nehmen.

»Ein guter Mann«, raunte er mir zu, »aber er ertrinkt in einem Glas Wasser.«

Beim Betreten der Wohnung überfiel mich die Erinnerung, wie ich an jenem weit zurückliegenden Morgen blutend hierhergekommen war, die *Großen Erwartungen* in der Hand, und wie Sempere mich auf den Armen hinaufgetragen hatte und mir eine Tasse Schokolade machte, während wir auf den Arzt warteten, mir beruhigende Worte zuflüsterte und mir mit einem lauwarmen Tuch und einer mir bis dahin unbekannten Zartheit das Blut abgewaschen hatte. Damals war er ein kräftiger Mann gewesen, der mir in jeder Hinsicht wie ein Riese erschien und ohne den ich jene glücklosen Jahre vermutlich nicht überlebt hätte. Jetzt, als ich ihn beim Hinlegen stützte und dann zwei Decken über ihm ausbreitete, war von dieser Kraft wenig oder gar nichts mehr da. Ich setzte mich neben ihn und nahm seine Hand, ohne zu wissen, was ich sagen sollte.

»Hören Sie, wenn wir beide gleich wie Schlosshunde losheulen, dann gehen Sie besser«, sagte er.

»Passen Sie auf sich auf, ja?«

»Keine Bange, ich werde mich mit Samthandschuhen anfassen.«

Ich nickte und ging zur Tür.

»Martín?«

Auf der Schwelle drehte ich mich um. Sempere sah mich so besorgt an wie an jenem Morgen, an dem ich

einige Zähne und einen guten Teil meiner Unschuld verloren hatte. Ich ging, bevor er mich fragen konnte, was
mit mir los sei.

31

Was Isabella von mir als Berufsschriftsteller als Erstes
gelernt hatte, war die Kunst und Praxis des Hinaus-
schiebens. Jeder alte Hase in diesem Geschäft weiß, dass
vom Bleistiftspitzen bis zum Tagträumen alles wichtiger
ist, als sich einfach hinzusetzen und das Gehirn auszu-
wringen. Diese grundlegende Lektion hatte Isabella
durch Osmose verinnerlicht, und als ich nach Hause
kam, fand ich sie nicht an ihrem Schreibtisch, sondern in
der Küche, wo sie einem Gericht die letzte Würze gab,
das duftete und aussah, als hätte seine Zubereitung mehrere Stunden gekostet.

»Haben wir etwas zu feiern?«, fragte ich.

»Bei dem Gesicht, das Sie machen, wohl nicht unbedingt.«

»Wonach duftet es?«

»Kandierte Ente mit Birnen aus dem Ofen und Scho-
koladensoße. Ich habe das Rezept in einem Ihrer Kochbücher gefunden.«

»Ich habe keine Kochbücher.«

Sie stand auf und legte einen ledergebundenen Band
mit dem Titel *Die 101 besten Rezepte der französischen
Küche* von Michel Aragon auf den Tisch.

»Das glauben *Sie*. In der hinteren Reihe der Bücherregale habe ich alles Mögliche gefunden, sogar ein Handbuch der Ehehygiene von einem Dr. Pérez-Aguado mit überaus anregenden Illustrationen und Sätzen wie ›Aufgrund des göttlichen Ratschlusses kennt das Weib keine Fleischeslust und findet seine geistige und gefühlsmäßige Verwirklichung in der Erfüllung der natürlichen Aufgaben von Mutterschaft und Hausarbeit‹. Da sind wir gleich wieder in Ali Babas Höhle.«

»Und darf man fragen, was du in der hinteren Reihe der Regale gesucht hast?«

»Inspiration. Die ich auch gefunden habe.«

»Aber kulinarischer Art. Wir hatten doch ausgemacht, dass du jeden Tag schreiben würdest, mit Inspiration oder ohne.«

»Ich stecke fest. Und das ist Ihre Schuld, weil Sie mir zu viele Aufgaben zuteilen und mich in Ihr Spiel mit dem unbefleckten Sempere junior verwickeln.«

»Findest du es nett, den Mann zu verspotten, der bis über beide Ohren in dich verliebt ist?«

»Was?«

»Du hast schon richtig gehört. Der junge Sempere hat mir gestanden, dass du ihn um den Schlaf bringst. Wörtlich. Er schläft nicht, isst nicht, trinkt nicht – der Ärmste kann nicht einmal urinieren, weil er den ganzen Tag an dich denken muss.«

»Sie phantasieren wohl.«

»Wer phantasiert, das ist der arme Sempere. Du hättest ihn sehen sollen. Um ein Haar hätte ich ihm eine Kugel verpasst, um ihn von seinem Schmerz und Elend zu erlösen.«

»Der nimmt mich doch gar nicht ernst«, protestierte sie.

»Weil er nicht weiß, wie er sich dir offenbaren und seinen Gefühlen Ausdruck verleihen soll. Wir Männer sind so. Roh und primitiv.«

»Er hat aber durchaus Worte gefunden, um mich anzufahren, weil ich mich bei der Bestellung der *Nationalen Episoden* geirrt habe. Da war er sehr beredt.«

»Das ist nicht dasselbe. Administrative Formalitäten sind eines, die Sprache der Leidenschaft ist etwas ganz anderes.«

»Dummes Zeug.«

»In der Liebe gibt es nichts Dummes, werte Assistentin. Und um das Thema zu wechseln – essen wir nun zu Abend oder nicht?«

Isabella hatte den Tisch ihrem Festschmaus entsprechend gedeckt und ein ganzes Arsenal Teller, Besteck und Gläser aufgefahren, die ich noch nie gesehen hatte.

»Ich weiß nicht, warum Sie diese Kostbarkeiten nicht benutzen, wo Sie sie schon haben. Das war alles in Kisten in dem Zimmer neben der Waschküche«, sagte sie. »Typisch Mann.«

Ich hob eines der Messer und betrachtete es im Licht der Kerzen, die Isabella aufgestellt hatte, und mir wurde klar, dass diese Dinge Diego Marlasca gehört hatten. Ich konnte förmlich spüren, wie mir der Appetit verging.

»Ist was?«, fragte Isabella.

Ich schüttelte den Kopf. Meine Assistentin servierte

zwei Teller und schaute mich erwartungsvoll an. Ich kostete einen ersten Bissen und nickte mit einem Lächeln.

»Sehr gut.«

»Ein bisschen zäh, glaube ich. Im Rezept steht, man müsse es ich weiß nicht wie lange auf kleiner Flamme braten, aber bei Ihrem Herd gibt es entweder gar keine Flamme oder eine, die alles versengt, dazwischen ist nichts.«

»Es schmeckt gut«, wiederholte ich und aß ohne Appetit.

Isabella schaute mir argwöhnisch zu. Wir speisten schweigend weiter, sodass nur das Klappern des Bestecks auf den Tellern zu hören war.

»Haben Sie das mit dem jungen Sempere ernst gemeint?«

Ich nickte, ohne vom Teller aufzuschauen.

»Und was hat er sonst noch über mich gesagt?«

»Er hat gesagt, du seist eine klassische Schönheit, intelligent, zutiefst weiblich – er ist nun mal so kitschig –, und er fühle, dass es zwischen euch eine geistige Verbindung gebe.«

Sie warf mir einen Blick zu, der töten konnte.

»Schwören Sie mir, dass Sie sich das nicht aus den Fingern saugen«, sagte sie.

Ich legte die rechte Hand auf das Kochbuch und hob die linke.

»Ich schwöre es bei den *101 besten Rezepten der französischen Küche*«, erklärte ich.

»Man schwört mit der anderen Hand.«

Mit vertauschten Händen und feierlichem Ausdruck wiederholte ich das Ganze. Isabella schnaubte.

»Was soll ich also tun?«, fragte sie.

»Ich weiß nicht. Was tun Verliebte? Spazieren oder tanzen gehen …«

»Ich bin aber nicht in diesen Herrn verliebt.«

Ich aß weiter an meiner kandierten Ente, ohne auf ihren insistierenden Blick einzugehen. Nach einer Weile schlug sie auf den Tisch.

»Schauen Sie mich bitte an. All das ist Ihre Schuld.«

Bedächtig legte ich das Besteck hin, wischte mir mit der Serviette die Lippen ab und schaute sie an.

»Was soll ich also tun?«, wiederholte sie.

»Nun, das kommt ganz drauf an. Gefällt er dir denn oder nicht?«

Eine Wolke des Zweifels trübte ihre Miene.

»Ich weiß nicht. Zunächst einmal ist er ein wenig alt für mich.«

»Er ist praktisch genauso alt wie ich. Höchstens ein oder zwei Jahre älter. Vielleicht drei.«

»Oder vier oder fünf.«

Ich seufzte.

»Er steht in der Blüte seines Lebens. Ich dachte, dir gefallen reifere Herren.«

»Machen Sie sich nicht lustig über mich.«

»Isabella, ich bin nicht der Richtige, um dir zu sagen, was du tun sollst …«

»Das ist ja ein starkes Stück.«

»Lass mich doch ausreden. Was ich sagen will, ist, dass das etwas zwischen dem jungen Sempere und dir ist.

Wenn du mich um Rat fragst, dann würde ich sagen, gib ihm eine Chance. Nichts weiter. Sollte er sich dieser Tage dazu durchringen, einen ersten Schritt zu tun, und dich, sagen wir, zu Kaffee und Kuchen einladen, dann nimm die Einladung an. Vielleicht beginnt ihr euch zu unterhalten und lernt euch kennen und seid am Ende die besten Freunde – oder auch nicht. Aber ich glaube, Sempere ist ein guter Mensch, sein Interesse an dir ist echt, und ich würde zu behaupten wagen, dass im Grunde auch du etwas für ihn empfindest, wenn du es recht bedenkst.«

»Sie strotzen vor fixen Ideen.«

»Aber Sempere nicht. Ich glaube, es wäre schäbig, die Zuneigung und Bewunderung, die er für dich hegt, nicht zu respektieren. Und du bist nicht schäbig.«

»Das ist Erpressung.«

»Nein, das ist das Leben.«

Isabella schmetterte mich mit dem Blick nieder. Ich lächelte sie an.

»Tun Sie mir wenigstens den Gefallen und essen Sie auf.«

Ich leerte meinen Teller, wischte ihn mit Brot aus und ließ einen zufriedenen Seufzer hören.

»Was gibt's zum Nachtisch?«

Nach dem Essen ließ ich eine nachdenkliche Isabella in der Veranda in ihren Zweifeln und Sorgen schmoren und ging in den Turm hinauf, wo ich die Fotografie von Diego Marlasca, die mir Salvador geliehen hatte, in den

Lichtkegel der Lampe legte. Dann warf ich einen Blick auf die in den vergangenen Wochen für den Patron zusammengetragene kleine Bastion aus Blöcken, Notizen und Blättern. Ich spürte die Kälte von Diego Marlascas Besteck in den Händen und konnte mir mühelos vorstellen, wie er dasaß und dieselbe Aussicht über die Dächer des Ribera-Viertels genoss. Aufs Geratewohl begann ich eine meiner Seiten zu lesen. Zwar erkannte ich die Wörter und Sätze wieder, schließlich hatte ich sie ja geschrieben, aber der verworrene Geist, aus dem sie sich speisten, hatte weniger mit mir zu tun denn je. Ich ließ das Blatt zu Boden gleiten, und als ich aufschaute, sah ich in der Fensterscheibe mein Spiegelbild, einen Fremden vor dem blauen Dunkel, das über der Stadt lag. Es war mir klar, dass ich an diesem Abend keinen einzigen zusammenhängenden Absatz für den Patron zustande brächte. Ich knipste die Schreibtischlampe aus und blieb im Halbdunkel sitzen, hörte dem Wind zu, der an den Fenstern schabte, und malte mir aus, wie sich der brennende Diego Marlasca in das Becken stürzte, wie die letzten Luftblasen aus seinem Mund traten und das eisige Wasser seine Lungen füllte.

Ich erwachte im Morgengrauen mit schmerzendem Körper, in den Sessel des Arbeitszimmers eingezwängt. Beim Aufstehen knirschte das eine oder andere Gelenk meines Körpers. Ich schleppte mich zum Fenster und öffnete es sperrangelweit. Die Altstadtdächer leuchteten im Raureif, und purpurn zog sich der Himmel über Barcelona zusammen. Als die Glocken von Santa María del Mar schlugen, flog von einem Taubenschlag eine Wolke schwarzer Flügel auf. Ein schneidend kalter Wind trug den Geruch der Molen und den Ruß von den Schornsteinen im Viertel herbei.

Ich ging in die Wohnung hinunter, um Kaffee zu machen. In der Küche warf ich einen Blick in die Vorratskammer und war verblüfft. Seit Isabella bei mir war, glich dieser Schrank dem Lebensmittelgeschäft Quílez in der Rambla de Cataluña. Im Dickicht der exotischen, von Isabellas Vater importierten Leckerbissen entdeckte ich eine Blechdose englischer Kekse mit Schokoladenüberzug und probierte einen. Eine halbe Stunde später, als der Zucker und das Koffein allmählich in meinen Adern pulsierten und mein Gehirn seine Tätigkeit aufnahm, kam ich auf den genialen Gedanken, mein Leben an diesem Tag noch etwas komplizierter zu machen, falls das überhaupt möglich war. Sobald die Geschäfte öffneten, wollte ich dem Laden für Zauberartikel und Taschenspielerei in der Calle Princesa einen Besuch abstatten.

»Was machen Sie denn hier um diese Zeit?«

Von der Schwelle her beobachtete mich Isabella, die Stimme meines Gewissens.

»Kekse essen.«

Sie setzte sich an den Tisch und schenkte sich eine Tasse Kaffee ein. Nach ihrem Aussehen zu schließen, hatte sie kein Auge zugetan.

»Mein Vater sagt, das ist die Lieblingsmarke der Königinmutter.«

»Genährt von solchen Keksen, muss sie eine Schönheit sein.«

Isabella nahm einen Keks und knabberte mit abwesendem Blick daran herum.

»Hast du darüber nachgedacht, was du tun willst? Ich meine in Bezug auf Sempere ...«

Sie warf mir einen giftigen Blick zu.

»Und Sie, was werden Sie heute machen? Bestimmt nichts Gutes.«

»Ein paar Besorgungen.«

»Aha.«

»Aha oder haha?«

Isabella stellte die Tasse auf den Tisch und fasste mich ins Auge, als führe sie ein Verhör durch.

»Warum reden Sie eigentlich nie über das, was Sie da für diesen Kerl machen, für den Patron?«

»Unter anderem, weil es besser für dich ist.«

»Besser für mich. Natürlich. Ich armes Dummchen. Übrigens – ich habe vergessen, Ihnen zu sagen, dass gestern Ihr Freund vorbeigekommen ist, der Inspektor.«

»Grandes? War er allein?«

»Nein. Es waren zwei schlagkräftige Schränke mit Bulldoggengesichtern dabei.«

Die Vorstellung von Marcos und Castelo vor meiner Tür verursachte mir Bauchschmerzen.

»Und was wollte Grandes?«

»Das hat er nicht gesagt.«

»Was hat er denn dann gesagt?«

»Er hat gefragt, wer ich bin.«

»Und was hast du geantwortet?«

»Ihre Geliebte.«

»Sehr hübsch.«

»Jedenfalls schien es einen der beiden Schränke sehr zu amüsieren.«

Isabella verknusperte in zwei Bissen einen weiteren Keks. Sie sah, dass ich sie verstohlen anschaute, und hielt im Kauen inne.

»Oje, was hab ich da bloß gesagt?«, fragte sie und ließ es Krümel regnen.

32

Das durch die Wolkendecke dringende dunstige Licht erleuchtete die rot gestrichene Fassade des Ladens für Zauberartikel in der Calle Princesa nur spärlich. Durch die Glastür waren in dem düsteren, mit schwarzem Samt ausgekleideten Raum vage Umrisse des Interieurs zu erkennen. War man einmal drin, sah man in den Vitrinen Masken und Geräte im viktorianischen Stil, gezinkte Kartenspiele und präparierte Dolche, Zauberbücher und Fläschchen aus geschliffenem Glas, die einen Regenbogen an lateinisch etikettierten, wahrscheinlich in Albacete abgefüllten Tinkturen enthielten. Im Hintergrund stand ein leerer Ladentisch. Die Glocke der Eingangstür hatte mein Erscheinen angekündigt. Ich wartete einige Sekunden und studierte dieses Kuriositätenkabinett. Als ich in einem Spiegel, in dem sich alles spiegelte außer mir, mein Gesicht suchte, sah ich aus dem Augenwinkel eine kleine Gestalt durch den Vorhang des Hinterzimmers treten.

»Ein interessanter Trick, nicht wahr?«, sagte das

Männchen mit dem weißen Haar und dem durchdringenden Blick.

Ich nickte.

»Wie funktioniert er?«

»Das weiß ich noch nicht. Er ist mir vor zwei Tagen von einem Fabrikanten von Trugspiegeln aus Istanbul geschickt worden. Der Erfinder nennt es ›Refraktionsumkehrung‹.«

»Er erinnert einen daran, dass nichts das ist, was es zu sein scheint«, bemerkte ich.

»Außer der Magie. Womit kann ich Ihnen dienen, mein Herr?«

»Spreche ich mit Señor Damián Roures?«

Das Männchen nickte langsam und ohne mit der Wimper zu zucken. Seine Lippen waren zu einem heiteren Lächeln geformt, das, genau wie sein Spiegel, nicht das war, was es zu sein vorgab. Sein Blick war kalt und wachsam.

»Ihr Laden ist mir empfohlen worden.«

»Darf ich fragen, wer so freundlich war?«

»Ricardo Salvador.«

Das vorgeblich liebenswürdige Lächeln verschwand aus seinem Gesicht.

»Ich wusste nicht, dass er noch lebt. Ich habe ihn seit fünfundzwanzig Jahren nicht mehr gesehen.«

»Und Irene Sabino?«

Roures seufzte und schüttelte den Kopf. Er steuerte um den Ladentisch herum auf die Tür zu, hängte das ›Geschlossen‹-Schild daran und schloss ab.

»Wer sind Sie?«

»Mein Name ist Martín. Ich versuche, die Umstände von Señor Diego Marlascas Tod zu klären, den Sie gekannt haben, soviel ich weiß.«

»Soviel ich weiß, sind die schon vor vielen Jahren geklärt worden. Señor Marlasca hat sich umgebracht.«

»Ich habe es anders verstanden.«

»Ich weiß ja nicht, was Ihnen dieser Polizist erzählt hat. Das Ressentiment greift das Gedächtnis an, Señor … Martín. Salvador wollte schon damals alle von einer Verschwörung überzeugen, für die er keinerlei Beweise hatte. Alle wussten, dass er die Bettflasche von Marlascas Witwe war und sich zum Helden aufschwingen wollte. Und wie zu erwarten war, pfiffen ihn seine Vorgesetzten zurück und suspendierten ihn dann vom Dienst.«

»Er glaubt, man habe versucht, die Wahrheit zu vertuschen.«

Roures lachte.

»Die Wahrheit … Dass ich nicht lache. Wenn etwas vertuscht werden sollte, dann der Skandal. Die Anwaltskanzlei Valera und Marlasca hatte die Finger überall im Spiel, egal was in dieser Stadt gedeichselt wurde. Niemand war daran interessiert, dass eine Geschichte wie diese bekannt wurde. Marlasca hatte Stellung, Beruf und Ehe aufgegeben, um sich in diesem alten Haus einzuigeln und dort weiß Gott was zu machen. Jeder, der halbwegs bei Verstand war, konnte sich ausmalen, dass das nicht gut enden würde.«

»Was Sie und Ihren Partner Jaco nicht daran gehindert hat, aus Marlascas Wahn Kapital zu schlagen, indem Sie ihm versprochen haben, in Ihren spiritistischen Sitzungen mit dem Jenseits in Verbindung treten zu können...«

»Ich habe ihm nie etwas versprochen. Diese Sitzungen waren reiner Zeitvertreib. Das wussten alle. Versuchen Sie nicht, mir die Schuld an seinem Tod anzuhängen – ich habe nie etwas anderes getan als auf ehrliche Weise meinen Lebensunterhalt verdient.«

»Und Ihr Partner Jaco?«

»Ich bin nur für mich selbst verantwortlich. Was Jaco möglicherweise getan hat, habe ich nicht zu verantworten.«

»Also hat er etwas getan.«

»Was wollen Sie denn hören? Dass er mit diesem Geld abgehauen ist, von dem Salvador immer wieder sagte, es liege auf einem Geheimkonto? Dass er Marlasca umgebracht und uns alle hintergangen hat?«

»War es denn nicht so?«

Roures schaute mich lange an.

»Ich weiß es nicht. Ich habe ihn nicht mehr gesehen seit dem Tag, an dem Marlasca gestorben ist. Ich habe Salvador und den anderen Beamten alles gesagt, was ich wusste. Ich habe nie gelogen, nie. Falls Jaco etwas getan hat, dann habe ich nie etwas davon erfahren.«

»Was können Sie mir über Irene Sabino sagen?«

»Irene liebte Marlasca. Sie hätte nie irgendetwas ausgeheckt, was ihm hätte schaden können.«

»Wissen Sie, was aus ihr geworden ist? Lebt sie noch?«

»Ich glaube schon. Sie soll in einer Wäscherei im Raval arbeiten. Irene war eine gute Frau. Zu gut. Und so weit ist es nun mit ihr gekommen. Sie glaubte an all diese Dinge aus tiefstem Herzen.«

»Und Marlasca? Was hat er in dieser Welt gesucht?«

»Marlasca steckte in irgendetwas drin, fragen Sie mich nicht, was. Nichts, was ich oder Jaco ihm verkauft hatten oder hätten verkaufen können. Alles, was ich darüber weiß, habe ich irgendwann von Irene gehört. Anscheinend hatte Marlasca jemanden getroffen, jemanden, den ich nicht kannte, und glauben Sie mir, ich kannte und kenne jeden in dieser Branche. Dieser Jemand hatte ihm versprochen, wenn er irgendetwas mache, ich weiß nicht, was, dann würde er seinen Sohn Ismael von den Toten zurückbekommen.«

»Hat Irene je erwähnt, wer dieser Jemand war?«

»Sie hat ihn nie gesehen. Marlasca hat es nicht erlaubt. Aber sie wusste, dass er Angst hatte.«

»Angst wovor?«

Roures schnalzte mit der Zunge.

»Marlasca glaubte, er sei verdammt.«

»Können Sie sich etwas deutlicher ausdrücken?«

»Ich habe es ja vorhin schon gesagt. Er war krank. Er war überzeugt, dass etwas in ihn gefahren war.«

»Etwas?«

»Ein Geist. Ein Parasit. Ich weiß auch nicht. Sehen Sie, in diesem Gewerbe lernt man viele Leute kennen, die nicht ganz bei Trost sind. Sie erleben eine persönliche Tragödie, verlieren einen Geliebten oder ein Vermögen und fallen in ein Loch. Das Gehirn ist das fragilste Organ des Körpers. Señor Marlasca war nicht recht bei Sinnen, und das konnte jeder sehen, der sich nur fünf Minuten mit ihm unterhielt. Darum ist er zu mir gekommen.«

»Und Sie haben ihm gesagt, was er hören wollte.«

»Nein. Ich habe ihm die Wahrheit gesagt.«

»Ihre Wahrheit?«

»Die einzige, die ich kenne. Ich hatte das Gefühl, dass dieser Mann ernstlich aus dem Gleichgewicht geraten war, und wollte ihn nicht ausnutzen. So was endet nie gut. In diesem Geschäft gibt es eine Grenze, die man nicht überschreitet, wenn man weiß, was gut für einen ist. Wer auf der Suche nach Zerstreuung oder ein wenig Emotion und jenseitigem Trost zu mir kommt, der wird bedient, und er bezahlt für eine Dienstleistung. Aber wer kommt, weil er demnächst den Verstand verliert, der wird nach Hause geschickt. Das ist eine Darbietung wie jede andere auch. Was man will, sind Zuschauer, keine Verrückten.«

»Eine mustergültige Ethik. Was haben Sie Marlasca also gesagt?«

»Ich habe ihm gesagt, das Ganze sei Hokuspokus und Firlefanz. Ich habe ihm gesagt, ich sei ein Schwindler, der sich seinen Lebensunterhalt mit spiritistischen Sitzungen für arme Unglückliche verdiene, die ihre Angehörigen verloren haben und des Glaubens bedürften, dass Liebhaber, Eltern und Freunde sie im Jenseits erwarten. Ich habe ihm gesagt, im Jenseits gebe es nichts, nur eine große Leere, diese Welt sei alles, was wir hätten. Ich habe ihm gesagt, er solle die Geister vergessen und zu seiner Familie zurückkehren.«

»Und hat er Ihnen geglaubt?«

»Offensichtlich nicht. Er kam zwar nicht mehr zu den Sitzungen, suchte aber anderswo Hilfe.«

»Nämlich?«

»Irene ist in einer Hütte am Strand von Bogatell aufgewachsen, und obwohl sie als Schauspielerin und Tänzerin am Paralelo berühmt geworden war, gehörte sie nach wie vor dorthin. Sie erzählte mir, sie habe Marlasca zu einer Frau gebracht, die die Hexe von Somorrostro genannt wurde und die ihn vor der Person schützen sollte, in deren Schuld er stand.«

»Hat Irene den Namen dieser Person genannt?«

»Falls sie es getan hat, weiß ich ihn nicht mehr. Ich sage Ihnen ja, sie kamen nicht mehr zu den Sitzungen.«

»Andreas Corelli?«

»Diesen Namen habe ich noch nie gehört.«

»Wo kann ich Irene Sabino finden?«

»Ich habe Ihnen alles gesagt, was ich weiß«, antwortete Roures gereizt.

»Eine letzte Frage, und dann gehe ich.«

»Zu schön, um wahr zu sein.«

»Können Sie sich erinnern, ob Marlasca jemals den Namen *Lux Aeterna* erwähnt hat?«

Er runzelte die Stirn und schüttelte den Kopf.

»Danke für Ihre Hilfe.«

»Nichts zu danken. Und wenn möglich, kommen Sie nicht wieder her.«

Ich nickte, und auf dem Weg zur Tür spürte ich seinen misstrauischen Blick im Rücken.

»Warten Sie«, rief er mir zu, schon auf der Schwelle zum Hinterzimmer.

Ich drehte mich um. Das Männchen schaute mich unschlüssig an.

»Ich glaube mich zu erinnern, dass *Lux Aeterna* der Titel von einer Art religiösem Pamphlet war, das wir einmal bei den Sitzungen in der Calle Elisabets verwendet haben. Es gehörte zu einer Sammlung ähnlicher Bändchen, wahrscheinlich aus der Bibliothek des Aberglaubens der Gesellschaft ›Die Zukunft‹ ausgeliehen. Ich weiß nicht, ob es das ist, was Sie meinten.«

»Wissen Sie noch, wovon es handelte?«

»Besser gekannt hat es mein Partner Jaco, der die Sitzungen leitete. Aber soviel ich weiß, war *Lux Aeterna* eine Art Gedicht über den Tod und die sieben Namen des Sohnes der Morgendämmerung, den Lichtbringer.«

»Den Lichtbringer?«

Roures lächelte.

»Luzifer.«

33

Wieder auf der Straße, wusste ich nicht genau, was ich als Nächstes tun sollte, und machte mich auf den Heimweg. Kurz vor der Einmündung der Calle Montcada erblickte ich ihn. Inspektor Víctor Grandes lehnte an einer Hauswand, rauchte eine Zigarette und winkte mir lächelnd zu. Ich überquerte die Straße und ging zu ihm.

»Ich wusste gar nicht, dass Sie sich für Zauberei interessieren, Martín.«

»Und ich nicht, dass Sie mich beschatten, Inspektor.«

»Ich beschatte Sie nicht. Sie sind bloß schwer ausfindig zu machen, und so habe ich gedacht, wenn der Berg nicht zu mir kommt, geh ich eben zum Berg. Haben Sie fünf Minuten Zeit, um etwas zu trinken? Die Oberpolizeidirektion lädt ein.«

»In diesem Fall ... Haben Sie heute Ihre beiden Anstandswauwaus nicht dabei?«

»Marcos und Castelo sind im Präsidium geblieben und erledigen Papierkram. Aber wenn ich ihnen gesagt hätte, dass ich sie aufsuche, hätten sie sich bestimmt angeschlossen.«

Wir gingen durch die Schlucht aus mittelalterlichen Palästen zum Xampanyet hinunter und setzten uns an einen Tisch hinten im Lokal. Ein Kellner mit einem nach Lauge stinkenden Scheuerlappen sah uns fragend an, und Grandes bestellte zwei Bier und etwas Manchego-Käse. Als das Gewünschte kam, schob er mir den Teller zu, aber ich lehnte ab.

»Macht es Ihnen was aus? Um diese Zeit bin ich immer halbtot vor Hunger.«

»*Bon appétit.*«

Er verschlang einen Käsewürfel und leckte sich mit geschlossenen Augen die Lippen.

»Hat man Ihnen nicht gesagt, dass ich gestern bei Ihnen vorbeigekommen bin?«

»Es ist mir mit Verspätung ausgerichtet worden.«

»Verständlich. Übrigens, was für ein hübsches Ding, die Kleine. Wie heißt sie denn?«

»Isabella.«

»Sie schamloser Mensch – es gibt Leute, die sind wirklich vom Schicksal begünstigt. Ich beneide Sie. Wie alt ist denn die Süße?«

Ich warf ihm einen bösen Blick zu. Er lächelte zufrieden.

»Ein Vögelchen hat mir zugezwitschert, dass Sie in letzter Zeit Detektiv spielen. Lassen Sie uns Profis nichts mehr übrig?«

»Und wie heißt Ihr Vögelchen?«

»Es ist eher ein hässlicher Vogel. Einer meiner Vorgesetzten ist eng mit Anwalt Valera befreundet.«

»Stehen Sie auch auf deren Gehaltsliste?«

»Noch nicht, mein Lieber. Sie kennen mich ja. Alte Schule. Ehre und all der Quark.«

»Jammerschade.«

»Und sagen Sie, wie geht's dem armen Ricardo Salvador? Wissen Sie, dass ich diesen Namen seit rund zwanzig Jahren nicht mehr gehört habe? Alle hielten ihn für tot.«

»Eine voreilige Diagnose.«

»Und wie fühlt er sich so?«

»Allein, verraten und verkauft.«

Der Inspektor nickte langsam.

»Das führt einem doch die Zukunft vor Augen, die man in diesem Job hat, nicht wahr?«

»Ich wette, in Ihrem Fall wird alles ganz anders, und bis zu Ihrer Beförderung an die Spitze des Präsidiums sind es höchstens noch zwei Jahre. Ich sehe Sie noch vor

Ihrem fünfundvierzigsten Lebensjahr als Kriminaldirektor des Dienstes, wie Sie während der Fronleichnamsprozession die Hand von Bischöfen und Generalobersten der Armee küssen.«

Den sarkastischen Ton überhörend, nickte Grandes frostig.

»Apropos Handküsse, haben Sie das von Ihrem Freund Vidal schon gehört?«

Grandes begann nie ein Gespräch ohne einen Trumpf im Ärmel. Er schaute mich lächelnd an und genoss meine Beunruhigung.

»Was denn?«, murmelte ich.

»Neulich abends soll seine Frau versucht haben, sich umzubringen.«

»Cristina?«

»Stimmt, Sie kennen sie ja …«

Ohne es zu merken, war ich mit zitternden Händen aufgestanden.

»Seien Sie unbesorgt, Señora Vidal geht es gut. Ein Schrecken, nichts weiter. Anscheinend hat sie sich mit dem Laudanum vertan … Seien Sie so nett und setzen Sie sich wieder, Martín. Bitte.«

Ich setzte mich. Mein Magen ballte sich zu einem stechenden Knoten.

»Wann war das?«

»Vor zwei oder drei Tagen.«

Ich erinnerte mich an Cristinas Anblick am Fenster der Villa Helius vor einigen Tagen, als sie die Hand wie zum Gruß hob, ehe ich vor ihrem Blick floh und ihr den Rücken kehrte.

»Martín?« Der Inspektor wedelte mit der Hand vor meinen Augen, als fürchtete er, ich hätte den Verstand verloren.

»Was?«

Er schaute mich mit unverstellter Besorgnis an.

»Haben Sie mir irgendetwas zu erzählen? Ich weiß, Sie werden mir nicht glauben, aber ich würde Ihnen gern helfen.«

»Glauben Sie immer noch, ich hätte Barrido und seinen Partner umgebracht?«

Grandes schüttelte den Kopf.

»Das habe ich nie geglaubt, aber andere würden es gern glauben.«

»Warum ermitteln Sie dann gegen mich?«

»Beruhigen Sie sich. Ich ermittle nicht gegen Sie, Martín. Ich habe nie gegen Sie ermittelt. An dem Tag, an dem ich es tue, werden Sie es merken. Einstweilen beobachte ich Sie. Weil Sie mir sympathisch sind und ich mir Sorgen mache, dass Sie in Schwierigkeiten geraten. Warum haben Sie kein Vertrauen zu mir und sagen mir, was los ist?«

Unsere Blicke trafen sich, und einen Augenblick war ich versucht, ihm alles zu erzählen. Ich hätte es getan, wenn ich gewusst hätte, wo ich anfangen sollte.

»Nichts ist los, Inspektor.«

Grandes nickte und schaute mich mitleidig an, vielleicht war es auch nur Enttäuschung. Er trank sein Bier aus und legte ein paar Münzen auf den Tisch. Dann klopfte er mir auf die Schulter und erhob sich.

»Passen Sie auf sich auf, Martín. Und achten Sie darauf, wo Sie hintreten. Nicht alle schätzen Sie so wie ich.«

»Ich werde es beherzigen.«

Es war beinahe Mittag, als ich nach Hause kam. Was mir der Inspektor erzählt hatte, wollte mir nicht aus dem Kopf. Ich stieg die Treppe so langsam hinauf, als wöge selbst meine Seele schwer. Ich öffnete die Tür mit der Befürchtung, von einer redseligen Isabella empfangen zu werden, doch es war alles still. Ich ging durch den Korridor zur Veranda, und da sah ich sie, schlafend auf dem Sofa und mit einem aufgeschlagenen Buch auf der Brust, einem meiner alten Romane, was mir ein Lächeln entlockte. In diesen Herbsttagen war die Temperatur in der Wohnung spürbar gesunken, und ich fürchtete, Isabella könnte sich erkälten. Ich hatte sie manchmal mit einem wollenen Schultertuch durch die Wohnung gehen sehen und wollte es aus ihrem Zimmer holen und leise über sie legen. Die Tür war angelehnt, und da ich dieses Zimmer nicht mehr betreten hatte, seit Isabella bei mir wohnte, obwohl es meine Wohnung war, fühlte ich mich etwas gehemmt. Ich erblickte das Schultertuch zusammengefaltet auf einem Stuhl. Der Raum roch nach Isabellas süßem Zitronenduft. Das Bett war noch ungemacht, und da ich wusste, dass ich im Ansehen meiner Assistentin um viele Punkte stieg, wenn ich mich einer häuslichen Beschäftigung hingab, beugte ich mich nieder, um die Laken glattzustreichen.

Da sah ich zwischen Matratze und Rahmen etwas stecken: Unter der Falte des Betttuchs lugte die Ecke eines Kuverts hervor. Als ich daran zog, hielt ich ein verschnürtes Bündel von etwa zwanzig blauen Umschlägen in der Hand. Ein Gefühl der Kälte durchfuhr mich, aber ich wollte es nicht wahrhaben. Ich knotete die Schleife auf und nahm einen der Umschläge. Auf der Vorderseite standen mein Name und meine Adresse, als Absender war nur *Cristina* angegeben.

Mit dem Rücken zur Tür setzte ich mich aufs Bett und studierte einen nach dem anderen die Poststempel. Der erste war mehrere Wochen alt, der letzte drei Tage. Alle Umschläge waren geöffnet. Ich schloss die Augen und merkte, wie mir die Kuverts entglitten. Da hörte ich ihren Atem hinter mir.

»Verzeihen Sie mir«, hauchte sie.

Sie kam langsam näher und kniete sich hin, um die Briefe aufzulesen. Als sie alle wieder gebündelt hatte, reichte sie sie mir mit einem schmerzerfüllten Blick.

»Ich hab es getan, um Sie zu schützen«, sagte sie.

Isabellas Augen füllten sich mit Tränen, und sie legte mir eine Hand auf die Schulter.

»Geh«, sagte ich.

Ich stieß sie weg und stand auf. Isabella sank mit einem Stöhnen zu Boden, als würde sie innerlich verbrennen.

»Verlass dieses Haus.«

Ich ging, ohne mir die Mühe zu machen, die Haustür hinter mir zu schließen. Auf der Straße sah ich mich einer Welt voller fremder, ferner Fassaden und Gesichter gegenüber. Ich ging los, ohne Ziel und Richtung, ohne die Kälte, den Regen und den Wind zu spüren, der die Stadt wie ein Fluch zu peitschen begonnen hatte.

34

Die Straßenbahn hielt vor dem Eingang zu Gaudís Torre de Bellesguard, wo die Stadt am Fuß des Hügels erstarb. Ich folgte dem Pfad aus gelblichem Licht, den die Scheinwerfer der Straßenbahn in den Regen bohrten, und ging auf das Tor des Friedhofs San Gervasio zu. Seine Mauern erhoben sich in fünfzig Meter Entfernung zu einer marmornen Festung, aus der ein Dickicht an Statuen in allen Schattierungen einer Gewitterwolke aufragte. Am Eingang stand eine Pförtnerloge, in der sich ein Aufseher im Mantel über einem Kohlenbecken die Hände wärmte. Als er mich aus dem Regen auftauchen sah, schreckte er hoch. Er musterte mich einige Sekunden, bevor er das Türchen öffnete.

»Ich suche das Familiengrab der Marlascas.«

»In weniger als einer halben Stunde ist es dunkel. Sie kommen besser an einem anderen Tag wieder.«

»Je eher Sie mir sagen, wie ich es finde, desto eher gehe ich auch wieder.«

Er schaute in einem Verzeichnis nach und zeigte mir dann mit dem Finger den Standort auf einem Plan an der Wand. Ohne mich zu bedanken, ging ich davon.

Unschwer fand ich im Gewirr von Gräbern und

Mausoleen die Marlasca-Gruft. Die Anlage ruhte auf einem Marmorsockel und war von einer Kuppel überspannt, auf der sich eine ebenfalls marmorne, geschwärzte Gestalt erhob. Ihr Gesicht war von einem Schleier verhüllt, aber wenn man sich dem Familiengrab näherte, hatte man den Eindruck, diese jenseitige Schildwache drehe den Kopf und verfolge einen mit den Augen. Die Jugendstilgruft war wie ein Amphitheater in einem Rund aus zwei großen Treppenaufgängen angelegt, die zu einer Säulengalerie hinaufführten. Ich stieg eine der Treppen empor und blieb vor der Galerie stehen, um zurückzuschauen. In der Ferne sah man durch den Regen hindurch schwach die Lichter der Stadt.

Ich betrat die Galerie. Sie war von Grabplatten gesäumt. Im Zentrum stand eine Frauenstatue, die flehentlich ein Kreuz umarmte. Ihr Gesicht war durch Schläge verunstaltet worden, und jemand hatte ihre Augen und Lippen schwarz angemalt, was ihr etwas Wölfisches verlieh. Es war nicht das einzige Zeichen von Schändung der Grabstätte. Den Grabplatten waren mit einem spitzen Gegenstand Kratzer oder Markierungen zugefügt worden, und auf einigen sah man obszöne Zeichnungen und Wörter, die im Halbdunkeln kaum zu entziffern waren. Diego Marlascas Grab befand sich ganz hinten. Ich ging hin und legte die Hand auf die Grabplatte. Dann zog ich sein Bild hervor, das mir Salvador gegeben hatte, und betrachtete es.

Da hörte ich Schritte hinter mir auf der Treppe. Ich steckte das Bild wieder in den Mantel und ging auf den

Eingang der Galerie zu. Die Schritte waren verstummt, und man hörte nur noch den Regen auf den Marmor prasseln. Langsam näherte ich mich dem Eingang und schaute hinaus. Die Gestalt hatte mir den Rücken zugewandt und betrachtete die Stadt in der Ferne. Es war eine Frau in Weiß, die den Kopf mit einem Tuch bedeckt hatte. Langsam wandte sie sich um und sah mich an. Sie lächelte. Trotz all der Zeit, die vergangen war, erkannte ich sie sofort – Irene Sabino. Ich tat einen Schritt auf sie zu und begriff erst da, dass sich noch jemand hinter meinem Rücken befand. Beim Schlag auf den Hinterkopf blitzte weißes Licht auf. Ich sank in die Knie und brach eine Sekunde später auf dem nassen Marmor zusammen. Im Regen zeichnete sich eine dunkle Gestalt ab. Irene kniete sich neben mir nieder. Ich spürte, wie ihre Hand meinen Kopf umfasste und die Stelle des Schlages ertastete. Als sie die Finger zurückzog, waren sie blutig. Sie streichelte mir damit übers Gesicht. Das Letzte, was ich sah, ehe ich das Bewusstsein verlor, war, dass sie ein Rasiermesser hervorzog und langsam aufklappte. Silberne Regentropfen glitten über die Schneide, während sie sie mir näherte.

Ich öffnete die Augen im blendenden Licht einer Öllampe und sah in das Gesicht des Aufsehers. Er betrachtete mich vollkommen ausdruckslos. Ich versuchte zu blinzeln, während mir eine Stichflamme aus Schmerz vom Nacken her durch den Schädel schoss.

»Leben Sie?«, fragte der Aufseher so teilnahmslos,

dass ich nicht wusste, ob die Frage mir galt oder rein rhetorisch war.

»Ja«, stöhnte ich. »Stecken Sie mich ja nicht in irgendein Loch.«

Er half mir, mich aufzurichten. Jeder Zentimeter wurde mit einem Stich im Kopf beantwortet.

»Was ist geschehen?«

»Das müssten *Sie* doch wissen. Ich hätte schon vor einer Stunde schließen sollen, aber als Sie nicht aufgetaucht sind, bin ich hergekommen, um zu gucken, was los ist, und dann habe ich Sie gefunden, wie Sie hier Ihren Rausch ausschlafen.«

»Und die Frau?«

»Welche Frau?«

»Es waren zwei.«

»Zwei Frauen?«

Ich verneinte.

»Können Sie mir beim Aufstehen helfen?«

Mit seiner Unterstützung gelang es mir, mich zu erheben. Da spürte ich das Brennen und sah, dass mein Hemd offen war. Mehrere oberflächliche Schnitte liefen über meine Brust.

»Oioioi, das sieht aber gar nicht gut aus ...«

Ich knöpfte den Mantel zu und tastete dabei nach der Innentasche. Marlascas Bild war verschwunden.

»Haben Sie Telefon in der Loge?«

»Ja, es steht im Saal mit dem türkischen Bad.«

»Dann können Sie mir vielleicht wenigstens behilflich sein, zur Torre de Bellesguard zu kommen, damit ich dort ein Taxi bestellen kann?«

Der Aufseher fluchte und stützte mich unter den Achseln.

»Ich hab Ihnen ja gesagt, Sie sollen an einem anderen Tag wiederkommen.«

35

Es war wenige Minuten vor Mitternacht, als ich endlich beim Haus mit dem Turm ankam. Sowie ich die Tür aufschloss, wurde mir klar, dass Isabella nicht mehr da war. Der Klang meiner Schritte im Korridor hatte ein anderes Echo. Ich machte gar nicht erst Licht, sondern ging im Halbdunkeln zu ihrem Zimmer und schaute hinein. Sie hatte sauber gemacht und alles aufgeräumt. Laken und Decken lagen peinlich genau zusammengefaltet auf einem Stuhl, die Matratze war unbezogen. Noch roch es nach Isabella. In der Veranda setzte ich mich an den Schreibtisch, den sie benutzt hatte. Sie hatte die Bleistifte gespitzt und fein säuberlich in ein Glas gestellt. Auf einem Tablett stapelten sich weiße Blätter. Die Schreibgarnitur, die ich ihr geschenkt hatte, stand daneben. Noch nie war mir die Wohnung so leer vorgekommen.

Im Bad zog ich die nassen Kleider aus und versorgte meinen Hinterkopf mit einem in Alkohol getränkten Wundverband. Der Schmerz war zu einem dumpfen, einem gewaltigen Kater nicht unähnlichen Pochen abgeklungen. Im Spiegel sahen die Schnitte auf der Brust wie mit der Feder gezogene Linien aus. Sie waren sauber und oberflächlich, brannten aber höllisch. Ich reinigte sie mit Alkohol und hoffte, dass sie sich nicht entzündeten.

Dann legte ich mich ins Bett und deckte mich mit mehreren Decken bis zum Hals zu. Die einzigen nicht schmerzenden Stellen meines Körpers waren die, welche Kälte und Regen bis zur Gefühllosigkeit betäubt hatten. Ich wartete darauf, dass mir wärmer wurde, und lauschte dieser kalten Stille, dieser Abwesenheit und Leere, die die Wohnung erstickte. Isabella hatte das Bündel mit Cristinas Briefen auf meinen Nachttisch gelegt. Ich streckte die Hand aus und nahm aufs Geratewohl einen. Er war zwei Wochen alt.

Lieber David,
die Tage vergehen, und ich schreibe dir weiterhin Briefe,
die du vermutlich nicht beantworten willst, wenn du sie
denn überhaupt öffnest. Mittlerweile denke ich, ich
schreibe sie nur für mich, um die Einsamkeit zu vertreiben und einen Augenblick lang zu glauben, du seist bei
mir. Jeden Tag frage ich mich, wie es dir wohl geht, was
du wohl tust.
Manchmal denke ich, du habest Barcelona verlassen,
um nie mehr zurückzukehren, und stelle dich mir irgendwo unter Fremden vor, wie du ein neues Leben beginnst, von dem ich nie etwas erfahren werde. Dann
wieder denke ich, dass du mich noch hasst, dass du diese
Briefe vernichtest und mich am liebsten niemals kennengelernt hättest. Ich gebe dir keine Schuld. Seltsam, wie
leicht man, wenn man allein ist, einem Blatt Papier an-

vertraut, was jemandem ins Gesicht zu sagen man sich nicht trauen würde.

Ich habe es nicht leicht. Pedro könnte nicht liebenswürdiger und verständnisvoller sein mit mir. Er ist es so sehr, dass mich seine Geduld manchmal aufbringt, und sein Wunsch, mich glücklich zu machen, bewirkt nur, dass ich mich desto elender fühle. Er hat mir gezeigt, dass mein Herz leer ist, dass ich niemandes Liebe verdiene. Er verbringt fast den ganzen Tag bei mir, weil er mich nicht allein lassen mag.

Ich lächle jeden Tag und teile das Bett mit ihm. Wenn er mich fragt, ob ich ihn liebe, bejahe ich, und wenn ich die Wahrheit in seinen Augen lese, möchte ich sterben. Er macht es mir nie zum Vorwurf. Er spricht viel von dir und vermisst dich. So sehr, dass ich manchmal denke, du seist die Person, die er auf dieser Welt am meisten liebt. Ich sehe, wie er einsam älter wird, in der denkbar schlechtesten Gesellschaft, der meinen. Ich kann nicht verlangen, dass du mir verzeihst, aber wenn ich mir auf dieser Welt etwas wünsche, dann, dass du ihm verzeihst. Ich bin es nicht wert, dass du ihm deine Freundschaft und Gesellschaft entziehst.

Gestern habe ich eines deiner Bücher zu Ende gelesen. Pedro hat sie alle, und ich habe sie eines nach dem anderen gelesen, weil das die einzige Möglichkeit ist, mich dir nahe zu fühlen. Es war eine traurige, seltsame Geschichte – von zwei zerbrochenen, verlassenen Puppen in einem Wanderzirkus, die für eine Nacht zum Leben erwachen, aber wissen, dass sie im Morgengrauen sterben müssen. Als ich sie las, hatte ich das Gefühl, du schriebest über uns.

Vor einigen Wochen habe ich geträumt, ich hätte dich wiedergesehen, wir wären uns auf der Straße begegnet und du hättest dich nicht mehr an mich erinnert. Du hast mir zugelächelt und mich gefragt, wie ich heiße. Du wusstest nichts von mir. Du hast mich nicht gehasst. Jeden Abend, wenn Pedro neben mir einschläft, schließe ich die Augen und bitte den Himmel oder die Hölle darum, mich noch einmal dasselbe träumen zu lassen.

Morgen oder vielleicht übermorgen werde ich dir wieder schreiben, um dir zu sagen, dass ich dich liebe, obwohl dir das nichts bedeutet.

Cristina

Ich ließ den Brief zu Boden gleiten, unfähig, weitere zu lesen. Morgen ist wieder ein Tag, sagte ich mir. Es konnte schwerlich noch schlimmer kommen. Ich konnte nicht ahnen, dass die besonderen Wonnen erst ihren Anfang genommen hatten. Ich musste etwa zwei Stunden geschlafen haben, als ich mitten in der Nacht aufschreckte. Jemand hämmerte an die Wohnungstür. Einige Sekunden tastete ich im Finstern verwirrt nach der Lampenschnur. Erneut wurde an die Tür gehämmert. Ich machte Licht, sprang aus dem Bett und ging zur Tür, wo ich den Deckel des Gucklochs zurückschob. Drei Gesichter im Halbdunkel des Treppenabsatzes. Inspektor Grandes und hinter ihm Marcos und Castelo, alle drei starrten. Ich atmete zweimal tief durch, dann öffnete ich.

»Guten Abend, Martín. Entschuldigen Sie die späte Stunde.«

»Wie spät ist es denn?«

»Spät genug, um deinen Arsch zu bewegen, du Mistkerl«, knurrte Marcos, was Castelo ein Lächeln abnötigte, mit dem ich mich hätte rasieren können.

Grandes warf ihnen einen missbilligenden Blick zu und seufzte.

»Kurz nach drei. Darf ich reinkommen?«

Verärgert nickte ich und machte ihm Platz. Er bedeutete seinen Männern, draußen zu warten. Sie bedachten mich mit einem Reptilienblick und blieben widerwillig stehen. Ich knallte ihnen die Tür vor der Nase zu.

»Sie sollten mit den beiden etwas vorsichtiger sein«, sagte Grandes, während er ungezwungen durch den Korridor marschierte.

»Fühlen Sie sich wie zuhause«, sagte ich.

Ich ging ins Schlafzimmer und zog das Erstbeste an, was ich auf einem Stuhl mit schmutziger Wäsche fand. Als ich wieder auf den Korridor trat, war von Grandes keine Spur zu sehen.

Ich fand ihn in der Veranda, wo er durchs Fenster den über die Dächer kriechenden Wolken zusah.

»Und das süße Püppchen?«, fragte er.

»Bei sich zuhause.«

Lächelnd wandte er sich um.

»Sehr weise, ihr keine Vollpension anzubieten.« Er deutete auf einen Sessel. »Setzen Sie sich.«

Ich ließ mich in den Fauteuil fallen. Grandes blieb stehen und schaute mich unverwandt an.

»Was gibt es?«, fragte ich schließlich.

»Sie sehen schlecht aus, Martín. Sind Sie in eine Schlägerei geraten?«

»Ich bin gestürzt.«

»Mhm. Ich glaube, Sie haben heute den Zauberladen von Señor Damián Roures in der Calle Princesa aufgesucht.«

»Sie haben mich doch heute Mittag dort rauskommen sehen – was soll das Ganze?«

Grandes schaute mich kalt an.

»Nehmen Sie Ihren Mantel und einen Schal oder was auch immer. Es ist kalt. Wir gehen aufs Revier.«

»Wozu?«

»Tun Sie, was ich Ihnen sage.«

Ein Wagen des Präsidiums wartete auf dem Paseo del Born. Marcos und Castelo schoben mich ohne viel Federlesens hinein und zwängten sich links und rechts neben mich.

»Sitzt der junge Herr auch bequem?«, fragte Castelo und rammte mir den Ellbogen in die Rippen.

Der Inspektor setzte sich vorn neben den Fahrer. In den fünf Minuten, die wir durch die menschenleere, in ockerfarbenem Nebel liegende Vía Layetana fuhren, sagte keiner der drei ein Wort. Beim Zentralrevier angekommen, ging Grandes hinein, ohne auf uns zu warten. Mit einem Knochenbrechergriff packten mich Marcos und Castelo je an einem Arm und schleiften mich durch ein Labyrinth von Treppen, Gängen und Zellen zu einem fensterlosen Raum, der nach Schweiß und Urin stank. In der Mitte stand ein wurmstichiger Holztisch mit zwei schäbigen Stühlen. An der Decke hing eine nackte Glühbirne, und mitten im Fußboden, wo die leicht gegeneinander geneigten Flächen zusammenliefen, war ein Abflussgitter eingelassen. Es war eisig kalt. Ehe ich mich's versah, wurde hinter mir die Tür ins Schloss geworfen. Ich hörte, wie sich die Schritte entfernten. Zwölf Runden drehte ich in diesem Kerker, bevor ich mich auf einen der wackligen Stühle fallen ließ. In der folgenden Stunde hörte ich kein einziges Geräusch außer meinem Atem, dem knarrenden Stuhl und dem Tropfen irgendeiner undichten Stelle, die ich nicht ausfindig machen konnte.

Eine Ewigkeit später vernahm ich den Hall näher kommender Schritte, und kurz danach öffnete sich die Tür. Marcos grinste herein und hielt Grandes die Tür auf, der eintrat, ohne mich eines Blickes zu würdigen, und auf dem Stuhl am anderen Tischende Platz nahm. Er gab Marcos ein Zeichen, worauf dieser die Tür wieder schloss, nachdem er mir mit einem Augenzwinkern einen Kuss durch die Luft geschickt hatte. Der Inspektor geruhte erst nach einer guten halben Minute, mir ins Gesicht zu schauen.

»Wenn Sie mich beeindrucken wollten, dann haben Sie es bereits geschafft, Inspektor.«

Er überhörte meine Ironie und starrte mich an, als hätte er mich noch nie zuvor gesehen.

»Was wissen Sie von Damián Roures?«, fragte er.

Ich zuckte die Schultern.

»Nicht viel. Dass er einen Laden für Zauberartikel besitzt. Tatsächlich wusste ich bis vor einigen Tagen nicht einmal das, bis Ricardo Salvador mir von ihm erzählte. Heute oder gestern, ich weiß schon gar nicht mehr, wie spät es ist, habe ich ihn aufgesucht, weil ich mehr über den Mann herausfinden wollte, der vor mir in meiner jetzigen Wohnung gewohnt hat. Salvador sagte mir, Roures und der ehemalige Besitzer …«

»Marlasca.«

»Ja, Diego Marlasca. Wie gesagt, Salvador hat mir erzählt, Roures und Marlasca hätten vor Jahren miteinander zu tun gehabt. Ich stellte ihm einige Fragen, und er hat nach bestem Wissen und Gewissen geantwortet. Das ist eigentlich alles.«

Grandes nickte mehrmals.

»Das ist Ihre Geschichte?«

»Ich weiß nicht. Welches ist Ihre? Vergleichen wir sie doch, und dann verstehe ich vielleicht endlich, was zum Teufel ich hier mitten in der Nacht verloren habe und warum ich mir in einem Kellerloch, das nach Scheiße stinkt, die Füße abfriere.«

»Schreien Sie mich nicht an, Martín.«

»Entschuldigen Sie, Inspektor, aber ich finde, Sie könnten mir wenigstens sagen, was ich hier tue.«

»Ich werde Ihnen sagen, was Sie hier tun. Vor etwa drei Stunden ist ein Bewohner des Hauses, in dem sich Señor Roures' Laden befindet, spät heimgekommen und hat gesehen, dass die Ladentür offen stand und das Licht darin brannte. Das hat ihn erstaunt, und er ist eingetreten, und als er den Inhaber nicht gesehen und dieser auf seine Rufe auch nicht geantwortet hat, ist er ins Hinterzimmer gegangen, wo er ihn inmitten einer Blutlache mit Draht an einen Stuhl gefesselt fand.«

Grandes machte eine lange Pause und durchbohrte mich mit den Augen. Ich vermutete, dass noch etwas käme. Fürs Finale sparte sich Grandes immer einen Knalleffekt auf.

»Tot?«, fragte ich.

Er nickte.

»Ziemlich. Jemand hat sich einen Spaß daraus gemacht, ihm mit einer Schere die Augen auszukratzen und die Zunge abzuschneiden. Der Gerichtsmediziner vermutet, dass er eine halbe Stunde später an seinem eigenen Blut erstickt ist.«

Ich spürte, dass mir die Luft wegblieb. Grandes lief im Raum herum. Dann blieb er hinter mir stehen, und ich hörte ihn eine Zigarette anzünden.

»Wie sind Sie zu dieser Verletzung gekommen? Sieht frisch aus.«

»Ich bin im Regen ausgeglitten und auf den Hinterkopf gefallen.«

»Verkaufen Sie mich doch nicht für dumm, Martín. Das ist nicht gut für Sie. Soll ich Sie ein Weilchen mit Marcos und Castelo allein lassen, damit sie Ihnen Manieren beibringen?«

»Ist ja gut. Man hat mir einen Schlag versetzt.«

»Wer?«

»Das weiß ich nicht.«

»Dieses Gespräch beginnt mich zu langweilen, Martín.«

»Und mich erst.«

Grandes setzte sich mir wieder gegenüber und schenkte mir ein versöhnliches Lächeln.

»Sie glauben doch wohl nicht, dass ich mit dem Tod dieses Mannes irgendetwas zu tun habe?«

»Nein, Martín, das glaube ich nicht. Allerdings glaube ich, dass Sie mir nicht die Wahrheit erzählen und dass der Tod dieses armen Unglücklichen irgendwie mit Ihrem Besuch zusammenhängt. Wie der von Barrido und Escobillas.«

»Was bringt Sie auf diesen Gedanken?«

»Nennen Sie es Eingebung.«

»Ich habe Ihnen gesagt, was ich weiß.«

»Und ich habe Ihnen gesagt, Sie sollen mich nicht für dumm verkaufen. Marcos und Castelo warten da draußen auf eine Chance, sich mit Ihnen unter sechs Augen zu unterhalten. Ist es das, was Sie wollen?«

»Nein.«

»Dann helfen Sie mir, Sie aus dieser Lage zu befreien und heimzuschicken, bevor die Laken kalt sind.«

»Was wollen Sie hören?«

»Die Wahrheit zum Beispiel.«

Entnervt schob ich den Stuhl zurück und stand auf. Die Kälte war mir in die Knochen gefahren, und ich hatte das Gefühl, gleich platze mir der Kopf. Ich begann den Tisch zu umkreisen und schleuderte die Worte dem Inspektor wie Steine an den Kopf.

»Die Wahrheit? Ich werde Ihnen die Wahrheit sagen. Die Wahrheit ist, dass ich nicht weiß, was die Wahrheit ist. Ich weiß nicht, was ich Ihnen erzählen soll. Ich weiß nicht, warum ich zu Roures und zu Salvador ging. Ich weiß nicht, was ich suche und was da mit mir geschieht. Das ist die Wahrheit.«

Grandes beobachtete mich stoisch.

»Hören Sie auf, Runden zu drehen, und setzen Sie sich hin. Sie machen mich ganz schwindlig.«

»Ich will aber nicht.«

»Martín, was Sie mir da erzählen, ist gleich null. Ich bitte Sie nur, mir zu helfen, damit auch ich Ihnen helfen kann.«

»Sie könnten mir nicht einmal helfen, wenn Sie wirklich wollten.«

»Wer dann?«

Ich ließ mich wieder auf den Stuhl fallen.

»Ich weiß es nicht …«, murmelte ich.

Ich glaubte in seinen Augen einen Anflug von Mitleid zu erkennen, vielleicht war es auch nur Müdigkeit.

»Hören Sie, Martín, fangen wir noch einmal von vorne an. Machen wir es auf Ihre Weise. Erzählen Sie mir eine Geschichte. Beginnen Sie ganz am Anfang.«

Ich schaute ihn schweigend an.

»Martín, glauben Sie nicht, nur weil Sie mir sympathisch sind, werde ich nicht meine Arbeit tun.«

»Tun Sie, was Sie tun müssen. Rufen Sie Hänsel und Gretel, wenn Sie Lust haben.«

In diesem Augenblick bemerkte ich in seinem Gesicht einen Funken Unruhe. Durch den Gang kamen Schritte näher, und irgendetwas sagte mir, dass der Inspektor sie nicht erwartet hatte. Man hörte einen kurzen Wortwechsel, und Grandes trat nervös an die Tür. Er klopfte dreimal, worauf Marcos, der Wache stand, sie öffnete. Ein Mann in einem Kamelhaarmantel und dazu passendem Anzug trat ein, schaute sich mit verdrießlicher

Miene um und lächelte mir dann unendlich sanft zu, während er bedächtig die Handschuhe auszog. Zu meiner Verblüffung erkannte ich Anwalt Valera.

»Sind Sie wohlauf, Señor Martín?«, fragte er.

Ich nickte. Der Anwalt zog den Inspektor in eine Ecke, wo ich sie tuscheln hörte. Grandes gestikulierte mit verhaltener Wut. Valera schaute ihn kühl an und schüttelte den Kopf. Das Gespräch zog sich fast eine Minute hin. Schließlich schnaubte Grandes und ließ die Hände sinken.

»Nehmen Sie Ihren Schal, Señor Martín, wir gehen«, sagte Valera. »Der Inspektor hat keine weiteren Fragen.«

Hinter ihm biss sich Grandes auf die Lippen und schoss Marcos einen vernichtenden Blick zu, woraufhin der die Achseln zuckte. Valera, dessen liebenswürdig-routiniertes Lächeln keinen Moment erschlaffte, nahm mich am Arm und zog mich aus diesem Kerkerloch.

»Ich hoffe, die Behandlung von Seiten dieser Beamten war korrekt, Señor Martín.«

»J-ja«, stotterte ich.

»Einen Augenblick«, sagte Grandes hinter uns.

Valera blieb stehen, bedeutete mir zu schweigen und drehte sich um.

»Falls Sie an Señor Martín weitere Fragen haben, können Sie sich an unser Büro wenden, wo man Ihnen sehr gern behilflich sein wird. Bis dahin werden wir uns, falls Sie keinen wichtigeren Rechtsgrund haben, Señor Martín in diesen Räumen einzubehalten, für heute zurückziehen, wünschen Ihnen eine gute Nacht und bedanken uns für Ihre Liebenswürdigkeit, die gegenüber Ihren Vorgesetzten zu erwähnen ich nicht versäumen werde, insbesondere gegenüber Oberinspektor Salgado, der ja, wie Sie wissen, ein enger Freund von mir ist.«

Marcos machte Anstalten, auf uns zuzugehen, aber der Inspektor hielt ihn zurück. Ich wechselte einen letzten Blick mit ihm, ehe mich Valera wieder am Arm nahm und mitzog.

»Nicht stehen bleiben«, raunte er.

Wir gingen durch den langen, von fahlen Leuchten gesäumten Gang zu einer Treppe, die uns zu einem weiteren langen Gang führte. Schließlich gelangten wir zu einer schmalen Tür und durch sie in die Eingangshalle im Erdgeschoss und zum Ausgang. Dort erwartete uns ein Mercedes-Benz mit laufendem Motor und einem Fahrer, der, kaum erblickte er Valera, die Tür aufriss. Ich stieg ein. Das Auto verfügte über eine Heizung, und die Ledersitze waren angewärmt. Valera setzte sich neben mich und gab dem Fahrer mit einem Klopfen an die Trennscheibe das Zeichen zum Abfahren. Als wir uns auf der mittleren Spur der Vía Layetana befanden, lächelte er mir zu, als wäre nichts geschehen, und zeigte auf den Nebel, den wir auf unserer Fahrt wie dichtes Buschwerk zerteilten.

»Eine unfreundliche Nacht, nicht wahr?«

»Wohin fahren wir?«

»Zu Ihnen natürlich. Es sei denn, Sie gehen lieber in ein Hotel oder …«

»Nein, schon gut.«

Der Wagen glitt langsam die Vía Layetana hinunter.

Valera schaute desinteressiert die leeren Straßen hinunter.

»Was tun Sie hier?«, fragte ich schließlich.

»Was glauben Sie, was ich tue? Sie und Ihre Interessen vertreten.«

»Sagen Sie dem Fahrer, er soll anhalten«, sagte ich.

Der Fahrer suchte Valeras Blick im Rückspiegel. Valera schüttelte den Kopf und hieß ihn weiterfahren.

»Reden Sie keinen Unsinn, Señor Martín. Es ist spät und kalt, und ich begleite Sie nach Hause.«

»Ich gehe lieber zu Fuß.«

»Seien Sie doch vernünftig.«

»Wer hat Sie geschickt?«

Er seufzte und rieb sich die Augen.

»Sie haben gute Freunde, Martín. Im Leben ist es wichtig, gute Freunde zu haben, und vor allem, sie sich zu erhalten. So wichtig, wie zu erkennen, wann man sich darauf versteift, einen falschen Weg zu beschreiten.«

»Das wird doch nicht der Weg sein, der durch das Haus Marlasca führt, in der Carretera de Vallvidrera 13?«

Valera lächelte geduldig, als wiese er nachsichtig ein ungezogenes Kind zurecht.

»Señor Martín, glauben Sie mir, je weiter Sie sich von diesem Haus und dieser ganzen Geschichte fernhalten, desto besser für Sie. Nehmen Sie von mir wenigstens diesen Rat an.«

Der Fahrer bog in den Paseo de Colón ein, um dann durch die Calle Comercio zum Paseo del Born zu gelangen. Vor dem großen Marktgelände stauten sich bereits die Karren mit Fleisch und Fisch, Eis und Gewürzen. Neben uns luden ein paar Burschen ein aufgeschlitztes Kalb ab und hinterließen eine Blut- und Dunstspur, die in der Luft zu riechen war.

»Ein Viertel voller Charme und pittoresker Bilder, das sie da haben, Señor Martín.«

Der Fahrer hielt an der Einmündung der Calle Flassaders und stieg aus, um uns die Tür zu öffnen. Der Anwalt stieg ebenfalls aus.

»Ich begleite Sie zur Tür«, sagte er.

»Man wird uns für ein Paar halten.«

Wir gingen durch die dunkle Schlucht der Gasse zu meinem Haus. Vor der Tür gab mir der Anwalt mit professioneller Höflichkeit die Hand.

»Danke, dass Sie mich da herausgeholt haben«, sagte ich.

»Danken Sie nicht mir dafür.« Er zog einen Umschlag aus der Innentasche seines Mantels.

Ich erkannte das Engelssiegel sogar im Dämmerlicht, das von der Lampe an der Mauer über unseren Köpfen troff. Valera übergab mir den Umschlag und kehrte nach einem letzten Nicken zum Auto zurück. Ich schloss die Haustür auf, und in der Wohnung ging ich direkt in mein Arbeitszimmer, wo ich den Umschlag öffnete und das zusammengefaltete Blatt mit den kunstvollen Schriftzügen des Patrons herauszog.

Lieber Martín,
ich hoffe und wünsche mir, dass diese Note Sie in guter körperlicher und seelischer Verfassung antrifft. Die Um-

stände erfordern es, dass ich kurz in der Stadt bin, und es würde mich sehr freuen, an diesem Freitag um sieben Uhr abends im Billardraum des Reitklubs in den Genuss Ihrer Gesellschaft zu kommen, um über die Fortschritte unseres Projekts zu sprechen.

Bis dahin grüßt Sie herzlich Ihr Freund

Andreas Corelli

Ich faltete das Blatt wieder zusammen und steckte es behutsam in den Umschlag. Dann zündete ich ein Streichholz an, ergriff das Kuvert an einer Ecke und hielt es über die Flamme. Ich sah zu, wie es brannte, bis der Lack scharlachrot auf den Schreibtisch tropfte und meine Finger voller Asche waren.

»Fahren Sie zur Hölle«, murmelte ich, während mir die Nacht jenseits der Fenster finsterer vorkam denn je.

36

Im Arbeitszimmer wartete ich im Sessel auf eine Morgendämmerung, die nicht kommen wollte, bis mich die Wut aus dem Haus trieb, um der Warnung von Anwalt Valera zu trotzen. Draußen pfiff die schneidende Kälte, die im Winter dem Tagesanbruch vorangeht. Beim Überqueren des Paseo del Born glaubte ich Schritte hinter mir zu hören. Ich sah mich um, erblickte aber niemanden außer den Marktburschen, die die Wagen abluden, und setzte meinen Weg fort. Auf der Plaza del Palacio sichtete ich im Dunst, der vom Hafen heranzog, die Lichter der ersten Straßenbahn. Schon sah ich über der Oberleitung blaue Funken sprühen. Ich stieg ein und setzte mich ganz nach vorn. Den Fahrschein händigte mir derselbe Schaffner wie beim vorigen Mal aus. Nach und nach tröpfelte ein Dutzend Fahrgäste herein, alle allein. Wenige Minuten später ruckte die Bahn los, während sich am Himmel zwischen schwarzen Wolken ein Netz rötlicher Kapillaren aufspannte. Man musste kein Dichter oder Weiser sein, um zu wissen, dass es kein schöner Tag werden würde.

Als wir in Sarrià eintrafen, war der Tag mit einem fahlen Licht angebrochen, in dem alles farblos schien. Ich stieg die einsamen Gassen des Viertels zur Flanke des Berges hinauf. Wieder glaubte ich bisweilen Schritte hinter mir zu hören, aber immer, wenn ich stehen blieb und mich umschaute, war niemand da. In dem Gässchen, das zum Haus Marlasca führte, bahnte ich mir einen Weg durch die Laubdecke, die unter meinen Füßen raschelte. Langsam ging ich durch den Patio und stieg die Stufen zur Haustür hinauf, wo ich seitlich durch die Fenster spähte. Ich ließ den Türklopfer dreimal fallen und trat einige Schritte zurück. Als ich nach einer Minute keine Antwort bekam, klopfte ich abermals. Das Echo der Schläge verlor sich im Inneren.

»Hallo?«, rief ich.

Die Bäume, die das Haus umgaben, schienen den Klang meiner Stimme zu verschlucken. Ich ging ums Haus herum bis in den Garten mit dem Schwimmbecken und von dort zu der verglasten Veranda. Die Fenster waren hinter halb geschlossenen Holzläden verborgen, sodass man nicht hineinsehen konnte. Eines der Fenster, direkt neben der Glastür der Veranda, war nur angelehnt. Durch die Scheibe war der Türriegel zu erkennen, und als ich mit dem Arm durch das offene Fenster langte, konnte ich ihn zurückzuschieben. Die Tür gab mit einem metallischen Geräusch nach. Ich sah mich noch einmal um und vergewisserte mich, dass niemand da war, dann trat ich ein.

Sowie sich meine Augen an das Halbdunkel gewöhnt hatten, wurden die Konturen des Zimmers erkennbar. Ich drückte leicht die Fensterläden auf, um ein wenig Licht hereinzulassen. Ein Fächer aus Strahlen ließ die Gegenstände im Raum hervortreten.

»Jemand da?«, rief ich.

Meine Stimme verlor sich im Haus wie eine Münze in einem bodenlosen Schacht. Ich ging quer durch den Raum, wo ein gebogener, mit Holz verzierter Durchgang auf einen dunklen Korridor hinausführte. Zu beiden Seiten hingen an samtbezogenen Wänden verschwommene Gemälde. Am Ende des Korridors öffnete sich ein großer runder Salon mit Mosaikböden und einem Wandbild wie Email, auf dem eine weiße Engelsgestalt mit ausgestrecktem Arm und Fingern aus Feuer zu sehen war. Eine breite Steintreppe führte an den Wänden des Raums entlang in einer Spirale nach oben. An ihrem Fuß blieb ich stehen und rief erneut.

»Hallo? Señora Marlasca?«

Das Haus lag in vollkommener Stille da, meine Worte verklangen in einem schwachen Widerhall. Ich stieg zum ersten Stock hinauf und blieb auf dem Treppenabsatz stehen, von dem aus man den Salon mit dem Wandbild überblicken konnte. Ich sah meine Fußabdrücke in der Staubschicht auf dem Boden. Außerdem sah ich im Staub eine Art Gleis aus zwei parallelen Linien im Abstand von zwei oder drei Handbreit und dazwischen Fußabdrücke. Große Fußabdrücke. Verwirrt betrachtete ich diese Spur, bis mir aufging, was ich da sah. Die Spur eines Rollstuhls und die Fußstapfen der Person, die ihn geschoben hatte.

Ich glaubte hinter mir ein Geräusch zu hören und wandte mich um. Eine angelehnte Tür am Ende des Flurs bewegte sich leicht. Ein kalter Wind kam von dort. Langsam ging ich auf die Tür zu. Dabei warf ich einen Blick in die Zimmer auf beiden Seiten – Schlafzimmer, deren Möbel mit weißen Tüchern zugedeckt waren. Die geschlossenen Fenster und das stickige Halbdunkel ließen ahnen, dass sie seit langem unbenutzt waren, mit Ausnahme eines etwas größeren Raums, in dem sich ein Ehebett befand. Ich trat ein und roch die seltsame Mischung aus Parfüm und Krankheit, die alte Menschen verströmen. Vermutlich war dies das Zimmer der Witwe Marlasca, aber nichts deutete auf ihre Anwesenheit hin.

Das Bett war ordentlich gemacht. Davor stand eine Kommode mit einer Reihe gerahmter Porträts. Ausnahmslos auf allen war ein Junge mit hellen Haaren und fröhlichem Gesicht zu sehen. Ismael Marlasca. Auf einigen posierte er mit seiner Mutter oder mit anderen Kindern. Nirgends erschien Diego Marlasca.

Wieder schreckte mich das Geräusch einer klappenden Tür auf, und ich verließ das Schlafzimmer und die Fotos. Die Tür am Ende des Flurs bewegte sich immer noch leicht. Bevor ich eintrat, hielt ich einen Augenblick inne und atmete tief ein, dann stieß ich die Tür auf.

Alles war weiß. Wände und Decke waren makellos weiß gestrichen. Weiße Seidengardinen. Ein kleines, mit weißen Tüchern bezogenes Bett. Ein weißer Teppich. Weiße Regale und Schränke. Nach dem Halbdunkel im übrigen Haus war ich von so viel Helligkeit einige Sekunden lang geblendet. Der Raum schien einem Traum, einer Märchenphantasie entsprungen. In den Regalen Spielzeuge und Märchenbücher. Vor einem Toilettentisch saß ein lebensgroßer Harlekin aus Porzellan und betrachtete sich im Spiegel. An der Decke hing ein Mobile aus weißen Vögeln. Auf den ersten Blick wirkte es wie das Zimmer eines verhätschelten Kindes, Ismael Marlasca, aber es hatte die beklemmende Atmosphäre einer Totenkammer.

Ich setzte mich aufs Bett. Erst jetzt merkte ich, dass irgendetwas nicht stimmte. Es war der Geruch – ein süßlicher Gestank lag in der Luft. Ich stand auf, schaute mich um und ging zweimal im Zimmer auf und ab, ohne die Ursache finden zu können. Auf einem Sakristeischrank befand sich ein Porzellanteller mit einer schwarzen Kerze inmitten dunkler Tropfen. Ich drehte mich um. Der Gestank schien vom Kopfende des Bettes herzukommen. Ich zog die Nachttischschublade auf und fand ein in drei Teile zerbrochenes Kruzifix. Der Gestank war stärker geworden. Da sah ich es – unter dem Bett lag etwas. Ich kniete nieder und zog eine der Blechdosen hervor, in denen Kinder ihre Schätze verwahren, und stellte sie auf das Bett. Der Gestank war jetzt viel deutlicher und durchdringender. Ich ignorierte die aufsteigende Übelkeit und nahm den Deckel ab. In der Dose lag eine weiße Taube, deren Herz mit einer Nadel durchbohrt war. Ich wich einen Schritt zurück, bedeckte Mund und Nase mit der Hand und floh dann auf den Flur hinaus. Im Spiegel beobachteten mich die Augen des schakalisch grinsenden Harlekins. Ich rannte zur Treppe und stürzte die Stufen hinunter, um zu dem in die Veranda führenden Korridor und der Tür zu gelangen, die ich vom Garten aus geöffnet hatte. Einen Moment lang dachte ich, ich hätte mich verirrt und das Haus wolle mich nicht hinauslassen, als wäre es ein Wesen, das Flure und Zimmer nach Lust und Laune verschieben konnte. Endlich sah ich die verglaste Veranda und lief zur Tür. Erst als ich mit dem Riegel rang, hörte ich das heimtückische Lachen hinter mir und wusste, dass ich in diesem Haus nicht allein war. Ich wandte mich um und sah eine dunkle Gestalt, die mich vom anderen Ende des Korridors beobachtete. Sie hatte einen glänzenden Gegenstand in der Hand. Ein Messer.

Das Schloss gab nach, und ich stieß die Tür mit solcher Wucht auf, dass ich der Länge nach auf die Marmorplatten am Schwimmbecken fiel. Mein Gesicht landete nur eine Handbreit von der Wasseroberfläche entfernt, sodass mir der Gestank des fauligen Wassers in die Nase stieg. Ich starrte ins Dunkel über dem Beckengrund. Da tat sich zwischen den Wolken ein Spalt auf, und die Sonne schien ins Wasser und strich über den zerbröckelten Mosaikboden. Das Bild zeigte sich nur einen Augenblick. Der Rollstuhl war auf dem Grund gestrandet und nach vorn gekippt. Das Licht wanderte weiter bis zur tiefsten Stelle des Schwimmbeckens, und dort erblickte ich sie. An der Seitenwand lehnte ein Körper, in ein weißes, im Wasser schwebendes Kleid gehüllt. Zuerst dachte ich an eine Puppe – die scharlachroten Lippen waren im Wasser aufgequollen, die Augen leuchteten wie Saphire. Langsam wallte das rote Haar im fauligen Wasser, die Haut war blau. Die Witwe Marlasca. Eine Sekunde später zogen sich die Wolken wieder zusammen, und das Wasser war der trübe Spiegel von ehedem, in dem ich nur mein Gesicht und einen Schatten sehen konnte, der jetzt hinter mir auf der Schwelle der Veranda mit dem Messer in der Hand Gestalt annahm. Ich schoss hoch und rannte los, durch den Garten, zwischen den Bäumen hindurch, mir an den Büschen Gesicht und Hände zerkratzend, bis ich zum Eisentor und auf die Straße gelangte. Ich rannte weiter und blieb erst auf der Carretera de Vallvidrera stehen. Völlig außer Atem, wandte ich mich um und sah, dass das Haus Marlasca wieder am Ende des Gässchens verborgen war, unsichtbar für die Welt.

37

Mit derselben Straßenbahn fuhr ich zurück, durch eine Stadt, die unter einem eisigen, Laub aufwirbelnden Wind von Minute zu Minute düsterer wurde. Als ich auf der Plaza Palacio ausstieg, hörte ich zwei von den Molen kommende Matrosen von einem Unwetter sprechen, das sich vom Meer her näherte. Tatsächlich ballten sich am Himmel nach und nach rote Wolken zusammen, die wie vergossenes Blut vom Meer kamen. In den Straßen um den Paseo del Born befestigten die Leute Türen und Fenster, die Krämer schlossen vorzeitig die Läden, und die Kinder kamen aus den Häusern, um mit ausgebreiteten Armen gegen den Wind anzurennen und über das Krachen des Donners zu lachen. Die Straßenlampen flackerten, und die Blitze überzogen die Fassaden mit weißem Licht. Ich hastete zum Haus mit dem Turm und stürzte die Treppe hinauf. Hinter den Mauern hörte man das Toben des Gewitters näher kommen.

In der Wohnung war es so kalt, dass ich meinen Atem sehen konnte, als ich in den Korridor trat. In einem Abstellraum hatte ich ein altes Kohlenbecken, das ich erst vier- oder fünfmal benutzt hatte und das ich nun mit alten Zeitungen anzündete. Dasselbe tat ich mit dem Kamin in der Veranda. Dann setzte ich mich vor den Flammen auf den Boden. Meine Hände zitterten, ich wusste nicht, ob vor Kälte oder vor Angst. Während ich darauf wartete, dass es warm wurde, betrachtete ich das Netz aus weißem Licht, das die Blitze an den Himmel zeichneten.

Der Regen ließ lange auf sich warten, dann aber stürzte er in wilden Tropfenvorhängen nieder, die in Minutenschnelle alles Licht erstickten, Dächer und Gassen ertränkten und Wände und Scheiben peitschten. Dank Kohlenbecken und Kaminfeuer erwärmte sich die Wohnung langsam, aber mir war immer noch kalt. Ich ging ins Schlafzimmer, um Decken zu holen und mich einzuwickeln. Ich öffnete den Schrank und begann, unten in den beiden großen Schubladen zu wühlen. Das Kästchen war noch da, ganz hinten versteckt. Ich legte es aufs Bett.

Ich betrachtete die alte Pistole meines Vaters, das Einzige, was mir von ihm geblieben war. Mit dem Zeigefinger streichelte ich den Abzug. Aus dem Munitionsfach im doppelten Boden des Kästchens nahm ich sechs Kugeln und steckte sie in die Trommel. Dann legte ich das Kästchen auf den Nachttisch und ging mit der Pistole und einer Decke in die Veranda zurück. Eingemummt, die Waffe auf der Brust, legte ich mich aufs Sofa und verlor mich in der Betrachtung des Gewitters vor dem Fenster. Ich hörte die Uhr auf dem Kaminsims ticken und brauchte nicht hinzuschauen, um zu wissen, dass bis zum Treffen mit dem Patron im Billardraum des Reitklubs nur noch eine halbe Stunde fehlte.

Ich schloss die Augen und stellte mir vor, wie er durch die menschenleeren, überschwemmten Straßen der Stadt fuhr, stellte ihn mir im Fond seines Wagens vor, in der Dunkelheit glänzten seine goldenen Augen, während sich der Silberengel auf der Kühlerhaube des Rolls-Royce einen Weg durchs Gewitter bahnte. Ich dachte ihn mir reglos wie eine Statue, weder atmend noch lächelnd, ohne jeden Ausdruck. Gleich darauf hörte ich das brennende Holz knacken und hinter den Scheiben den Regen prasseln. Ich schlief mit der Waffe in den Händen und der Gewissheit ein, dass ich nicht zu dem Treffen gehen würde.

Kurz nach Mitternacht öffnete ich die Augen. Das Feuer war fast niedergebrannt, und die Veranda lag in dem tanzenden Dämmerlicht, das die letzte Glut in den Raum warf. Noch immer regnete es in Strömen. Die Pistole war nach wie vor in meinen Händen, jetzt lauwarm. Einige Sekunden blieb ich liegen, ohne zu blinzeln. Ich wusste, dass jemand vor der Tür stand, noch bevor ich das Klopfen hörte.

Ich warf die Decke ab und richtete mich auf. Wieder das Klopfen. Fingerknöchel an der Wohnungstür. Mit der Waffe in der Hand stand ich auf und trat in den Korridor hinaus. Erneutes Klopfen. Ich ging einige Schritte auf die Tür zu und blieb stehen. Ich stellte ihn mir vor, wie er lächelnd auf dem Treppenabsatz stand, wie der Engel am Revers in der Dunkelheit leuchtete. Ich spannte die Pistole. Und abermals wurde angeklopft. Ich wollte das Licht anschalten, doch es gab keinen Strom. Ich ging weiter, bis zur Tür. Den Deckel des Gucklochs zurückzuschieben traute ich mich nicht. Reglos blieb ich stehen, fast ohne zu atmen, und richtete die Waffe auf die Tür.

»Gehen Sie«, rief ich mit kraftloser Stimme.

Da hörte ich auf der anderen Seite ein Weinen und ließ die Waffe sinken. Ich öffnete die Tür zur Dunkelheit, und da stand sie. Ihre Kleider waren durchnässt, und sie zitterte. Ihre Haut war eiskalt. Als sie mich erblickte, wäre sie mir beinahe ohnmächtig in die Arme gefallen. Ich hielt sie fest und drückte sie wortlos an mich. Sie lächelte mich matt an, und als ich die Hand an ihre Wange hob, küsste sie sie mit geschlossenen Augen.

»Verzeih mir«, flüsterte sie.

Cristina öffnete die Augen wieder und schaute mich mit diesem verwundeten, gebrochenen Blick an, der mich selbst in die Hölle verfolgt hätte. Ich lächelte.

»Willkommen zuhause.«

38

Ich zog sie im Kerzenlicht aus. Befreite sie von den mit schlammigem Wasser vollgesaugten Schuhen, dem durchweichten Kleid, den zerrissenen Strümpfen. Trocknete ihr den Körper und die Haare mit einem Tuch. Sie zitterte immer noch vor Kälte, als ich sie ins Bett legte und mich neben sie, um sie zu umarmen und zu wärmen. So blieben wir lange liegen, schweigend, und hörten dem Regen zu. Mit der Zeit spürte ich, wie ihr Körper unter meinen Händen auftaute, und sie begann tief zu atmen. Ich dachte schon, sie sei eingeschlafen, als ich sie im Halbdunkel sagen hörte:

»Deine Freundin ist zu mir gekommen.«

»Isabella.«

»Sie hat mir erzählt, sie habe meine Briefe vor dir versteckt, aber sie habe es nicht aus Böswilligkeit getan. Sie dachte, es sei zu deinem Besten, und vielleicht hatte sie recht.«

Ich beugte mich über sie und suchte ihre Augen. Ich streichelte ihre Lippen, und sie lächelte schwach.

»Ich dachte, du hättest mich vergessen«, sagte sie.

»Ich hab's versucht.«

Ihr Gesicht wirkte müde. Die Monate der Trennung hatten Linien in ihre Haut gezeichnet, und in ihrem Blick lagen Niederlage und Leere.

»Wir sind nicht mehr jung«, sagte sie, als lese sie meine Gedanken.

»Wann sind wir denn je jung gewesen, du und ich?«

Ich warf die Decke beiseite und betrachtete ihren nackten Körper auf dem weißen Betttuch. Mit den Fingerspitzen streichelte ich ganz leicht ihren Hals und ihre Brüste, kaum die Haut berührend. Ich zeichnete Kreise auf ihren Bauch und zog die Form des Beckens nach. Ich ließ meine Finger in den fast durchsichtigen Haaren zwischen ihren Schenkeln spielen.

Aus halb geschlossenen Augen beobachtete mich Cristina schweigend.

»Was machen wir nun?«, fragte sie.

Ich beugte mich über sie und küsste sie auf die Lippen. Sie umarmte mich, und so blieben wir liegen, während das Kerzenlicht verflackerte.

»Es wird uns schon etwas einfallen«, murmelte sie.

Kurz nach der Morgendämmerung erwachte ich, allein im Bett. In der Befürchtung, Cristina sei abermals mitten in der Nacht gegangen, sprang ich hoch. Da sah ich ihre Kleider auf dem Stuhl und die Schuhe darunter und atmete tief durch. Ich fand sie in der Veranda in eine Decke gehüllt auf dem Boden vor dem Kamin sitzend, wo ein glühendes Stück Holz einen blauen Feuerschein verbreitete. Ich setzte mich neben sie und küsste sie auf den Hals.

»Ich konnte nicht schlafen«, sagte sie, ins Feuer starrend.

»Warum hast du mich denn nicht geweckt?«

»Ich habe mich nicht getraut. Du hast ausgesehen, als würdest du zum ersten Mal seit Monaten richtig schlafen. Also habe ich deine Wohnung ausgekundschaftet.«

»Und?«

»Diese Räume sind wie verhext vor Traurigkeit. Warum zündest du sie nicht an?«

»Und wo sollen wir dann wohnen?«

»Wir?«

»Warum nicht?«

»Ich dachte, du schreibst keine Märchen mehr.«

»Das ist wie Rad fahren. Hat man es einmal gelernt...«

Cristina schaute mich lange an.

»Was ist in dem Zimmer am Ende des Flurs?«

»Nichts. Alter Trödel.«

»Es ist abgeschlossen.«

»Willst du es sehen?«

Sie schüttelte den Kopf.

»Es ist nur eine Wohnung, Cristina. Ein Haufen Steine und Erinnerungen. Sonst nichts.«

Sie nickte mit wenig Überzeugung.

»Warum gehen wir nicht fort?«, fragte sie.

»Wohin?«

»Weit weg.«

Ich musste unwillkürlich lächeln, aber sie blieb ernst.

»Wohin?«, fragte ich.

»Irgendwohin, wo niemand weiß, wer wir sind, und wo das den Leuten auch egal ist.«

»Das willst du?«, fragte ich.

»Du nicht?«

Ich zögerte einen Augenblick.

»Und Pedro?« Ich verschluckte mich fast an dem Namen.

Sie schüttelte die Decke von ihren Schultern und schaute mich herausfordernd an.

»Brauchst du seine Erlaubnis, um mit mir ins Bett zu gehen?«

Ich biss mir auf die Zunge. Cristina schaute mich mit Tränen in den Augen an.

»Entschuldige«, flüsterte sie. »Ich habe kein Recht, so zu sprechen.«

Ich nahm die Decke vom Boden und versuchte, sie ihr über die Schultern zu legen, aber sie drehte sich abweisend weg.

»Pedro hat mich verlassen«, sagte sie mit gebrochener Stimme. »Gestern ist er ins Ritz gezogen, um zu warten, um nicht dabei zu sein, wenn ich gehe. Er sagte, er wisse, dass ich ihn nicht liebe, dass ich ihn aus Dankbarkeit oder aus Mitleid geheiratet habe. Er sagte, er wolle mein Mitleid nicht, jeder Tag, den ich bei ihm verbringe und vorgebe, ihn zu lieben, tue ihm weh. Er sagte, was ich auch tun würde, er werde mich immer lieben und deshalb wolle er mich nicht mehr sehen.«

Ihre Hände zitterten.

»Er hat mich von ganzem Herzen geliebt, und das Einzige, was ich zustande gebracht habe, war, ihn unglücklich zu machen.«

Sie schloss die Augen, und ihr Gesicht verzog sich zu einer schmerzlichen Grimasse. Einen Moment später ließ sie ein tiefes Wimmern hören und begann, mit den Fäusten auf ihr Gesicht und ihren Körper einzuschlagen. Ich nahm sie rasch in die Arme und hielt sie fest, damit sie sich nicht mehr bewegen konnte. Sie wand sich und schrie. Ich drückte sie zu Boden und hielt sie dort fest. Langsam ergab sie sich, erschöpft, das Gesicht tränenüberströmt, die Augen gerötet. So verharrten wir fast eine halbe Stunde, bis sich ihr Körper allmählich entspannte. Sie fiel in ein langes Schweigen. Ich deckte sie zu und umarmte sie, ohne ihr meine eigenen Tränen zu zeigen.

»Wir werden weit weg gehen«, raunte ich ihr ins Ohr, ohne zu wissen, ob sie mich hören oder verstehen konnte. »Irgendwohin, wo niemand weiß, wer wir sind, und wo es den Leuten egal ist. Ich verspreche es dir.«

Cristina wandte mir den Kopf zu. Ihr Ausdruck war leer, als hätte man ihr die Seele mit dem Hammer zerschlagen. Ich umarmte sie fest und küsste sie auf die

Stirn. Draußen goss es noch immer, und in diesem blass-
grauen Morgenlicht gefangen, dachte ich zum ersten
Mal: Wir gehen unter.

39

Noch an diesem Morgen gab ich das Projekt für den Patron auf. Während Cristina schlief, ging ich in mein Arbeitszimmer hinauf und verstaute die Mappe mit allen
schon geschriebenen Seiten, mit den Notizen und Ent-
würfen in einer alten Truhe an der Wand. In einem ersten Impuls hatte ich alles verbrennen wollen, doch dann
verließ mich der Mut. Mein ganzes Leben lang hatte ich
die Seiten, die ich hervorbrachte, als einen Teil von mir
empfunden. Normale Menschen bringen Kinder zur
Welt, unsereiner Bücher. Wir Schriftsteller sind dazu
verdammt, ihnen unser ganzes Leben zu widmen, obwohl sie es uns fast nie danken. Wir sind dazu
verdammt, auf ihren Seiten zu sterben, ja manchmal
ohnmächtig hinzunehmen, dass sie uns tatsächlich ums
Leben bringen. Von all den seltsamen Geschöpfen aus
Papier und Tinte, die ich auf diese elende Welt gebracht
hatte, war dieses Auftragswerk als Gegenleistung für die
Versprechungen des Patrons das groteskeste. Es gab
nichts auf diesen Seiten, was etwas anderes als das Feuer
verdient hätte, und doch blieben sie Blut von meinem
Blut, und ich brachte es nicht fertig, sie zu vernichten.
Ich begrub sie ganz unten in dieser Truhe und verließ
betrübt das Arbeitszimmer. Beinahe schämte ich mich

über meine Feigheit und die diffusen Vatergefühle, die mir dieses finstere Manuskript einflößte. Wahrscheinlich hätte der Patron die Ironie der Lage zu schätzen gewusst. Mir verursachte sie nichts als Übelkeit.

Cristina schlief bis weit in den Nachmittag hinein. Das nutzte ich, um in einem Milchgeschäft neben dem Markt etwas Milch, Brot und Käse zu kaufen. Es hatte endlich aufgehört zu regnen, aber die Straßen waren eine einzige Pfütze, und die Feuchtigkeit in der Luft war zu greifen wie kalter Staub und drang durch die Kleider bis in die Knochen. Während ich im Laden wartete, bis ich an die Reihe kam, hatte ich das Gefühl, beobachtet zu werden. Als ich wieder auf der Straße war und den Paseo del Born überquerte, drehte ich mich um und sah, dass mir ein knapp fünfjähriger Junge folgte. Ich blieb stehen und schaute ihn an. Er blieb ebenfalls stehen und hielt meinem Blick stand.

»Du brauchst keine Angst zu haben«, sagte ich. »Komm her.«

Er näherte sich ein paar Schritte bis auf wenige Meter. Seine Haut war blass, fast bläulich, als hätte sie nie das Sonnenlicht gesehen. Er war schwarz gekleidet, trug glänzende neue Lackschuhe und hatte dunkle Augen mit so großen Pupillen, dass kaum das Weiße zu sehen war.

»Wie heißt du?«, fragte ich.

Er lächelte und zeigte mit dem Finger auf mich. Ich wollte einen Schritt auf ihn zu tun, aber er lief davon und verschwand am Ende des Paseo del Born.

Wieder zuhause, sah ich, dass ein Brief in der Tür steckte. Das rote Lacksiegel mit dem Engel war noch warm. Ich schaute mich nach links und rechts um, sah aber niemanden auf der Straße. Ich ging in die Vorhalle und schloss die Haustür doppelt ab. Noch bevor ich hinaufging, riss ich den Umschlag auf.

Lieber Freund,
ich bedaure zutiefst, dass Sie gestern Abend nicht zu un-serem Treffen kommen konnten. Ich hoffe, es geht Ihnen gut und es war weder ein Notfall noch ein Missgeschick für ihr Fernbleiben verantwortlich. Es ist schade, dass ich diesmal nicht in den Genuss Ihrer Gesellschaft kommen konnte, aber ich hoffe darauf und wünsche, dass sich glücklich löst, was immer Sie daran gehindert hat, mich zu treffen, und dass nächstes Mal die Voraussetzungen für unsere Begegnung günstiger sind. Ich muss für einige Tage die Stadt verlassen, aber sobald ich zurück bin, werde ich mich bei Ihnen melden. In der Erwartung, Neues von Ihnen und Ihren Fortschritten bei unserem gemeinsamen Projekt zu erfahren, grüßt Sie wie immer herzlich Ihr Freund
Andreas Corelli

Ich zerknüllte den Brief in der Faust und steckte das Knäuel in die Tasche. Leise betrat ich die Wohnung und drückte vorsichtig die Tür ins Schloss. Ich spähte ins Schlafzimmer und sah, dass Cristina noch schlief. Ich ging in die Küche und bereitete Kaffee und ein kleines Frühstück. Nach wenigen Minuten hörte ich Cristinas

Schritte. In einem alten Pullover von mir, der ihr bis zur Mitte der Schenkel reichte, stand sie auf der Schwelle und schaute mir zu. Ihre Haare waren zerzaust, die Augen geschwollen. Auf den Lippen und Wangenknochen hatten ihre Schläge dunkle Flecken hinterlassen, als hätte ich sie kräftig geohrfeigt. Sie wich meinem Blick aus.

»Entschuldige«, murmelte sie.

»Hast du Hunger?«, fragte ich.

Ich ignorierte ihr Kopfschütteln und lud sie ein, sich zu setzen, und stellte eine Tasse Milchkaffee mit Zucker sowie eine Scheibe frischgebackenes Brot mit Käse und ein wenig Schinken vor sie hin. Sie machte keinerlei Anstalten, etwas anzurühren.

»Nur einen Bissen«, sagte ich.

Sie spielte lustlos mit dem Käse herum und lächelte schwach.

»Gut«, sagte sie.

»Wenn du ihn probierst, wird er dir noch besser gefallen.«

Wir aßen schweigend. Zu meiner Überraschung leerte Cristina ihren Teller zur Hälfte. Dann verbarg sie sich hinter der Kaffeetasse und schaute mich flüchtig an.

»Wenn du willst, gehe ich noch heute«, sagte sie schließlich. »Mach dir keine Sorgen – Pedro hat mir Geld gegeben, und ...«

»Du sollst nirgendwo hingehen. Du sollst nie wieder weggehen, hörst du?«

»Ich bin keine gute Gesellschaft, David.«

»Dann sind wir ja schon zwei.«

»Hast du das ernst gemeint? Weit weg zu gehen?«
Ich nickte.

»Mein Vater hat immer gesagt, das Leben gibt niemandem eine zweite Chance.«

»Es gewährt sie nur denen, denen es nie eine erste gegeben hat. Eigentlich sind es Chancen aus zweiter Hand, die jemand nicht wahrzunehmen verstand, aber sie sind besser als gar nichts.«

Sie lächelte schwach.

»Komm mit spazieren«, sagte sie unversehens.

»Wo willst du denn hin?«

»Mich von Barcelona verabschieden.«

40

Gegen Abend brach durch die Wolkendecke, Überbleibsel des Gewitters, die Sonne hindurch. Die regenglänzenden Straßen wurden zu bernsteinfarbenen Spiegeln, auf denen die Passanten ihrer Wege gingen. Ich erinnere mich, dass wir zum Anfang der Ramblas spazierten, wo das Kolumbus-Denkmal aus dem Dunst ragte. Wir schritten schweigsam dahin, betrachteten die Fassaden und die Menschenmenge, als wären sie Luftspiegelungen, als wäre die Stadt bereits verlassen und vergessen. Nie war mir Barcelona so schön und so traurig erschienen wie an diesem Abend. Als es dunkel wurde, gingen wir zu Sempere und Söhne und stellten uns auf der gegenüberliegenden Straßenseite in einen Hauseingang, wo uns niemand sehen konnte. Das

Schaufenster der alten Buchhandlung warf einen schwachen Schimmer auf die feuchtglitzernden Pflastersteine. Im Inneren sah man Isabella auf einer Leiter Bücher ins oberste Regalfach einordnen, während Sempere junior hinter dem Ladentisch vorgab, ein Geschäftsbuch durchzugehen, und dabei zu ihren Knöcheln hinaufschielte. Señor Sempere, alt und müde in einer Ecke sitzend, beobachtete sie mit traurigem Lächeln.

»Fast alles Gute in meinem Leben ist mir an diesem Ort begegnet«, sagte ich. »Ich mag dort nicht auf Wiedersehen sagen.«

Als wir zum Haus mit dem Turm zurückkamen, war es schon dunkel. In der Wohnung empfing uns die Wärme des Feuers, das ich hatte brennen lassen. Cristina ging durch den Korridor voran und zog sich wortlos aus, eine Kleiderspur hinter sich zurücklassend. Ich legte mich neben sie aufs Bett, wo sie mich erwartete, und ließ sie meine Hände führen. Während ich sie streichelte, spannten sich unter der Haut ihre Muskeln. In ihren Augen lag nichts Sanftes, sondern nur Dringlichkeit und ein Verlangen nach Wärme. Ich verlor mich in ihrem Körper, fiel hungrig über sie her und spürte dabei ihre Nägel in meiner Haut. Sie stöhnte vor Schmerz und Leben, als bekäme sie keine Luft. Schließlich ließen wir erschöpft und schweißbedeckt voneinander ab. Cristina legte den Kopf an meine Schulter und suchte meinen Blick.

»Deine Freundin hat mir gesagt, du seist in Schwierigkeiten.«

»Isabella?«

»Sie macht sich große Sorgen um dich.«

»Isabella gefällt sich manchmal in der Rolle meiner Mutter.«

»Ich denke nicht, dass das der Punkt ist.«

Ich mied ihre Augen.

»Sie hat mir erzählt, du arbeitest an einem neuen Buch, einem Auftrag für einen französischen Verleger. Sie nennt ihn Patron. Sie sagt, er zahle dir ein Vermögen, aber du würdest dich schuldig fühlen, weil du das Geld angenommen hast. Sie sagt, du hättest Angst vor diesem Mann, dem Patron, und das Ganze sei ziemlich undurchsichtig.«

Ich stöhnte gereizt.

»Gibt es irgendetwas, was dir Isabella nicht erzählt hat?«

»Alles andere geht nur Isabella und mich etwas an«. Sie zwinkerte mir zu. »Hat sie etwa gelogen?«

»Sie hat nicht gelogen, sie hat spekuliert.«

»Und wovon handelt das Buch?«

»Es ist ein Kindermärchen.«

»Isabella war sicher, dass du das sagen würdest.«

»Wenn dir Isabella schon alle Antworten gegeben hat, wozu fragst du dann?«

Sie schaute mich ernst an.

»Zu deiner Beruhigung, und zu der von Isabella, ich habe das Buch aufgegeben. *C'est fini*«, versicherte ich.

»Wann?«

»Heute Morgen, als du noch geschlafen hast.«

Skeptisch runzelte sie die Stirn.

»Und dieser Mann, der Patron, weiß er es?«

»Ich habe nicht mit ihm gesprochen. Aber vermutlich kann er es sich denken. Und wenn nicht, wird er es sehr bald erfahren.«

»Wirst du ihm dann das Geld zurückgeben müssen?«

»Ich glaube, das Geld interessiert ihn keinen Deut.«

Cristina verfiel in ein langes Schweigen.

»Darf ich es lesen?«, fragte sie dann.

»Nein.«

»Warum nicht?«

»Es ist ein Entwurf ohne Hand und Fuß. Eine Ansammlung von Gedanken und Notizen, lose Fragmente. Nichts Lesbares. Es würde dich langweilen.«

»Ich würde es trotzdem gern lesen.«

»Warum?«

»Weil du es geschrieben hast. Pedro sagt immer, die einzige Art, einen Schriftsteller wirklich kennenzulernen, sei der Tintenspur zu folgen, die er hinterlässt. Der Mensch, den man zu sehen glaube, sei nur eine Hülle, und die Wahrheit stecke immer in der Dichtung.«

»Das muss er auf einer Ansichtskarte gelesen haben.«

»Er hat es aus einem deiner Bücher. Ich weiß es, weil ich es auch gelesen habe.«

»Das Plagiat erhebt es nicht über den Rang einer Albernheit.«

»Ich finde, es hat Gehalt.«

»Dann muss es wohl stimmen.«

»Darf ich es also lesen?«

»Nein.«

Am Küchentisch, einander gegenüber, aßen wir am Abend, was noch an Brot und Käse vom Nachmittag da war, und sahen uns ab und zu an. Cristina kaute ohne Appetit und prüfte jeden Bissen Brot im Licht der Öllampe, bevor sie ihn zum Mund führte.

»Es gibt einen Zug, der morgen Mittag vom Francia-Bahnhof aus nach Paris fährt«, sagte sie. »Ist das zu bald?«

In meinem Kopf wurde ich das Bild nicht los, dass Andreas Corelli die Treppe heraufstieg und jeden Moment an die Tür klopfte.

»Vermutlich nicht.«

»Ich kenne ein kleines Hotel gegenüber dem Jardin du Luxembourg, das monateweise Zimmer vermietet. Es ist ein wenig teuer, aber ...«

Ich mochte sie nicht fragen, woher sie das Hotel kannte.

»Der Preis spielt keine Rolle, aber ich spreche kein Französisch«, sagte ich.

»Aber ich.«

Ich senkte den Blick.

»Schau mir in die Augen, David.«

Widerwillig blickte ich auf.

»Wenn ich lieber gehen soll ...«

Ich schüttelte heftig den Kopf. Sie nahm meine Hand und führte sie an die Lippen.

»Es wird alles gut, du wirst schon sehen«, sagte sie. »Es wird das erste Mal in meinem Leben sein, dass alles gut wird.«

Ich schaute sie an, eine gebrochene Frau im Halbdunkel mit Tränen in den Augen, und wünschte mir nichts sehnlicher, als ihr endlich zu geben, was sie nie gehabt hatte.

Unter zwei Decken legten wir uns in der Veranda aufs Sofa und schauten in die Glut im Kamin. Während ich Cristinas Haar streichelte, schlief ich mit dem Gedanken ein, dass dies die letzte Nacht in diesem Haus war, dem Gefängnis meiner Jugend. Ich träumte, ich laufe durch die Straßen eines Barcelona voller Uhren, deren Zeiger sich entgegen dem Uhrzeigersinn drehten. Gassen und Alleen bogen und krümmten sich wie Tunnel mit eigenem Willen, wenn ich sie passierte, und bildeten ein lebendes Labyrinth, das alle meine Versuche weiterzukommen zu verhöhnen schien. Schließlich gelang es mir unter einer Mittagssonne, die vom Himmel herunterbrannte wie eine glühende Metallkugel, den Francia-Bahnhof zu erreichen, wo ich zum Bahnsteig hastete. Dort glitt eben der Zug hinaus. Ich rannte ihm hinterher, aber er beschleunigte rasch, und obwohl ich alles gab, konnte ich ihn nur noch mit den Fingerspitzen berühren. Ich rannte weiter, bis ich keinen Atem mehr hatte und am Ende des Bahnsteigs ins Leere fiel. Als ich aufschaute, war es endgültig zu spät. Der Zug entfernte sich immer mehr, und Cristinas Gesicht schaute aus dem hintersten Fenster zu mir zurück.

Ich öffnete die Augen und wusste sogleich, dass sie nicht da war. Das Feuer war zu einem Häufchen Asche geschrumpft, in dem es kaum noch Glut gab. Ich stand auf und schaute aus dem Fenster. Es wurde Tag. Ich presste das Gesicht an die Scheibe, draußen sah ich eine flimmernde Helligkeit. Dann ging ich zur Wendeltreppe, die in den Turm hinaufführte. Kupferglanz ergoss sich über die Stufen. Langsam stieg ich hinauf. Auf der Schwelle zum Arbeitszimmer blieb ich stehen. Cristina saß mit dem Rücken zu mir auf dem Boden. Die Truhe an der Wand stand offen. Sie hatte die Mappe mit dem Manuskript für den Patron in der Hand und wollte eben die Schleife lösen.

Als sie meine Schritte hörte, hielt sie inne.

»Was machst du hier?« Ich versuchte, die Beunruhigung in meiner Stimme zu verbergen.

Lächelnd wandte sie sich um.

»Herumschnüffeln.«

Sie folgte meinem Blick auf die Mappe in ihren Händen und machte ein schelmisches Gesicht.

»Was ist da drin?«

»Nichts. Notizen. Aufzeichnungen. Nichts von Interesse …«

»Lügner. Ich gehe jede Wette ein, dass dies das Buch ist, an dem du gearbeitet hast.« Sie nestelte weiter an der Schleife herum. »Ich sterbe fast vor Lust, es zu lesen …«

»Mir wäre es lieber, du würdest es nicht tun«, sagte ich so gelassen wie möglich.

Sie runzelte die Stirn. Ich nutzte den Augenblick, um vor ihr niederzuknien und ihr die Mappe sanft zu entwinden.

»Was ist los, David?«

»Nichts, gar nichts ist los«, sagte ich mit einem dümmlichen Lächeln auf den Lippen.

Ich band die Schleife wieder fest und legte die Mappe in die Truhe.

»Willst du sie nicht noch abschließen?«, fragte Cristina.

Ich drehte mich um und wollte mich entschuldigen, aber da war sie bereits treppab verschwunden. Mit einem Seufzer klappte ich den Deckel über der Truhe zu.

Sie war im Schlafzimmer. Einen Moment lang sah sie mich an wie einen Fremden. Ich blieb in der Tür stehen.

»Entschuldige«, begann ich.

»Du brauchst dich nicht zu entschuldigen. Ich hätte die Nase nicht in Dinge stecken sollen, die mich nichts angehen.«

»Das ist es nicht.«

Sie schenkte mir ein eisiges Lächeln und zerschnitt mit einer Handbewegung die Luft.

»Es hat keine Bedeutung«, sagte sie.

Ich nickte und verschob die Fortsetzung auf ein andermal.

»Bald öffnen im Francia-Bahnhof die Schalter«, sagte ich. »Ich dachte, ich geh schon mal hin, um rechtzeitig dort zu sein, und kaufe die Fahrkarten für heute Mittag. Danach gehe ich zur Bank und hebe Geld ab.«

Cristina nickte.

»Sehr schön.«

»Warum packst du nicht inzwischen eine Tasche mit etwas zum Anziehen? Ich bin in höchstens zwei Stunden zurück.«

Sie lächelte schwach.

»Ich werde da sein.«

Ich trat zu ihr und nahm ihr Gesicht zwischen die Hände.

»Morgen Abend sind wir in Paris«, sagte ich, küsste sie auf die Stirn und ging.

41

Der Boden der Halle des Francia-Bahnhofs lag vor mir wie ein Spiegel, der das Bild der großen Uhr an der Decke wiederholte. Die Zeiger standen auf sieben Uhr fünfunddreißig, aber die Schalter waren noch immer geschlossen. Ein mit grobem Besen und geziertem Wesen ausgestatteter Putzer wienerte den Boden. Dabei sang er ein Lied und wiegte, soweit es ihm sein Hinkebein erlaubte, mit einer gewissen Grazie die Hüften. Da ich nichts Besseres zu tun hatte, schaute ich ihm zu. Er war ein winziges Männchen, das die Welt in sich selbst zusammengefaltet zu haben schien, bis ihm nur noch sein Lächeln geblieben war – und das Vergnügen, dieses Stück Boden sauber zu halten, als wäre es die Sixtinische Kapelle. Sonst war in der Halle niemand zu sehen. Schließlich bemerkte er, dass er beobachtet wurde. Als ihn die fünfte Durchquerung an meinem Observationsposten auf einer der Holzbänke am Rande der Halle vorbeiführte, blieb er stehen, stützte sich mit beiden Händen auf den Mopp und schaute mich unverblümt an.

»Sie machen nie zur angekündigten Zeit auf«, erklärte er mit einer Handbewegung zu den Schaltern hin.

»Warum hängen sie dann ein Schild auf, dass sie um sieben öffnen?«

Das Männchen zuckte die Schultern und seufzte philosophisch.

»Na ja, sie machen ja auch einen Fahrplan für die Züge, und in den fünfzehn Jahren, die ich hier bin, habe ich keinen einzigen pünktlich ankommen oder abfahren sehen.«

Dann setzte er seine gründliche Reinigungsarbeit fort, und eine Viertelstunde später ging das Schalterfenster auf. Ich stellte mich davor und lächelte den Beamten an.

»Ich dachte, sie öffnen um sieben«, sagte ich.

»Das steht auf dem Schild. Was wollen Sie?«

»Zwei Fahrkarten erster Klasse nach Paris für den Mittagszug.«

»Heute?«

»Wenn es nicht zu viel verlangt ist.«

Für die Ausfertigung der Fahrkarten benötigte er nahezu fünfzehn Minuten. Als das Meisterwerk vollendet war, warf er es lustlos vor mich hin.

»Um eins. Bahnsteig vier. Kommen Sie rechtzeitig.«

Ich zahlte und wurde, da ich mich nicht gleich zurückzog, mit einem feindselig-forschenden Blick bedacht.

»Noch was?«

Lächelnd schüttelte ich den Kopf, was er nutzte, um mir das Schalterfensterchen vor der Nase zuzuknallen.

Ich ging durch die makellos glänzende Halle auf den Ausgang zu. Der Putzer grüßte mich aus der Ferne mit einem »*Bon voyage*«.

Der Hauptsitz der Bank Hispano Colonial in der Calle Fontanella erinnerte an einen Tempel. Ein hoher Säulengang führte zu einer statuengesäumten Halle, in der ganz hinten eine Reihe Schalter altarförmig angeordnet waren. Zu beiden Seiten, wie Kapellen und Beichtstühle, standen Eichentische mit majestätischen Sesseln, an denen eine kleine Armee tadellos gekleideter Angestellter mit herzlichem Dauerlächeln Kunden empfing. Ich hob viertausend Francs in bar ab und nahm die Anweisungen entgegen, wie ich in der Pariser Filiale der Bank, Rue de Rennes, Ecke Boulevard Raspail, in der Nähe des von Cristina erwähnten Hotels, Mittel abheben konnte. Mit diesem kleinen Vermögen in der Tasche verabschiedete ich mich, ohne der Warnung des Bevollmächtigten Beachtung zu schenken, wie unvorsichtig es sei, mit einer solchen Menge Bargeld durch die Straßen zu gehen.

Die Sonne stieg einen Himmel hinauf, der so blau war wie die Farbe des Glücks, und eine frische Brise trug den Meeresgeruch herbei. Ich ging leichten Schrittes, als hätte ich eine ungeheure Last abgeworfen, und glaubte schon, die Stadt habe beschlossen, mich ohne Groll zu entlassen. Auf dem Paseo del Born kaufte ich für Cristina weiße Rosen mit einer roten Schleife. Im Treppenhaus nahm ich zwei Stufen auf einmal, mit einem Lächeln auf den Lippen und der Gewissheit, dass dies der erste Tag eines schon für immer verloren geglaubten Lebens war. Als ich aufschließen wollte, gab die Tür nach – sie war angelehnt.

Ich stieß sie ganz auf und trat hinein. In der Wohnung herrschte vollkommene Stille.

»Cristina?«

Ich legte die Blumen auf die Kommode und schaute ins Schlafzimmer hinein. Cristina war nicht da. Auch in der Veranda kein Zeichen von ihr. Am Fuß der Treppe zum Arbeitszimmer rief ich hinauf.

»Cristina?«

Nur das Echo meiner Stimme war zu hören. Mit einem Schulterzucken schaute ich auf die Uhr in einer der Vitrinen im Bücherregal der Veranda. Fast neun Uhr. Vermutlich war sie aus dem Haus gegangen, um irgendetwas zu besorgen, und verwöhnt von ihrem Leben in Pedralbes, wo es die Aufgabe der Bediensteten war, sich mit Türen und Schlössern herumzuschlagen, hatte sie die Tür offen gelassen. Ich legte mich in der Veranda aufs Sofa und wartete. Die reine, strahlende Wintersonne schien herein und lud dazu ein, sich von ihr liebkosen zu lassen. Ich schloss die Augen und versuchte, mir zu überlegen, was ich mitnehmen wollte. Ein halbes Leben lang war ich von all diesen Dingen umgeben gewesen, und jetzt, im Moment des Abschieds, war ich außerstande, eine knappe Liste derjenigen zusammenzustellen, die ich für unentbehrlich hielt. Ohne es recht zu merken, sank ich im warmen Sonnenlicht und mit zarten Hoffnungen in einen sanften Schlaf.

Als ich erwachte und auf die Uhr schaute, war es halb eins am Mittag. Nur noch eine halbe Stunde bis zur Abfahrt des Zuges. Ich sprang auf und lief zum Schlafzimmer.

»Cristina?«

Diesmal suchte ich in der ganzen Wohnung, Zimmer für Zimmer, bis ich zum Arbeitszimmer gelangte. Niemand war da, aber ich glaubte einen seltsamen Geruch wahrzunehmen. Phosphor. Das Licht vom Fenster fing ein schwaches Netz blauer, in der Luft hängender Rauchfasern ein. Auf dem Fußboden des Arbeitszimmers lagen zwei heruntergebrannte Streichhölzer. Ich verspürte einen Stich der Besorgnis, kniete vor der Truhe nieder und öffnete den Deckel. Ich atmete erleichtert auf – die Mappe mit dem Manuskript war noch da. Ich wollte die Truhe schon wieder schließen, als ich sah, dass die Schleife entknotet war. Ich ging die Mappe durch, vermisste aber nichts. Diesmal verschnürte ich sie mit einem doppelten Knoten und legte sie zurück. Ich klappte den Deckel zu und ging in die Wohnung hinunter. Dort setzte ich mich in die Veranda, mit Blick auf den langen Korridor, der zur Eingangstür führte, und wartete. Die Minuten zogen mit grenzenloser Grausamkeit vorüber.

Langsam brach über mich das Bewusstsein dessen herein, was geschehen war, und der Wunsch, zu glauben und zu vertrauen, wurde zu Galle und Bitterkeit. Bald hörte ich die Glocken von Santa María del Mar zwei Uhr schlagen. Längst war der Zug nach Paris abgefahren und Cristina nicht zurückgekommen. Ich begriff, dass sie gegangen war, dass die kurzen gemeinsamen Stunden nur eine Illusion gewesen waren. Vor den Fenstern sah ich den strahlenden Tag, nun nicht mehr in der Farbe des Glücks, und ich stellte mir vor, wie sie wieder in der Villa Helius war und in Pedro Vidals Armen Zuflucht suchte. Ich spürte, wie mir der Groll langsam das Blut vergiftete, und lachte über mich und meine absurden Erwartungen. Unfähig, einen einzigen Schritt zu tun, sah ich zu, wie die Stadt in der Dämmerung dunkler und dunkler und die Schatten auf dem Boden der Veranda länger wurden. Dann stand ich auf und trat ans Fenster. Ich öffnete es weit und schaute hinaus. Ein senkrechter Abgrund tat sich vor mir auf. Genügend, um mir die Knochen zu zerschmettern und sie in Dolche zu verwandeln, die meinen Körper durchbohrten, sodass er in einer Blutlache auf dem Hof verlöschte. Ich fragte mich, ob der Schmerz so grässlich wäre, wie ich ihn mir vorstellte, oder ob die Wucht des Aufpralls die Sinne betäuben und der Tod schnell eintreten würde.

Da hörte ich die Schläge an der Tür. Einen, zwei, drei. Ein beharrliches Klopfen. Noch von meinen Gedanken benommen, drehte ich mich um. Erneutes Klopfen. Jemand stand unten vor der Tür. Das Herz schlug mir bis zum Hals, und ich stürzte die Treppe hinunter, in der festen Überzeugung, Cristina sei zurückgekommen, unterwegs sei irgendetwas vorgefallen und habe sie aufgehalten, mein schäbiges, verwerfliches Misstrauen sei ungerechtfertigt gewesen, allem zum Trotz sei das nun der erste Tag des verheißenen Lebens. Ich lief zur Tür und riss sie auf. Da stand sie, im Halbdunkel, weiß gekleidet. Ich wollte sie umarmen, aber da sah ich ihr tränenüberströmtes Gesicht und musste begreifen, dass diese Frau nicht Cristina war.

»David«, flüsterte Isabella mit erstickter Stimme, »Señor Sempere ist gestorben.«

Dritter Akt

Das Spiel des Engels

1

Als wir zur Buchhandlung kamen, war es schon dunkel. Vor der Tür von Sempere und Söhne hatten sich rund hundert Menschen mit Kerzen versammelt, und ein goldener Lichtschein durchbrach das Blau der Nacht. Einige weinten still, andere schauten sich stumm an. Ein paar Gesichter kannte ich, Freunde und Kunden von Sempere, Leute, die er mit Büchern beschenkt oder zum Lesen gebracht hatte. Je weiter sich die Nachricht im Viertel verbreitete, desto mehr Kunden und Freunde erschienen, die nicht glauben konnten, dass Señor Sempere nicht mehr da war.

In der Buchhandlung brannte Licht, und man sah Don Gustavo Barceló einen jungen Mann umarmen, der sich kaum auf den Beinen halten konnte. Erst als Isabella meine Hand drückte und mich in die Buchhandlung führte, erkannte ich Semperes Sohn. Barceló empfing mich mit einem niedergeschlagenen Lächeln. Der Buchhändlersohn weinte in seinen Armen, und ich brachte nicht den Mut auf, zu ihm zu treten und ihn zu begrüßen. Isabella legte ihm die Hand auf die Schulter.

Sempere junior wandte sich um, sodass ich sein verhärmtes Gesicht sehen konnte. Sie führte ihn zu einem Stuhl, auf den er sich wie eine ausgediente Puppe fallen ließ. Isabella kniete sich neben ihn und umarmte ihn. Nie war ich auf jemanden so stolz gewesen wie in diesem Augenblick auf Isabella, die nicht mehr wie ein junges Mädchen wirkte, sondern wie eine Frau, die stärker und weiser war als alle Übrigen.

Barceló trat zu mir und reichte mir seine zitternde Hand.

»Es ist vor zwei Stunden geschehen«, sagte er heiser. »Er war einen Moment allein im Laden, und als sein Sohn zurückkam ... Er soll sich mit jemandem gestritten haben ... Ich weiß auch nicht. Der Doktor sagt, es sei das Herz gewesen.«

»Wo ist er?«, fragte ich mit Mühe.

Barceló deutete mit dem Kopf auf die Tür zum Hinterzimmer. Vor dem Eintreten atmete ich tief durch und ballte die Hände zur Faust. Er lag auf einem Tisch, die Hände auf dem Bauch gekreuzt. Seine Haut war weiß wie Papier, und die Gesichtszüge wirkten eingefallen, als wären sie aus Karton. Seine Augen waren noch geöffnet. Mir blieb die Luft weg, und etwas schien an meine Magenwände zu hämmern. Ich stützte mich auf den Tisch und atmete durch. Dann beugte ich mich über ihn und schloss ihm die Augen. Ich streichelte seine schon kalte Wange und sah mich um, betrachtete diese Welt aus Buchseiten und Träumen, die er geschaffen hatte. Ich stellte mir vor, er wäre noch da, inmitten seiner Bücher und Freunde. Als ich Schritte hinter mir hörte, wandte ich mich um und sah Barceló in Begleitung zweier Männer in Schwarz mit düsterem Gesicht, an deren Beruf kein Zweifel bestand.

»Diese Herren sind vom Bestattungsinstitut«, sagte Barceló.

Die beiden erwiderten seinen Gruß mit einem Nicken und professionellem Ernst und traten dann zum Leichnam, um ihn zu untersuchen. Einer von ihnen, ein großer hagerer Mann, nahm eine umfassende Einschätzung vor und sagte etwas zu seinem Kollegen, der die Angaben mit einem Nicken in ein Notizbuch eintrug.

»Die Beerdigung soll morgen Nachmittag auf dem Ostfriedhof stattfinden«, sagte Barceló. »Ich habe das Ganze lieber gleich selber in die Hand genommen – der Sohn ist am Boden zerstört, wie Sie sehen. Und je eher solche Dinge …«

»Danke, Don Gustavo.«

Der Buchhändler warf einen Blick auf seinen alten Freund und lächelte mit Tränen in den Augen.

»Und was sollen wir jetzt tun, nachdem uns der Alte allein gelassen hat?«, fragte er.

»Ich weiß es nicht …«

Einer der Angestellten des Bestattungsinstituts räusperte sich diskret, um sich Gehör zu verschaffen.

»Wenn Sie einverstanden sind, holen mein Kollege und ich jetzt den Sarg und …«

»Tun Sie, was Sie tun müssen«, unterbrach ich ihn.

»Haben Sie hinsichtlich der Letzten Dinge eine bestimmte Vorstellung?«

Verständnislos sah ich ihn an.

»War der Verstorbene gläubig?«

»Señor Sempere glaubte an die Bücher«, sagte ich.

»Verstehe.« Er zog sich zurück.

Ich schaute Barceló an, der die Achseln zuckte.

»Lassen Sie, ich werde den Sohn fragen«, sagte ich.

Ich ging nach vorn in die Buchhandlung. Isabella, die noch immer neben dem jungen Sempere kniete, warf mir einen fragenden Blick zu, stand auf und trat zu mir. Ich legte ihr flüsternd das Problem dar.

»Señor Sempere war ein guter Freund des Pfarrers von nebenan, von der Kirche Santa Ana. Man munkelt, in der Erzdiözese wollen sie den Pfarrer seit Jahren rauswerfen, weil er zu aufsässig ist, aber weil er schon so alt ist, haben sie beschlossen zu warten, bis er stirbt, sie kommen sowieso nicht gegen ihn an.«

»Das ist unser Mann«, sagte ich.

»Ich werde mit ihm sprechen«, sagte Isabella.

Ich deutete auf den jungen Sempere.

»Wie geht es ihm?«

Isabella schaute mir in die Augen.

»Und Ihnen?«

»Mir geht es gut«, schwindelte ich. »Wer wird diese Nacht bei ihm bleiben?«

»Ich«, sagte sie ohne jedes Zögern.

Ich nickte und küsste sie auf die Wange, bevor ich wieder nach hinten ging. Dort hatte sich Barceló vor seinen alten Freund gesetzt, und während die beiden Bestatter Maß nahmen und nach Anzug und Schuhen fragten, schenkte er zwei Gläser Brandy ein und reichte mir eines. Ich setzte mich zu ihm.

»Auf das Wohl des lieben Sempere, der uns allen das Lesen, wenn nicht das Leben beigebracht hat«, sagte er.

Wir stießen an und tranken schweigend und blieben dort sitzen, bis die Männer mit dem Sarg und den Kleidern kamen, in denen Sempere beerdigt werden sollte.

»Wenn es Ihnen recht ist, kümmern wir uns darum«, schlug der aufgewecktere der beiden vor. Ich stimmte zu. Bevor ich wieder nach vorn ging, legte ich Sempere das alte Exemplar von *Große Erwartungen*, das ich mir nie wiedergeholt hatte, in die Hände.

»Für die Reise«, sagte ich.

Nach einer Viertelstunde kamen die beiden Bestatter mit dem Sarg aus dem Hinterzimmer und deponierten ihn auf einem großen Tisch, der mitten in der Buchhandlung vorbereitet worden war. Auf der Straße hatte sich eine Menschenmenge versammelt und wartete in tiefem Schweigen. Ich öffnete die Tür. Einer nach dem anderen traten die Freunde von Sempere und Söhne in den Laden, um den Buchhändler zu sehen. Manche konnten die Tränen nicht zurückhalten, und bei diesem Anblick nahm Isabella den Sohn an der Hand und brachte ihn in die Wohnung über der Buchhandlung, in der er zeit seines Lebens mit dem Vater gelebt hatte. Barceló und ich leisteten dem alten Sempere Gesellschaft, während die Besucher zum Abschied an ihm vorbeizogen. Diejenigen, die ihm sehr nahegestanden hatten, blieben. Die Totenwache dauerte die ganze Nacht. Barceló harrte bis fünf Uhr morgens aus und ich selbst so lange, bis Isabella in der Morgendämmerung herunterkam und mich nach Hause schickte, wenn auch nur, um mich umzuziehen und etwas zurechtzumachen.

Ich schaute den armen Sempere an und lächelte. Ich konnte nicht glauben, dass ich ihn nie wieder hinter dem Ladentisch antreffen würde, wenn ich in diesen Laden käme. Ich erinnerte mich an meinen ersten Besuch in der Buchhandlung, als ich noch ein kleiner Junge war und der Buchhändler mir groß und kräftig vorkam, unverwüstlich. Der weiseste Mann der Welt.

»Bitte gehen Sie nach Hause«, flüsterte Isabella.

»Wozu?«

»Bitte ...«

Sie begleitete mich auf die Straße hinaus und umarmte mich.

»Ich weiß, wie lieb Sie ihn hatten und was er Ihnen bedeutet hat«, sagte sie.

Das weiß niemand, dachte ich. Niemand. Aber ich nickte, und nachdem ich sie auf die Wange geküsst hatte, machte ich mich ohne Ziel auf den Weg, durch die Straßen, die mir leerer vorkamen denn je, und im Glauben, wenn ich nicht stehen bliebe, wenn ich immer weiterginge, würde ich nicht merken, dass die Welt, wie ich sie kannte, nicht mehr existierte.

2

Die Menschenmenge hatte sich vor dem Friedhofstor versammelt und wartete auf das Eintreffen des Fuhrwerks. Niemand traute sich zu sprechen. In der Ferne waren das Tosen des Meeres und das Rattern eines Güterzuges zu hören, der unterwegs zu den Fabriken hinter dem Gottesacker war. Es war kalt, und Schneeflocken tanzten im Wind. Kurz nach drei Uhr nachmittags bog der von schwarzen Pferden gezogene Wagen zwischen Zypressen und alten Lagerhäusern in die Avenida Icaria ein. Semperes Sohn und Isabella fuhren mit. Sechs Kollegen der Barceloneser Buchhändlerzunft, unter ihnen Don Gustavo, hievten sich den Sarg auf die Schultern und trugen ihn auf den Friedhof. Ein schweigsamer Menschenzug folgte ihnen zwischen Gräbern und Familiengrüften hindurch unter einer tiefen, wie eine Quecksilberfläche schillernden Wolkendecke. Jemand fand, Semperes Sohn sei in einer einzigen Nacht um fünfzehn Jahre gealtert. Man nannte ihn Señor Sempere – jetzt war er für die Buchhandlung verantwortlich, und über vier Generationen hinweg hatte dieser verzauberte Basar in der Calle Santa Ana nie einen anderen Namen getragen und war immer von einem Señor Sempere geleitet worden. Isabella führte ihn am Arm, und ich hatte den Eindruck, ohne sie wäre er zusammengebrochen wie eine Marionette ohne Fäden.

Der Pfarrer der Kirche Santa Ana, ein Veteran im Alter des Verstorbenen, wartete vor dem offenen Grab und einer schmucklosen Marmorplatte, die davor lag. Die sechs Buchhändler setzten den Sarg vor der Grube ab. Barceló hatte mich erblickt und nickte mir zu. Ob aus Feigheit oder Respekt – ich zog es vor, im Hintergrund zu bleiben. Von dort aus konnte ich in etwa dreißig Meter Entfernung das Grab meines Vaters sehen. Sowie sich die Gemeinde um den Sarg herum versammelt hatte, schaute der Pfarrer mit einem Lächeln auf.

»Señor Sempere und ich waren fast vierzig Jahre lang befreundet, und in dieser ganzen Zeit haben wir nur ein einziges Mal über Gott und die Mysterien des Lebens gesprochen. Kaum einer weiß, dass der liebe Sempere keine Kirche mehr betreten hatte seit dem Tode seiner Gattin Diana, an deren Seite wir ihn heute betten wollen, auf dass sie für immer nebeneinander ruhen. Vielleicht galt er aus diesem Grund als Atheist, doch er war ein Mann des Glaubens. Er glaubte an seine Freunde, an die Wahrheit und an etwas, dem er weder Namen noch Gesicht zu geben wagte – er sagte, dazu seien wir Geistliche da. Señor Sempere glaubte, dass wir alle Teil von etwas Höherem seien. Wenn wir diese Welt verließen, würden unsere Erinnerungen und Sehnsüchte nicht verloren gehen, sondern zu den Erinnerungen und Sehnsüchten derer werden, die uns nachfolgen. Er war sich nicht sicher, ob wir Gott nach unserem Vorbild geschaffen hatten oder ob Gott uns geschaffen hatte, ohne recht zu wissen, was er tat. Er glaubte, Gott – oder was immer uns hierhergebracht hat – lebe in jeder unserer Handlungen, in jedem unserer Worte und manifestiere sich in allem, was uns zu mehr als reinen Lehmfiguren macht. Señor Sempere glaubte, Gott lebe auch ein wenig – oder gerade – in den Büchern, und aus diesem Grund widmete er sein Leben dem Bemühen, sie mit anderen zu teilen, sie zu schützen und sicherzustellen, dass ihre Seiten, wie unsere Erinnerungen und Sehnsüchte, nie verloren gingen. Er glaubte – und das lehrte er auch mich –, solange noch eine einzige Person auf der Welt fähig wäre, Bücher zu lesen und zu leben, gebe es auch noch ein Stück von Gott oder vom Leben. Ich weiß, dass es mein Freund nicht geschätzt hätte, wenn wir ihm mit Predigten und Gesängen das letzte Geleit gegeben hätten. Ich weiß, dass es ihm genügt hätte, zu wissen, dass ihn seine Freunde, die heute so zahlreich zu seinem Abschied gekommen sind, nie vergessen werden. Ich habe keinen Zweifel, dass der Herr, auch wenn der alte Sempere es nicht erwartet hat, unseren lieben Freund bei sich aufnehmen wird und dass er weiterleben wird in den Herzen all derer, die heute hier versammelt sind, all derer, die eines Tages durch ihn die Magie der Bücher entdeckt haben, und all derer, die irgendwann, selbst wenn sie ihn nicht gekannt haben, die Schwelle seiner kleinen Buchhandlung überschreiten werden, wo, wie er zu sagen pflegte, die Geschichte gerade begonnen hat. Mögen Sie in Frieden ruhen, mein lieber Sempere, und gebe Gott uns allen die Möglichkeit, Ihr Andenken zu ehren und dankbar zu sein für das Privileg, Sie gekannt zu haben.«

Tiefes Schweigen breitete sich auf dem Friedhof aus, nachdem der Pfarrer fertig gesprochen, mit gesenktem Blick den Sarg gesegnet und sich einige Schritte zurückgezogen hatte. Auf einen Wink des Chefs des Bestattungsinstituts traten die Totengräber vor und senkten den Sarg an Seilen langsam ins Grab. Ich erinnere mich an das Geräusch, als er den Boden erreichte, und an das erstickte Schluchzen unter den Anwesenden. Ich erinnere mich, wie ich dort stand, unfähig, einen Schritt zu tun, während die Totengräber das Grab mit der großen

Marmorplatte zudeckten, auf der nur das Wort *Sempere* stand und unter der seit sechsundzwanzig Jahren seine Gattin Diana ruhte.

Allmählich zog sich die Trauergemeinde zurück und teilte sich dabei in Gruppen auf, die nicht wussten, wohin sie sich wenden sollten – niemand mochte wirklich gehen und den armen Señor Sempere allein zurücklassen. Barceló und Isabella nahmen den Sohn in ihre Mitte und begleiteten ihn. Ich blieb stehen, bis sich alle entfernt hatten, und erst dann wagte ich, an Semperes Grab zu treten, wo ich niederkniete und die Hand auf den Marmor legte.

»Bis bald«, murmelte ich.

Ich hörte ihn herankommen und wusste, dass er es war, noch ehe ich ihn sah. Ich stand auf und wandte mich um. Mit dem traurigsten Lächeln, das ich je gesehen habe, streckte mir Pedro Vidal die Hand entgegen.

»Willst du mir nicht die Hand geben?«, fragte er.

Ich tat es nicht. Einige Sekunden später nickte Vidal wie für sich und zog die Hand zurück.

»Was suchen Sie hier?«, herrschte ich ihn an.

»Sempere war auch mein Freund«, antwortete er.

»Aha. Und Sie sind allein?«

Vidal schaute mich verständnislos an.

»Wo ist sie?«, fragte ich.

»Wer?«

Ich ließ ein bitteres Lachen hören. Barceló, der uns bemerkt hatte, kam mit bestürzter Miene zurück.

»Mit welchem Versprechen haben Sie sie diesmal gekauft?«

· 530 ·

Vidals Blick wurde hart.

»Du weißt nicht, was du sagst, David.«

Ich trat so nahe an ihn heran, dass ich seinen Atem im Gesicht spürte.

»Wo ist sie?«, wiederholte ich.

»Ich weiß es nicht.«

»Natürlich.« Ich wandte mich ab und wollte zum Ausgang gehen, aber Vidal fasste mich am Arm und hielt mich zurück.

»Warte, David …«

Bevor mir recht bewusst wurde, was ich tat, drehte ich mich um und verpasste ihm einen Schlag. Meine Faust prallte gegen sein Gesicht, sodass er nach hinten stürzte. Ich sah Blut an meiner Hand und hörte jemanden herbeihasten. Zwei Arme hielten mich fest und zogen mich von Vidal weg.

»Um Gottes willen, Martín …«, sagte Barceló.

Er kniete neben dem keuchenden Vidal nieder, dessen Mund voller Blut war. Barceló stützte seinen Kopf und warf mir einen wütenden Blick zu. Ich entfernte mich rasch. Auf dem Weg begegnete ich einigen Trauernden, die stehen geblieben waren, um den Streit zu verfolgen. Ich hatte nicht den Mut, ihnen ins Gesicht zu blicken.

3

Mehrere Tage ging ich nicht mehr aus dem Haus, schlief zur Unzeit und nahm kaum etwas zu mir. Nachts setzte ich mich in der Veranda vors Kaminfeuer und lauschte der Stille, in der Hoffnung, Schritte vor der Tür zu vernehmen, im Glauben, Cristina würde zu mir zurückkommen, sobald sie von Señor Semperes Tod erfuhr, und sei es nur aus Mitleid, was mir mittlerweile schon genügt hätte. Eine knappe Woche nach dem Tod des Buchhändlers, als mir klar geworden war, dass sie nicht zurückkehren würde, begann ich wieder in den Turm hinaufzugehen. Ich holte das Manuskript aus der Truhe und las es durch, wobei ich jeden Satz und jeden Absatz genoss. Die Lektüre erfüllte mich gleichermaßen mit Ekel wie mit einer dunklen Befriedigung. Bei dem Gedanken an die hunderttausend Francs, die mir anfänglich wie ein Vermögen erschienen waren, sagte ich mir mit einem Lächeln, dass mich dieser Hurensohn zu einem sehr billigen Preis gekauft hatte. Die Eitelkeit überlagerte die Bitterkeit, und der Schmerz schloss die Tür zum Gewissen. In einem Akt des Hochmuts las ich *Lux Aeterna*, das Werk meines Vorgängers, Diego Marlasca, und warf es dann ins Kaminfeuer. Wo er gescheitert war, würde ich triumphieren. Wo er auf Abwege geraten war, würde ich den Ausgang aus dem Labyrinth finden.

Am siebten Tag nahm ich die Arbeit wieder auf. Ich wartete, bis es Mitternacht war, und setzte mich dann an den Schreibtisch, ein weißes Blatt in der Walze der alten

Underwood und die schwarze Stadt vor den Fenstern. Meinen Händen entströmten Worte und Bilder, als hätten sie im Gefängnis meines Herzens wütend darauf gewartet. Die Seiten ergossen sich ohne Gewissen und Maß, ohne weitere Absicht, als Sinne und Gedanken zu verhexen und zu vergiften. Längst dachte ich nicht mehr an den Patron, seine Belohnung oder seine Forderungen. Zum ersten Mal in meinem Leben schrieb ich für mich und für niemanden sonst. Ich schrieb, um die Welt in Brand zu stecken und mit ihr zu verbrennen. Jede Nacht arbeitete ich so lange, bis ich vor Erschöpfung zusammenbrach. Ich hämmerte auf die Tasten ein, dass meine Finger bluteten und das Fieber mir den Blick vernebelte.

An einem Januarmorgen, als mir längst jedes Zeitgefühl abhandengekommen war, hörte ich es an der Tür klopfen. Ich lag im Bett, in den Anblick der alten Fotografie verloren, auf der Cristina als kleines Mädchen an der Hand eines Fremden einen Steg entlang in ein Meer aus Licht hinausschritt, dieses Bild, das mir mittlerweile als das einzig Gute erschien, das mir noch geblieben war, der Schlüssel zu sämtlichen Geheimnissen. Mehrere Minuten lang reagierte ich nicht auf das Klopfen, bis ich die Stimme erkannte und mir klar war, dass die Besucherin nicht aufgeben würde.

»Machen Sie schon auf, verdammt noch mal. Ich weiß, dass Sie da sind, und werde nicht gehen, bevor Sie die Tür aufmachen, oder ich schlage sie ein.«

Als ich öffnete, wich Isabella einen Schritt zurück und starrte mich entsetzt an.

»Ich bin's, Isabella.«

Sie drängte mich beiseite und eilte direkt in die Veranda, wo sie die Fenster aufriss. Dann ließ sie Wasser in die Badewanne. Sie nahm mich am Arm und zog mich ins Bad. Dort befahl sie mir, mich auf den Wannenrand zu setzen, hob meine Lider und sah mir mit einem Kopfschütteln in die Augen. Wortlos begann sie mir das Hemd auszuziehen.

»Isabella, ich mag jetzt nicht.«

»Was sind denn das für Schnitte? Was haben Sie sich angetan?«

»Nur ein paar Kratzer.«

»Ich will, dass ein Arzt Sie untersucht.«

»Nein.«

»Wagen Sie mir nicht zu widersprechen«, antwortete sie streng. »Und jetzt setzen Sie sich in diese Wanne und machen Sie Gebrauch von Wasser und Seife, und danach rasieren Sie sich. Sie haben zwei Möglichkeiten: Entweder machen Sie es selbst, oder ich mache es. Und glauben Sie nicht, dass ich mich nicht traue.«

Ich lächelte.

»Das weiß ich schon.«

»Tun Sie, was ich Ihnen sage. Unterdessen hole ich einen Arzt.«

Ich wollte noch etwas entgegnen, aber sie brachte mich mit einer Handbewegung zum Schweigen.

»Kein weiteres Wort. Wenn Sie meinen, Sie sind der Einzige, dem die Welt Schmerz zufügt, dann täuschen Sie sich. Und wenn es Ihnen nichts ausmacht, wie ein Hund zu verrecken, dann seien Sie wenigstens so anständig, zu bedenken, dass es uns anderen etwas ausmacht, obwohl ich wahrlich nicht weiß, warum.«

»Isabella …«

»Ins Wasser. Und tun Sie mir den Gefallen, Hose und Unterhose auszuziehen.«

»Ich weiß, wie man ein Bad nimmt.«

»Wer hätte das gedacht.«

Während Isabella einen Arzt holte, beugte ich mich ihren Befehlen und unterzog mich meiner Kaltwasser- und Seifentaufe. Seit der Beerdigung hatte ich mich nicht mehr rasiert, und im Spiegel sah ich aus wie ein Wolf. Die Augen waren blutunterlaufen und die Haut krankhaft weiß. Ich zog saubere Kleider an und setzte mich in die Veranda. Nach zwanzig Minuten kam Isabella mit einem Arzt zurück, den ich schon einmal im Viertel gesehen zu haben glaubte.

»Das ist der Patient. Achten Sie nicht auf seine Worte, er ist ein Schwindler«, verkündete sie.

Der Arzt warf einen Blick auf mich, um den Grad meiner Feindseligkeit abzuschätzen.

»Tun Sie, was Sie wollen, Doktor«, forderte ich ihn auf. »Als wäre ich gar nicht vorhanden.«

Der Arzt begann mit dem raffinierten Ritual, das die Basis der medizinischen Wissenschaft bildet – er maß den Blutdruck, hörte mich überall ab, überprüfte Pupillen und Rachen, stellte mysteriöse Fragen und guckte skeptisch. Als er die Schnitte auf der Brust untersuchte, die mir Irene Sabino mit einem Messer beigebracht hatte, hob er eine Braue und sah mich an.

»Was ist denn das?«

»Das bedarf einer langen Erklärung, Doktor.«

»Haben Sie das getan?«

Ich schüttelte den Kopf.

»Ich werde Ihnen eine Salbe geben, aber ich fürchte, die Narben bleiben.«

»Ich glaube, das war auch die Absicht.«

Er setzte seine Untersuchung fort. Ich fügte mich widerstandslos und ließ den Blick auf Isabella ruhen, die von der Tür aus beklommen zuschaute. Da ging mir auf, wie sehr ich sie vermisst hatte und wie sehr ich ihre Gesellschaft schätzte.

»Was für ein Schrecken«, murmelte sie vorwurfsvoll.

Der Arzt untersuchte meine Hände und runzelte die Stirn, als er die wunden Fingerkuppen sah. Mit leisem Gemurmel verband er mir einen Finger nach dem anderen.

»Wie lange haben Sie schon nichts mehr gegessen?«

Ich zuckte die Schultern. Er wechselte einen Blick mit Isabella.

»Es besteht kein Grund zur Beunruhigung, aber ich möchte Sie spätestens morgen in meiner Praxis untersuchen.«

»Ich fürchte, das wird nicht möglich sein, Doktor«, sagte ich.

»Er wird kommen«, versicherte Isabella.

»Inzwischen empfehle ich Ihnen, etwas Warmes zu sich zu nehmen, zuerst Brühe und dann etwas Festes, viel Wasser, aber auf keinen Fall Kaffee oder Aufputschmittel – und vor allem Ruhe. Ein wenig an die frische Luft und die Sonne, aber ohne sich anzustrengen. Sie zeigen die klassischen Symptome von Erschöpfung und Dehydration und eine beginnende Anämie.«

Isabella seufzte.

»Nichts von Belang«, sagte ich.

Der Arzt schaute mich zweifelnd an und stand auf.

»Morgen in meiner Praxis, um vier Uhr nachmittags. Hier habe ich weder die Instrumente noch die Voraussetzungen, um Sie gründlich untersuchen zu können.«

Er klappte sein Köfferchen zu und verabschiedete sich mit einem freundlichen Gruß von mir. Isabella begleitete ihn zur Tür, und ich hörte sie zwei Minuten lang im Korridor tuscheln. Ich zog mich wieder an und wartete in der Veranda, ganz der folgsame Patient. Dann hörte ich, wie sich die Tür schloss und der Arzt die Treppe hinunterging. Ich wusste, dass Isabella im Vorraum stand und einen Moment wartete, bevor sie zurückkam. Als sie eintrat, empfing ich sie mit einem Lächeln.

»Ich mache Ihnen etwas zu essen.«

»Ich habe keinen Hunger.«

»Das ist mir egal. Sie werden essen, und danach gehen wir an die frische Luft, Punktum.«

Sie machte mir eine Brühe, und ich aß sie unter einiger Überwindung mit einem Kanten Brot und einem freundlichen Gesicht, obwohl sie nach Steinen schmeckte. Den leeren Teller hielt ich Isabella unter die Nase, die mich während des Essens wie ein Feldwebel bewacht hatte. Anschließend führte sie mich ins Schlafzimmer, zog einen Mantel aus dem Schrank, stattete mich mit Handschuhen und Schal aus und schob mich zur Tür. Draußen pfiff ein kalter Wind, aber der Himmel leuchtete im Schein der untergehenden Sonne, die die Straßen in bernsteinfarbenes Licht tauchte. Isabella hakte sich bei mir unter, und wir marschierten los.

»Als wären wir verlobt«, sagte ich.

»Sehr witzig.«

Wir gingen zum Ciudadela-Park und dort in die Gärten, die den Umbráculo-Pavillon umgaben. Vor dem großen Brunnen setzten wir uns auf eine Bank.

»Danke«, murmelte ich.

Sie gab keine Antwort.

»Ich habe dich gar nicht gefragt, wie es dir geht«, sagte ich zaghaft.

»Das ist nichts Neues.«

»Wie geht es dir?«

Sie zuckte die Achseln.

»Meine Eltern sind glücklich, dass ich zurück bin. Sie sagen, Sie hätten einen guten Einfluss auf mich gehabt. Wenn die wüssten … Aber wir vertragen uns wirklich besser. Ich sehe sie allerdings auch nicht häufig – ich bin fast die ganze Zeit in der Buchhandlung.«

»Und Sempere? Wie kommt er mit dem Tod seines Vaters zurecht?«

»Nicht sehr gut.«

»Und du, wie kommst du mit ihm zurecht?«

»Er ist ein guter Mensch.«

Sie schwieg lange mit gesenktem Kopf.

»Er hat mich gebeten, ihn zu heiraten«, sagte sie schließlich. »Vor zwei Tagen, im Quatre Gats.«

Ich betrachtete ihr Profil, das gefasst wirkte und nichts von der jugendlichen Unschuld besaß, die ich in

ihr hatte sehen wollen und die es wahrscheinlich nie gegeben hatte.

»Und?«

»Ich habe gesagt, ich würde es mir überlegen.«

»Und wirst du es tun?«

Isabella starrte in den Brunnen.

»Er hat gesagt, er wolle eine Familie gründen, Kinder
haben ... Wir würden in der Wohnung über der Buchhandlung leben und diese am Laufen halten, trotz der
Bedenken, die Señor Sempere gehabt hatte.«

»Nun ja, du bist noch jung ...«

Sie wandte mir den Kopf zu und schaute mich an.

»Liebst du ihn denn?«

Sie lächelte unendlich traurig.

»Was weiß denn ich. Ich glaube schon, aber nicht so
sehr, wie er mich zu lieben glaubt.«

»In einer schwierigen Lage kann man manchmal Mitleid mit Liebe verwechseln«, sagte ich.

»Machen Sie sich meinetwegen keine Sorgen.«

»Ich bitte dich ja nur, dir etwas Zeit zu lassen.«

Wir schauten uns an, in dieses grenzenlose Einver-
nehmen gehüllt, das keiner Worte mehr bedurfte, und
ich umarmte sie.

»Freunde?«

»Bis dass der Tod uns scheidet.«

4

Auf dem Heimweg machten wir in einem Lebensmittelladen in der Calle Comercio halt, um Milch und Brot zu kaufen. Isabella sagte, sie werde ihren Vater bitten, mir ein Paket auserwählter Delikatessen zu schicken, und sie rate mir dringend, alles aufzuessen.

»Wie läuft's denn in der Buchhandlung?«, fragte ich.

»Die Verkäufe sind gewaltig zurückgegangen. Ich glaube, den Leuten tut es weh zu kommen, weil sie dabei an den armen Señor Sempere denken müssen. Und die Zahlen sind nicht sehr gut.«

»Nämlich?«

»Im Minus. In den Wochen, die ich dort arbeite, habe ich die Bilanz durchgesehen und feststellen müssen, dass der selige Señor Sempere eine Katastrophe war. Er hat allen, die kein Geld hatten, Bücher geschenkt. Oder hat sie ausgeliehen und nie zurückbekommen. Er hat Sammlungen aufgekauft, von denen er wusste, dass er sie nicht würde weiterverkaufen können, weil die Besitzer sie schon längst verbrennen oder wegwerfen wollten. Mit Almosen unterhielt er eine Reihe bettelarme Dichterlinge. Den Rest können Sie sich in etwa ausmalen.«

»Tauchen denn Gläubiger auf?«

»So ungefähr zweimal pro Tag, die Briefe und Mahnungen der Bank nicht mitgerechnet. Die gute Nachricht ist, dass es uns nicht an Angeboten fehlt.«

»An Kaufangeboten?«

»Zwei Metzger aus Vic sind sehr interessiert an dem Ladenlokal.«

»Und was meint der junge Sempere dazu?«

»Dass man aus allem etwas machen kann. Realismus ist nicht seine Stärke. Er sagt, wir würden es schon schaffen, ich solle Vertrauen haben.«

»Und hast du keins?«

»Ich vertraue der Arithmetik, und wenn ich rechne, sehe ich, dass das Schaufenster der Buchhandlung in zwei Monaten voller Schinken und Bratwürste ist.«

»Wir werden schon eine Lösung finden.«

Isabella lächelte.

»Ich habe gehofft, dass Sie das sagen. Und wenn wir schon von offenen Rechnungen sprechen, sagen Sie mir, dass Sie nicht mehr für den Patron arbeiten.«

Ich zeigte ihr die offenen Hände.

»Ich bin wieder ein freier Schriftsteller«, sagte ich.

Sie kam mit mir die Treppe hinauf, und als ich mich von ihr verabschieden wollte, sah ich, dass sie zögerte.

»Was ist?«, fragte ich.

»Eigentlich wollte ich es Ihnen nicht sagen, aber … Es ist mir lieber, Sie erfahren es von mir als von jemand anderem. Es betrifft Señor Sempere.«

Wir traten in die Wohnung und setzten uns in der Veranda vor das Feuer, das Isabella mit ein paar Holzstücken neu anfachte. Die Asche von Marlascas *Lux Aeterna* lag noch darin, und meine ehemalige Assistentin warf mir einen Blick zu, den man hätte einrahmen sollen.

»Was wolltest du mir von Sempere erzählen?«

»Ich weiß es von Don Anacleto, einem der Nachbarn im Haus. Er hat mir erzählt, er habe Señor Sempere an dem Abend, an dem er gestorben ist, mit jemandem im Laden streiten sehen. Er sei nach Hause gekommen, und man habe den Wortwechsel bis auf die Straße hinaus gehört.«

»Und mit wem hat er sich gestritten?«

»Mit einer Frau, einer schon etwas älteren. Don Anacleto konnte sich nicht erinnern, sie in dieser Gegend je gesehen zu haben, aber er sagte, irgendwie sei sie ihm doch bekannt vorgekommen. Nur, bei Don Anacleto weiß man nie – er mag Adjektive lieber als Zuckermandeln.«

»Hat er gehört, worüber sie sich gestritten haben?«

»Er hatte den Eindruck, sie sprächen über Sie.«

»Über mich?«

Isabella nickte.

»Sein Sohn hatte den Laden einen Moment verlassen, um in der Calle Canuda eine Bestellung abzuliefern. Er war nicht länger als zehn oder fünfzehn Minuten weg. Als er zurückkam, lag sein Vater hinter dem Ladentisch auf dem Boden. Er atmete noch, fühlte sich aber schon kalt an. Als der Arzt kam, war es bereits zu spät …«

Ich hatte das Gefühl, die Welt stürze über mir zusammen.

»Ich hätte es Ihnen doch nicht sagen sollen …«, flüsterte Isabella.

»Doch. Es war richtig. Hat Don Anacleto nichts weiter über diese Frau gesagt?«

»Nur dass er die beiden streiten hörte. Er hatte den Eindruck, dass es um ein Buch ging. Ein Buch, das sie kaufen und er nicht verkaufen wollte.«

»Und warum hat er mich erwähnt? Das verstehe ich nicht.«

»Weil es ein Buch von Ihnen war, *Die Schritte des Himmels*. Das einzige Exemplar, das Señor Sempere in seiner persönlichen Sammlung behalten hatte und das unverkäuflich war …«

Eine dunkle Gewissheit stieg in mir auf.

»Und das Buch …?«

»… ist nicht mehr dort. Verschwunden«, ergänzte sie. »Ich habe in dem Verzeichnis nachgeschaut, weil Señor Sempere alle Bücher vermerkt hat, die er verkaufte, mit Datum und Preis, und dieses war nicht zu finden.«

»Weiß sein Sohn davon?«

»Nein. Ich habe es niemandem außer Ihnen erzählt. Ich versuche immer noch zu verstehen, was an jenem Abend in der Buchhandlung geschehen ist. Und warum. Ich dachte, vielleicht wüssten Sie es …«

»Diese Frau hat versucht, das Buch mit Gewalt an sich zu reißen, und bei dem Streit hat Señor Sempere einen Herzanfall erlitten. Das ist geschehen«, sagte ich. »Und das wegen meinem verdammten Buch.«

Ich spürte, wie sich mir der Magen umdrehte.

»Da ist noch etwas«, sagte Isabella.

»Nämlich?«

»Einige Tage später habe ich Don Anacleto im Treppenhaus getroffen, und er sagte mir, er wisse jetzt, woher er diese Frau kenne. An dem Tag, an dem er sie sah, sei er nicht drauf gekommen, aber er glaube, sie vor vielen Jahren im Theater gesehen zu haben.«

»Im Theater?«

Sie nickte.

Ich sagte lange nichts. Isabella beobachtete mich besorgt.

»Jetzt kann ich Sie nicht mehr ruhig hier allein lassen. Ich hätte es Ihnen doch nicht sagen sollen.«

»Doch, es war richtig. Es geht mir gut. Ehrlich.«

Sie schüttelte den Kopf.

»Diese Nacht bleibe ich bei Ihnen.«

»Und dein Ruf?«

»Auf dem Spiel steht nur Ihrer. Ich gehe kurz in den Laden meiner Eltern, um in der Buchhandlung anzurufen und Sempere zu benachrichtigen.«

»Das ist doch nicht nötig, Isabella.«

»Es wäre nicht nötig, wenn Sie akzeptiert hätten, dass wir im zwanzigsten Jahrhundert leben, und sich in diesem Mausoleum einen Telefonanschluss hätten einrichten lassen. In einer Viertelstunde bin ich zurück. Keine Widerrede.«

Als Isabella fort war, traf mich der Umstand, dass ich am Tod meines alten Freundes mitschuldig war, mit voller Wucht. Ich erinnerte mich, dass der alte Buchhändler immer gesagt hatte, Bücher hätten eine Seele, die Seele dessen, der sie geschrieben habe, und die Seele derer, die sie gelesen und von ihnen geträumt hätten. Da wurde mir klar, dass er bis zum letzten Augenblick gekämpft hatte, um mich zu schützen, und dass er sich geopfert hatte, um dieses bisschen Papier und Druckerschwärze zu retten, von dem er glaubte, ich hätte meine Seele hineingeschrieben. Als Isabella mit einer Tüte Leckerbissen aus dem Laden ihrer Eltern zurückkam, brauchte sie mich nur anzuschauen, um Gewissheit zu haben.

»Sie kennen diese Frau«, sagte sie. »Die Frau, die Señor Sempere umgebracht hat ...«

»Ich glaube ja. Irene Sabino.«

»Ist es nicht die auf den alten Fotos, die wir im Zimmer am Ende des Flurs gefunden haben? Die Schauspielerin?«

Ich nickte.

»Und warum wollte sie dieses Buch?«

»Ich weiß es nicht.«

Später am Abend, nachdem wir ein wenig von den Köstlichkeiten von Can Gispert gegessen hatten, setzten wir uns in den großen Sessel vor das Feuer. Wir hatten beide darin Platz, Isabella lehnte den Kopf an meine Schulter, und wir schauten in die Flammen.

»Neulich nachts habe ich geträumt, ich hätte ein Kind«, sagte sie. »Ich träumte, es rufe nach mir, aber ich konnte es nicht hören und nicht zu ihm gehen, weil ich an einem Ort gefangen war, wo es sehr kalt war und ich mich nicht bewegen konnte. Es rief mich, und ich konnte nicht zu ihm.«

»Es war nur ein Traum«, sagte ich.

»Er kam mir sehr wirklich vor.«

»Vielleicht solltest du diese Geschichte aufschreiben.«

Isabella schüttelte den Kopf.

»Ich habe darüber nachgedacht. Und ich habe beschlossen, dass ich das Leben lieber lebe, statt es zu schreiben. Nehmen Sie es mir nicht übel.«

»Das finde ich einen weisen Entschluss.«

»Und Sie? Werden Sie das auch tun?«

»Ich fürchte, ich habe mein Leben schon gelebt.«

»Und diese Frau? Cristina?«

Ich atmete tief durch.

»Sie ist gegangen. Sie ist zu ihrem Mann zurückgekehrt. Noch ein weiser Entschluss.«

Isabella löste sich von mir und schaute mich mit gerunzelter Stirn an.

»Was ist?«, fragte ich.

»Ich glaube, Sie irren sich.«

»Worin?«

»Neulich kam Don Gustavo Barceló zu uns, und wir unterhielten uns über Sie. Er sagte, er habe Cristinas Mann gesehen, diesen ...«

»Pedro Vidal.«

»Genau. Und der habe gesagt, Cristina sei zu Ihnen gegangen, er habe sie nicht wiedergesehen und seit einem Monat oder noch länger nichts mehr von ihr gehört. Es hat mich wirklich überrascht, sie nicht hier bei Ihnen zu sehen, aber ich habe nicht zu fragen gewagt ...«

»Bist du sicher, dass das Barcelós Worte waren?«

Sie nickte.

»Was habe ich denn jetzt wieder gesagt?«, fragte sie beunruhigt.

»Nichts.«

»Da gibt es etwas, was Sie mir nicht erzählen ...«

»Cristina ist nicht hier. Sie war nicht mehr hier seit dem Tod von Señor Sempere.«

»Wo ist sie denn dann?«

»Das weiß ich nicht.«

Nach und nach versickerte das Gespräch, wir saßen zusammengekauert im Sessel vor dem Feuer, und tief in der Nacht schlief Isabella ein. Ich legte den Arm um sie und schloss die Augen. In Gedanken versuchte ich dem, was sie erzählt hatte, irgendeinen Sinn abzugewinnen. Als das Morgenlicht über die Verandafenster strich, öffnete ich die Augen und sah, dass Isabella schon wach war und mich anschaute.

»Guten Morgen«, sagte ich.

»Ich habe nachgedacht«, begann sie.

»Und?«

»Ich denke, ich werde den Antrag von Señor Semperes Sohn annehmen.«

»Bist du sicher?«

»Nein«, lachte sie.

»Was werden deine Eltern sagen?«

»Vermutlich wird es ihnen nicht passen, aber sie werden sich schon dran gewöhnen. Natürlich wäre ihnen für mich ein Blut- und Leberwursthändler lieber gewesen als ein Buchhändler, aber sie werden es hinnehmen müssen.«

»Es könnte schlimmer sein, oder?«

Sie nickte.

»Ja. Es hätte auch ein Schriftsteller sein können.«

Wir sahen uns lange an, bis Isabella vom Sessel aufstand. Sie nahm ihren Mantel und knöpfte ihn von mir abgewandt zu.

»Ich muss gehen«, sagte sie.

»Danke für die Gesellschaft«, antwortete ich.

»Lassen Sie sie nicht entwischen«, sagte Isabella. »Suchen Sie sie, wo sie auch sein mag, und sagen Sie ihr, dass Sie sie lieben, selbst wenn's gelogen ist. Wir Frauen mögen das.«

Und sie wandte sich um und beugte sich über mich, um mit ihren Lippen die meinen zu streifen. Dann drückte sie mir fest die Hand und ging ohne ein weiteres Wort.

5

Den Rest dieser Woche verbrachte ich damit, ganz Barcelona nach jemandem zu durchkämmen, der im letzten Monat Cristina gesehen hatte. Ich suchte die Orte auf, wo ich mit ihr gewesen war, und folgte vergeblich Vidals Lieblingsparcours durch Luxuscafés, -restaurants und -geschäfte. Jedem, dem ich begegnete, zeigte ich Cristinas Fotoalbum und fragte ihn nach ihr. Irgendwo stieß ich auf jemanden, der sie erkannte und sich erinnerte, ihr einmal zusammen mit Vidal begegnet zu sein. Ein anderer wusste sogar noch ihren Namen. Aber in den letzten Wochen hatte sie niemand mehr gesehen. Am vierten Tag meiner Suche schwante mir allmählich, dass sie an jenem Morgen, als ich die Fahrkarten kaufen ging, das Haus mit dem Turm in der Absicht verlassen hatte, von der Erdoberfläche zu verschwinden.

Da kam mir in den Sinn, dass die Familie Vidal im Hotel España in der Calle Sant Pau hinter dem Liceo ein

Zimmer gemietet hatte, für den Fall, dass ein Familienmitglied nach einer Opernaufführung nicht mehr nach Pedralbes zurückfahren mochte oder konnte. Ich wusste, dass Vidal und sein Herr Vater es zumindest in ihren glorreichen Jahren benutzt hatten, um sich mit Señoritas und Señoras zu vergnügen, deren Anwesenheit in den offiziellen Residenzen in Pedralbes zu unerwünschtem Gerede geführt hätte – wegen ihrer niederen oder ihrer vornehmen Abstammung. Als ich noch in Doña Carmens Pension wohnte, hatte Vidal mir das Zimmer mehr als einmal angeboten, falls ich, wie er sich ausdrückte, Lust hätte, eine Dame an einem Ort auszuziehen, der keine Angst macht. Ich nahm zwar nicht an, dass Cristina gerade dort Zuflucht gesucht hatte, falls sie überhaupt von dem Zimmer wusste, aber es war der letzte Ort auf meiner Liste, sonst fiel mir nichts mehr ein. Es dämmerte schon, als ich ins Hotel España kam und, mich meiner Freundschaft mit Señor Vidal rühmend, den Geschäftsführer zu sprechen begehrte. Als ich ihm die Aufnahme von Cristina zeigte, lächelte er mich höflich an, ein Kavalier von eisiger Diskretion, und sagte, schon vor Wochen seien »andere« Angestellte von Señor Vidal gekommen und hätten sich nach derselben Person erkundigt, und denen habe er dasselbe geantwortet wie mir. Er habe diese Señora hier noch nie gesehen. Ich dankte ihm für seine frostige Liebenswürdigkeit und ging niedergeschlagen in Richtung Ausgang.

Als ich an den großen Scheiben zum Speisesaal vorüberkam, sah ich aus dem Augenwinkel ein vertrautes Gesicht. An einem der Tische saß der Patron, der einzige Gast im ganzen Saal, und tat sich an Zuckerwürfeln gütlich. Ich wollte rasch verschwinden, aber er wandte sich um und winkte mir lächelnd zu. Ich verfluchte mein Schicksal und winkte zurück. Da gab er mir ein Zeichen, ich solle mich zu ihm gesellen. Widerwillig ging ich in den Speisesaal.

»Welch angenehme Überraschung, Sie hier anzutreffen, mein lieber Freund. Soeben habe ich an Sie gedacht«, sagte Corelli.

Lustlos gab ich ihm die Hand.

»Ich dachte, Sie wären nicht in der Stadt«, bemerkte ich.

»Ich bin eher zurückgekommen als vorgesehen. Darf ich Sie zu etwas einladen?«

Ich winkte ab. Er bedeutete mir, mich zu ihm an den Tisch zu setzen, und ich gehorchte. Seinem üblichen Stil treu, trug er einen dreiteiligen Anzug aus schwarzem Wollstoff und eine rote Seidenkrawatte. Untadelig wie immer, doch diesmal stimmte irgendetwas nicht. Ich brauchte einige Sekunden, bis ich dahinterkam – die Engelsbrosche steckte nicht an seinem Revers. Er folgte meinem Blick und nickte.

»Leider habe ich sie verloren und weiß nicht, wo«, erklärte er.

»Sie war hoffentlich nicht sehr wertvoll.«

»Ihr Wert war rein sentimentaler Natur. Aber reden wir von wichtigeren Dingen. Wie geht es Ihnen, mein Freund? Ich habe unsere Gespräche sehr vermisst, auch wenn wir gelegentlich verschiedener Meinung waren. Gute Gesprächspartner sind schwer zu finden.«

»Sie überschätzen mich, Señor Corelli.«

»Im Gegenteil.«

Ein kurzes Schweigen entstand, begleitet von diesem bodenlosen Blick. Da war es mir bedeutend lieber, wenn er seine banale Unterhaltung fortführte. Sobald er zu sprechen aufhörte, schien sich sein Aussehen zu verändern, und die Luft um ihn herum wurde dick.

»Wohnen Sie hier?«, fragte ich, um das Schweigen zu durchbrechen.

»Nein, ich wohne noch immer in dem Haus am Park Güell. Ich hatte einen Freund für heute Nachmittag herbestellt, aber offenbar verspätet er sich. Die Unzuverlässigkeit gewisser Leute ist bedauerlich.«

»Ich vermute, es gibt nicht viele, die Sie zu versetzen wagen, Señor Corelli.«

Der Patron schaute mir in die Augen.

»Nein. Tatsächlich sind Sie der Einzige, der mir in den Sinn kommt.«

Er nahm ein Stück Zucker und ließ es in seine Tasse gleiten. Ein zweites und ein drittes folgten. Er probierte den Kaffee und gab noch vier Stück dazu. Ein achtes steckte er sich in den Mund.

»Zucker entzückt mich«, bemerkte er.

»Sie zucken vor nichts zurück.«

»Sie sagen so gar nichts über unser Projekt, lieber Martín. Irgendein Problem?«

Ich schluckte.

»Es ist fast fertig.«

Das Gesicht des Patrons erstrahlte in einem Lächeln, dem ich nicht begegnen mochte.

»Das ist wirklich eine gute Nachricht. Wann werde ich es bekommen?«

»In zwei Wochen. Ich muss noch das eine oder andere überarbeiten. Aber das ist nur noch Feinschliff.«

»Können wir ein Datum festlegen?«

»Wenn Sie wollen …«

»Wie wäre es mit Freitag, dem 23. dieses Monats? Würden Sie dann eine Einladung zum Abendessen annehmen, um den Erfolg unseres Unternehmens zu feiern?«

Der 23. war in genau zwei Wochen.

»Einverstanden.«

»Also abgemacht.«

Er hob seine zuckergesättigte Tasse, als wollte er einen Toast ausbringen, und trank sie in einem Schluck aus.

»Und Sie?«, fragte er beiläufig. »Was führt Sie hierher?«

»Ich habe jemanden gesucht.«

»Jemanden, den ich kenne?«

»Nein.«

»Und haben Sie ihn gefunden?«

»Nein.«

Meiner Wortkargheit nachschmeckend, nickte der Patron bedächtig.

»Ich habe den Eindruck, Sie gegen Ihren Willen zurückzuhalten, mein Freund.«

»Ich bin bloß etwas müde, das ist alles.«

»Dann will ich Ihnen nicht länger die Zeit stehlen. Manchmal vergesse ich, dass Ihnen meine Gesellschaft, auch wenn ich die Ihre genieße, vielleicht nicht gleichermaßen angenehm ist.«

Ich lächelte gefügig und nutzte den Augenblick, um aufzustehen. Ich sah mich in seinen Pupillen gespiegelt, eine bleiche, in einem düsteren Schacht gefangene Puppe.

»Passen Sie auf sich auf, Martín. Bitte.«

»Das werde ich.«

Ich verabschiedete mich mit einem Nicken und ging zum Ausgang. Dabei hörte ich, wie er sich ein weiteres Zuckerstück in den Mund führte und zwischen den Zähnen zermahlte.

Auf dem Weg über die Ramblas sah ich, dass das gläserne Vordach des Liceo erleuchtet war und eine lange Reihe Autos auf dem Gehsteig wartete, von einem kleinen Regiment livrierter Fahrer bewacht. Die Plakate kündigten *Così fan tutte* an, und ich fragte mich, ob Vidal sich wohl aufgerafft hatte, seine Burg zu verlassen und herzukommen. Ich spähte zu der Gruppe von Fahrern auf der Promenade hinüber, erblickte bald Pep unter ihnen und winkte ihn herbei.

»Was tun Sie denn hier, Señor Martín?«

»Wo ist sie? Cristina, Señora Vidal. Wo ist sie?«

Der arme Pep rang die Hände.

»Ich weiß es nicht. Niemand weiß es.«

Er erklärte mir, dass Vidal sie seit Wochen suche und dass sein Vater, der Patriarch des Clans, sogar mehrere Angehörige der Polizei in Sold genommen habe, um sie aufzuspüren.

»Anfänglich dachte der Herr, sie sei bei Ihnen …«

»Sie hat nicht angerufen und auch keinen Brief geschickt, kein Telegramm …?«

»Nein, Señor Martín. Ich schwöre es Ihnen. Wir sind alle sehr in Sorge, und der Herr, nun … So habe ich ihn noch nie gesehen, seit ich ihn kenne. Heute ist der erste Abend, an dem er ausgeht, seit die Señorita, äh, die Señora ging …«

»Erinnerst du dich, ob Cristina irgendetwas gesagt hat, was auch immer, bevor sie die Villa Helius verlassen hat?«

»Nun …« Pep senkte die Stimme zu einem Flüstern. »Man konnte hören, wie sie sich mit dem Herrn gestritten hat. Ich sah, dass sie traurig war. Sie war sehr oft allein. Sie schrieb Briefe und brachte sie jeden Tag zur Post auf dem Paseo de la Reina Elisenda.«

»Hast du irgendwann unter vier Augen mit ihr gesprochen?«

»Eines Tages, kurz bevor sie wegging, hat mich der Herr gebeten, sie mit dem Wagen zum Arzt zu fahren.«

»War sie krank?«

»Sie konnte nicht schlafen. Der Doktor hat ihr Laudanumtropfen verschrieben.«

»Hat sie unterwegs irgendetwas gesagt?«

Pep zuckte die Achseln.

»Sie hat mich nach Ihnen gefragt, ob ich etwas von Ihnen gehört oder Sie gesehen hätte.«

»Nichts weiter?«

»Sie sah sehr traurig aus. Sie hat angefangen zu weinen, und als ich sie fragte, was ihr fehle, sagte sie, sie vermisse ihren Vater so sehr, Señor Manuel …«

Da begriff ich endlich, und ich verwünschte mich, nicht eher darauf gekommen zu sein. Pep schaute mich verwundert an und fragte, warum ich lächele.

»Wissen Sie, wo sie ist?«, fragte er.

»Ich denke schon«, murmelte ich.

In diesem Moment glaubte ich auf der anderen Straßenseite eine mir bekannte Stimme zu hören und einen vertrauten Schatten im Eingang des Liceo zu erkennen. Vidal hatte nicht einmal den ersten Akt durchgehalten. Pep ging auf seinen Herrn zu, und ich verschwand unbemerkt in der Nacht.

6

Selbst von weitem wirkten sie unverkennbar wie Boten schlechter Nachrichten. Die Glut einer Zigarette im Blau der Nacht, an der schwarzen Hauswand lehnende Silhouetten und die Atemwolken dreier Gestalten, die den Eingang zum Haus mit dem Turm überwachten: Inspektor Víctor Grandes mit seinen beiden Häschern Marcos und Castelo als Empfangskomitee. Unschwer konnte ich mir vorstellen, dass sie mittlerweile Alicia Marlascas Leiche auf dem Grund ihres Schwimmbeckens gefunden hatten und dass ich auf der schwarzen Liste um mehrere Plätze gestiegen war. Sowie ich sie erblickte, blieb ich stehen und verbarg mich in den Schatten der Straße. Ich beobachtete sie einige Augenblicke, um mich zu vergewissern, dass sie meine Anwesenheit in nur fünfzig Meter Entfernung nicht bemerkt hatten.

Im Schimmer der Laterne an der Fassade konnte ich Grandes' Profil genau ausmachen. Langsam zog ich mich in die Dunkelheit zurück und verschwand in der ersten Gasse und dann im Passagen- und Arkadengewirr des Ribera-Viertels.

Zehn Minuten später war ich am Francia-Bahnhof. Die Schalter waren bereits geschlossen, aber zwischen den Bahnsteigen unter dem hohen Glas- und Stahlgewölbe standen noch mehrere Züge. Dem Fahrplan entnahm ich, dass es, wie befürchtet, bis zum Morgen keine Abfahrten mehr gab. Nach Hause zurückzukehren und Grandes & Co. in die Fänge zu geraten, durfte ich nicht riskieren – irgendetwas sagte mir, dass mein Besuch auf dem Präsidium diesmal auf Vollpension hinausliefe und dass mich nicht einmal Anwalt Valera so leicht wie das vorige Mal wieder herausbrächte.

Ich beschloss, die Nacht in einem einfachen Hotel gegenüber der Börse an der Plaza Palacio zu verbringen, wo der Legende nach die lebendigen Leichen einiger Spekulanten dahinvegetierten, denen ihre Habsucht und Milchmädchenrechnungen zum Verhängnis geworden waren. Dieses Loch wählte ich, weil mich dort vermutlich nicht einmal die Parzen suchen würden. Ich mietete mich unter dem Namen Antonio Miranda ein und bezahlte im Voraus. Der Angestellte, eine Art Weichtier, das zum festen Inventar der als Empfangstisch, Handtuchhalter und Souvenirstand dienenden Loge zu gehören schien, händigte mir den Schlüssel sowie ein Stück nach Lauge stinkender, gebrauchter Seife der Marke El Cid Campeador aus und teilte mir mit, wenn ich Lust auf weibliche Gesellschaft habe, könne er mir ein Dienstmädchen mit dem Spitznamen »die Einäugige« aufs Zimmer schicken, sobald sie von einem Hausbesuch zurück sei.

»Danach werden Sie sich wie neugeboren fühlen«, versicherte er mir.

Ich schützte einen beginnenden Hexenschuss vor und lehnte dankend ab, wünschte ihm eine gute Nacht und stieg die Treppe hinauf. Das Zimmer hatte die Größe und Anmutung eines Sargs. Ein rascher Blick überzeugte mich davon, dass ich mich besser angezogen auf die Pritsche legte, anstatt zwischen die Betttücher zu schlüpfen und mit allem zu fraternisieren, was daran haften mochte. Ich hüllte mich in eine ausgefranste Decke aus dem Schrank, die zwar roch, aber wenigstens nach Naphthalin, löschte das Licht und versuchte mir vorzustellen, ich liege in einer solchen Suite, wie sie jemandem mit hunderttausend Francs auf der Bank gebührt. Ich tat kaum ein Auge zu.

Gegen zehn Uhr verließ ich das Hotel und ging zum Bahnhof. Dort kaufte ich eine Fahrkarte erster Klasse in der Hoffnung, im Zug den Schlaf nachzuholen, der mir in meinem Loch verwehrt geblieben war, und steuerte, da mir bis zur Abfahrt noch zwanzig Minuten blieben, die Reihe öffentlicher Fernsprechzellen in der Halle an. Ich nannte der Telefonistin die Nummer von Ricardo Salvadors Nachbarn, die ich von ihm bekommen hatte.

»Ich möchte mit Emilio sprechen, bitte.«

»Am Apparat.«

»Mein Name ist David Martín. Ich bin ein Freund von Señor Ricardo Salvador. Er hat mir gesagt, in einem Notfall könne ich ihn unter dieser Nummer erreichen.«

»Ja … Können Sie einen Augenblick warten, bis wir ihn benachrichtigt haben?«

Ich schaute auf die Bahnhofsuhr.

»Ja, ich warte. Danke.«

Über drei Minuten vergingen, bis ich Schritte vernahm und Ricardo Salvadors Stimme mich mit Ruhe erfüllte.

»Martín? Geht es Ihnen gut?«

»Ja.«

»Gott sei Dank. Ich habe in der Zeitung die Geschichte mit Roures gelesen und mir große Sorgen um Sie gemacht. Wo sind Sie?«

»Señor Salvador, ich habe jetzt nicht viel Zeit. Ich muss die Stadt verlassen.«

»Geht es Ihnen wirklich gut?«

»Ja. Hören Sie – Alicia Marlasca ist tot.«

»Die Witwe? Tot?«

Langes Schweigen. Ich hatte den Eindruck, Salvador schluchze, und verfluchte mich dafür, ihm diese Nachricht so wenig feinfühlig übermittelt zu haben.

»Sind Sie noch da?«

»Ja …«

»Ich rufe Sie an, um Sie zu warnen und Ihnen zu sagen, dass Sie sehr vorsichtig sein müssen. Irene Sabino lebt und ist mir gefolgt. Jemand ist bei ihr, ich glaube, Jaco.«

»Jaco Corbera?«

»Ich bin nicht sicher, ob er es ist. Ich glaube, sie wissen, dass ich ihnen auf der Spur bin, und versuchen, alle zum Schweigen zu bringen, die sich mit mir unterhalten haben. Ich denke, Sie hatten recht …«

»Aber warum sollte Jaco jetzt zurückkommen?«, fragte Salvador. »Das ergibt keinen Sinn.«

»Ich weiß es nicht. Ich muss los. Ich wollte Sie bloß warnen.«

»Um mich brauchen Sie sich keine Sorgen zu machen. Wenn mich dieser Hurenbock aufsucht, werde ich gewappnet sein. Ich erwarte ihn seit fünfundzwanzig Jahren.«

Der Bahnhofsvorsteher kündigte mit einem Pfeifen die Abfahrt des Zuges an.

»Trauen Sie niemandem, hören Sie? Ich melde mich, sobald ich wieder in der Stadt bin.«

»Danke für den Anruf, Martín. Passen Sie gut auf sich auf.«

7

Langsam glitt der Zug den Bahnsteig entlang, und ich suchte in meinem Abteil Zuflucht, um mich in meinem Sitz der lauen Wärme der Heizung und dem sanften Rütteln hinzugeben. Nach und nach ließen wir den Wald von Fabriken und Schloten hinter uns und entkamen dem rötlichen Licht des Himmels über der Stadt. Sanft ging die Öde von Depots und Zügen auf Abstellgleisen in eine endlose Ebene von Feldern und Hügeln mit alten Häusern und Türmen, Wäldern und Flüssen über. Zwischen Nebelbänken tauchten Fuhrwerke und Dörfer auf. Kleine Bahnhöfe zogen vorbei, während sich in der Ferne Kirchen und Gehöfte wie Luftspiegelungen abzeichneten.

Irgendwann schlief ich ein, und als ich wieder erwachte, sah die Landschaft vollkommen anders aus. Wir fuhren durch tiefe Täler zwischen hohen Felswänden vorbei an Seen und Bächen und streiften ausgedehnte Wälder am Fuß endlos scheinender Berghänge. Nach einer Weile weitete sich das Durcheinander von Bergen, Wäldern und in den Fels gebohrten Tunneln zu einem großen, offenen Tal, wo Wildpferdherden über eine schneebedeckte Ebene stürmten und in der Ferne kleine Dörfer mit Häusern aus Stein auszumachen waren. Auf der anderen Seite erhoben sich die Gipfel der Pyrenäen, deren verschneite Hänge in der Abenddämmerung bernsteinfarben glühten. Vor uns drängten sich auf einem Hügel kleine und große Häuser. Der Schaffner streckte den Kopf herein und lächelte mir zu.

»Nächster Halt Puigcerdà.«

In einer Dampfwolke, die den ganzen Bahnsteig einhüllte, blieb der Zug stehen. Ich stieg aus und sah mich in den nach Elektrizität riechenden Dunst gehüllt. Gleich darauf hörte ich den Pfiff des Bahnhofsvorstehers, worauf der Zug die Fahrt wieder aufnahm. Während die Wagen an mir vorüberzogen, tauchten um mich herum allmählich die Umrisse des Bahnhofs auf wie eine Fata Morgana. Ich stand allein auf dem Bahnsteig. Unendlich langsam fiel ein feiner Pulverschneevorhang nieder. Durch das Wolkengewölbe blinzelte im Osten eine rötliche Sonne und verwandelte den Schnee in winzige Funken. Ich ging zum Büro des Bahnhofsvorstehers und klopfte an die Scheibe. Er schaute auf, öffnete die Tür und sah mich desinteressiert an.

»Könnten Sie mir sagen, wie ich zur Villa San Antonio komme?«

Er hob die Braue.

»Das Sanatorium?«

»Ich glaube, ja.«

Er setzte ein nachdenkliches Gesicht auf, als wäge er ab, wie er einem Fremden den Weg beschreiben sollte, und nachdem er seinen Katalog an Gebärden und Grimassen durchgegangen war, bot er mir folgenden Abriss an:

»Sie gehen durchs Dorf, über den Platz mit der Kirche und dann bis zum See. Am See stoßen Sie auf eine lange, von alten Häusern gesäumte Allee, die zum Paseo de la Rigolisa führt. Dort, an der Ecke, steht ein großer dreistöckiger Kasten in einem Park. Das ist das Sanatorium.«

»Und kennen Sie irgendeinen Ort, wo ich ein Zimmer mieten kann?«

»Unterwegs kommen Sie am Hotel del Lago vorbei. Sagen Sie, der Sebas schickt Sie.«

»Danke.«

»Viel Glück.«

Durch den herabrieselnden Schnee stapfte ich die menschenleeren Straßen des Dorfes entlang und hielt nach dem Kirchturm Ausschau. Ab und zu begegnete ich einem Einheimischen, der mich mit einem Nicken grüßte und misstrauisch musterte. Auf dem Platz zeigten mir zwei junge Burschen, die einen Kohlenwagen abluden, den Weg zum See, und zwei Minuten später bog ich in eine Straße ein, die an einer großen, weißgefrorenen Fläche entlangführte. Mächtige alte Villen mit spitzen Türmen umgaben den See, und eine Promenade mit Bänken und Bäumen zog sich wie ein Band um die Eisfläche herum, in der kleine Ruderboote festsaßen. Ich trat ans Ufer und betrachtete den gefrorenen See vor mir. Die Eisschicht musste etwa eine Handbreit dick sein und glänzte an einigen Stellen wie Rauchglas, sodass man sich das schwarze Wasser unter dem Panzer vorstellen konnte.

Das Hotel del Lago war ein zweistöckiges, dunkelrot gestrichenes Gebäude direkt am Wasser. Bevor ich meinen Weg fortsetzte, reservierte ich ein Zimmer für zwei Nächte, die ich im Voraus bezahlte. Der Portier ließ mich wissen, dass das Hotel praktisch leer stand, sodass ich mir das Zimmer aussuchen konnte.

»Nr. 101 bietet bei Tagesanbruch eine spektakuläre Aussicht auf den See«, sagte er. »Aber wenn Sie die Aussicht nach Norden bevorzugen, habe ich …«

»Wählen Sie«, unterbrach ich ihn, da mir die erhabene Schönheit dieser Dämmerlandschaft egal war.

»Dann die Nr. 101. In der Sommersaison das Lieblingszimmer der Frischvermählten.«

Er reichte mir die Schlüssel zu der angeblichen Hochzeitssuite und nannte mir die Zeiten für das Abendessen. Ich sagte, ich werde später zurückkommen, und fragte, ob es weit sei bis zur Villa San Antonio. Er setzte dieselbe Miene auf wie der Bahnhofsvorsteher und schüttelte dann freundlich lächelnd den Kopf.

»Sie ist ganz in der Nähe, nur zehn Minuten von hier. Wenn Sie die Promenade am Ende dieser Straße nehmen, werden Sie die Villa an deren Ende bereits sehen. Sie ist nicht zu verfehlen.«

Zehn Minuten später stand ich vor dem Tor eines großen Parks, der mit eingeschneitem Laub bedeckt war. In einiger Entfernung stand, ins goldene Licht ihrer Fenster gehüllt und einer Schildwache gleich, die Villa San Antonio. Ich durchquerte den Park, während mir das Herz bis zum Hals schlug und mir trotz der schneidenden Kälte die Hände schwitzten. Ich stieg die Treppe zum Haupteingang hinauf. Die große Vorhalle war im Schachbrettmuster gefliest und führte zu einer breiten Treppe. Auf dieser sah ich eine junge Krankenschwester mit einem Tattergreis an der Hand, der eine Ewigkeit zwischen zwei Stufen zu verharren schien, als sei sein ganzes Leben in einem Atemzug gefangen.

»Guten Abend«, sagte eine Stimme zu meiner Rechten.

Sie hatte schwarze, ernste Augen, Gesichtszüge ohne jede Spur von Mitgefühl und die nüchterne Miene eines Menschen, der gelernt hat, nichts als schlechte Nachrichten zu erwarten. Sie musste um die fünfzig sein, und obwohl sie die gleiche Uniform trug wie die junge Krankenschwester mit dem Greis, strahlte alles an ihr Autorität und Rang aus.

»Guten Abend. Ich suche jemanden mit dem Namen Cristina Sagnier. Ich habe Grund zur Annahme, dass sie hier logiert ...«

Sie schaute mich an, ohne mit der Wimper zu zucken.

»Hier logiert niemand, mein Herr. Das ist weder ein Hotel noch ein Gästehaus.«

»Entschuldigen Sie. Ich habe eine lange Reise gemacht, um diese Person zu besuchen ...«

»Sie brauchen sich nicht zu entschuldigen«, sagte die Schwester. »Darf ich fragen, ob Sie ein Angehöriger oder Verwandter sind?«

»Mein Name ist David Martín. Ist Cristina Sagnier hier? Bitte ...«

Ihr Ausdruck wurde weicher. Dann folgten die Andeutung eines freundlichen Lächelns und ein Nicken. Ich atmete durch.

»Ich bin Teresa, die Oberschwester der Nachtschicht. Wenn Sie so freundlich sein wollen, mir zu folgen, Señor Martín, werde ich Sie zum Büro von Dr. Sanjuán führen.«

»Wie geht es Señorita Sagnier? Kann ich sie sehen?«

Wieder das leichte, undurchdringliche Lächeln.

»Hier entlang, bitte.«

Der Raum war ein fensterloses Rechteck mit blau gestrichenen Wänden, in dem zwei Deckenlampen ein metallisches Licht verbreiteten. Ein nackter Tisch und zwei Stühle waren die einzigen Einrichtungsgegenstände. Er roch nach Desinfektionsmitteln, und es war kalt darin. Die Schwester hatte ihn Büro genannt, aber nach zehn Minuten einsamen Wartens auf einem der Stühle sah ich in ihm nur noch eine Zelle. Die Tür war geschlossen, aber trotzdem hörte man Stimmen, vereinzelte Schreie zwischen den Mauern. Ich verlor bereits das Gefühl dafür, wie lange ich mich schon hier befand, als die Tür aufging und ein Mann zwischen dreißig und vierzig Jahren in weißem Kittel und mit einem Lächeln so eiskalt wie der Raum eintrat. Dr. Sanjuán, vermutete ich. Er ging um den Tisch herum und nahm auf dem Stuhl mir gegenüber Platz. Dann legte er die Hände auf den Tisch und schaute mich einige Sekunden mit vager Neugier an, bevor er den Mund aufmachte.

»Ich bin mir darüber im Klaren, dass Sie eine lange Reise hinter sich haben und sicher müde sind, aber ich möchte gern wissen, warum Señor Vidal nicht hier ist«, sagte er schließlich.

»Er konnte nicht kommen.«

Er schaute mich ungerührt an und wartete. Sein Blick war frostig, und er hatte den speziellen Ausdruck von Leuten, die weder hören noch zuhören.

»Kann ich sie sehen?«

»Sie können niemanden sehen, wenn Sie mir nicht vorher die Wahrheit sagen und mir verraten, was Sie hier suchen.«

Ich nickte mit einem Seufzer. Ich war nicht hundertfünfzig Kilometer weit gefahren, um zu lügen.

»Mein Name ist Martín, David Martín. Ich bin ein Freund von Cristina Sagnier.«

»Hier nennen wir sie Señora Vidal.«

»Es ist mir egal, wie Sie sie nennen. Ich will sie sehen. Jetzt.«

Der Arzt seufzte.

»Sind Sie der Schriftsteller?«

Ungeduldig stand ich auf.

»Was ist das für ein Ort? Warum kann ich sie nicht endlich sehen?«

»Setzen Sie sich bitte. Tun Sie mir den Gefallen.«

Er deutete auf den Stuhl und wartete, bis ich mich wieder hingesetzt hatte.

»Darf ich fragen, wann Sie sie zum letzten Mal gesehen oder mit ihr gesprochen haben?«

»Das muss vor etwas über einem Monat gewesen sein. Warum?«

»Wissen Sie, ob jemand sie nach Ihnen gesehen oder mit ihr gesprochen hat?«

»Nein, das weiß ich nicht. Was ist hier eigentlich los?«

Er legte die rechte Hand an die Lippen und suchte nach den angemessenen Worten.

»Señor Martín, ich fürchte, ich habe schlechte Nachrichten.«

Ich spürte, wie sich mein Magen zu einem Knoten ballte.

»Was ist ihr zugestoßen?«

Er schaute mich wortlos an, und zum ersten Mal glaubte ich in seinem Blick einen Anflug von Zweifel zu erkennen.

»Ich weiß es nicht«, sagte er schließlich.

Wir durchschritten einen kurzen, von Metalltüren gesäumten Gang. Dr. Sanjuán ging mit einem Schlüsselbund in der Hand voran. Hinter den Türen glaubte ich ein Flüstern zu hören, das von Lachen oder Weinen erstickt wurde, als wir vorbeigingen. Der Raum befand sich am Ende des Korridors. Der Arzt schloss die Tür auf, blieb auf der Schwelle stehen und sah mich ausdruckslos an.

»Eine Viertelstunde«, sagte er.

Ich trat ein und hörte ihn hinter mir abschließen. Vor mir lag ein Raum mit hoher Decke und weißen Wänden, die sich in einem blitzblanken Fliesenboden spiegelten. Auf der einen Seite stand hinter einem Gazevorhang ein leeres Bett mit Metallgestell. Durch ein großes Fenster sah man den verschneiten Park, die Bäume und in einiger Entfernung den See. Erst als ich ein paar Schritte in den Raum hineinging, bemerkte ich sie.

Sie saß in einem Sessel vor dem Fenster, trug ein weißes Nachthemd und hatte das Haar zu einem Zopf geflochten. Ich ging um den Sessel herum und sah sie an. Ihre Augen blieben unbeweglich. Als ich neben ihr niederkniete, blinzelte sie nicht einmal. Ich legte die Hand auf ihre, und kein Muskel in ihrem Körper rührte sich. Da sah ich die Verbände um ihre Arme, zwischen Handgelenk und Ellbogen, und die Gurte, mit denen sie am Sessel festgebunden war. Ich streichelte ihre Wange und fing eine Träne auf.

»Cristina«, flüsterte ich.

Ihr Blick hing im Nirgendwo, nahm mich nicht wahr. Ich rückte einen Stuhl heran und setzte mich ihr gegenüber.

»Ich bin's, David.«

Eine Viertelstunde lang blieben wir so sitzen, schweigend, ihre Hand in meiner, ihr Blick verloren und meine Worte ohne Antwort. Irgendwann hörte ich die Tür aufgehen und spürte, dass mich jemand sanft am Arm fasste und hochzog. Dr. Sanjuán. Widerstandslos ließ ich mich auf den Gang hinausführen. Er schloss die Tür ab und begleitete mich in das eisige Büro zurück. Dort sackte ich auf dem Stuhl zusammen und schaute ihn an, unfähig, etwas zu sagen.

»Möchten Sie, dass ich Sie einige Minuten allein lasse?«, fragte er.

Ich bejahte. Beim Hinausgehen lehnte er die Tür an. Ich schaute auf meine rechte Hand, die zitterte, und ballte sie zur Faust. Ich spürte kaum noch die Kälte im Raum und nahm die Schreie und Stimmen, die durch die Wände drangen, nicht mehr richtig wahr. Ich wusste nur, dass ich keine Luft bekam und hier wegmusste.

8

Dr. Sanjuán fand mich im Speisesaal des Hotels del Lago vor dem Feuer und einem Teller, den ich nicht angerührt hatte. Außer mir war nur noch ein Zimmermädchen anwesend, das von einem unbesetzten Tisch zum nächsten ging und mit einem Tuch das Besteck auf Hochglanz brachte. Vor den Fenstern war tiefe Nacht, und der Schnee fiel bedächtig wie blauer Glasstaub. Mit einem Lächeln trat der Arzt an meinen Tisch.

»Ich habe vermutet, Sie hier zu treffen. Alle Fremden landen hier. Auch ich habe hier meine erste Nacht im Dorf verbracht, als ich vor zehn Jahren anreiste. Welches Zimmer hat man Ihnen denn gegeben?«

»Angeblich das Lieblingszimmer der Frischvermählten, mit Blick auf den See.«

»Glauben Sie das nicht. Das sagen sie von allen Zimmern.«

Außerhalb des Sanatoriumsgeländes und ohne weißen Kittel wirkte Dr. Sanjuán entspannter und freundlicher.

»Ohne Ihre Kluft hätte ich Sie beinahe nicht erkannt«, sagte ich.

»In der Medizin ist es wie in der Armee. Ohne Uniform ist man ein Nichts. Wie geht es Ihnen?«

»Gut. Ich habe schon schlimmere Tage erlebt.«

»Hm. Ich habe Sie vorhin vermisst, als ich wieder ins Büro kam, um Sie zu holen.«

»Ich musste etwas frische Luft schnappen.«

»Verstehe. Aber eigentlich habe ich darauf gezählt, dass Sie weniger leicht zu beeindrucken wären.«

»Warum?«

»Weil ich Sie brauche. Besser gesagt, Cristina braucht Sie.«

»Sie halten mich bestimmt für einen Feigling«, sagte ich ein wenig verlegen.

Der Arzt schüttelte den Kopf.

»Wie lange geht es ihr schon so?«

»Seit Wochen. Praktisch seit sie hergekommen ist. Mit der Zeit hat sich ihr Zustand noch verschlimmert.«

»Weiß sie, wo sie ist?«

Er zuckte die Schultern.

»Das ist schwer zu beurteilen.«

»Was ist mit ihr geschehen?«

Dr. Sanjuán seufzte.

»Vor vier Wochen hat man sie nicht weit von hier aufgefunden, auf dem Dorffriedhof, wo sie auf dem Grabstein ihres Vaters lag. Sie litt an Unterkühlung und delirierte. Man hat sie ins Sanatorium gebracht – ein Zivilgardist hat sie erkannt, weil sie letztes Jahr mehrere Monate hier verbrachte, als sie ihren Vater besuchte. Viele Leute im Dorf kannten sie. Wir haben sie hierbehalten, und sie stand zwei Tage unter Beobachtung. Sie hatte viel Flüssigkeit verloren und möglicherweise seit Tagen nicht mehr geschlafen. Zeitweise kam sie wieder zu Bewusstsein. In solchen Momenten hat sie von Ihnen gesprochen. Sie sagte, Sie seien in großer Gefahr. Ich musste schwören, niemanden zu benachrichtigen, weder ihren Mann noch sonst jemand, bis sie es selbst tun könnte.«

»Trotzdem – warum haben Sie Vidal nicht über das informiert, was geschehen ist?«

»Ich hätte es getan, aber ... Sie werden es absurd finden.«

»Was denn?«

»Ich war der Überzeugung, dass sie auf der Flucht war, und dachte, es sei meine Pflicht, ihr zu helfen.«

»Auf der Flucht vor wem?«

»Ich bin nicht sicher«, sagte er mit einem unbestimmbaren Ausdruck.

»Was verschweigen Sie mir, Doktor?«

»Ich bin ein einfacher Arzt. Es gibt Dinge, die ich nicht verstehe.«

»Was für Dinge?«

Er lachte nervös.

»Cristina glaubt, etwas – oder jemand – sei in sie gefahren und wolle sie vernichten.«

»Wer?«

»Ich weiß nur, dass sie glaubt, es habe mit Ihnen zu tun und es sei jemand oder etwas, was Ihnen Angst macht. Aus diesem Grund denke ich, dass ihr niemand anders helfen kann. Darum habe ich auch Vidal nicht benachrichtigt, wie es meine Pflicht gewesen wäre. Ich wusste, dass Sie früher oder später hier auftauchen würden.«

Er sah mich mit einer seltsamen Mischung aus Mitleid und Groll an.

»Auch ich schätze sie, Señor Martín. In den Monaten, die Cristina hier bei ihrem Vater verbracht hat ... sind sie und ich schließlich gute Freunde geworden. Vermutlich hat sie Ihnen nichts von mir erzählt, und möglicherweise hatte sie auch keine Veranlassung dazu. Es war eine sehr schwierige Zeit für sie. Sie hat mir vieles anvertraut, so wie ich ihr, Dinge, die ich sonst niemandem gesagt habe. Ich habe ihr sogar die Ehe angetragen – nur damit Sie wissen, dass auch wir Ärzte hier ein wenig verrückt sind. Natürlich hat sie mich abgewiesen. Ich weiß auch nicht, warum ich Ihnen das alles erzähle.«

»Sie wird aber wieder gesund werden, Doktor, nicht wahr? Sie wird sich erholen ...«

Er wandte den Blick ab und schaute mit traurigem Lächeln ins Feuer.

»Das hoffe ich«, antwortete er.

»Ich will sie mitnehmen.«

Er hob die Brauen.

»Mitnehmen? Wohin?«

»Nach Hause.«

»Señor Martín, gestatten Sie mir, offen zu reden. Abgesehen davon, dass Sie kein direkter Angehöriger und noch weniger der Ehemann der Patientin sind, was ganz einfach ein gesetzliches Erfordernis wäre, ist Cristina nicht in der Lage, mit irgendwem irgendwohin zu gehen.«

»Geht es ihr hier bei Ihnen besser, eingeschlossen in diesem alten Kasten, an einen Stuhl gefesselt und unter Drogen gesetzt? Sagen Sie nicht, Sie hätten ihr wieder die Ehe angetragen.«

Er sah mich lange an und schluckte die Kränkung hinunter, die meine Worte zweifellos für ihn bedeuteten.

»Señor Martín, ich freue mich, dass Sie hier sind, denn ich glaube, gemeinsam werden wir Cristina helfen können. Ich glaube, Ihre Anwesenheit wird ihr gestatten, den Ort zu verlassen, an den sie sich geflüchtet hat. Und ich bin dieser Überzeugung, weil das Einzige, was sie in den letzten beiden Wochen gesagt hat, Ihr Name ist. Was immer ihr zugestoßen ist, ich glaube, es hatte mit Ihnen zu tun.«

Er schaute mich an, als erwarte er etwas von mir, etwas, was auf alle Fragen eine Antwort gäbe.

»Ich dachte, sie hätte mich verlassen«, begann ich.

»Wir wollten verreisen, alles hinter uns lassen. Ich war einen Moment aus dem Haus gegangen, um die Fahrkarten für den Zug zu kaufen und noch ein paar Besorgungen zu machen. Ich war höchstens anderthalb Stunden weg. Als ich zurückkam, war Cristina nicht mehr da.«

»Ist irgendetwas geschehen, bevor Sie weggingen? Haben Sie sich gestritten?«

Ich biss mir auf die Lippen.

»Ich würde es nicht Streit nennen.«

»Wie würden Sie es dann nennen?«

»Ich habe sie dabei ertappt, wie sie sich Papiere ansah, die mit meiner Arbeit zu tun hatten, und ich glaube, sie war gekränkt, weil sie das Gefühl hatte, ich würde ihr nicht vertrauen.«

»War es etwas Wichtiges?«

»Nein. Bloß ein Manuskript, ein Entwurf.«

»Darf ich fragen, was für eine Art Manuskript?«

Ich zögerte.

»Eine Fabel.«

»Für Kinder?«

»Sagen wir, für die ganze Familie.«

»Verstehe.«

»Nein, ich glaube nicht, dass Sie es verstehen. Es gab keinen Streit. Cristina war nur ein wenig ärgerlich, weil ich ihr nicht erlaubt hatte, einen Blick hineinzuwerfen, nichts weiter. Als ich sie verließ, ging es ihr gut, sie packte für die Reise. Dieses Manuskript hat keinerlei Bedeutung.«

Er nickte eher höflich als überzeugt.

»Könnte es sein, dass jemand sie bei Ihnen aufgesucht hat, während Sie weg waren?«

»Niemand außer mir wusste, dass sie da war.«

»Fällt Ihnen irgendein Grund ein, warum sie das Haus verlassen haben könnte, bevor Sie zurückkamen?«

»Nein. Wieso?«

»Das alles sind nur Fragen, Señor Martín. Ich versuche zu klären, was geschehen ist zwischen dem Augenblick, in dem Sie sie zum letzten Mal gesehen haben, und ihrem Erscheinen hier.«

»Hat sie gesagt, wer oder was in sie gefahren ist?«

»Das ist eine Redensart, Señor Martín. Nichts ist in Cristina gefahren. Patienten, die etwas Traumatisches erlebt haben, glauben nicht selten die Gegenwart verstorbener Angehöriger oder fiktiver Personen zu verspüren. Dazu gehört oft auch, dass sie in ihrem eigenen Geist Zuflucht suchen und die Türen zur Außenwelt verriegeln. Das ist eine emotionale Antwort, eine Art, sich gegen Gefühle oder Erregungszustände zu wehren, die sie nicht annehmen können. Das braucht Sie im Moment nicht zu beunruhigen. Was zählt und was uns helfen wird, ist, dass Sie der wichtigste Mensch für sie sind. Aufgrund von Dingen, die sie mir seinerzeit erzählt hat und die unter uns geblieben sind, und aufgrund dessen, was ich in den letzten Wochen selbst beobachtet habe, weiß ich, dass Cristina Sie liebt, Señor Martín. Sie liebt Sie so sehr, wie sie noch nie jemanden geliebt hat und wie sie mich sicher nie lieben wird. Darum bitte ich Sie, sich nicht durch Angst oder Ressentiments blenden zu lassen und mir zu helfen – wir wollen beide dasselbe.

Wir wollen beide, dass Cristina diesen Ort wieder verlassen kann.«

Ich nickte beschämt.

»Verzeihen Sie, wenn ich vorhin ...«

Er hob beschwichtigend die Hand. Dann stand er auf und schlüpfte in den Mantel. Wir gaben uns die Hand.

»Ich erwarte Sie morgen«, sagte er.

»Danke, Doktor.«

»Ich danke Ihnen. Dass Sie zu ihr gekommen sind.«

Als ich am nächsten Tag das Hotel verließ, ging gerade die Sonne über dem gefrorenen See auf. Eine Gruppe Kinder spielte am Ufer und warf mit Steinen nach dem Rumpf eines im Eis festgefrorenen Bootes. Es hatte zu schneien aufgehört, und in der Ferne konnte man die weißen Berge und am Himmel große Wolken sehen, die dahinglitten wie riesige Burgen aus Dunst. Kurz vor neun Uhr erreichte ich das Sanatorium. Dr. Sanjuán saß mit Cristina im Park in der Sonne und erwartete mich. Er hielt ihre Hand in der seinen, während er mit ihr sprach. Als er mich durch den Park kommen sah, winkte er mich herbei. Er hatte einen Stuhl für mich vor Cristina hingestellt. Ich setzte mich und schaute sie an. Unsere Blicke trafen sich, ohne dass sie mich sah.

»Cristina, schau, wer gekommen ist«, sagte der Arzt.

Ich ergriff ihre Hand und beugte mich dicht zu ihr hin.

»Sprechen Sie mit ihr«, sagte der Arzt.

Ich nickte, von diesem abwesenden Blick gebannt, und fand keine Worte. Der Arzt stand auf und verschwand im Haus, nachdem er einer Schwester aufgetragen hatte, uns nicht aus den Augen zu lassen. Ich ignorierte ihre Anwesenheit und rückte den Stuhl näher an Cristina heran. Dann strich ich ihr das Haar aus der Stirn, und sie lächelte.

»Erinnerst du dich an mich?«, fragte ich.

Ich sah mich in ihren Augen gespiegelt, wusste aber nicht, ob sie mich sah oder meine Stimme hörte.

»Der Doktor sagt, du wirst dich bald erholen, und dann können wir gehen. Wohin du willst. Ich habe gedacht, ich ziehe aus dem Haus mit dem Turm aus und wir gehen weit weg, wie du es wolltest. Irgendwohin, wo uns niemand kennt und wo es niemanden interessiert, wer wir sind und woher wir kommen.«

Ihre Hände steckten in Wollhandschuhen, die die Verbände an den Armen verbargen. Sie war abgemagert, und tiefe Furchen hatten sich in ihr Gesicht gegraben, die Lippen waren gesprungen und die glanzlosen Augen ohne Leben. Ich lächelte ihr zu und streichelte ihr Wangen und Stirn, sprach unablässig, erzählte ihr, wie sehr ich sie vermisst und dass ich sie überall gesucht hätte. So verbrachten wir zwei Stunden, bis der Arzt zurückkam und sie zusammen mit der Krankenschwester hineinbrachte. Ich blieb sitzen, da ich nicht wusste, wohin ich gehen sollte, bis Dr. Sanjuán wieder herauskam und neben mir Platz nahm.

»Sie hat kein Wort gesagt. Ich glaube, sie hat nicht einmal wahrgenommen, dass ich da bin ...«

»Da irren Sie sich, mein Freund. Das ist ein langsamer Prozess, aber ich versichere Ihnen, dass Ihre Anwesenheit ihr hilft, und zwar sehr.«

Ich nahm seine barmherzigen Almosen und Schwindeleien nickend entgegen.

»Morgen versuchen wir es wieder«, sagte er.

Es war noch nicht einmal zwölf.

»Und was soll ich jetzt tun bis morgen?«, fragte ich.

»Sie sind doch Schriftsteller. Schreiben Sie. Schreiben Sie etwas für sie.«

9

Am See entlang kehrte ich ins Hotel zurück. Der Portier erklärte mir, wie ich die einzige Buchhandlung des Ortes fände. Dort kaufte ich Schreibpapier und einen Füllfederhalter, der seit unvordenklichen Zeiten da gelegen haben musste. Dergestalt ausgerüstet, schloss ich mich in meinem Zimmer ein, nachdem ich eine Thermosflasche Kaffee bestellt hatte. Ich rückte den Tisch ans Fenster und schaute fast eine Stunde auf den See und die Berge in der Ferne, ehe ich das erste Wort schrieb. Ich erinnerte mich an die alte Fotografie, die mir Cristina geschenkt hatte und auf der ein Mädchen zu sehen war, das auf einem Holzsteg ins Meer hinausschritt. Ihr Geheimnis war ihr immer verborgen geblieben. Ich stellte mir vor, ich schreite ebenfalls über diesen Steg, meine Schritte führten mich hinter ihr her, und ganz allmählich begannen die Worte zu fließen, und das Gerüst einer kleinen Geschichte zeichnete sich ab. Ich wusste, dass ich die Geschichte schreiben würde, an die sich Cristina nicht erinnern konnte: warum sie als Mädchen an der

Hand eines Fremden auf das glitzernde Wasser hinaus-
gegangen war. Ich wollte die Geschichte dieser Erinnerung schreiben, die niemals eine gewesen war, der Erinnerung an ein geraubtes Leben. Die Bilder und das
Licht, die in diesen Sätzen aufschienen, trugen mich
wieder in das alte, finstere Barcelona zurück, das uns
beide geschaffen hatte. Ich schrieb, bis die Sonne unterging und kein Tropfen Kaffee mehr in der Thermosflasche war, der gefrorene See unter dem blauen Mond zu
leuchten begann und mir Augen und Hände schmerz-
ten. Ich ließ den Füllfederhalter fallen und schob die
Blätter von mir. Als der Portier anklopfte, um zu fragen,
ob ich zum Abendessen käme, ignorierte ich ihn. Einen
Moment später fiel ich in einen tiefen Schlaf, träumte
ausnahmsweise einmal und glaubte an die heilende
Kraft der Worte, selbst der meinen.

Die nächsten vier Tage verliefen alle gleich. Ich erwachte
in der Morgendämmerung und trat auf den Balkon hinaus, um zuzuschauen, wie die Sonne den See zu meinen
Füßen rot färbte. Gegen halb neun war ich im Sanatorium und traf wie üblich Dr. Sanjuán auf den Stufen der
Eingangstreppe sitzend, wo er mit einer Tasse dampfenden Kaffees in der Hand den Park betrachtete.

»Schlafen Sie nie, Doktor?«, fragte ich.

»Nicht mehr als Sie.«

Gegen neun Uhr begleitete er mich zu Cristinas Zimmer, schloss die Tür auf und ließ uns allein. Immer saß
sie im selben Sessel vor dem Fenster. Ich rückte einen

Stuhl heran und ergriff ihre Hand. Sie nahm meine Anwesenheit kaum zur Kenntnis. Dann las ich ihr die am Vorabend für sie geschriebenen Seiten vor. Jeden Tag begann ich wieder von vorn. Manchmal unterbrach ich mich, um aufzuschauen und mich vom Anflug eines Lächelns auf ihren Lippen überraschen zu lassen. Ich blieb den ganzen Tag bei ihr, bis gegen Abend der Arzt zurückkam und mich zu gehen bat. Dann schleppte ich mich im Schnee durch die menschenleeren Straßen ins Hotel, aß etwas zu Abend und schrieb anschließend in meinem Zimmer weiter, bis mich der Schlaf übermannte. Die Tage verloren ihre Namen.

Als ich am fünften Morgen Cristinas Zimmer betrat, war der Sessel, in dem ich sie immer antraf, leer. Alarmiert schaute ich mich um und entdeckte sie in einer Ecke, zusammengekauert, die Arme um die Knie geschlungen und das Gesicht tränenüberströmt. Bei meinem Anblick lächelte sie, und ich begriff, dass sie mich erkannt hatte. Ich kniete neben ihr nieder und umarmte sie. Ich glaube, ich war noch nie so glücklich wie in diesen Sekunden, in denen ich ihren Atem im Gesicht spürte und sah, dass ein Funken Licht in ihre Augen zurückgekehrt war.

»Wo bist du gewesen?«, fragte sie.

An diesem Nachmittag gestattete mir Dr. Sanjuán einen einstündigen Spaziergang mit ihr. Wir setzten uns auf eine Bank am See. Sie begann mir von einem Traum zu erzählen, von einem kleinen Mädchen, das in einer dunklen, labyrinthischen Stadt lebte, deren Straßen und Häuser lebendig waren und sich von den Seelen ihrer

Bewohner ernährten. In ihrem Traum, genauso wie in der Erzählung, die ich ihr in den letzten Tagen vorgelesen hatte, schaffte es die Kleine zu entkommen, und sie gelangte zu einem auf das grenzenlose Meer hinausführenden Steg. Sie ging an der Hand eines namen- und gesichtslosen Fremden, der sie gerettet hatte und nun ans Ende dieses aus Planken gefügten Weges begleitete, wo jemand sie erwartete, den sie nie zu sehen bekam, denn ihr Traum war, genau wie meine Geschichte, unvollendet.

Vage erinnerte sich Cristina an die Villa San Antonio und an Dr. Sanjuán. Errötend erzählte sie mir, sie glaube, er habe ihr in der Woche zuvor die Ehe angetragen. In ihrem Kopf gerieten Zeit und Raum durcheinander. Manchmal dachte sie, ihr Vater wohne in einem der Zimmer und sie sei ihn besuchen gekommen. Einen Augenblick später wusste sie nicht mehr, wie sie hierhergekommen war, und manchmal fragte sie sich nicht einmal danach. Sie erinnerte sich, dass ich Fahrkarten für den Zug kaufen gegangen war, und manchmal sprach sie von jenem Morgen, an dem sie verschwunden war, als wäre es gestern gewesen. Zuweilen verwechselte sie mich mit Vidal und bat mich dann um Verzeihung. Andere Male verfinsterte die Angst ihr Gesicht, und sie begann zu zittern.

»Er kommt«, sagte sie. »Ich muss gehen. Bevor er dich sieht.«

Dann verfiel sie in ein langes Schweigen und schien

weit weg von mir und der Welt, als hätte irgendetwas sie an einen fernen, unerreichbaren Ort geschleift. Nach einigen Tagen traf mich die Gewissheit, dass sie den Verstand verloren hatte, wie ein Schlag. Die Hoffnung des ersten Augenblicks wurde bitter, und wenn ich abends in meine Hotelzelle zurückkehrte, spürte ich manchmal, wie sich in mir der alte Abgrund von Dunkelheit und Hass auftat, den ich schon vergessen geglaubt hatte. Dr. Sanjuán, der mich ebenso geduldig und hartnäckig beobachtete wie seine Patienten, hatte mich vorgewarnt.

»Sie dürfen die Hoffnung nicht verlieren, mein Freund«, sagte er. »Wir machen große Fortschritte. Haben Sie Vertrauen.«

Gehorsam stimmte ich zu und ging Tag für Tag ins Sanatorium, um mit Cristina zum See zu spazieren und mir diese geträumten Erinnerungen anzuhören, die sie mir Dutzende Male erzählt hatte, aber täglich von neuem entdeckte. Täglich fragte sie mich, wo ich gewesen sei, warum ich sie nicht geholt, warum ich sie allein gelassen habe. Täglich schaute sie mich zwischen den Gitterstäben ihres unsichtbaren Käfigs hindurch an und bat mich, sie zu umarmen. Täglich fragte sie mich beim Abschied, ob ich sie liebe, und immer gab ich dieselbe Antwort.

»Ich werde dich immer lieben. Immer.«

Eines Nachts weckte mich ein Klopfen an meiner Zimmertür. Es war drei Uhr früh. Benommen schleppte ich mich zur Tür und sah mich einer der Krankenschwestern des Sanatoriums gegenüber.

»Dr. Sanjuán hat mich gebeten, Sie zu holen«, sagte sie.

Zehn Minuten später betrat ich die Villa San Antonio. Die Schreie waren schon im Park zu hören. Cristina hatte ihre Tür von innen verriegelt. Dr. Sanjuán, der aussah, als hätte er seit einer Woche nicht mehr geschlafen, und zwei Pfleger versuchten sie aufzubrechen. Drinnen hörte man Cristina schreien und gegen die Wände toben, Möbel umwerfen und Gegenstände zerschmettern.

»Wer ist da bei ihr?«, fragte ich wie erstarrt.

»Niemand«, antwortete der Arzt.

»Aber sie spricht mit jemandem ...«

»Sie ist allein.«

Ein Nachtwächter kam mit einer langen Metallstange angerannt.

»Das ist alles, was ich gefunden habe«, sagte er.

Der Arzt nickte, und der Nachtwächter rammte die Stange in den Türspalt und stemmte sich mit aller Kraft dagegen.

»Wie hat sie von innen abschließen können?«, fragte ich.

»Ich weiß es nicht ...«

Zum ersten Mal glaubte ich im Gesicht des Arztes Angst zu lesen; er wich meinem Blick aus. Kurz bevor der Nachtwächter die Tür aufbrechen konnte, wurde es drinnen plötzlich still.

»Cristina?«, rief der Arzt.

Keine Antwort. Endlich gab die Tür nach und sprang

auf. Ich folgte dem Arzt ins Zimmer, das im Halbdunkel lag. Das Fenster stand offen, und ein eisiger Wind drang herein. Tische, Stühle und Sessel waren umgeworfen, die Wände verschmiert, sie wirkten wie mit dunkler Farbe beschriftet. Blut. Von Cristina keine Spur.

Die Pfleger rannten auf den Balkon hinaus und suchten den Park nach Spuren im Schnee ab. Der Arzt sah sich links und rechts nach Cristina um. Da hörten wir ein Lachen aus dem Bad. Ich ging zur Tür und öffnete sie. Cristina saß auf dem scherbenübersäten Boden und lehnte wie eine kaputte Puppe an der Metallwanne. Ihre über und über zerschnittenen Hände und Füße bluteten. Vom gesprungenen Spiegel, den sie mit den Händen zertrümmert hatte, rann immer noch ihr Blut. Ich legte die Arme um sie und suchte ihren Blick. Sie lächelte.

»Ich habe ihn nicht hereingelassen«, sagte sie.

»Wen?«

»Er wollte, dass ich vergesse, aber ich habe ihn nicht hereingelassen«, wiederholte sie.

Der Arzt kniete neben mir nieder und untersuchte die Schnittwunden, die Cristinas Körper bedeckten.

»Bitte«, flüsterte er und schob mich beiseite. »Nicht jetzt.«

Einer der Pfleger hatte eilig eine Trage geholt. Ich half ihnen, Cristina darauf zu betten, und hielt ihre Hand, während sie in ein Untersuchungszimmer gebracht wurde. Dort injizierte ihr Dr. Sanjuán ein Beruhigungsmittel, das ihr in Sekundenschnelle das Bewusstsein nahm. Ich blieb bei ihr und schaute zu, wie ihre Augen ein leerer Spiegel wurden, bis mich eine der Schwestern aus dem Raum zog. Mitten im halbdunklen, nach Desinfektionsmitteln riechenden Gang blieb ich stehen, die Hände und Kleider blutbefleckt. Ich lehnte mich an die Wand, ließ mich langsam zu Boden gleiten.

Als Cristina am nächsten Tag erwachte, war sie mit Lederriemen am Bett festgebunden, eingeschlossen in einem fensterlosen, einzig von einer gelblichen Glühbirne an der Decke beleuchteten Raum. Ich hatte sie auf einem Stuhl in der Ecke die ganze Nacht beobachtet und wusste nicht mehr, wie viel Zeit verstrichen war. Plötzlich riss sie vor Schmerz die Augen auf, als sie die stechenden Wunden auf ihren Armen spürte.

»David?«, rief sie.

»Ich bin hier.«

Ich trat ans Bett und beugte mich über sie, damit sie mein Gesicht und das blutarme, für sie einstudierte Lächeln sähe.

»Ich kann mich nicht bewegen.«

»Du bist mit Riemen festgebunden. Es ist zu deinem Besten. Sobald der Doktor kommt, wird er sie dir abnehmen.«

»Nimm du sie mir ab.«

»Das darf ich nicht. Nur der Doktor kann …«

»Bitte«, bettelte sie.

»Cristina, es ist besser, wenn …«

»Bitte.«

In ihrem Blick lagen Schmerz und Angst, vor allem aber eine Klarheit und Geistesgegenwart, die ich in all den vergangenen Tagen nicht an ihr gesehen hatte. Sie war wieder sie selbst. Ich löste die oberen Riemen über Armen und Taille. Dann streichelte ich ihr Gesicht. Sie zitterte.

»Ist dir kalt?«

Sie schüttelte den Kopf.

»Soll ich den Doktor holen?«

Wieder schüttelte sie den Kopf.

»David, sieh mich an.«

Ich setzte mich auf die Bettkante und schaute ihr in die Augen.

»Du musst es vernichten«, sagte sie.

»Ich verstehe dich nicht.«

»Du musst es vernichten.«

»Was?«

»Das Buch.«

»Cristina, am besten hole ich den Doktor …«

»Nein. Hör mir zu.«

Sie umklammerte meine Hand.

»Der Vormittag, an dem du die Fahrkarten geholt hast, weißt du noch? Da bin ich noch einmal in dein Arbeitszimmer hinaufgegangen und habe die Truhe geöffnet.«

Ich seufzte.

»Ich habe das Manuskript gefunden und zu lesen begonnen.«

»Es ist nur eine Fabel, Cristina …«

»Lüg mich nicht an. Ich habe es gelesen, David. Zumindest so viel, um zu erkennen, dass ich es vernichten musste …«

»Mach dir deswegen jetzt keine Sorgen. Ich habe dir ja gesagt, dass ich das Manuskript vergessen habe.«

»Aber er hat dich nicht vergessen. Ich habe versucht, es zu verbrennen …«

Als ich sie das sagen hörte, ließ ich einen Moment lang ihre Hand los – bei der Erinnerung an die verbrannten Streichhölzer auf dem Boden des Arbeitszimmers musste ich eine kalte Wut unterdrücken.

»Du hast versucht, es zu verbrennen?«

»Aber ich konnte nicht«, flüsterte sie. »Da war noch jemand in der Wohnung.«

»Niemand war in der Wohnung, Cristina. Niemand.«

»Sowie ich das Streichholz angezündet hatte und es ans Manuskript hielt, hörte ich ihn hinter mir. Ich habe einen Schlag auf den Hinterkopf bekommen und bin hingefallen.«

»Wer hat dich geschlagen?«

»Alles war ganz dunkel, als hätte sich das Tageslicht zurückgezogen und könnte nicht mehr herein. Ich drehte mich um, aber alles war ganz dunkel. Ich habe nur seine Augen gesehen. Augen wie von einem Wolf.«

»Cristina …«

»Er hat mir das Manuskript aus den Händen genommen und wieder in die Truhe gelegt.«

»Cristina, es geht dir nicht gut. Lass mich den Doktor holen und …«

»Du hörst mir nicht zu.«

Lächelnd küsste ich sie auf die Stirn.

»Natürlich höre ich dir zu. Aber es war niemand sonst in der Wohnung …«

Sie schloss die Augen, wandte den Kopf ab und stöhnte, als würden ihr meine Worte die Eingeweide umdrehen.

»Ich hole den Doktor ...«

Ich beugte mich über sie, um sie wieder zu küssen. Dann ging ich, ihren Blick im Rücken spürend, zur Tür.

»Feigling«, sagte sie.

Als ich mit Dr. Sanjuán ins Zimmer zurückkam, hatte Cristina eben den letzten Riemen gelöst und wankte auf die Tür zu, blutige Fußspuren auf den weißen Fliesen hinterlassend. Gemeinsam hielten wir sie fest und legten sie wieder aufs Bett. Sie schrie und wehrte sich so verbissen, dass einem das Blut in den Adern gefror. Der Lärm alarmierte das Personal der Krankenstation. Ein Pfleger half uns, sie zu bändigen, während der Arzt sie wieder festschnürte. Als sie sich nicht mehr rühren konnte, schaute er mich ernst an.

»Ich muss sie noch einmal sedieren. Bleiben Sie hier – und kommen Sie mir nicht auf die Idee, die Riemen zu lösen.«

Eine Minute blieb ich mit ihr allein und versuchte, sie zu beruhigen. Sie rang noch immer mit den Riemen. Ich hielt ihr Gesicht fest, um ihren Blick einzufangen.

»Cristina, bitte ...«

Sie spuckte mir ins Gesicht.

»Geh.«

Der Arzt kam in Begleitung einer Schwester zurück. Sie trug ein Metalltablett mit einer Spritze, Verbandszeug und einem Fläschchen mit einer gelblichen Lösung.

»Gehen Sie hinaus«, befahl er mir.

Ich zog mich bis an die Tür zurück. Die Schwester hielt Cristina auf dem Bett fest, während ihr der Arzt ein Beruhigungsmittel in den Arm spritzte. Cristina schrie mit verzerrter Stimme. Ich hielt mir die Ohren zu und ging auf den Korridor hinaus.

Feigling, sagte ich zu mir. Feigling.

10

Auf der anderen Seite des Sanatoriums Villa San Antonio führte ein baumgesäumter Weg entlang einem Bewässerungsgraben aus dem Dorf hinaus. Auf der gerahmten Karte im Speisesaal des Hotels del Lago wurde er süßlich als »Promenade der Verliebten« bezeichnet. An diesem Nachmittag wagte ich mich nach meinem Besuch im Sanatorium auf diesen düsteren Pfad, der eher an Einsamkeit denn an Liebeleien denken ließ. Nachdem ich, ohne einer Menschenseele zu begegnen, so lange gegangen war, dass die gezackten Silhouetten der Villa San Antonio und der Villen am Seeufer einer Pappkulisse glichen, setzte ich mich auf eine Bank und schaute in den Sonnenuntergang am Ende des Cerdanya-Tals. In etwa zweihundert Meter Entfernung war der Umriss einer kleinen, einsam auf einem verschneiten Feld stehenden Kapelle zu erkennen. Ich stand auf und stapfte auf sie zu, ohne recht zu wissen, warum. Wenige Meter davor bemerkte ich, dass die Tür fehlte. Die Mauern waren von den Flammen geschwärzt, die den Bau teilweise verzehrt hatten. Ich stieg die Eingangsstufen hinauf und ging einige Schritte hinein. Aus der Asche ragten die Reste verbrannter Bänke und von der Decke gestürzter Balken. Pflanzen waren hereingewuchert und hatten den ehemaligen Altar erklommen. Durch die engen Fensterscharten sickerte das Dämmerlicht. Ich setzte mich auf die Überreste einer Bank vor dem Altar und hörte dem Pfeifen des Windes in den Spalten des versengten Gewölbes zu. Ich schaute auf und wünschte mir, wenigstens eine Spur des Glaubens meines alten Freundes Sempere in mir zu tragen, des Glaubens an Gott oder an die Bücher, um Gott oder die Hölle um eine weitere Chance zu bitten und Cristina von hier wegbringen zu können.

»Bitte«, murmelte ich, während ich die Tränen zurückdrängte.

Ich lächelte bitter, ein geschlagener Mann, der einen Gott, an den er nie geglaubt hatte, mit armseligen Bitten anflehte. Ich schaute mich um, sah dieses Gotteshaus aus Schutt und Asche, Leere und Einsamkeit und wusste plötzlich, dass ich noch am selben Abend zurückgehen würde. Dazu bedurfte es keiner weiteren Wunder oder Segnungen, nur meiner Entschlossenheit, sie von hier wegzubringen und den Händen dieses verzagten, liebebedürftigen Arztes zu entreißen, der aus ihr sein Dornröschen machen wollte. Eher würde ich die Villa San Antonio in Brand stecken, als zuzulassen, dass noch einmal jemand Hand an sie legte. Ich würde sie mit zu mir nehmen, um an ihrer Seite zu sterben. Hass und Wut würden mir den Weg weisen.

Als es völlig dunkel war, verließ ich die Kapelle. Ich überquerte das im Mondlicht lodernde Silberfeld, ging auf den Pfad mit den Bäumen zurück und folgte im Finstern dem Bewässerungsgraben, bis ich in der Ferne die Lichter der Villa San Antonio und der Türme und Mansarden um den See herum erblickte. Beim Sanatorium angelangt, zog ich gar nicht die Klingel am Gittertor, sondern sprang über die Mauer und schlich in der Dunkelheit durch den Park. Auf der Rückseite steuerte ich einen Hintereingang an. Er war verschlossen, aber ich zögerte keine Sekunde, die Scheibe mit dem Ellbogen zu zertrümmern, um an die Klinke zu gelangen. Ich trat auf den Korridor, wo ich Stimmen und Gemurmel hörte und den von der Küche heraufsteigenden Duft einer Brühe roch. Ich ging durch das Erdgeschoss bis zum hintersten Zimmer. Hier hatte der gute Arzt Cristina eingeschlossen, zweifellos im Wahn, seine schlafende Schöne auf immer in einem Limbus von Narkotika und Riemen festzuhalten.

Ich hatte damit gerechnet, dass die Tür abgeschlossen wäre, aber die Klinke gab unter meiner Hand nach, die vor Aufregung zitterte. Ich stieß die Tür auf und trat ein. Als Erstes sah ich meinen eigenen Atem vor mir in der Luft schweben. Dann sah ich die blutigen Fußspuren auf dem weißen Fliesenboden. Das hohe Fenster zum Park stand weit offen, die Vorhänge bauschten sich im Wind. Das Bett war leer. Als ich näher trat, sah ich, dass die Riemen, mit denen der Arzt und die Schwestern Cristina festgebunden hatten, säuberlich durchgeschnitten waren, als wären sie aus Papier. Ich sprang in den

Park hinaus und sah im Schnee rote Spuren leuchten, die sich zur Mauer hin entfernten. Dort angekommen, tastete ich sie ab und fand wieder Blut. Ich kletterte hinauf und sprang auf der anderen Seite hinunter. Die ungleichmäßigen Fußspuren führten in Richtung Dorf. Ich erinnere mich, dass ich losrannte.

Ich folgte den Spuren bis zu dem Park, der den See umgab. Der Vollmond ließ die große Eisfläche erstrahlen. Dort erblickte ich sie. Langsam humpelte sie auf den gefrorenen See hinaus, eine Blutspur zurücklassend. Ihr Nachthemd flatterte im Wind. Als ich das Ufer erreichte, war Cristina schon rund dreißig Meter weit auf den See hinausgelangt. Ich rief ihren Namen, und sie blieb stehen. Langsam drehte sie sich um und lächelte, während sich unter ihren Füßen ein Netz aus Rissen spann. Ich sprang aufs Eis und hörte die gefrorene Fläche unter meinen Schritten knacken. Trotzdem ging ich auf Cristina zu. Reglos stand sie dort und sah mir entgegen. Die Risse unter ihren Füßen wuchsen sich zu einem Geflecht schwarzer Kapillaren aus. Das Eis unter mir gab nach, und ich stürzte der Länge nach hin.

»Ich liebe dich«, hörte ich sie sagen.

Ich kroch zu ihr, aber die Spalten weiteten sich unter meinen Händen und bildeten einen Ring um Cristina. Nur wenige Meter trennten uns noch, als ich das Eis unter ihr brechen hörte. Vor ihr tat sich ein schwarzer Schlund auf und verschluckte sie wie eine Grube voll Teer. Sowie sie unter der Oberfläche verschwunden war, fügten sich die Schollen wieder zusammen und verschlossen die Öffnung. Die Strömung trieb ihren Körper unter der Eisschicht ein paar Meter weiter. Ich kroch zu der Stelle, wo die Falle über ihr zugeschnappt war, und schlug mit aller Kraft auf das Eis ein. Unter der durchscheinenden Fläche beobachtete sie mich mit offenen Augen und wogendem Haar. Ich hämmerte auf das Eis ein, bis meine Hände wund waren, vergebens. Cristina ließ mich keinen Moment aus den Augen. Sie legte ihre Hand ans Eis und lächelte. Schon entstiegen ihrem Mund die letzten Luftblasen, und die Pupillen weiteten sich ein letztes Mal. Einen Moment später versank sie langsam für immer in der Schwärze.

11

Ich ging nicht ins Hotel zurück, um meine Sachen zu holen. Verborgen zwischen den Bäumen, die den See umstanden, sah ich, wie der Arzt und zwei Zivilgardisten das Hotel betraten und sich, wie ich durchs Fenster erkennen konnte, mit dem Portier unterhielten. Durch dunkle, menschenleere Straßen schlich ich mich zum nebelverhüllten Bahnhof. Im Licht von zwei Gaslaternen sah man die Umrisse eines am Bahnsteig stehenden Zuges, rot getönt von dem an der Ausfahrt leuchtenden Signal. Die Lokomotive stand still, am Gestänge und den Hebeln hingen Eiszapfen wie Gelatinetropfen. Die Wagen waren dunkel, die Fenster von Raureif verschleiert. Im Büro des Bahnhofsvorstehers brannte ebenfalls kein Licht. Es dauerte noch Stunden bis zur Abfahrt des Zuges, und der Bahnhof lag verlassen da.

Ich trat zu einem der Wagen und versuchte die Tür zu öffnen, aber sie war verschlossen. Über die Gleise ging ich um den Zug herum, kletterte im Schatten auf die Plattform zwischen den beiden hintersten Wagen und versuchte mein Glück bei einer dieser Türen. Sie war offen. Ich schlüpfte in den Wagen und ins erstbeste Abteil. Dort schob ich von innen den Riegel vor. Zitternd vor Kälte, ließ ich mich auf den Sitz fallen. Ich wagte die Augen nicht zu schließen, vor lauter Angst, Cristinas Blick unter dem Eis zu begegnen. Minuten vergingen, vielleicht Stunden. Irgendwann fragte ich mich, warum ich mich eigentlich versteckte und warum ich nichts empfand.

Während ich in dieser Leere wartete, hörte ich das tausendfache Jammern von Metall und Holz, die sich in der Kälte zusammenzogen. Ich spähte ins Dunkel vor dem Fenster hinaus, bis das Licht einer Laterne über die Wagenwände strich und ich auf dem Bahnsteig Stimmen hörte. Ich rieb ein Guckloch in die beschlagene Scheibe und sah den Lokführer und zwei Arbeiter zum vorderen Teil des Zuges gehen. In einer Entfernung von zehn Metern unterhielt sich der Bahnhofsvorsteher mit den beiden Zivilgardisten, die ich zuvor mit dem Arzt im Hotel gesehen hatte. Er nickte und zog einen Schlüsselbund hervor, während er mit den beiden Gardisten auf den Zug zukam. Ich zog mich wieder tief in mein Abteil zurück. Einige Sekunden später hörte ich die Schlüssel klirren und die Wagentür klacken. Vom Ende des Gangs näherten sich Schritte. Ich schob den Riegel zurück, sodass die Tür unverschlossen war, und legte mich unter einer der Bänke auf den Boden, dicht an die Wand geschmiegt. Die Schritte der Gardisten kamen näher, während das Licht ihrer Laternen bläulich über die Scheiben des Wagens glitt. Als sie vor meinem Abteil haltmachten, hielt ich den Atem an. Die Stimmen waren verstummt. Ich hörte die Tür aufgehen, und die Stiefel bewegten sich zwei Handbreit vor meinem Gesicht. Der Gardist blieb einige Sekunden stehen, ging dann wieder hinaus und schloss die Tür. Seine Schritte entfernten sich.

Ich blieb reglos liegen. Zwei Minuten später hörte ich ein Rattern, und ein warmer Hauch aus dem Heizungsrost strich mir übers Gesicht. Eine Stunde später erhellte das erste Morgenlicht die Scheiben. Ich verließ mein Versteck und schaute hinaus. Fahrgäste schleppten allein oder zu zweit ihre Koffer und Bündel über den Bahnsteig. Der Lärm der Lokomotive ließ Wände und Boden vibrieren. Wenige Minuten später stiegen die Passagiere ein, und der Schaffner knipste das Licht an. Ich setzte mich wieder ans Fenster und erwiderte den Gruß eines Fahrgastes, der am Abteil vorbeiging. Mit dem Acht-Uhr-Schlag der großen Bahnhofsuhr setzte sich der Zug in Bewegung. Erst jetzt schloss ich die Augen. In der Ferne hörte ich die Kirchenglocken widerhallen wie einen Fluch.

Die Rückfahrt verzögerte sich durch mehrere ungeplante Unterbrechungen, und wir kamen erst in der Abenddämmerung jenes Freitags, des 23. Januars, in

Barcelona an. Die Stadt lag unter einem scharlachroten Himmel, über den sich ein Geflecht schwarzen Rauchs zog. Es war warm, als ob sich der Winter unversehens zurückgezogen hätte und schmutzig-feuchte Ausdünstungen aus der Kanalisation aufstiegen. Unter meiner Haustür fand ich einen weißen Umschlag mit rotem Lacksiegel, den ich nicht einmal aufhob – ich wusste, dass er eine Erinnerung an das Treffen mit dem Patron enthielt, dem ich an diesem Abend in der alten Villa am Park Güell das Manuskript übergeben sollte. Im Dunkeln stieg ich die Treppe hinauf und öffnete die Wohnungstür. Ich machte kein Licht, sondern ging direkt ins Arbeitszimmer hinauf. Am Fenster stehend, betrachtete ich im höllischen Schein dieses entflammten Himmels den Raum. Ich stellte sie mir vor, so, wie sie es beschrieben hatte, wie sie vor der Truhe kniete, sie öffnete und die Mappe mit dem Manuskript herausnahm, wie sie diese verfluchten Seiten las in der Gewissheit, sie vernichten zu müssen, wie sie die Streichhölzer anzündete und die Flamme ans Papier hielt.

Da war noch jemand in der Wohnung.

Ich ging auf die Truhe zu, blieb aber einige Schritte davor stehen, als befände ich mich hinter Cristina und würde ihr nachspionieren. Dann öffnete ich die Truhe. Das Manuskript war noch da und erwartete mich. Ich streckte die Hand aus und strich mit den Fingern zärtlich über die Mappe. Da sah ich es unten in der Truhe silbern glitzern wie eine Perle auf dem Grund eines Teichs. Ich nahm den Gegenstand und betrachtete ihn im Licht des blutigen Himmels. Die Engelsbrosche.

»Verdammter Schweinehund«, hörte ich mich sagen.

Ich holte das Kästchen mit der alten Pistole meines Vaters aus dem Schrank und vergewisserte mich, dass die Trommel geladen war. Die restliche Munition verwahrte ich in meiner linken Manteltasche, die in ein Tuch gehüllte Waffe steckte ich in die rechte. Vor dem Hinausgehen betrachtete ich einen Augenblick den Fremden, der mich im Vorraum aus dem Spiegel anschaute. Ich lächelte, während der Friede des Hasses in meinen Adern loderte, und trat in die Nacht hinaus.

12

Andreas Corellis Haus ragte auf seiner Erhebung zur roten Wolkendecke empor. Dahinter wiegte sich der Schattenwald des Park Güell. Die Brise bewegte die Äste, und das Laub zischte in der Dunkelheit wie Schlangen. Ich musterte die Fassade. Im ganzen Haus brannte kein einziges Licht, die Fensterläden waren geschlossen. In meinem Rücken hörte ich die Hunde hecheln, die hinter der Parkmauer umherstreiften und meine Schritte verfolgten. Ich zog die Pistole aus der Tasche und wandte mich dem Gittertor am Parkeingang zu, wo die Silhouetten der Tiere zu sehen waren, fließende, in der Dunkelheit lauernde Schatten.

An Corellis Haustür ließ ich den Klopfer dreimal kurz fallen. Ich erwartete keine Antwort. Wenn nötig hätte ich das Schloss aufgeschossen, doch die Tür war nicht verriegelt. Ich drehte den Bronzeknauf, bis sich die Falle zurückzog und die schwere Eichentür langsam nach innen glitt. Vor mir tat sich der lange Korridor auf. Die Staubschicht auf dem Boden schimmerte wie feiner Sand. Nach einigen Schritten kam ich zu der Treppe, die auf der einen Seite der Eingangshalle in die Höhe führte und in einer Schattenspirale verschwand. Ich ging durch den Korridor auf den Salon zu. Von den alten gerahmten Fotografien an den Wänden verfolgten mich Dutzende Blicke. Außer meinen Schritten und meinem Atem war kein Laut zu hören. Am Ende des Korridors blieb ich stehen. Das Nachtlicht sickerte durch die Läden und formte rötliche Klingen. Ich hob die Pistole, trat in den Salon und wartete, bis sich meine Augen an die Dunkelheit gewöhnt hatten. Die Möbel standen noch genauso da, wie ich sie in Erinnerung hatte, aber selbst in dem schwachen Licht konnte man erkennen, dass sie alt und staubbedeckt waren. Wracks. Die Vorhänge waren zerfranst, und der Anstrich blätterte von den Wänden wie Schuppen. Ich steuerte eines der hohen Fenster an, um die Läden zu öffnen und etwas mehr Licht hereinzulassen. Als ich noch zwei Meter vom Balkon entfernt war, merkte ich, dass ich nicht allein war. Wie erstarrt hielt ich inne und drehte mich dann langsam um.

Die Gestalt war deutlich auszumachen, in dem gewohnten Sessel in der Ecke. In dem durch die Läden sickernden Licht sah ich die glänzenden Schuhe und die Umrisse des Anzugs. Das Gesicht lag völlig im Dunkeln, aber ich wusste, dass es mich ansah. Und dass es lächelte. Ich hob die Pistole und zielte.

»Ich weiß, was Sie getan haben«, sagte ich.

Corelli bewegte keinen Muskel, hockte reglos da wie eine Spinne. Ich tat einen Schritt auf ihn zu und zielte aufs Gesicht. In der Dunkelheit glaubte ich einen Seufzer zu hören, für einen Augenblick fiel das rötliche Licht auf seine Augen, und ich war mir sicher, dass er sich gleich auf mich stürzen würde. Ich drückte ab. Der Rückstoß der Waffe fuhr in meine Unterarme wie ein Hammerschlag. Aus dem Lauf stieg blauer Rauch auf. Eine Hand glitt von der Armlehne und baumelte herab, sodass die Fingernägel den Boden streiften. Ich schoss ein zweites Mal. Die Kugel riss auf Brusthöhe ein rauchendes Loch in die Kleider. Ich hielt die Pistole weiter mit beiden Händen auf ihn gerichtet und wagte keinen Schritt zu tun, sondern starrte auf die reglose Gestalt im Sessel. Allmählich hörte der Arm auf zu baumeln, hing der Körper leblos da, die langen polierten Nägel auf dem Eichenparkett wie verankert. Kein Laut war zu hören und keine Regung des Körpers auszumachen, der eben von zwei Kugeln getroffen worden war, im Gesicht und in der Brust. Ich machte ein paar Schritte rückwärts auf das Fenster zu und stieß es mit den Füßen auf, ohne Corellis Sessel aus den Augen zu lassen. Dunstiges Licht bahnte sich von der Balustrade einen Weg in seine Ecke und beleuchtete Körper und Gesicht des Patrons. Ich wollte schlucken, aber mein Mund war wie verdorrt. Der erste Schuss hatte zwischen den Augen ein Loch aufgerissen, der zweite ein Revers durchbohrt. Nirgends war ein Tropfen Blut zu sehen. Dafür rieselte ein feines, glänzendes Pulver wie von einer Sanduhr heraus und versickerte in den Falten seiner Kleider. Die Augen glänzten, und die Lippen waren zu einem sarkastischen Lächeln gefroren. Eine Puppe.

Ich senkte die Pistole in meiner noch zitternden Hand und trat langsam näher, beugte mich über den grotesken Hampelmann und streckte die Hand nach dem Gesicht aus. Einen Augenblick befürchtete ich, die Glasaugen würden sich jeden Moment bewegen und die Hände mit den langen Nägeln sich um meinen Hals klammern. Mit den Fingerspitzen strich ich ihm über die Wange. Lackiertes Holz. Ein bitteres Lachen entfuhr mir. Weniger war vom Patron nicht zu erwarten gewesen. Noch einmal besah ich mir diese spöttische Grimasse und verpasste der Puppe einen Schlag mit der Pistole, sodass sie zur Seite und dann auf den Boden fiel, wo ich auf sie eintrat. Das Holzgerippe geriet aus den Fugen, bis Arme und Beine in einer unmöglichen Stellung verheddert waren. Ich zog mich einige Schritte zurück und schaute mich um. Als ich das große Bild mit dem Engel erblickte, riss ich es mit einem Ruck herunter. Dahinter entdeckte ich die Kellertür, die ich noch von der Nacht in Erinnerung hatte, als ich hier eingeschlafen war. Sie war unverschlossen. Ich spähte in den dunklen Schacht hinunter. Dann ging ich zu der Kommode, in der Corelli bei unserer ersten Begegnung in diesem Haus die hunderttausend Francs verwahrt hatte, und suchte in den Schubladen, bis ich eine Blechbüchse mit Kerzen und Streichhölzern fand. Einen Augenblick zögerte ich und fragte mich, ob der Patron wohl auch sie dort bereitgelegt hatte, damit ich ebenso darauf stieß wie auf die Puppe. Mit einer brennenden Kerze ging ich durch den

Salon zur Kellertür. Nach einem letzten Blick auf die zerstörte Puppe begann ich die Treppe hinabzusteigen, die Kerze vor mir und die Pistole fest in der Rechten. Auf jeder Stufe blieb ich stehen, um mich umzuschauen. Als ich in den Kellerraum gelangte, hielt ich die Kerze so weit wie möglich von mir weg und beschrieb mit ihr einen Halbkreis. Alles war noch da: der Operationstisch, die Gaslampen und das Tablett mit den chirurgischen Instrumenten. Alles voller Staub und Spinnweben. Aber da war noch etwas. An der Wand lehnten weitere Gestalten, so reglos wie die des Patrons. Ich stellte die Kerze auf den Operationstisch und trat zu diesen leblosen Körpern. In einem von ihnen erkannte ich den Butler, der uns eines Abends bedient hatte, und in einem weiteren den Chauffeur, der mich nach dem Abendessen mit Corelli nach Hause gefahren hatte. Die anderen konnte ich nicht identifizieren. Eine Puppe lehnte mit der Brust an der Wand, sodass ihr Gesicht nicht zu erkennen war. Mit der Pistolenmündung drehte ich sie herum und traf einen Augenblick später meinen eigenen Blick. Ein Schauder überlief mich. Die Puppe stellte mich dar, hatte aber nur ein halbes Gesicht, die andere Hälfte war ohne ausgeprägte Züge. Schon wollte ich dieses Gesicht mit einem Fußtritt zermalmen, als ich oben auf der Treppe ein Kind lachen hörte. Ich hielt den Atem an und hörte es ein paarmal trocken knarren. Ich rannte los, und als ich oben an der Treppe ankam, lag die Puppe des Patrons nicht mehr auf dem Boden. Von der Stelle, wo sie gelegen hatte, führten Fußspuren in den Korridor hinaus. Ich spannte die Pistole und folgte ihnen. Auf der Schwelle zum Korridor blieb ich stehen und hob die Waffe. Mitten im Gang endeten die Fuß-spuren. Ich suchte im Halbdunkel die verborgene Gestalt des Patrons, aber es war nichts von ihm zu se-hen. Am Ende des Korridors stand die Tür noch immer offen. Langsam ging ich auf die Stelle zu, wo die Spuren aufhörten. Erst nach einem Augenblick bemerkte ich, dass der leere Rahmen, den ich in Erinnerung hatte, nun gefüllt war. Er enthielt eine Fotografie, die mit derselben Kamera aufgenommen schien wie alle anderen dieser makabren Sammlung und auf der Cristina zu sehen war, ganz in Weiß, abwesend ins Objektiv starrend. Sie war nicht allein. Zwei Arme umschlangen sie und hielten sie auf den Beinen. Der, dem sie gehörten, lächelte in die Kamera. Andreas Corelli.

13

Ich wandte mich hügelabwärts und schlug den Weg ins Gracia-Viertel mit seinen dunklen, verwinkelten Stra-ßen ein. Dort fand ich ein Café, wo zahlreiche Gäste aus der Nachbarschaft hitzig über Politik oder Fußball stritten – was genau, war schwer auszumachen. Ich ging um den Pulk herum und gelangte durch eine Rauch- und Lärmwolke zur Theke, wo mir der Kneipenwirt einen einigermaßen feindseligen Blick zuwarf, mit dem er vermutlich alle Fremden zu empfangen pflegte, also alle, die weiter als zwei Straßen von seinem Etablissement entfernt wohnten.

»Ich muss telefonieren«, sagte ich.

»Das Telefon ist nur für Gäste.«

»Geben Sie mir einen Kognak. Und das Telefon.«

Er nahm ein Glas und deutete auf einen Gang im Hintergrund, der sich unter dem Schild *Pissoir* auftat. Dort fand ich die Andeutung einer Telefonzelle, direkt gegenüber den WCs inmitten von Ammoniakgestank und Schankraumgetöse. Ich nahm den Hörer ab und wartete auf die Verbindung. Wenig später meldete sich eine Telefonistin der Fernsprechgesellschaft.

»Ich möchte mit dem Anwaltsbüro Valera sprechen, Avenida Diagonal 442.«

Nach zwei Minuten hatte sie die Nummer gefunden und verband mich. Ich wartete mit dem Hörer in der einen Hand, während ich mir mit der anderen das linke Ohr zuhielt, bis endlich die Verbindung bestätigt wurde und kurz danach die Stimme von Anwalt Valeras Sekretärin zu hören war.

»Tut mir leid, aber Señor Valera ist im Augenblick nicht zu erreichen.«

»Es ist wichtig. Sagen Sie ihm, mein Name ist Martín, David Martín. Es geht um Leben oder Tod.«

»Ich weiß schon, wer Sie sind, Señor Martín. Es tut mir leid, aber ich kann Sie nicht mit Señor Valera verbinden, weil er nicht da ist. Es ist sehr spät, und er ist schon vor einer Weile gegangen.«

»Dann geben Sie mir die Adresse seiner Wohnung.«

»Diese Information darf ich Ihnen nicht geben, Señor Martín. Ich bedaure. Wenn Sie wollen, rufen Sie morgen Vormittag an und …«

Ich hängte auf und wartete wieder auf die Verbindung. Diesmal gab ich der Telefonistin die Nummer, die ich von Ricardo Salvador erhalten hatte. Sein Nachbar versprach, den ehemaligen Polizisten gleich zu holen, und nach einer Minute meldete er sich.

»Martín? Geht es Ihnen gut? Sind Sie in Barcelona?«

»Eben angekommen.«

»Sie müssen sehr vorsichtig sein. Die Polizei sucht Sie. Sie sind auch zu mir gekommen und haben mich über Sie und Alicia Marlasca ausgefragt.«

»Víctor Grandes?«

»Ich glaube ja. Er wurde von zwei Schränken begleitet, die mir gar nicht gefallen haben. Ich habe den Eindruck, er will Ihnen sowohl den Tod von Roures als auch den der Witwe Marlasca anhängen. Seien Sie besser sehr vorsichtig – Sie werden mit Sicherheit überwacht. Wenn Sie wollen, können Sie hierherkommen.«

»Danke, Señor Salvador, ich werde es mir überlegen. Ich möchte Ihnen nicht noch mehr Schwierigkeiten bereiten.«

»Was Sie auch tun, passen Sie auf. Ich glaube, Sie hatten recht – Jaco ist zurückgekommen. Ich weiß auch nicht, warum, aber er ist wieder da. Haben Sie irgendeinen Plan?«

»Ich werde als Erstes versuchen, Anwalt Valera zu finden. Ich glaube, hinter alldem steht der Verleger, für den Marlasca gearbeitet hat, und ich glaube auch, dass Valera als Einziger die Wahrheit kennt.«

»Soll ich Sie begleiten?«, fragte Salvador nach einer Pause.

»Das wird nicht nötig sein. Ich rufe Sie an, sobald ich mit Valera gesprochen habe.«

»Wie Sie wollen. Sind Sie bewaffnet?«

»Ja.«

»Freut mich zu hören.«

»Señor Salvador … Roures hat mir von einer Frau im Somorrostro-Viertel erzählt, bei der sich Marlasca Rat geholt hat. Jemand, den er durch Irene Sabino kennengelernt hatte.«

»Die Hexe von Somorrostro.«

»Was wissen Sie von ihr?«

»Da gibt es nicht viel zu wissen. Ich glaube, es gibt sie nicht einmal, so wenig wie diesen Verleger. Auf wen Sie aufpassen müssen, das sind Jaco und die Polizei.«

»Ich werde es mir merken.«

»Rufen Sie mich an, sobald Sie etwas wissen, ja?«

»Das werde ich. Danke.«

Ich hängte auf und warf einige Münzen auf die Theke für die Anrufe und das Glas Kognak, das noch unberührt dort stand.

Zwanzig Minuten später stand ich vor dem Haus Nummer 442 in der Avenida Diagonal und schaute zu den beleuchteten Fenstern der Kanzlei Valera hinauf. Die Portiersloge war geschlossen, aber ich hämmerte an die Tür, bis der Pförtner auftauchte und mit nicht sehr freundlichem Gesicht zu mir kam. Sowie er die Tür ein wenig öffnete, um mich mit bösen Worten abzufertigen, stieß ich sie auf und ging ungeachtet seines Protests direkt zum Aufzug. Er wollte mich am Arm festhalten, aber ich warf ihm einen so giftigen Blick zu, dass er davon absah.

Als Valeras Sekretärin die Tür öffnete, wurde aus dem Erstaunen auf ihrem Gesicht rasch Angst, die noch größer wurde, als ich den Fuß in die Tür stellte, damit sie sie mir nicht vor der Nase zuschlug, und ungebeten eintrat.

»Benachrichtigen Sie den Anwalt. Sofort.«

Erblasst schaute sie mich an.

»Señor Valera ist nicht da ...«

Ich packte sie am Arm und stieß sie ins Büro des Anwalts. Das Licht brannte, aber Valera war nicht zu sehen. Die Sekretärin schluchzte verängstigt, und ich merkte, dass ich ihr die Finger in den Arm bohrte. Ich ließ sie los, und sie wich zitternd einige Schritte zurück. Ich seufzte und versuchte sie mit einer Handbewegung zu beruhigen, die aber nur die Pistole in meinem Hosenbund zum Vorschein brachte.

»Bitte, Señor Martín ... Ich schwöre Ihnen, dass Señor Valera nicht da ist.«

»Ich glaube Ihnen ja. Beruhigen Sie sich doch. Ich will nur mit ihm sprechen, nichts weiter.«

Sie nickte, und ich lächelte ihr zu.

»Seien Sie so nett und rufen Sie ihn bei sich zuhause an.«

Die Sekretärin hob den Hörer ab und flüsterte der Telefonistin die Nummer des Anwalts zu. Als die Verbindung hergestellt war, reichte sie mir den Hörer.

»Guten Abend«, sagte ich.

»Martín, was für eine unangenehme Überraschung«, sagte Valera am anderen Ende der Leitung. »Darf ich fragen, was Sie zu dieser Abendstunde in meinem Büro machen, außer meine Angestellten zu terrorisieren?«

»Es tut mir leid, dass ich störe, Anwalt, aber ich muss dringend Ihren Klienten Andreas Corelli finden, und Sie sind der Einzige, der mir dabei helfen kann.«

Langes Schweigen.

»Ich fürchte, Sie irren sich, Martín. Ich kann Ihnen nicht helfen.«

»Ich hatte gehofft, wir könnten das in aller Freundschaft regeln, Señor Valera.«

»Sie verstehen mich nicht, Martín. Ich kenne Señor Corelli nicht.«

»Wie bitte?«

»Ich habe ihn nie gesehen und nie mit ihm gesprochen, und noch viel weniger weiß ich, wo er zu finden ist.«

»Ich darf Sie daran erinnern, dass er Sie angeheuert hat, um mich aus dem Präsidium herauszuholen.«

»Wir haben vor einigen Wochen einen Brief und einen Scheck von ihm erhalten mit dem Hinweis, Sie seien ein Geschäftspartner von ihm, dem Inspektor Grandes zusetze, und wir sollten nötigenfalls Ihre Verteidigung übernehmen. Dem Brief lag ein Umschlag bei, den wir Ihnen persönlich zu übergeben hätten. Ich habe nur den Scheck eingelöst und meine Kontaktleute im Präsidium gebeten, mich zu benachrichtigen, falls Sie dorthin gebracht würden. So geschah es, und wie Sie sich bestimmt erinnern, habe ich meinen Teil des Abkommens erfüllt und Sie aus dem Präsidium herausgeholt, indem ich Grandes eine Menge Unannehmlichkeiten angedroht habe. Ich glaube, Sie können sich über uns nicht beklagen.«

Diesmal war ich es, der schwieg.

»Wenn Sie mir nicht glauben, dann bitten Sie Señorita Margarita, Ihnen den Brief zu zeigen«, fügte er hinzu.

»Und was ist mit Ihrem Vater?«, fragte ich.

»Mit meinem Vater?«

»Ihr Vater und Marlasca hatten Umgang mit Corelli. Er muss etwas gewusst haben …«

»Ich versichere Ihnen, dass mein Vater nie in direktem Kontakt zu diesem Señor Corelli stand. Die Korrespondenz mit ihm, wenn es sie denn gab, denn in den Archiven der Kanzlei ist davon nichts zu finden, hat ausschließlich der verstorbene Señor Marlasca persönlich geführt. Tatsächlich, da Sie schon danach fragen, kann ich Ihnen sagen, dass mein Vater an der Existenz dieses Señor Corelli zweifelte, vor allem in Señor Marlascas letzten Monaten, als er mit dieser Frau – wie soll ich sagen – zu verkehren begann.«

»Mit welcher Frau?«

»Mit diesem Revuegirl.«

»Irene Sabino?«

Ich hörte ihn gereizt aufseufzen.

»Vor seinem Tod hinterließ Señor Marlasca der Kanzlei einen Fonds, den sie treuhänderisch verwalten sollte und von dem eine Reihe Zahlungen auf das Konto eines gewissen Juan Corbera und einer María Antonia Sanahuja vorgenommen werden sollten.«

Jaco und Irene Sabino, dachte ich.

»Um welchen Betrag handelte es sich bei diesem Fonds?«

»Es war eine Einlage in Fremdwährung. Ich glaube

mich zu erinnern, dass sie sich auf ungefähr hunderttausend Francs belief.«

»Hat Marlasca je erwähnt, woher er dieses Geld hatte?«

»Wir sind eine Anwaltskanzlei, kein Detektivbüro. Die Kanzlei hat sich darauf beschränkt, Señor Marlascas Anweisungen zu befolgen, und diese nicht in Frage gestellt.«

»Hat er weitere Anweisungen hinterlassen?«

»Nichts Besonderes. Einmalige Zahlungen an Drittpersonen, die nichts mit der Kanzlei oder seiner Familie zu tun hatten.«

»Erinnern Sie sich an eine davon?«

»Mein Vater hat sich persönlich um diese Angelegenheiten gekümmert, damit die Kanzleiangestellten keinen Zugang zu, sagen wir, heiklen Informationen hätten.«

»Und fand es Ihr Vater nicht merkwürdig, dass sein ehemaliger Partner dieses Geld Unbekannten zukommen lassen wollte?«

»Natürlich fand er es merkwürdig. Er fand vieles merkwürdig.«

»Können Sie sich erinnern, wohin dieses Geld überwiesen werden sollte?«

»Wie soll ich mich daran erinnern können? Das ist mindestens fünfundzwanzig Jahre her.«

»Strengen Sie sich an«, sagte ich. »Señorita Margarita wird es Ihnen danken.«

Die Sekretärin warf mir einen verschreckten Blick zu, den ich mit einem Zwinkern beantwortete.

»Kommen Sie mir nicht auf die Idee, ihr auch nur ein Haar zu krümmen«, drohte Valera.

»Bringen Sie mich nicht auf dumme Gedanken«, unterbrach ich ihn. »Wie steht's mit der Erinnerung? Kehrt sie langsam zurück?«

»Ich kann in den privaten Notizbüchern meines Vaters nachschauen. Das ist alles.«

»Und wo sind die?«

»Hier, bei seinen Papieren. Das wird aber einige Stunden dauern …«

Ich hängte auf und gab Valeras Sekretärin, die zu weinen begonnen hatte, ein Taschentuch und tätschelte ihr die Schulter.

»Kommen Sie, meine Gute, stellen Sie sich nicht so an, ich bin ja gleich weg. Glauben Sie mir jetzt, dass ich nur mit ihm sprechen wollte?«

Sie nickte ängstlich, ohne die Augen von der Pistole abzuwenden. Lächelnd knöpfte ich den Mantel zu.

»Eine Sache noch.«

Das Schlimmste befürchtend, sah sie mich an.

»Schreiben Sie mir seine Adresse auf. Und versuchen Sie nicht, mich zu leimen – wenn Sie lügen, komme ich zurück, und ich versichere Ihnen, dann werde ich die natürliche Freundlichkeit, die mich auszeichnet, beim Pförtner abgeben.«

Bevor ich ging, bat ich sie, mir das Telefonkabel zu zeigen, und kappte es, damit sie nicht in Versuchung geriet, Valera von meinem beabsichtigten Besuch in Kenntnis zu setzen oder unser kleines Missverständnis der Polizei zu melden.

14

Anwalt Valera wohnte an der Kreuzung von Calle Gi-
rona und Calle Ausiàs March in einem riesigen Eckhaus,
das aussah wie ein normannisches Schloss. Vermutlich
hatte er dieses Monstrum ebenso von seinem Vater geerbt wie die Kanzlei, und in jedem einzelnen Stein steckten das Blut und der Atem ganzer Generationen von
Barcelonesen, die nie davon zu träumen gewagt hätten,
den Fuß in einen solchen Palast zu setzen. Dem Pförtner
sagte ich, Señorita Margarita schicke mich mit einigen
Papieren aus der Kanzlei, worauf er mich nach einem
Moment des Zögerns hereinließ. Unter seinem auf-
merksamen Blick stieg ich langsam die breite Treppe
hinauf. Der Absatz im ersten Stock war geräumiger als
die meisten Wohnungen, die ich aus meiner Kindheit im
nur wenige Meter von hier entfernten alten Ribera-Viertel in Erinnerung hatte. Der Türklopfer war eine Bron-
zefaust. Als ich ihn ergriff, merkte ich, dass die Tür nur
angelehnt war. Ich drückte sie sanft auf und schaute hinein. Die Vorhalle mündete in einen langen, gut drei Meter breiten Korridor mit samtverkleideten Wänden. Ich
schloss die Tür hinter mir und spähte ins warme Halbdunkel am Ende des Korridors. Leise Klaviermusik
schwebte in der Luft, ein elegant-melancholisches Weh-
klagen – Granados.

»Señor Valera?«, rief ich. »Ich bin's, Martín.«

Da ich keine Antwort bekam, wagte ich mich, der
traurigen Musik folgend, zwischen Bildern und Mauer-
nischen mit Muttergottes- und Heiligenstatuetten lang-

sam durch den Gang vor. Durch mehrere von Vorhängen umrahmte Bögen gelangte ich ans Ende des Korridors, wo sich ein großer, schwachbeleuchteter Salon auftat, dessen Wände vom Boden bis zur Decke mit Bücherregalen bedeckt waren. Im Hintergrund war eine große halb offene Tür zu sehen und jenseits davon das dunkelorange Flackern eines Kaminfeuers.

»Valera?«, rief ich erneut, diesmal etwas lauter.

Im Schein des Feuers zeichnete sich vor dieser Tür eine Silhouette ab. Zwei glänzende Augen musterten mich misstrauisch. Ein Hund, der aussah wie ein deutscher Schäferhund, aber ein weißes Fell hatte, kam langsam auf mich zu. Ich hielt inne, knöpfte behutsam den Mantel auf und tastete nach der Pistole. Der Hund blieb vor mir stehen und schaute mich an, dann entfuhr ihm ein klagendes Winseln. Ich streichelte ihm den Kopf, und er leckte mir die Finger. Schließlich machte er kehrt und ging auf die Tür zu, hinter der das Feuer flackerte. Auf der Schwelle blieb er stehen und schaute mich wieder an. Ich folgte ihm.

Die Tür führte in eine große, vom Kamin dominierte Bibliothek. Das Feuer war die einzige Lichtquelle, und über Wände und Decke tanzten Schatten. In der Mitte stand ein Tisch mit dem Grammophon, aus dem die Klaviermusik kam. Vor dem Feuer, mit der Rückenlehne zur Tür, befand sich ein großer Ledersessel. Der Hund trottete dorthin und schaute zu mir zurück. Als ich näher trat, sah ich auf der Lehne eine Hand mit Zigarette, von der langsam ein blauer Rauchfaden aufstieg.

»Valera? Ich bin's, Martín. Die Tür stand offen ...«

Der Hund legte sich vor den Sessel, ohne die Augen von mir abzuwenden. Langsam ging ich um ihn herum. Anwalt Valera saß in einem Dreiteiler mit offenen Augen und einem angedeuteten Lächeln auf den Lippen vor dem Feuer. Er hielt ein ledergebundenes Heft auf dem Schoß. Ich stellte mich vor ihn und schaute ihm in die Augen. Er zuckte nicht mit der Wimper. Da bemerkte ich den roten Blutstropfen, der ihm langsam über die Wange rann. Ich kniete mich vor ihm hin und nahm das Heft. Der Hund warf mir einen trostlosen Blick zu. Ich streichelte ihm den Kopf.

»Tut mir leid«, flüsterte ich.

Das Heft schien eine Art Notizbuch zu sein, dessen Einträge aus datierten Abschnitten bestanden, die durch eine kurze Linie getrennt waren. Valera hatte es in der Mitte aufgeschlagen. Der erste Eintrag der betreffenden Seite stammte vom 23. November 1904.

Bank-Avis (356-a/23-11-04), 7500 Peseten, a conto Fonds D. M. Überbringung durch Marcel (persönlich) an die von D. M. angegebene Adresse. Passage hinter altem Friedhof, Bildhauerwerkstatt Sanabre und Söhne.

Ich las den Eintrag mehrmals und versuchte, ihm einen Sinn abzugewinnen. Die erwähnte Passage kannte ich aus meiner Zeit bei der *Stimme der Industrie*. Es handelte sich um ein elendes, hinter den Friedhofsmauern vergrabenes Gässchen in Pueblo Nuevo, in dem sich Werkstätten für Grabsteine und Friedhofsskulpturen aneinanderreihten und das an einem der Flussläufe endete, die den Strand von Bogatell und die sich bis zum Meer erstreckende Hüttensiedlung von Somorrostro durchkreuzten. Aus irgendeinem Grund hatte Marlasca die Anweisung hinterlassen, einer dieser Werkstätten eine beträchtliche Summe zu zahlen.

Auf der Seite dieses Tages gab es einen zweiten Eintrag zu Marlasca, nämlich den Beginn der Zahlungen an Jaco und Irene Sabino.

Banküberweisung aus Fonds D. M. auf Konto Bank Hispano Colonial (Filiale Calle Fernando), Nr. 008965-2564-1. Juan Corbera, María Sanahuja. Erste Monatsrate von 7000 Peseten. Zahlungsplan festlegen.

Ich blätterte weiter. Die meisten Einträge betrafen kleinere Ausgaben und Transaktionen im Zusammenhang mit der Kanzlei. Ich musste mehrere Seiten mit kryptischen Erinnerungshilfen durchsehen, um einen neuen Eintrag zu Marlasca zu finden. Wieder ging es um eine durch diesen Marcel, wahrscheinlich einen der Kanzleireferendare, vorgenommene Barzahlung.

Bank-Avis (379-a/29-12-04), 15000 Peseten a conto Fonds D. M. Überbringung durch Marcel. Strand von Bogatell, bei Bahnübergang, 9 Uhr. Kontaktperson wird sich ausweisen.

Die Hexe von Somorrostro, dachte ich. Nach seinem Tod hatte Diego Marlasca durch seinen Partner bedeutende Summen verteilen lassen. Das widersprach Salvadors Verdacht, Jaco sei mit dem Geld geflohen. Marlasca hatte persönlich Zahlungen angeordnet und das Geld in dem von der Anwaltskanzlei betreuten Fonds angelegt. Die anderen beiden Zahlungen legten die Vermutung nahe, dass Marlasca kurz vor seinem Tod mit einem Grabsteinbildhauer und irgendeiner undurchsichtigen Figur aus dem Somorrostro-Viertel Umgang gehabt hatte, einen Umgang, der seinen Niederschlag in der Überweisung einer großen Summe gefunden hatte. Verwirrter denn je klappte ich das Heft zu.

Als ich wieder gehen wollte und mich umdrehte, sah ich, dass an einer der Wände der Bibliothek auf dem granatroten Samt lauter gerahmte Fotografien hingen. Ich trat näher heran und erkannte das mürrische, ehrfurchtgebietende Gesicht des Patriarchen Valera, dessen Ölbild noch immer das Büro seines Sohnes dominierte. Auf den meisten Bildern sah man den Anwalt mit einer Reihe herausragender Männer und Patrizier der Stadt bei offenbar verschiedenen gesellschaftlichen Veranstaltungen. Man brauchte nur ein Dutzend dieser Porträts anzuschauen und einige von denen, die lächelnd zusammen mit dem alten Anwalt posierten, zu identifizieren, um festzustellen, dass die Kanzlei Valera, Marlasca und Sentís ein wichtiges Rad im Getriebe der Stadt Barcelona war. Valeras Sohn erschien ebenfalls auf einigen Bildern, viel jünger, aber zweifelsfrei zu erkennen, immer im Hintergrund, immer im Schatten des Vaters.

Ich spürte es, bevor ich es sah. Auf dem Bild waren Vater und Sohn Valera zu sehen. Es war vor dem Haus der Kanzlei aufgenommen worden. Neben ihnen stand ein großer, distinguierter Herr. Sein Gesicht tauchte auch auf vielen anderen Fotografien der Sammlung auf, immer an der Seite von Valera. Diego Marlasca. Ich konzentrierte mich auf diesen trüben Blick, das schmale, gelassene Gesicht, das mich aus dieser fünfundzwanzig Jahre alten Momentaufnahme betrachtete. Er war nicht um einen Tag gealtert. Als mir meine Naivität klar wurde, musste ich bitter lächeln. Dieses Gesicht war nicht das auf der Fotografie, die mir mein Freund, der alte Expolizist, gegeben hatte.

Der Mann, den ich als Ricardo Salvador kannte, war niemand anders als Diego Marlasca.

15

Das Treppenhaus lag im Dunkeln, als ich den Palast der Familie Valera verließ. Ich tastete mich durch die Eingangshalle, und als ich die Tür öffnete, warfen die Straßenlaternen ein Viereck blauen Lichts herein, an dessen Ende mir der Blick des Pförtners begegnete. Leichten Schrittes entfernte ich mich in Richtung Calle Trafalgar, wo die Nachtstraßenbahn zum Friedhof von Pueblo Nuevo abfuhr, dieselbe, in der ich meinen Vater so oft zu seiner Schicht bei der *Stimme der Industrie* begleitet hatte.

Sie war so gut wie leer, und ich setzte mich nach vorne. Je näher wir dem Pueblo Nuevo kamen, desto dichter wurde das Geflecht aus dunklen, von großen Pfützen übersäten Straßen. Sie waren kaum beleuchtet, und die Scheinwerfer der Straßenbahn ließen die Konturen Stück für Stück hervortreten wie eine Fackel in einem Tunnel. Schließlich erblickte ich das Friedhofstor, und vor einem endlosen, den Himmel rot und schwarz sprenkelnden Horizont von Fabriken und Schloten zeichneten sich Kreuze und Statuen ab. Ein Rudel ausgehungerter Hunde streunte vor den beiden großen Engeln herum, die das Friedhofsgelände bewachten. Einen Augenblick starrten sie reglos in die Lichter der Straßenbahn, die Augen entzündet wie die von Schakalen, dann verloren sie sich in den Schatten.

Ich sprang von der noch fahrenden Bahn ab, worauf sie sich wie ein Schiff im Nebel immer schneller entfernte, und ging die Friedhofsmauern entlang. Ich konnte die Hunde hören und riechen, die mir in der Dunkelheit nachliefen. Hinter dem Friedhof blieb ich an der Ecke der Gasse stehen und warf einen Stein nach den Tieren. Mit gellendem Gewinsel verschwanden sie in der Nacht. Die Gasse war nur ein schmaler Durchgang zwischen der Mauer und der endlosen Reihe von Steinmetzbetrieben. In etwa dreißig Meter Entfernung schaukelte im ockerfarbenen staubigen Licht einer Laterne das Schild von Sanabre und Söhne. Ich ging zur Tür, die aus einem mit Ketten und einem rostigen Vorhängeschloss gesicherten Gitter bestand. Ich schoss das Schloss mit der Pistole auf.

Vom anderen Ende der Gasse trug der Wind den Salpetergeruch des Meeres herbei, das sich kaum hundert Meter von hier brach, und verwehte das Echo des Schusses. Ich stieß das Gitter auf, teilte den dunklen Stoffvorhang, der das Innere verbarg, sodass das Laternenlicht durch den Eingang hereinfallen konnte, und trat in die Werkstatt von Sanabre und Söhne. Die tiefe, schmale Halle war voll mit im Dunkeln wie eingefroren wirkenden Skulpturen, deren Gesichter zum Teil erst halb behauen waren. Ich ging einige Schritte weiter, inmitten von Marienstatuen und Madonnen mit kleinen Knaben auf dem Arm, weißen Damen mit Marmorrosen in der Hand und zum Himmel erhobenem Blick sowie Steinblöcken, in denen sich Blicke abzuzeichnen begannen. Man konnte den Steinstaub riechen. Außer diesen Bildnissen war niemand da. Als ich eben wieder gehen wollte, sah ich sie ganz hinten im Atelier. Eine Hand ragte aus dem Profil eines Altaraufsatzes mit einer Figurengruppe. Langsam ging ich näher heran, und Zentimeter um Zentimeter trat die Silhouette hervor. Ich blieb davor stehen und betrachtete diesen großen Engel des Lichts – es war der gleiche wie der, den der Patron am Revers getragen und den ich im Arbeitszimmer auf dem Truhenboden gefunden hatte. Die Figur war gut und gern zweieinhalb Meter hoch, und ich erkannte ihre Gesichtszüge und vor allem das Lächeln. Zu ihren Füßen stand ein Grabstein, auf dem eingraviert war:

David Martín
1900 – 1930

Ich lächelte. Mein Freund Diego Marlasca hatte unbestreitbar Sinn für Humor und Freude an Überraschungen. Ich dachte, es war kaum verwunderlich, dass er in seinem Eifer den Ereignissen vorgegriffen und mir ein so anrührendes Denkmal gesetzt hatte. Ich kniete vor dem Grabstein nieder und strich mit den Fingern über meinen Namen. Hinter mir vernahm ich leichte, gemessene Schritte. Ich wandte mich um und erblickte ein vertrautes Gesicht. Der Junge trug denselben schwarzen Anzug wie vor einigen Wochen, als er mir auf dem Paseo del Born gefolgt war.

»Die Señora wird Sie jetzt empfangen«, sagte er.

Ich nickte und stand auf. Der Junge reichte mir seine Hand, und ich ergriff sie.

»Sie brauchen keine Angst zu haben«, sagte er, während er mich zum Ausgang führte.

»Habe ich auch nicht«, murmelte ich.

Er brachte mich ans Ende der Gasse. Dort konnte man den Strand erahnen, verborgen hinter einer Reihe heruntergekommener Lagerhäuser und einem auf einem Abstellgleis verlassenen, unkrautüberwucherten Güterzug. Die Wagen waren verrostet, die Lok nur noch ein Skelett aus Heizkessel und Gestänge, das auf seine Verschrottung wartete.

Am Himmel guckte der Mond durch die Risse in einer bleiernen Wolkendecke. Auf dem Meer konnte man zwischen den Wellen einige Frachtdampfer und vor dem Strand von Bogatell einen Friedhof von Fischerbooten und Küstenschiffen ausmachen, die, von der stürmischen See ausgespuckt, hier gestrandet waren. In der anderen Richtung erstreckte sich die Barackensiedlung des Somorrostro-Viertels wie eine Schlackenschicht im Rücken der Festung industrieller Finsternis. Die Wellen brachen sich wenige Meter vor der vordersten Reihe der Holz- und Schilfhütten. Zwischen den Dächern dieses Elendsviertels, das wie eine endlose menschliche Mülldeponie die Stadt vom Meer trennte, zogen weiße Rauchwolken dahin. Der Gestank nach verbranntem Abfall lag in der Luft. Wir drangen in die Straßen dieser vergessenen Stadt ein, Durchgänge zwischen Häusern aus gestohlenen Backsteinen, aus Lehm und angespülten Balken. Ungeachtet der misstrauischen Blicke der Anwohner führte mich der Junge immer tiefer hinein. Tagelöhner ohne Tagelohn, Zigeuner, die aus ähnlichen Siedlungen an den Hängen des Montjuïc oder vor den Massengräbern des Friedhofs von Can Tunis vertrieben worden waren, Kinder und Greise, für die es keine Hoffnung mehr gab. Alle beobachteten mich argwöhnisch. Wir kamen an Frauen unbestimmbaren Alters vorbei, die vor den Baracken in Blechgefäßen Wasser oder Essen über dem Feuer wärmten. Wir blieben bei einem weißlichen Haus stehen, vor dessen Tür ein Mädchen mit Greisinnengesicht und einem durch Polio gelähmten Bein einen Eimer schleppte, in dem sich etwas Gräulich-Schleimiges bewegte. Aale. Der Junge zeigte auf die Tür.

»Hier ist es.«

Ich warf einen letzten Blick auf den Himmel. Der Mond verbarg sich wieder zwischen den Wolken, und vom Meer her näherte sich ein Schleier von Dunkelheit.

Ich trat ein.

16

Ihr Gesicht war von Erinnerungen gezeichnet, und ihre Augen konnten ebenso gut zehn wie hundert Jahre alt sein. Sie saß an einem kleinen Feuer und betrachtete den Tanz der Flammen fasziniert wie ein Kind. Ihr aschgraues Haar war zu einem Zopf geflochten, ihr Körper schlank und asketisch, ihre Bewegungen waren knapp und gemessen. Sie war in Weiß gekleidet und hatte ein Seidentuch um den Hals geknüpft. Sie lächelte mir warm zu und bot mir einen Stuhl neben sich an. Ich setzte mich. Zwei Minuten lang schwiegen wir und lauschten dem Knistern der Glut und dem Meeresrauschen. In ihrer Gegenwart schien die Zeit stillzustehen, und seltsamerweise war der Albdruck, der mich hergeführt hatte, verflogen. Langsam wurde der Hauch des Feuers spürbar, und an ihrer Seite schmolz die Kälte in meinen Knochen. Erst jetzt wandte sie die Augen von den Flammen. Sie ergriff meine Hand und begann zu sprechen.

»Meine Mutter hat fünfundvierzig Jahre lang in diesem Haus gelebt. Damals war es noch kein Haus, bloß eine Hütte aus Schilf und Strandgut. Selbst nachdem sie sich einen Namen gemacht hatte und von hier hätte weggehen können, weigerte sie sich, es zu tun. Sie sagte immer, an dem Tag, an dem sie das Somorrostro verließe, würde sie sterben. Sie war hier geboren, unter den Menschen des Strandes, und hier blieb sie bis ans Ende ihrer Tage. Es wurde viel über sie erzählt. Viele redeten über sie, und sehr wenige kannten sie wirklich. Viele fürchteten und hassten sie. Auch noch nach ihrem Tod. Ich erzähle Ihnen das alles, weil Sie wissen sollen, dass ich nicht die bin, die Sie suchen. Die Person, die Sie suchen – oder zu suchen meinen –, die viele die Hexe von Somorrostro nannten, war meine Mutter.«

Verwirrt schaute ich sie an.

»Wann …?«

»Meine Mutter ist 1905 gestorben«, sagte sie. »Sie wurde wenige Meter von hier umgebracht, am Strand, durch einen Messerstich in den Hals.«

»Das tut mir leid. Ich habe geglaubt …«

»Das glauben viele Leute. Der Wunsch zu glauben kann sogar stärker sein als der Tod.«

»Wer hat sie umgebracht?«

»Sie wissen, wer.«

Ich antwortete erst nach einem Augenblick.

»Diego Marlasca …«

Sie nickte.

»Warum?«

»Um sie zum Schweigen zu bringen. Um seine Spur zu verwischen.«

»Das verstehe ich nicht. Ihre Mutter hatte ihm doch geholfen … Er selber gab ihr für ihre Hilfe eine große Summe.«

»Ebendarum wollte er sie umbringen, damit sie sein Geheimnis mit ins Grab nähme.«

Sie sah mich leicht lächelnd an, als ob meine Verwirrung sie zugleich amüsiere und ihr Mitleid einflöße.

»Meine Mutter war eine ganz gewöhnliche Frau, Señor Martín. Sie war im Elend aufgewachsen, und ihre einzige Kraft war der Wille zu überleben. Sie hatte nie lesen oder schreiben gelernt, aber sie konnte in die Menschen hineinsehen. Sie fühlte, was sie fühlten, was sie verbargen und sich ersehnten. Sie las es in ihrem Blick, ihren Mienen, ihrer Stimme, ihrem Gang oder ihren Gesten. Sie wusste im Voraus, was andere tun und lassen würden. Aus diesem Grund wurde sie von vielen als Hexe bezeichnet – weil sie in ihnen sehen konnte, was sie selbst nicht sehen wollten. Sie verdiente sich den Lebensunterhalt mit dem Verkauf von Liebes- und Zaubertränken, die sie aus dem Wasser des Bachs, aus Kräutern und einigen Zuckerkörnern herstellte. Sie half verlorenen Seelen, an das zu glauben, woran sie glauben wollten. Als ihr Name immer bekannter wurde, begannen viele vornehme Leute sie aufzusuchen und um ihre Hilfe zu bitten. Die Reichen wollten noch reicher, die Mächtigen noch mächtiger werden. Die Engherzigen wollten sich als Heilige fühlen und die Heiligen für Sünden bestraft werden, die zu begehen sie zu ihrem Leidwesen nicht den Mut gehabt hatten. Meine Mutter hörte alle an und nahm ihre Münzen entgegen. Mit diesem Geld schickte sie mich und meine Geschwister auf die Schulen, die die Kinder ihrer Klienten besuchten. Sie erkaufte uns einen anderen Namen und ein anderes Leben weit weg von diesem Ort. Sie war ein guter Mensch, Señor Martín, lassen Sie sich nicht täuschen. Sie hat nie jemanden ausgenutzt, nie jemandem etwas anderes eingeredet, als was zu glauben für ihn unerlässlich war. Das Leben hatte sie gelehrt, dass wir Menschen nicht nur Luft zum Atmen, sondern ebenso sehr große und kleine

Lügen brauchen. Sie sagte immer, wenn wir in der Lage wären, einen einzigen Tag lang vom Morgengrauen bis zur Dunkelheit die Welt und uns selbst völlig ungeschminkt zu sehen, würden wir uns das Leben nehmen oder den Verstand verlieren.«

»Aber ...«

»Wenn Sie gekommen sind, um Magie zu finden, dann muss ich Sie leider enttäuschen. Meine Mutter hat mir erklärt, dass es keine Zauberei gibt, dass es auf der Welt nicht mehr Böses oder Gutes gibt, als wir uns vorstellen, ob aus Habsucht oder Naivität. Oder in irgendeinem Wahn.«

»Das war aber nicht das, was sie Diego Marlasca erzählt hat, als sie sein Geld annahm«, warf ich ein. »Mit siebentausend Peseten konnte man sich damals bestimmt für einige Jahre einen guten Namen und gute Schulen kaufen.«

»Für Diego Marlasca war es wichtig zu glauben. Meine Mutter half ihm dabei. Das war alles.«

»Woran zu glauben?«

»An seine eigene Rettung. Er war überzeugt, sich selbst verraten zu haben und die, die ihn liebten. Er glaubte, sich einem Weg verschrieben zu haben, der schlecht und falsch war. Meine Mutter dachte, das habe er mit den meisten Menschen gemein, die irgendwann in ihrem Leben innehalten, um in den Spiegel zu sehen. Es sind immer die miesesten Schurken, die sich tugendhaft vorkommen und auf den Rest der Welt herabsehen. Aber Diego Marlasca war ein anständiger Mann, der nicht zufrieden war mit dem, was er sah. Daher kam er zu meiner Mutter. Weil er die Hoffnung und wahrscheinlich auch den Verstand verloren hatte.«

»Hat Marlasca gesagt, was er getan hatte?«

»Er sagte, er habe seine Seele einem Schatten ausgeliefert.«

»Einem Schatten?«

»Das waren seine Worte. Einem Schatten, der ihm folgte, der seine Gestalt hatte, sein Gesicht und sogar seine Stimme.«

»Was sollte das bedeuten?«

»Schuld und Gewissensbisse bedeuten nichts. Dabei geht es nur um Gefühle, Emotionen, nicht um Ideen.«

Ich dachte, treffender hätte das auch der Patron nicht ausdrücken können.

»Und was konnte Ihre Mutter für ihn tun?«, fragte ich.

»Nichts weiter, als ihn zu trösten und ihm zu helfen, ein wenig Frieden zu finden. Diego Marlasca glaubte an die Magie, und daher dachte meine Mutter, sie müsse ihn davon überzeugen, der Weg zu seiner Rettung führe über sie. Sie erzählte ihm von einem alten Zauber, einer Fischerlegende, die sie als kleines Mädchen zwischen den Hütten am Strand aufgeschnappt hatte: Wenn ein Mensch im Leben von seinem Weg abkomme und spüre, dass der Tod einen Preis auf seine Seele ausgesetzt habe, so müsse er eine reine Seele finden, die sich für ihn opfere – damit könne er sein schwarzes Herz tarnen, und der Tod würde vorüberziehen, ohne ihn zu sehen.«

»Eine reine Seele?«

»Frei von Sünde.«

»Und wie wurde das ausgeführt?«

»Nicht ohne Schmerzen vermutlich.«

»Was für eine Art Schmerzen?«

»Ein Blutopfer. Eine Seele für eine andere. Tod für Leben.«

Ein langes Schweigen folgte. Meeresrauschen war zu hören und zwischen den Hütten der Wind.

»Irene hätte sich Herz und Augen aus dem Leib gerissen für Marlasca. Er war für sie der einzige Grund zu leben. Sie liebte ihn blind und glaubte wie er, seine einzige Rettung liege in der Magie. Anfänglich wollte sie sich das Leben nehmen, sich für ihn opfern, aber meine Mutter redete es ihr aus. Sie sagte ihr, was sie bereits wusste, nämlich dass ihre Seele nicht frei von Sünde sei, das Opfer also umsonst wäre. Das sagte sie ihr, um sie zu retten. Um beide zu retten.«

»Vor wem?«

»Vor sich selbst.«

»Aber sie machte einen Fehler ...«

»Auch meine Mutter konnte nicht alles sehen.«

»Und was tat Marlasca dann?«

»Das wollte mir meine Mutter nie sagen, ich und meine Geschwister sollten nichts mit dieser Geschichte zu tun haben. Sie schickte uns alle weit weg und verteilte uns auf verschiedene Internate, damit wir vergäßen, woher wir kamen und wer wir waren. Sie sagte, jetzt seien *wir* die Verdammten. Kurz darauf ist sie gestorben, ganz allein. Das erfuhren wir erst lange danach. Als man ihre Leiche fand, wagte niemand, sie anzurühren, und man ließ das Meer sie forttragen. Niemand wagte, über ihren

Tod zu sprechen. Aber ich wusste, wer sie umgebracht hatte und warum. Und noch heute glaube ich, dass meine Mutter wusste, dass sie bald sterben würde und von wessen Hand. Sie wusste es und unternahm nichts dagegen, denn am Ende glaubte sie es selbst. Sie glaubte es, weil sie nicht ertragen konnte, was sie getan hatte. Sie glaubte, wenn sie ihre Seele hingebe, würde sie unsere retten, die Seele dieses Ortes. Aus diesem Grund mochte sie nicht von hier fliehen, denn die alte Legende besagte, die Seele, die geopfert werde, müsse stets an dem Ort bleiben, wo der Verrat begangen worden sei, eine Binde vor den Augen des Todes, auf ewig gefangen.«

»Und wo ist die Seele, die diejenige von Diego Marlasca gerettet hat?«

Die Frau lächelte.

»Es gibt weder Seelen noch Rettungen, Señor Martín. Das sind alte Märchen und Geschwätz. Das Einzige, was es gibt, sind Asche und Erinnerungen, die werden wohl dort sein, wo Marlasca sein Verbrechen begangen hat, das Verbrechen, das er all diese Jahre verborgen hat, um das Schicksal an der Nase herumzuführen.«

»Das Haus mit dem Turm ... Ich habe fast zehn Jahre dort gelebt, und da ist nichts.«

Sie lächelte wieder, sah mir fest in die Augen und küsste mich auf die Wange. Ihre Lippen waren eisig wie die einer Leiche. Ihr Atem roch nach verwelkten Blumen.

»Vielleicht haben Sie nicht da gesucht, wo Sie hätten suchen müssen«, raunte sie mir ins Ohr. »Vielleicht ist diese gefangene Seele die Ihre.«

Dann löste sie das Tuch um ihren Hals, und eine lange Narbe kam zum Vorschein. Diesmal war das Lächeln ein böses Grinsen, und die Augen leuchteten mit einem grausamen, spöttischen Glanz.

»Bald wird die Sonne aufgehen. Gehen Sie, solange Sie können«, sagte die Hexe von Somorrostro, kehrte mir den Rücken zu und sah wieder ins Feuer.

In der Tür erschien der Junge im schwarzen Anzug und reichte mir die Hand zum Zeichen, dass meine Zeit um sei. Ich stand auf und folgte ihm. Als ich mich umdrehte, sah ich überraschend mein Bild in einem Spiegel an der Wand. Darin sah man die gebeugte, in Lumpen gehüllte Gestalt einer am Feuer sitzenden Greisin. Ihr dunkles, bitteres Lachen begleitete mich hinaus.

17

Als ich zum Haus mit dem Turm kam, wurde es allmählich Tag. Das Schloss der Haustür war defekt. Ich schob sie auf und trat in die Eingangshalle. Der Verriegelungsmechanismus auf der Rückseite der Tür dampfte und verströmte einen intensiven Säuregeruch. Langsam stieg ich die Treppe hinauf, fest überzeugt, dass Marlasca auf dem dunklen Absatz auf mich warten oder mir, wenn ich mich umwandte, von unten zulächeln würde. Oben bemerkte ich, dass auch das Schlüsselloch der Wohnungstür Säurespuren aufwies. Ich steckte den Schlüssel hinein und musste mich mehrere Minuten lang abmühen, um es aufzukriegen – der Mechanismus war zwar beschädigt, aber offensichtlich nicht zu knacken gewesen. Ich zog den leicht verätzten Schlüssel heraus, stieß die Tür auf, die ich offen ließ, und trat in den Korridor, ohne aus dem Mantel zu schlüpfen. Dann zog ich die Pistole aus der Tasche und öffnete die Trommel, um die leeren Hülsen durch neue Kugeln zu ersetzen, so, wie ich es immer bei meinem Vater gesehen hatte, wenn er im Morgengrauen nach Hause kam.

»Salvador?«, rief ich.

Das Echo meiner Stimme hallte in der Wohnung wider. Ich spannte die Pistole. Dann ging ich weiter durch den Korridor bis zum Zimmer an seinem Ende. Die Tür war nur angelehnt.

»Salvador?«, rief ich noch einmal.

Ich richtete die Waffe auf die Tür und versetzte dieser einen Fußtritt. Drinnen war keine Spur von Marlasca zu sehen, nur der Stapel Kisten und das an der Wand aufgehäufte Gerümpel. Wieder drang mir dieser Geruch in die Nase, der durch die Mauern zu sickern schien. Ich trat zum Schrank an der hinteren Wand, öffnete die Türen weit und nahm die alten Kleider von den Bügeln. Der feuchtkalte Luftzug aus dem Loch in der Rückwand strich mir übers Gesicht. Was immer Marlasca in diesem Haus versteckt haben mochte, es befand sich jenseits der Mauer.

Ich steckte die Pistole wieder in die Tasche und zog den Mantel aus. Dann griff ich zwischen die Rückseite des Schranks und die Wand, fasste die Kante und zog ihn mit aller Kraft nach vorn. Mit dem ersten Ruck schaffte ich einige Zentimeter, sodass ich den Schrank fester in den Griff bekam und erneut ziehen konnte. Er bewegte sich fast eine Handbreit. Nun rückte ich ihn weiter ab, bis die Wand dahinter sichtbar wurde und ich genügend Platz hatte, um mich in die entstandene Lücke zu zwängen. Mit der Schulter lehnte ich mich an ihn und schob ihn vollständig an die angrenzende Wand. Einen Augenblick schöpfte ich Atem, dann musterte ich die Mauer. Sie war in einem Ocker gestrichen, das sich von der Farbe der übrigen Wände unterschied. Unter dem Anstrich konnte man ungeglätteten, lehmigen Mörtel erahnen. Als ich dagegen klopfte, wurde schnell klar, dass es sich um keine tragende Wand handelte und dass es auf der anderen Seite irgendetwas geben musste. Ich presste den Kopf an die Wand und horchte. Da vernahm ich ein Geräusch – Schritte, die durch den Korridor näher kamen ... Leise wandte ich mich von der Wand ab und streckte die Hand nach dem Mantel über dem Stuhl aus, um die Pistole an mich zu nehmen. Ein Schatten fiel über die Schwelle. Ich hielt den Atem an. Langsam erschien eine Silhouette im Zimmer.

»Inspektor ...«, murmelte ich.

Víctor Grandes lächelte kühl. Ich stellte mir vor, wie sie, in einem benachbarten Hauseingang verborgen, seit Stunden auf mich gewartet hatten.

»Renovieren Sie, Martín?«

»Ich schaffe Ordnung.«

Der Inspektor betrachtete den Stapel Kleider und Kisten und den verrückten Schrank und nickte bloß.

»Ich habe Marcos und Castelo gebeten, unten zu warten. Ich wollte anklopfen, aber da Sie die Tür offen gelassen haben, war ich so frei. Ich habe mir gesagt: Bestimmt erwartet mich der liebe Martín.«

»Was kann ich für Sie tun, Inspektor?«

»Mich aufs Präsidium begleiten, wenn Sie so freundlich sein wollen.«

»Bin ich festgenommen?«

»Ich fürchte, ja. Machen Sie es mir leicht, oder muss ich Gewalt anwenden?«

»Das müssen Sie nicht«, versicherte ich ihm.

»Da bin ich Ihnen aber dankbar.«

»Darf ich meinen Mantel mitnehmen?«

Einen Moment schaute er mir in die Augen. Dann nahm er den Mantel und half mir hinein. Ich spürte das Gewicht der Pistole am Oberschenkel. Gelassen knöpfte ich den Mantel zu. Bevor wir das Zimmer verließen, warf der Inspektor einen letzten Blick auf die entblößte Wand. Dann bedeutete er mir, auf den Korridor hinauszugehen. Marcos und Castelo waren auf den Treppenabsatz heraufgekommen, wo sie mit triumphierendem Grinsen warteten. Am Ende des Korridors angekommen, blieb ich einen Moment stehen und schaute in die Wohnung zurück, die sich zu einem Schacht von Schatten zusammenzuziehen schien. Ich fragte mich, ob ich sie wohl jemals wiedersehen würde. Castelo zog Handschellen hervor, aber Grandes schüttelte den Kopf.

»Das wird doch nicht nötig sein, oder, Martín?«

Ich verneinte. Grandes lehnte die Tür an und schob mich sanft, aber bestimmt zur Treppe.

18

Diesmal gab es weder einen Knalleffekt noch ein Schauerszenario noch Anklänge an feuchtdunkle Kerker. Der Raum war groß, hell und hoch und ließ mich an das Klassenzimmer einer religiösen Eliteschule denken, das Kruzifix an der Wand inbegriffen. Er lag im ersten Stock des Präsidiums und hatte breite Fenster, durch die man auf die Menschen und Straßenbahnen hinuntersah, die bereits ihr morgendliches Defilee durch die Vía Layetana aufgenommen hatten. In der Mitte des Zimmers standen zwei Stühle und ein Metalltisch, die, so mutterseelenallein in so viel kahlem Raum, winzig wirkten. Grandes führte mich zum Tisch und schickte Marcos und Castelo hinaus. Die beiden nahmen sich Zeit, dem Befehl nachzukommen. Man konnte die Wut, die sie schnaubten, förmlich riechen. Grandes wartete, bis sie draußen waren, dann entspannte er sich.

»Ich dachte, Sie würden mich den Wölfen zum Fraß vorwerfen«, sagte ich.

»Setzen Sie sich.«

Ich gehorchte. Wären da nicht Marcos' und Castelos Blicke bei ihrem Abmarsch, die Metalltür und die vergitterten Fenster gewesen, niemand wäre auf die Idee gekommen, meine Lage könnte ernst sein. Dass sie es doch war, davon überzeugten mich die Thermosflasche Kaffee und die Schachtel Zigaretten, die Grandes auf den Tisch legte, vor allem aber sein gelassenes, freundliches – sein sicheres Lächeln. Diesmal war es ernst.

Er setzte sich mir gegenüber, klappte eine Mappe auf

und entnahm ihr einige Fotografien, die er nebeneinander auf den Tisch legte. Die erste zeigte Anwalt Valera im Sessel seines Lesezimmers. Auf der daneben sah man die Leiche der Witwe Marlasca beziehungsweise das, was von ihr übrig war, nachdem man sie vom Grund ihres Schwimmbeckens in der Carretera de Vallvidrera geborgen hatte. Das dritte Bild zeigte ein Männchen mit aufgeschlitzter Kehle, das Damián Roures zu sein schien. Das vierte Bild war eines von Cristina Sagnier, ganz offensichtlich am Tag ihrer Vermählung mit Pedro Vidal aufgenommen. Die beiden letzten waren Studioporträts meiner ehemaligen Verleger Barrido und Escobillas. Nachdem er die sechs Fotos fein säuberlich angeordnet hatte, warf mir Grandes einen unergründlichen Blick zu und ließ wortlos einige Minuten verstreichen, um meine Reaktion – oder ihr Ausbleiben – auf diese Bilder zu studieren. Dann schenkte er unendlich bedächtig zwei Tassen Kaffee ein und schob die eine zu mir.

»Vor allen Dingen möchte ich Ihnen die Chance geben, mir alles zu erzählen, Martín. Auf Ihre Weise und ohne jede Eile«, sagte er schließlich.

»Das wird nichts bringen«, antwortete ich. »Es wird nichts ändern.«

»Ist Ihnen ein Kreuzverhör mit anderen möglichen Beteiligten lieber? Mit Ihrer Assistentin zum Beispiel? Wie hieß sie noch? Isabella?«

»Lassen Sie Isabella aus dem Spiel, sie weiß nichts.«

»Überzeugen Sie mich.«

Ich schaute zur Tür.

»Es gibt nur eine Art, hier rauszukommen, Martín«, sagte der Inspektor und zeigte mir einen Schlüssel.

Wieder spürte ich das Gewicht der Pistole in der Manteltasche.

»Wo soll ich anfangen?«

»Sie sind der Erzähler. Ich bitte Sie bloß, mir die Wahrheit zu sagen.«

»Ich weiß nicht, was die Wahrheit ist.«

»Die Wahrheit ist, was schmerzt.«

Über zwei Stunden lang sagte Inspektor Grandes kein einziges Wort. Er hörte aufmerksam zu, nickte gelegentlich oder notierte sich einzelne Worte in seinem Heft. Am Anfang schaute ich ihn noch an, aber bald vergaß ich seine Anwesenheit und stellte fest, dass ich die Geschichte mir selbst erzählte. Die Worte ließen mich in eine vergessen geglaubte Zeit zurückkreisen, in die Nacht, in der mein Vater vor dem Zeitungsgebäude erschossen wurde. Ich beschwor meine Tage bei der *Stimme der Industrie* herauf, die Jahre, in denen ich nur dank meiner Mitternachtsgeschichten überlebt hatte, und Andreas Corellis ersten Brief, in dem er mir große Erwartungen verkündete. Ich erzählte von dem ersten Treffen mit dem Patron auf dem Wasserspeicher beim Ciudadela-Park und den Tagen, an denen ich keine andere Aussicht hatte als die auf einen baldigen Tod. Ich sprach von Cristina, von Vidal und von einer Geschichte, deren Ende jeder außer mir hätte vorausahnen können. Ich erzählte von den beiden Büchern, die ich geschrieben hatte, das eine unter meinem und das andere unter Vidals Namen, vom Verlust jener elenden Erwartungen und von dem Abend, an dem ich sah, wie meine Mutter das einzig Gute, was ich im Leben geschaffen zu haben glaubte, in den Papierkorb warf. Ich suchte weder das Mitleid noch das Verständnis des Inspektors. Ich wollte lediglich eine imaginäre Landkarte der Ereignisse skizzieren, die mich in diesen Raum, an diesen Punkt absoluter Leere geführt hatten. Ich kehrte ins Haus am Park Güell zurück und zu jenem Abend, an dem mir der Patron ein Angebot unterbreitet hatte, das ich nicht ablehnen konnte. Ich gestand, wie mir ein erster Verdacht gekommen war, erzählte von meinen Nachforschungen zur Geschichte des Hauses mit dem Turm, zu Diego Marlascas seltsamem Tod und von dem Netz von Täuschungen, in das ich mich verstrickt oder das ich mir gesucht hatte, um meine Eitelkeit, meine Gier und den Wunsch zu befriedigen, um jeden Preis zu leben – zu leben, um die Geschichte erzählen zu können.

Ich ließ nichts aus. Nichts außer dem Wichtigsten, dem, was ich nicht einmal mir selbst zu erzählen wagte. In meinem Bericht kehrte ich ins Sanatorium Villa San Antonio zurück, um Cristina zu suchen, und fand bloß Fußstapfen, die sich im Schnee verloren. Wenn ich es immer wieder von neuem sagte, würde ich es irgendwann vielleicht selber glauben. Meine Geschichte endete an diesem nämlichen Morgen, als ich von den Baracken des Somorrostro-Viertels zurückkam, um zu entdecken, dass Diego Marlasca beschlossen hatte, das fehlende

Bild in der von Inspektor Grandes auf dem Tisch ausgebreiteten Galerie habe meines zu sein.

Am Ende meiner Erzählung verfiel ich in ein langes Schweigen. In meinem ganzen Leben hatte ich mich nie müder gefühlt. Am liebsten wäre ich schlafen gegangen, um nie wieder aufzuwachen. Grandes beobachtete mich von der anderen Seite des Tisches. Ich hatte den Eindruck, er war verwirrt, traurig und zornig, vor allem aber ratlos.

»Sagen Sie doch was«, sagte ich.

Er seufzte. Dann stand er zum ersten Mal von seinem Stuhl auf und trat ans Fenster, mit dem Rücken zu mir. Ich sah mich die Pistole aus dem Mantel ziehen, ihm eine Kugel in den Nacken jagen und mit dem Schlüssel aus seiner Tasche den Raum verlassen. In sechzig Sekunden könnte ich auf der Straße sein.

»Der Grund, warum wir uns unterhalten, ist ein Telegramm, das gestern vom Revier der Gendarmerie von Puigcerdà kam und in dem steht, Cristina Sagnier sei aus dem Sanatorium Villa San Antonio verschwunden und Sie seien der Hauptverdächtige. Der Chefarzt des Sanatoriums sagt, Sie hätten Interesse daran bekundet, sie mitzunehmen, aber er habe Ihnen das Entlassungsschreiben verweigert. Ich erzähle Ihnen das alles, damit Sie ganz genau verstehen, warum wir hier sind, in diesem Raum, mit heißem Kaffee und Zigaretten, und uns wie alte Freunde unterhalten. Wir sind hier, weil die Frau eines der reichsten Männer Barcelonas verschwunden ist und Sie als Einziger wissen, wo sie ist. Wir sind hier, weil sich der Vater Ihres Freundes Pedro Vidal, einer der mächtigsten Männer dieser Stadt und anscheinend ein alter Bekannter von Ihnen, für den Fall interessiert und meine Vorgesetzten freundlich gebeten hat, diese Information von Ihnen einzuholen, ehe wir Ihnen auch nur ein Haar krümmen, und alle weiteren Erwägungen auf später zu verschieben. Hätte er das nicht getan und hätte ich nicht darauf bestanden, eine Chance zu bekommen, die Sache auf meine Art zu klären, so säßen Sie jetzt im Kerker von Campo de la Bota, und anstatt mit mir zu reden, würden Sie sich direkt mit Marcos und Castelo unterhalten. Diese beiden – das zu Ihrer Information – sind übrigens der Ansicht, es sei alles reine Zeitverschwendung und gefährde das Leben von Señora Vidal, Ihnen nicht als Erstes mit einem Hammer die Knie zu zerschmettern, eine Meinung, der sich meine Vorgesetzten mit jeder Minute mehr anschließen dürften, weil sie denken, ich halte Sie aus Freundschaft an der langen Leine.«

Grandes wandte sich um und schaute mich mit verhaltenem Zorn an.

»Sie haben mir nicht zugehört«, sagte ich. »Sie haben nichts von dem vernommen, was ich Ihnen erzählt habe.«

»Ich habe Ihnen ganz genau zugehört, Martín. Ich habe gehört, wie Sie, dem Tode nahe und verzweifelt, mit einem mehr als mysteriösen Pariser Verleger, von dem nie jemand gehört und den nie jemand gesehen hat, einen Vertrag abgeschlossen haben, um, in Ihren eigenen Worten, für hunderttausend Francs eine neue Religion zu erfinden, nur um dann festzustellen, dass Sie in

Wirklichkeit in ein finsteres Komplott geraten sind, in das auch ein Anwalt verwickelt ist, der vor fünfundzwanzig Jahren seinen eigenen Tod simuliert hat, ferner seine Geliebte, ein heruntergekommenes Revuegirl, und das alles, um einem Schicksal zu entkommen, das jetzt das Ihre ist. Ich habe gehört, wie dieses Schicksal Sie dazu gebracht hat, in ein verwunschenes Haus zu ziehen – eine Falle, in die schon Ihr Vorgänger, Diego Marlasca, getappt war –, und wo es für Sie offensichtlich wurde, dass jemand Sie verfolgte und alle umbrachte, die das Geheimnis eines Mannes hätten lüften können, welcher, Ihren Worten nach zu urteilen, fast so verrückt war wie Sie. Der Mann im Schatten, der die Identität eines ehemaligen Polizisten angenommen hat, um zu verbergen, dass er noch lebt, hat mithilfe seiner Geliebten eine Reihe Verbrechen begangen, ja sogar den Tod von Señor Sempere bewirkt, aus einem merkwürdigen Grund, den nicht einmal Sie erklären können.«

»Irene Sabino hat Sempere umgebracht, um ihm ein Buch zu stehlen. Ein Buch, von dem sie glaubte, dass es meine Seele enthalte.«

Grandes schlug sich mit der Hand an die Stirn, als sei soeben der Groschen gefallen.

»Natürlich. Wie dumm ich bin. Das erklärt alles. Wie das mit diesem schrecklichen Geheimnis, das Ihnen eine Strandhexe am Bogatell enthüllt hat. Die Hexe von Somorrostro. Das gefällt mir. Typisch für Sie. Also: Dieser Marlasca hat eine Seele gefangen genommen, um die seine zu tarnen und so einer Art Fluch zu entkommen. Sagen Sie, haben Sie das aus der *Stadt der Verdammten*, oder haben Sie sich das gerade aus den Fingern gesogen?«

»Ich habe mir gar nichts aus den Fingern gesogen.«

»Versetzen Sie sich in meine Lage, und überlegen Sie mal, ob Sie irgendetwas von dem glauben würden, was Sie da erzählt haben.«

»Vermutlich nicht. Aber ich habe Ihnen alles gesagt, was ich weiß.«

»Natürlich. Sie haben mir konkrete Angaben und Beweise geliefert, damit ich die Wahrhaftigkeit Ihres Berichts überprüfen kann, von Ihrem Besuch bei Dr. Trías über Ihr Konto bei der Bank Hispano Colonial, Ihren eigenen Grabstein in einer Werkstatt im Pueblo Nuevo bis hin zu der juristischen Verbindung zwischen einem Mann, den Sie Patron nennen, und der Anwaltskanzlei Valera, neben vielen anderen Details, die von Ihrer Erfahrung im Erfinden von Detektivgeschichten zeugen. Das Einzige, was Sie mir nicht erzählt haben und was ich, offen gestanden, zu Ihrem und zu meinem Besten zu hören gehofft hatte, ist, wo Cristina Sagnier ist.«

Mir wurde klar, dass mich in diesem Augenblick nur eine Lüge retten konnte. Sowie ich die Wahrheit über Cristina ausspräche, wären meine Stunden gezählt.

»Ich weiß nicht, wo sie ist.«

»Sie lügen.«

»Ich habe Ihnen ja gesagt, dass es nichts bringen würde, Ihnen die Wahrheit zu erzählen.«

»Außer dass ich wie ein Idiot dastehe, weil ich Ihnen helfen wollte.«

»Das versuchen Sie, Inspektor? Mir zu helfen?«

»Ja.«

»Dann überprüfen Sie alles, was ich Ihnen gesagt habe. Finden Sie Marlasca und Irene Sabino.«

»Meine Vorgesetzten haben mir vierundzwanzig Stunden mit Ihnen zugestanden. Wenn ich ihnen Cristina Sagnier bis dann nicht wohlbehalten oder wenigstens lebend zurückbringe, werden sie mich von dem Fall entbinden und ihn Marcos und Castelo übergeben, die schon lange auf die Chance warten, sich verdient zu machen, und sie werden sie nicht ungenutzt lassen.«

»Dann verlieren Sie keine Zeit.«

Grandes schnaubte, doch er nickte.

»Ich hoffe, Sie wissen, was Sie tun, Martín.«

19

Es war ungefähr neun Uhr vormittags, als mich Inspektor Víctor Grandes in diesem Raum mit der Thermosflasche kalt gewordenen Kaffees und seiner Schachtel Zigaretten allein ließ. Vor die Tür postierte er einen seiner Männer, dem er, wie ich hörte, einschärfte, unter keinen Umständen jemanden zu mir hereinzulassen. Fünf Minuten nach seinem Weggang wurde an die Tür gehämmert, und in dem Fensterchen zeichnete sich das Gesicht von Marcos ab. Seine Worte verstand ich nicht, aber was ich ihm von den Lippen ablas, ließ keinen Zweifel aufkommen:

Mach dich auf was gefasst, du Schweinehund.

Den Rest des Vormittags verbrachte ich auf dem Fensterbrett sitzend, wo ich den Menschen jenseits der Gitterstäbe zuschaute, die sich frei wähnten, die rauchten und so genussvoll ein Stück Zucker ums andere verzehrten, wie ich es mehr als einmal den Patron hatte tun sehen. Am Mittag übermannte mich die Müdigkeit, vielleicht auch nur die Last der Verzweiflung, und ich legte mich, mit dem Gesicht zur Wand, auf den Boden. In weniger als einer Minute war ich eingeschlafen. Als ich erwachte, lag der Raum im Dämmerlicht. Es war schon Abend, und das ockerfarbene Licht der Straßenlaternen auf der Vía Layetana warf die Schatten von Autos und Straßenbahnen an die Decke. Ich stand auf, da ich spürte, wie mir die Kälte des Bodens in sämtliche Muskeln kroch. Doch der Heizkörper in der Ecke war eisiger als meine Hände.

In diesem Moment hörte ich hinter mir die Tür aufgehen und drehte mich um. Auf der Schwelle stand der Inspektor und beobachtete mich. Auf ein Zeichen von ihm knipste jemand das Licht an und schloss die Tür. Die harte, metallische Helligkeit blendete mich für einen Moment. Als ich die Augen wieder öffnete, sah ich mich einem Inspektor gegenüber, der fast so elend aussah wie ich.

»Müssen Sie auf die Toilette gehen?«

»Nein. Angesichts der Umstände habe ich beschlossen, schon mal zu üben und in die Hose zu pissen, wenn Sie mich dann in die Schreckenskammer der Inquisitoren Marcos und Castelo schicken.«

»Freut mich, dass Sie Ihren Sinn für Humor noch

nicht verloren haben. Sie werden ihn brauchen. Setzen Sie sich.«

Wir nahmen wieder dieselben Plätze wie einige Stunden zuvor ein und schauten uns schweigend an.

»Ich habe die Einzelheiten Ihrer Geschichte überprüft.«

»Und?«

»Wo soll ich anfangen?«

»Sie sind der Polizist.«

»Als Erstes habe ich die Praxis von Dr. Trías aufgesucht, in der Calle Muntaner. Das war eine kurze Angelegenheit. Dr. Trías ist vor zwölf Jahren gestorben, und seit acht Jahren führt ein Zahnarzt namens Bernat Llofriu die Praxis, der, unnötig es zu erwähnen, noch nie von Ihnen gehört hat.«

»Unmöglich.«

»Warten Sie, es wird noch besser. Danach bin ich zur Hauptfiliale der Bank Hispano Colonial gegangen. Eindrucksvolles Dekor und untadelige Bedienung. Am liebsten hätte ich gleich ein Sparbuch eröffnet. Dort habe ich herausgefunden, dass Sie bei diesem Unternehmen nie irgendein Konto hatten und dass man dort nie von jemandem namens Andreas Corelli gehört hat und dass derzeit kein Kunde ein Devisenkonto mit einem Betrag von hunderttausend französischen Francs besitzt. Soll ich fortfahren?«

Ich presste die Lippen zusammen und nickte.

»Nächster Halt war die Kanzlei des verstorbenen Anwalts Valera. Dort habe ich feststellen können, dass Sie zwar ein Bankkonto haben, nicht aber bei der Hispano

Colonial, sondern bei der Bank von Sabadell, von wo aus Sie vor etwa sechs Monaten zweitausend Peseten auf das Konto der Anwälte überwiesen haben.«

»Ich verstehe Sie nicht.«

»Ganz einfach. Sie haben Valera anonym engagiert, oder so dachten Sie wenigstens, denn Banken haben ein Gedächtnis wie Dichter, und wenn sie einmal einen Céntimo haben davonfliegen sehen, vergessen sie es nie wieder. Ich gestehe, an diesem Punkt fand ich Geschmack an der Sache und beschloss, der Steinmetzwerkstatt Sanabre und Söhne einen Besuch abzustatten.«

»Sagen Sie nicht, Sie hätten den Engel nicht gesehen...«

»Doch, doch, und ob ich ihn gesehen habe. Beeindruckend. Ebenso wie der von Ihnen persönlich unterschriebene, vor drei Monaten datierte Brief, mit dem Sie die Arbeit in Auftrag gegeben haben, und die Quittung über die Vorauszahlung, die der gute Sanabre bei seinen Papieren aufbewahrt hat. Ein entzückender Mensch und überaus stolz auf seine Arbeit. Er hat gesagt, das sei sein Meisterwerk, er habe eine göttliche Eingebung gehabt.«

»Haben Sie ihn nicht nach dem Geld gefragt, das ihm Marlasca vor fünfundzwanzig Jahren gezahlt hat?«

»Das habe ich. Er hatte die Quittungen immer noch. Zahlungen für die Instandhaltung und Renovierung des Familiengrabes.«

»In Marlascas Grab liegt jemand, der nicht Marlasca ist.«

»Das sagen *Sie*. Aber wenn ich ein Grab schänden

soll, müssen Sie mir schon stichhaltigere Argumente liefern. Erlauben Sie mir, meinen Gang durch Ihre Geschichte fortzusetzen.«

Ich musste schlucken.

»Da ich schon mal da war, bin ich auch gleich zum Strand von Bogatell gegangen, wo ich für einen Real mindestens zehn Personen gefunden habe, die bereit waren, mir das schreckliche Geheimnis der Hexe von Somorrostro zu enthüllen. Ich habe es Ihnen heute Morgen nicht gesagt, als Sie mir Ihre Geschichte erzählt haben, um das Drama nicht zu ruinieren, aber tatsächlich ist das Weibsbild, das sich so nannte, schon vor Jahren gestorben. Die Alte, die ich heute Morgen gesehen habe, vermag nicht einmal Kinder zu erschrecken, sie ist an den Stuhl gefesselt. Ein Detail, das Sie entzücken wird: Sie ist stumm.«

»Inspektor ...«

»Ich bin noch nicht fertig. Sie sollen nicht sagen können, ich nehme meine Arbeit nicht ernst. Ich nehme sie so ernst, dass ich von dort zu dem alten Kasten am Park Güell gegangen bin, den Sie mir beschrieben haben, der seit mindestens zehn Jahren leer steht und in dem es, wie ich Ihnen leider sagen muss, weder Fotografien noch sonst irgendwelche Bilder noch irgendetwas außer Katzenscheiße gibt. Wie finden Sie das?«

Ich gab keine Antwort.

»Sagen Sie, Martín, an meiner Stelle – was hätten Sie in einer solchen Situation getan?«

»Aufgegeben, nehme ich an.«

»Genau. Aber ich bin nicht Sie und habe nach dieser

einträglichen Rundreise wie ein Blödmann beschlossen, Ihrem Rat zu folgen und die fürchterliche Irene Sabino zu suchen.«

»Haben Sie sie gefunden?«

»Bitte etwas mehr Vertrauen in die Ordnungskräfte, Martín. Natürlich haben wir sie gefunden. Zu Tode gelangweilt in einer elenden Pension im Raval, wo sie seit Jahren wohnt.«

»Haben Sie mit ihr gesprochen?«

Grandes nickte.

»Lange und ausführlich.«

»Und?«

»Sie hat nicht die leiseste Idee, wer Sie sind.«

»Das hat sie gesagt?«

»Unter anderem.«

»Was da wäre?«

»Sie hat mir erzählt, sie habe Diego Marlasca bei einer von Roures organisierten Sitzung in einer Wohnung in der Calle Elisabets kennengelernt, wo sich 1903 die spiritistische Gesellschaft ›Die Zukunft‹ versammelte. Sie hat mir erzählt, sie habe einen Mann angetroffen, der, vollkommen vernichtet durch den Verlust seines Sohnes und gefangen in einer sinnentleerten Ehe, in ihren Armen Zuflucht gesucht habe. Sie hat mir erzählt, Marlasca sei ein guter, aber verwirrter Mann gewesen, der geglaubt habe, irgendetwas sei in ihn gefahren, und von seinem baldigen Tod überzeugt gewesen sei. Sie hat mir erzählt, vor seinem Tod habe er einen Fonds eingerichtet, damit sie und der Mann, den sie wegen Marlasca verlassen habe, Juan Corbera alias Jaco, etwas bekämen, wenn er nicht mehr da wäre. Sie hat mir erzählt, Marlasca habe sich das Leben genommen, um dem Schmerz ein Ende zu setzen, der ihn aufgezehrt habe. Sie hat mir erzählt, sie und Juan Corbera hätten von Marlascas Barmherzigkeit gelebt, bis das Geld aufgebraucht gewesen sei, und der Mann, den Sie Jaco nennen, habe sie kurz darauf verlassen und sie habe erfahren, er sei einsam und im Alkoholrausch gestorben, während er als Nachtwächter in der Fabrik Casaramona gearbeitet habe. Sie hat mir erzählt, sie habe Marlasca tatsächlich zu dieser Frau gebracht, die die Hexe von Somorrostro genannt werde, weil sie gedacht habe, sie würde ihn trösten und ihn davon überzeugen können, dass er im Jenseits seinen Sohn wiederfände ... Soll ich fortfahren?«

Ich knöpfte mein Hemd auf und zeigte ihm die Schnitte, die mir Irene Sabino an dem Abend in die Brust geritzt hatte, als sie und Marlasca mich auf dem Friedhof von San Gervasio angegriffen hatten.

»Ein sechszackiger Stern. Bringen Sie mich nicht zum Lachen, Martín. Diese Schnitte können Sie sich selbst beigebracht haben. Sie bedeuten gar nichts. Irene Sabino ist bloß eine arme Frau, die sich ihren Lebensunterhalt als Angestellte in einer Wäscherei in der Calle Cadena verdient, sie ist keine Hexe.«

»Und was ist mit Ricardo Salvador?«

»Ricardo Salvador wurde 1906 aus dem Polizeidienst entlassen, nachdem er zwei Jahre lang im Todesfall Marlasca herumgestochert hatte, während er eine unerlaubte Beziehung mit der Witwe des Verstorbenen unterhielt. Das Letzte, was man über ihn hat in Erfahrung bringen können, ist, dass er nach Südamerika ausgewandert ist, um dort ein neues Leben anzufangen.«

Angesichts der Ungeheuerlichkeit dieses Schwindels musste ich unwillkürlich lachen.

»Merken Sie es denn nicht, Inspektor? Merken Sie nicht, dass Sie in genau dieselbe Falle tappen, wie Marlasca sie mir gestellt hat?«

Grandes sah mich mitleidig an.

»Wer nicht merkt, was vorgeht, das sind Sie, Martín. Die Zeit läuft, und statt mir zu sagen, was Sie mit Cristina Sagnier gemacht haben, wollen Sie mich mit allen Mitteln von einer Geschichte überzeugen, die aus der *Stadt der Verdammten* zu stammen scheint. Hier gibt es nur eine einzige Falle: die, die Sie sich selbst gestellt haben. Und mit jeder Minute, die vergeht, ohne dass Sie mir die Wahrheit sagen, wird es schwieriger für mich, Sie hier rauszubringen.«

Grandes fuhr vor meinen Augen zweimal mit der Hand durch die Luft, als wollte er sich versichern, dass mein Sehvermögen noch intakt war.

»Nein? Nichts? Wie Sie wollen. Erlauben Sie mir, dass ich Ihnen auch noch den Rest von dem erzähle, was der Tag hergegeben hat. Nach meinem Besuch bei Irene Sabino war ich wirklich müde und bin für eine Weile ins Präsidium zurückgekommen, wo ich noch Zeit und Lust hatte, die Gendarmerie in Puigcerdà anzurufen. Dort hat man mir bestätigt, dass man Sie am Abend ihres Verschwindens aus Cristina Sagniers Zimmer kommen sah, dass Sie nie in Ihr Hotel zurückgekehrt sind, um Ihre Sachen zu holen, und dass der Chefarzt des Sanatoriums erzählt hat, Sie hätten die Lederriemen durchgeschnitten, mit denen die Patientin festgebunden gewesen sei. Da habe ich einen alten Freund von Ihnen angerufen, Pedro Vidal, der so freundlich war, ins Präsidium zu kommen. Der arme Mann ist am Boden zerstört. Er hat mir erzählt, bei Ihrer letzten Begegnung hätten Sie ihn geschlagen. Stimmt das?«

Ich bejahte.

»Nur damit Sie es wissen – er trägt es Ihnen nicht nach. Er hat mich tatsächlich mehr oder weniger zu überreden versucht, Sie gehen zu lassen. Er sagt, bestimmt gebe es für alles eine Erklärung. Sie hätten ein schwieriges Leben gehabt. Sie hätten seinetwegen den Vater verloren. Er fühle sich schuldig. Er wolle einzig und allein seine Frau wiederhaben, und er habe nicht die geringste Absicht, Vergeltung zu üben.«

»Sie haben Vidal die ganze Geschichte erzählt?«

»Es blieb mir nichts anderes übrig.«

Ich vergrub das Gesicht in den Händen.

»Und was hat er gesagt?«

Grandes zuckte die Schultern.

»Er denkt, Sie hätten den Verstand verloren. Sie müssten unschuldig sein, und Ihnen solle nichts geschehen, ob Sie es nun seien oder nicht. Was seine Familie angeht – das ist schon eine andere Frage. Ich weiß, dass der Herr Vater Ihres Freundes Vidal, als dessen Busenfreund man Sie ja nicht unbedingt bezeichnen kann, Marcos und Castelo insgeheim eine Prämie angeboten hat, wenn sie Ihnen in weniger als zwölf Stunden ein Geständnis entlocken. Sie haben ihm versichert, dass Sie nach einem einzigen Vormittag sogar die Verse des *Canigó* aufsagen würden.«

»Und Sie, was glauben Sie?«

»Was ich wirklich glaube? Eigentlich möchte ich gern glauben, dass Pedro Vidal recht hat, dass Sie den Verstand verloren haben.«

Ich sagte ihm nicht, dass ich das in diesem Augenblick selbst zu glauben begann. Ich sah ihn an und erkannte an seinem Ausdruck, dass etwas nicht stimmte.

»Da gibt es etwas, was Sie mir nicht erzählt haben«, sagte ich.

»Ich würde sagen, ich habe Ihnen mehr als genug erzählt.«

»Und was haben Sie mir nicht gesagt?«

Grandes sah mich aufmerksam an und ließ dann ein unterdrücktes Lachen hören.

»Heute Morgen, als Sie mir erzählt haben, dass an dem Abend, an dem Señor Sempere starb, jemand in die Buchhandlung gekommen war und dass man Sempere und die Person streiten hören konnte, nahmen Sie an, diese Person habe ein Buch kaufen wollen, ein Buch von Ihnen. Da Sempere es nicht habe verkaufen wollen, kam es zum Streit, und der Buchhändler erlitt einen Herzanfall. Wie Sie sagten, war es mehr oder weniger ein Einzelstück. Wie hieß das Buch?«

»*Die Schritte des Himmels*.«

»Genau. Das ist das Buch, das, wie Sie annahmen, an dem Abend gestohlen wurde, an dem Sempere starb.«

Ich nickte. Der Inspektor zündete sich eine Zigarette an. Nach ein paar Zügen drückte er sie wieder aus.

»Das ist mein Dilemma, Martín. Einerseits glaube ich, dass Sie mir einen ganzen Berg von Lügengeschichten aufgetischt haben, weil Sie mich für einen Volltrottel halten oder weil Sie – und ich weiß nicht, was schlimmer ist – angefangen haben, selber daran zu glauben, nachdem Sie sie so oft erzählt haben. Alles spricht gegen Sie, und das Einfachste für mich wäre, mir nicht die Hände schmutzig zu machen und Sie Marcos und Castelo zu übergeben.«

»Aber …«

»… aber, und das ist ein mikroskopisch kleines Aber, ein Aber, das meine Kollegen problemlos vom Tisch wischen könnten, das mich aber stört wie ein Staubkorn im Auge und das mich zumindest in Erwägung ziehen lässt, ob vielleicht das – und was ich Ihnen nun sage, widerspricht allem, was ich in zwanzig Jahren in diesem Metier gelernt habe –, was Sie mir erzählt haben, zwar nicht die Wahrheit, aber auch nicht unbedingt falsch ist.«

»Ich kann Ihnen nur sagen, dass ich Ihnen erzählt habe, woran ich mich erinnere, Inspektor. Sie mögen mir glauben oder nicht. Tatsache ist, dass manchmal nicht einmal ich mir glaube. Aber es ist das, woran ich mich erinnere.«

Grandes stand auf und begann den Tisch zu umkreisen.

»Heute Nachmittag, als ich mich mit María Antonia Sanahuja, oder Irene Sabino, unterhalten habe, im Zimmer ihrer Pension, habe ich sie gefragt, ob sie wisse, wer Sie seien. Sie verneinte. Ich habe ihr erklärt, Sie wohnten im Haus mit dem Turm, wo sie und Marlasca mehrere Monate verbracht hatten. Ich habe sie wieder gefragt, ob sie sich an Sie erinnern könne. Sie verneinte. Ein wenig später habe ich gesagt, Sie hätten das Grab der Familie Marlasca besucht und beteuert, sie dort gesehen zu haben. Zum dritten Mal verneinte sie, Sie je gesehen zu haben. Und ich habe ihr geglaubt. Ich habe ihr geglaubt, bis sie, als ich eben gehen wollte, sagte, ihr sei ein wenig kalt, und den Schrank öffnete, um ein wollenes Schultertuch herauszunehmen. Da habe ich auf dem Nachttisch ein Buch gesehen. Es fiel mir auf, weil es das einzige Buch im ganzen Zimmer war. Ich habe den Augenblick genutzt, als sie mir den Rücken zudrehte, um die handschriftliche Widmung auf der ersten Seite zu lesen.«

»›*Für Señor Sempere, den besten Freund, den sich ein Buch wünschen kann, zum Dank, dass er mir die Tore zur Welt geöffnet und mich gelehrt hat, durch sie hindurchzugehen*‹«, zitierte ich aus dem Gedächtnis.

»›Gez. *David Martín*‹«, ergänzte Grandes.

Mit dem Rücken zu mir blieb er vor dem Fenster stehen.

»In einer halben Stunde wird man Sie abholen und mir den Fall abnehmen«, sagte er. »Sie werden in Marcos' Obhut übergehen. Und ich werde nichts mehr tun können. Haben Sie mir noch irgendetwas zu sagen, womit Sie Ihre Haut retten könnten?«

»Nein.«

»Dann nehmen Sie diese lächerliche Pistole, die Sie seit Stunden in Ihrem Mantel versteckt haben, und drohen Sie damit, mir das Hirn wegzupusten, wenn ich Ihnen nicht den Schlüssel zu dieser Tür gebe – aber passen Sie auf, dass Sie sich nicht in den Fuß schießen.«

Ich schaute zur Tür.

»Im Gegenzug bitte ich Sie nur, mir zu sagen, wo Cristina Sagnier ist, wenn Sie überhaupt noch lebt.«

Unfähig, einen Ton herauszubringen, sah ich zu Boden.

»Haben Sie sie umgebracht?«

Nach einem langen Schweigen sagte ich:

»Ich weiß es nicht.«

Grandes trat zu mir und gab mir den Schlüssel.

»Hauen Sie ab, Martín.«

Ich zögerte einen Moment, ehe ich ihn ergriff.

»Nehmen Sie nicht die Haupttreppe. Wenn Sie auf den Gang kommen, gibt es hinten links eine blaue Tür, die nur von innen zu öffnen ist und zur Feuertreppe führt. Der Ausgang geht auf die rückwärtige Gasse hinaus.«

»Wie kann ich Ihnen danken?«

»Zuerst einmal, indem Sie keine Zeit mehr verlieren. Sie haben rund dreißig Minuten, bevor Ihnen die ganze Abteilung auf den Fersen ist. Verschwenden Sie sie nicht.«

Ich ging mit dem Schlüssel zur Tür. Vor dem Hinausgehen wandte ich mich noch einmal kurz um. Grandes hatte sich auf den Tisch gesetzt und schaute mich ausdruckslos an.

»Diese Engelsbrosche«, sagte er und deutete auf sein Revers.

»Ja?«

»Die habe ich an Ihrem Revers gesehen, seit ich Sie kenne.«

20

Die Straßen des Raval waren Tunnel, deren Schwärze die flackernden Laternen kaum anzukratzen vermochten. Ich brauchte wenig mehr als die mir von Inspektor Grandes zugestandenen dreißig Minuten, um herauszufinden, dass es in der Calle Cadena zwei Wäschereien gab. In der einen, einer Höhle hinter einem dampfglänzenden Aufgang, waren nur Kinder mit violett verfärbten Händen und gelblichen Augen beschäftigt. Die zweite, ein schmutziger, nach Lauge stinkender Laden, von dem man sich nur schwer vorstellen konnte, dass dort irgendetwas sauber herauskam, wurde von einem Mannweib geleitet, das angesichts von ein paar Münzen unumwunden zugab, dass María Antonia Sanahuja sechs Nachmittage pro Woche dort arbeitete.

»Was hat sie denn jetzt wieder angestellt?«, fragte sie.

»Sie hat geerbt. Sagen Sie mir, wo ich sie finden kann, vielleicht fällt was für Sie ab.«

Sie lachte, aber in ihren Augen blitzte Habgier auf.

»Soviel ich weiß, wohnt sie in der Pension Santa Lucía, in der Calle Marqués de Barberá. Wie viel hat sie denn geerbt?«

Ich warf noch einmal einige Münzen auf den Laden-

tisch und verließ das schmutzige Loch, ohne eine Antwort zu geben.

Irene Sabinos Pension moderte in einem düsteren
Haus vor sich hin, das aus ausgegrabenen Knochen und
geklauten Grabsteinen zusammengebastelt schien. Die
Briefkastenschilder im Erdgeschoss waren verrostet,
und für die ersten beiden Stockwerke waren keine Namen angegeben. Der dritte Stock beherbergte ein Näh-
und Konfektionsatelier mit dem hochtrabenden Namen
Mediterran-Textil. Den vierten und obersten belegte die
Pension Santa Lucía. Im Halbdunkel führte eine Treppe
nach oben, auf der gerade eine einzige Person Platz fand,
der Gestank der Abwasserleitungen sickerte durch die
Wände und zerfraß den Anstrich wie Säure. Ich stieg die
vier Stockwerke zu einem schrägen Treppenabsatz hinauf, auf den eine einzige Tür mündete. Ich klopfte mit
der Faust an, und nach einer Weile öffnete ein Mann, der
so groß und mager war wie ein Albtraum von El Greco.

»Ich suche María Antonia Sanahuja«, sagte ich.

»Sind Sie der Arzt?«, fragte er.

Ich schob ihn beiseite und trat ein. Die Wohnung war
ein einziges Durcheinander von kleinen, dunklen Zimmern links und rechts eines Flurs, an dessen Ende ein
Fenster auf einen Lichtschacht hinausging. Der Gestank
der Rohrleitungen erfüllte die Luft. Der Mann, der mir
die Tür geöffnet hatte, offensichtlich ein Mieter, war auf
der Schwelle stehen geblieben und beobachtete mich
verwirrt.

»Welches ist ihr Zimmer?«, fragte ich.

Er schaute mich schweigend und verschlossen an. Ich

zeigte ihm die Pistole. Ohne die Fassung zu verlieren, deutete er auf die letzte Tür des Korridors neben dem Lichtschacht. Sie war verschlossen, und ich begann mit aller Kraft am Türknauf zu rütteln. Die anderen Bewohner waren auf den Flur herausgetreten, ein Chor vergessener Seelen, die seit Jahren nicht mehr mit dem Sonnenlicht in Berührung gekommen zu sein schienen. Ich erinnerte mich an meine elenden Tage in Doña Carmens Pension, die mir jetzt wie eine Dependance des Hotel Ritz vorkam, verglichen mit diesem Purgatorium, einem von vielen im Gewimmel des Raval.

»Gehen Sie in Ihre Zimmer zurück«, sagte ich.

Niemand schien mich gehört zu haben. Ich hob die Hand mit der Waffe. Sogleich zogen sich alle wie verängstigte Nager zurück, mit Ausnahme des Ritters von der traurigen Gestalt. Ich konzentrierte mich wieder auf die Tür.

»Sie hat von innen abgeschlossen«, erklärte der Pensionsgast. »Sie ist schon den ganzen Nachmittag da drin.«

Unter der Tür drang ein Geruch heraus, der mich an bittere Mandeln denken ließ. Ich klopfte mehrmals mit der Faust an, ohne eine Antwort zu bekommen.

»Die Hauswirtin hat einen Hauptschlüssel«, sagte der Mieter. »Wenn Sie warten wollen … Es kann nicht mehr lange dauern, bis sie kommt.«

Ich drängte ihn beiseite und warf mich mit aller Kraft gegen die Tür. Beim zweiten Angriff gab das Schloss klein bei. Sowie ich im Zimmer stand, überfiel mich der säuerliche, Übelkeit erregende Gestank.

»Mein Gott«, murmelte der Mieter hinter mir.

Der ehemalige Star vom Paralelo lag bleich und schweißbedeckt auf einer Pritsche. Als sie mich erblickte, verzogen sich ihre schwarzen Lippen zu einem Lächeln. Die Hände umklammerten das Giftfläschchen, das bis auf den letzten Tropfen geleert war. Der Blut- und Gallegestank ihres Atems erfüllte das Zimmer. Der Mieter hielt sich mit der Hand Nase und Mund zu und zog sich auf den Korridor zurück. Ich sah, wie Irene Sabino sich wand, während das Gift sie innerlich zerfraß. Der Tod ließ sich Zeit.

»Wo ist Marlasca?«

Sie schaute mich durch die Todestränen hindurch an.

»Er hat mich nicht mehr gebraucht. Er hat mich nie geliebt.«

Ihre Stimme war rau und gebrochen. Ein trockener Husten verursachte ein Geräusch in ihrer Brust, als würde etwas reißen, und einen Moment später trat ihr eine dunkle Flüssigkeit in den Mund. Mit ihrem letzten Lebenshauch schaute sie mich an, ergriff meine Hand und drückte sie kräftig.

»Sie sind verdammt, wie er.«

»Was kann ich tun?«

Sie schüttelte langsam den Kopf. Ein neuer Hustenanfall ließ ihre Brust erbeben. Die Äderchen in den Augen platzten, und ein Netz blutender Linien breitete sich zu den Pupillen hin aus.

»Wo ist Ricardo Salvador? Liegt er in Marlascas Grab, in der Familiengruft?«

Irene Sabino schüttelte den Kopf. Ihre Lippen formten stumm ein Wort: *Jaco.*

»Wo also ist Salvador?«

»Er weiß, wo *Sie* sind. Er sieht Sie. Er hat es auf Sie abgesehen.«

Ich hatte den Eindruck, sie begann zu delirieren. Der Druck ihrer Hand wurde immer schwächer.

»Ich habe ihn geliebt«, sagte sie. »Er war ein guter Mensch. Ein guter Mensch. Er hat ihn verändert. Er war ein guter Mensch ...«

Ein Geräusch von zerreißendem Fleisch kam aus ihrem Mund, und ihr Körper straffte sich in einem Muskelkrampf. Irene Sabino starb, die Augen auf meine geheftet, und nahm Diego Marlascas Geheimnis mit ins Grab. Jetzt blieb nur noch ich.

Ich bedeckte ihr Gesicht mit einem Laken und seufzte. In der Tür stand der Mieter und bekreuzigte sich. Ich sah mich um und versuchte, etwas zu finden, was mir weiterhelfen konnte, irgendeinen Hinweis, was ich als Nächstes tun sollte. Irene Sabino hatte ihre letzten Tage in einer fensterlosen Zelle von vier mal zwei Metern verbracht; ein Metallbett, auf dem jetzt ihr Leichnam lag, ein Schrank an der Wand gegenüber und ein Nachttischchen waren die einzigen Möbel. Unter dem Bett schaute, neben einem Nachttopf und einer Hutschachtel, ein Koffer hervor. Auf dem Nachttisch befanden sich ein Teller mit Brotkrumen, ein Wasserkrug und ein Stapel Postkarten, die sich bei genauerem Hinsehen als Heiligenbilder und Totenzettel von Beerdigungen entpuppten. Daneben lag in ein weißes Tuch gehüllt etwas, was wie ein Buch aussah. Ich wickelte es aus und fand das Exemplar von *Die Schritte des Him-*

mels, das ich Señor Sempere gewidmet hatte. Auf der Stelle verflog das Mitleid, das mir diese sterbende Frau eingeflößt hatte. Die Unglückliche hatte meinen besten Freund umgebracht, um ihm dieses verfluchte Buch zu entreißen. Da erinnerte ich mich an das, was mir Sempere das erste Mal gesagt hatte, als ich seine Buchhandlung betrat: Jedes Buch habe eine Seele, die Seele dessen, der es geschrieben habe, und die Seele derer, die es gelesen und von ihm geträumt hätten. Sempere war im Glauben an diese Worte gestorben, und mir ging auf, dass Irene Sabino auf ihre Weise ebenfalls daran geglaubt hatte.

Noch einmal las ich die Widmung. Auf Seite sieben fand ich die erste Markierung – eine bräunliche Zeichnung, die über die Worte geschmiert war und einen sechszackigen Stern darstellte, wie sie ihn mir vor Wochen mit dem Messer in die Brust geritzt hatte. Ich begriff, dass die Zeichnung mit Blut gemacht war. Ich blätterte weiter und stieß auf immer mehr Zeichnungen. Lippen. Eine Hand. Augen. Sempere hatte sein Leben für einen elenden, lächerlichen Jahrmarktsbudenzauber hergegeben.

Ich steckte das Buch in die Mantelinnentasche und kniete neben dem Bett nieder, wo ich den Koffer hervorzog und den Inhalt auf den Boden kippte. Nichts außer Kleidern und alten Schuhen. Dann öffnete ich die Hutschachtel und fand ein Lederetui mit dem Rasiermesser, mit dem mich Irene Sabino behandelt hatte. Plötzlich breitete sich ein Schatten auf dem Boden aus, und ich wandte mich abrupt um, die Pistole im Anschlag. Der hochaufgeschossene Mieter schaute mich einigermaßen verdutzt an.

»Ich glaube, Sie kriegen Gesellschaft«, sagte er knapp.

Ich trat auf den Korridor hinaus und ging zur Wohnungstür. Als ich ins Treppenhaus hinabschaute, hörte ich schwere Schritte heraufkommen. Zwei Stockwerke tiefer wurde ein emporschauendes Gesicht erkennbar, und mein Blick traf den von Marcos. Er zog den Kopf zurück, und die Schritte beschleunigten sich. Er war nicht allein. Ich schloss die Tür, stemmte mich dagegen und versuchte gleichzeitig zu überlegen. Der Mieter beobachtete mich ruhig, aber gespannt.

»Gibt es außer dieser Tür noch einen anderen Ausgang?«, fragte ich.

Er schüttelte den Kopf.

»Der Ausgang aufs Dach?«

Er zeigte auf die Tür, die ich gerade geschlossen hatte. Einen Augenblick später spürte ich, wie Marcos und Castelo sich gegen sie warfen. Ich entfernte mich rückwärts durch den Flur, die Waffe auf die Tür gerichtet.

»Ich geh für alle Fälle schon mal in mein Zimmer«, sagte der Mieter. »Es war mir ein Vergnügen.«

»Ganz meinerseits.«

Ich starrte auf die Tür, die gewaltig erbebte. Um Angeln und Schloss begann das alte Holz zu splittern. Ich ging ans Ende des Korridors und öffnete das Fenster zum Lichtschacht. Ein vertikaler Tunnel, etwa einen mal anderthalb Meter groß, verlor sich in den Schatten. Etwa drei Meter über dem Fenster war der Rand des flachen Dachs zu erkennen. An der gegenüberliegenden Wand des Lichtschachts war ein Abwasserrohr mit verrosteten Ringen befestigt. Die eiternde Feuchtigkeit hatte die Mauer schwarz gesprenkelt. Noch immer donnerten die Schläge in meinem Rücken. Als ich mich umdrehte, sah ich, dass die Tür praktisch aus den Angeln gehoben war. Es blieben mir höchstens noch ein paar Sekunden. Ich hatte keine andere Wahl, kletterte durchs Fenster und sprang.

Ich schaffte es, mich an der Rohrleitung festzuhalten und einen Fuß auf einen der Ringe zu stellen. Ich streckte die Hand aus und packte das Rohr weiter oben, aber sowie ich kräftig daran zog, löste sich ein meterlanges Stück unter meinen Händen und schepperte in die Tiefe des Lichtschachts. Beinahe wäre ich mitgestürzt, aber ich konnte mich an das Metallstück klammern, mit dem der Ring in der Mauer verankert war. Jetzt war die Rohrleitung, auf die ich gesetzt hatte, um aufs Dach zu klettern, ganz außer Reichweite. Es gab nur zwei Möglichkeiten: wieder auf den Korridor zurück, wo jeden Moment Marcos und Castelo eindringen würden, oder in diesen schwarzen Schacht hinuntersteigen. Ich hörte die Tür gegen die Wand in der Wohnung krachen und ließ mich langsam an der Rohrleitung hinabgleiten, wobei ich mich, so gut es ging, festhielt und mir kräftig die linke Hand aufschürfte. Ich hatte bereits anderthalb Meter geschafft, als sich die Silhouetten der beiden Polizisten im Licht des Schachtfensters abzeichneten. Marcos' Gesicht schaute als erstes in den Schacht. Er grinste, und ich fragte mich, ob er ohne Federlesens gleich auf mich schießen würde. Da erschien Castelo neben ihm.

»Bleib du hier. Ich geh in die Wohnung hier drunter«, befahl Marcos.

Castelo nickte und ließ mich nicht aus den Augen. Sie wollten mich lebendig, wenigstens für ein paar Stunden. Ich hörte Marcos' Schritte davoneilen. Im nächsten Augenblick würde ich ihn knapp einen Meter unter mir aus dem Fenster schauen sehen. Ein Blick nach unten zeigte mir, dass aus den Fenstern der ersten beiden Stockwerke Licht drang, während das des dritten dunkel war. Langsam ließ ich mich weiter hinabgleiten, bis mein Fuß auf dem nächsten Ring Halt fand. Vor mir lagen das dunkle Fenster des dritten Stocks und ein leerer Korridor, an dessen Ende Marcos an die Tür klopfte. Um diese Zeit war das Konfektionsatelier bereits geschlossen und niemand mehr da. Die Schläge an die Tür verstummten, und ich begriff, dass Marcos in den zweiten Stock hinuntergelaufen war. Ich sah nach oben, wo mich Castelo weiterhin beobachtete und sich wie eine Katze die Lippen leckte.

»Fall nicht runter – wir wollen uns noch mit dir amüsieren«, sagte er.

Ich hörte Stimmen im zweiten Stock – man hatte Marcos also geöffnet. Ohne lange zu überlegen, warf ich mich mit aller Kraft gegen das Fenster des dritten. Gesicht und Hals mit den Mantelärmeln schützend, stürzte ich durch die Scheibe und landete in einem See aus Scherben. Mühsam rappelte ich mich auf, und im Halbdunkel sah ich, dass sich auf meinem linken Ärmel ein dunkler Fleck ausbreitete. Eine Scherbe scharf wie ein Dolch ragte mir oberhalb des Ellbogens aus dem Arm.

Als ich sie herauszog, wich die Kälte einer Lohe aus Schmerz, die mich in die Knie zwang. In dieser Haltung sah ich, dass mir Castelo durch den Lichtschacht gefolgt war und mich jetzt von dort beobachtete, wo ich abgesprungen war. Noch bevor ich die Waffe ziehen konnte, machte er einen Satz aufs Fenster zu. Seine Hände klammerten sich am Rahmen der zerbrochenen Scheibe fest, und in einer Reflexbewegung warf ich mich mit meinem ganzen Gewicht gegen diesen Rahmen. Mit einem trockenen Knacken brachen seine Fingerknochen, sodass er vor Schmerz aufheulte. Ich zog die Pistole und zielte auf sein Gesicht, aber er hatte bereits gemerkt, dass seine Hände vom Rahmen glitten. Ein schreckerfüllter Blick, dann stürzte er in den Schacht, wobei er gegen die Wände prallte und in den Lichtflecken vor den Fenstern der unteren Stockwerke Blutspuren hinterließ.

Ich schleppte mich durch den Korridor zur Tür. Die Wunde am Arm pochte heftig, und ich merkte, dass ich auch an den Beinen mehrere Schnitte hatte. Ich wankte weiter. Links und rechts taten sich im Halbdunkel Räume mit Nähmaschinen, Fadenspulen und großen Tuchrollen auf Tischen auf. Als ich die Tür erreichte, legte ich die Hand auf den Knauf. Eine Zehntelsekunde später spürte ich, wie er sich unter meinen Fingern drehte. Ich ließ ihn los. Auf der anderen Seite stand Marcos und versuchte, die Tür zu öffnen. Ich zog mich ein paar Schritte zurück. Da schüttelte ein Krachen die Tür, und in einer Wolke von Funken und blauem Rauch flog ein Teil des Schlosses in die Luft. Marcos versuchte, es aufzuschießen. Ich flüchtete mich in den ersten Raum, der voll mit arm- und beinlosen Figuren war – aneinandergelehnte Schaufensterpuppen. Ich glitt zwischen die im Dämmerlicht glänzenden Torsi. Dann hörte ich einen zweiten Schuss. Die Tür sprang auf. Das gelbliche, im Pulverdampf gefangene Licht des Treppenabsatzes fiel in die Wohnung. Marcos' Körper erschien als scharf gezeichneter Schattenriss in der Helligkeit. Seine schweren Schritte hallten durch den Korridor. Hinter den Puppen verborgen, drängte ich mich an die Wand, die Pistole in den zittrigen Händen.

»Kommen Sie raus, Martín«, sagte Marcos ganz ruhig, während er langsam weiterging. »Ich tu Ihnen nichts. Ich habe Anweisung von Grandes, Sie ins Präsidium zu bringen. Wir haben diesen Kerl gefunden, Marlasca. Er hat alles gestanden. Sie haben eine saubere Weste. Machen Sie jetzt keine Dummheiten. Kommen Sie raus, und im Präsidium besprechen wir alles.«

Ich sah ihn an der Tür vorbei- und weitergehen.

»Martín, hören Sie mir zu. Grandes ist unterwegs. Wir können das alles klären, ohne die Dinge noch komplizierter zu machen.«

Ich spannte die Pistole. Marcos' Schritte blieben stehen. Ein Schleifen auf den Fliesen. Er war auf der anderen Seite der Wand und wusste genau, dass ich mich in diesem Raum befand und dass für mich kein Weg an ihm vorbeiführte. Ich sah, wie sich in der Tür seine Gestalt langsam aus den Schatten löste, dann aber mit dem Halbdunkel verschmolz, sodass nur der Glanz seiner Augen von seiner Anwesenheit zeugte. Er war noch knapp vier Meter von mir entfernt. Ich glitt an der Wand in die Knie. Hinter den Puppen erschienen Marcos' Beine.

»Ich weiß, dass Sie hier sind, Martín. Lassen Sie die Kindereien.«

Er blieb stehen. Ich sah, wie er niederkniete und die Blutspur betastete, die ich hinterlassen hatte. Er hielt sich einen Finger an die Lippen. Ich stellte mir sein Grinsen vor.

»Sie bluten stark, Martín. Sie brauchen einen Arzt. Kommen Sie raus, und ich geh mit Ihnen zu einer Ambulanz.«

Ich schwieg weiterhin. Marcos blieb vor einem Tisch stehen und griff nach einem blitzenden Gegenstand zwischen den Stofffetzen. Eine große Zuschneideschere.

»Ganz wie Sie wollen, Martín.«

Ich hörte, wie er die Schere klackend öffnete und schloss. Ein stechender Schmerz fuhr durch meinen Arm, und ich biss mir auf die Lippen, um nicht aufzuheulen. Marcos drehte das Gesicht in meine Richtung.

»Da wir schon von Blut sprechen, werden Sie sicher gern hören, dass wir Ihre kleine Hure haben, diese Isabella, und dass wir uns, bevor wir mit Ihnen loslegen, für sie Zeit nehmen werden …«

Ich hob die Waffe und zielte auf sein Gesicht. Der Glanz des Metalls verriet mich. Marcos warf sich auf mich, stieß dabei die Puppen um und entging dem Schuss. Ich spürte sein Gewicht auf mir und seinen

Atem im Gesicht. Einen Zentimeter neben meinem linken Auge schnappte kräftig die Schere zu. Mit aller Kraft stieß ich die Stirn gegen sein Gesicht, sodass er zur Seite fiel. Ich hob die Waffe und legte auf sein Gesicht an. Mit gespaltener Lippe richtete sich Marcos auf und starrte mich an.

»Hast ja keinen Mumm«, murmelte er.

Er legte die Hand auf den Lauf und lächelte mir zu. Ich drückte ab. Die Kugel zerfetzte ihm die Hand und riss ihm den Arm wie nach einem Schlag nach hinten. Er fiel rücklings zu Boden und hielt sich sein verstümmeltes Handgelenk, während sich sein pulverversengtes Gesicht vor Schmerz verzerrte und er lautlos heulte. Ich stand auf und ließ ihn dort liegen, auf dass er in einer Lache seines eigenen Urins verblute.

21

Mit letzter Kraft schleppte ich mich durch die Gassen des Raval zum Paralelo, wo vor dem Teatro Apolo eine Reihe Taxis warteten. Ich schlüpfte in das erstbeste hinein. Als er die Tür hörte, drehte sich der Fahrer um, und als er mich erblickte, versuchte er mich mit einer Grimasse abzuschrecken. Ungeachtet seines Protests ließ ich mich auf den Rücksitz fallen.

»Hören Sie, Sie sterben mir doch nicht etwa da hinten?«

»Je eher Sie mich dahin bringen, wo ich hinwill, desto schneller sind Sie mich wieder los.«

Er fluchte leise und ließ den Motor an.

»Und wo wollen Sie hin?«

Wenn ich das wüsste, dachte ich.

»Fahren Sie einfach los, ich sag's Ihnen dann schon.«

»Losfahren wohin?«

»Richtung Pedralbes.«

Zwanzig Minuten später erblickte ich die Lichter der Villa Helius auf dem Hügel. Ich gab dem Fahrer ein Zeichen, der schon nicht mehr daran geglaubt hatte, mich je wieder loszuwerden. Er setzte mich vor der Tür ab und vergaß beinahe, für die Fahrt zu kassieren. Ich schleppte mich zum Eingang und klingelte. Dann ließ ich mich auf die Stufen fallen und lehnte den Kopf an die Wand. Ich hörte Schritte näher kommen, und irgendwann hatte ich den Eindruck, die Tür werde geöffnet und eine Stimme sage meinen Namen. Ich spürte eine Hand auf der Stirn und glaubte Vidals Augen zu erkennen.

»Verzeihen Sie, Don Pedro«, sagte ich flehend, »ich wusste nicht, wohin ...«

Er rief etwas, und nach einer Weile spürte ich, wie mich mehrere Hände an Armen und Beinen hochhoben. Als ich die Augen wieder öffnete, lag ich in Don Pedros Schlafzimmer, in demselben Bett, das er mit Cristina in den kaum zwei Monaten ihrer Ehe geteilt hatte. Ich seufzte. Vidal schaute mich vom Fußende des Bettes aus an.

»Sprich jetzt nicht«, sagte er. »Der Arzt kommt gleich.«

»Glauben Sie ihnen nicht, Don Pedro«, wimmerte ich. »Glauben Sie ihnen nicht.«

Vidal nickte mit zusammengepressten Lippen.

»Natürlich nicht.«

Er nahm eine Decke und legte sie über mich.

»Ich geh runter und warte auf den Arzt. Schlaf.«

Nach einer Weile hörte ich Schritte und Stimmen ins Schlafzimmer kommen. Ich spürte, dass mir die Kleider ausgezogen wurden, und sah die zahllosen Schnitte, die meinen Körper wie blutiger Efeu bedeckten. Ich spürte, wie die Pinzetten Glassplitter mit Haut und Fleisch aus den Wunden zupften. Ich spürte die Wärme des Desinfektionsmittels und die Nadelstiche, mit denen der Arzt die Wunden vernähte. Es war kein Schmerz mehr da, kaum noch Müdigkeit. Sowie ich zusammengenäht, ausgebessert und verbunden war wie eine kaputte Marionette, deckten mich der Arzt und Vidal zu und betteten meinen Kopf auf das angenehmste, weichste Kissen meines Lebens. Ich öffnete die Augen und blickte in das Gesicht des Arztes, eines aristokratischen Herrn mit beruhigendem Lächeln. Er hielt eine Spritze in der Hand.

»Sie haben Glück gehabt, junger Mann«, sagte er, während er mir die Nadel in den Arm bohrte.

»Was ist das?«, murmelte ich.

Neben dem Gesicht des Arztes erschien dasjenige Vidals.

»Es wird dir schlafen helfen.«

In meinem Arm breitete sich eine Kältewolke aus, die sich bis zur Brust hinzog. Ich fiel in einen schwarzsamtenen Schacht, während mich Vidal und der Arzt aus der

Höhe beobachteten. Die Welt schloss sich zu einem Lichttropfen, der sich in meinen Händen verflüchtigte. Ich tauchte in einen warmen, endlosen, chemischen Frieden, den ich am liebsten nie wieder verlassen hätte.

Ich erinnere mich an eine Welt aus schwarzem Wasser unter dem Eis. Das Mondlicht streifte das gefrorene Gewölbe über mir und zerfiel in tausend körnige Strahlenbündel, die sich in der Strömung wiegten, welche mich mitzog. Ihr weißes Gewand bauschte sich langsam um sie, die Silhouette ihres Körpers sichtbar im Gegenlicht. Cristina streckte die Hand nach mir aus, und ich kämpfte gegen die kalte, stete Strömung an. Als unsere Hände nur noch wenige Millimeter voneinander entfernt waren, entfaltete eine dunkle Wolke ihre Flügel hinter ihr und hüllte sie ein wie in einer Explosion. Schwarze Lichttentakel umfassten ihre Arme, den Hals und das Gesicht und rissen sie in die Dunkelheit hinab.

22

Ich erwachte beim Klang meines Namens aus Inspektor Víctor Grandes' Mund. Ich schoss hoch, ohne zu wissen, wo ich mich befand – an einem Ort, der, wenn er denn überhaupt irgendeinem Ort ähnelte, der Suite eines Grandhotels glich. Die Peitschenhiebe aus Schmerz, die von den Schnitten auf meinem Körper ausgingen, holten mich in die Wirklichkeit zurück. Ich befand mich in Vidals Schlafzimmer in der Villa Helius. Zwischen den angelehnten Fensterläden deutete sich das Licht des frühen Abends an. Im Kamin brannte ein Feuer, es war warm. Die Stimmen kamen aus dem Erdgeschoss. Pedro Vidal und Inspektor Grandes.

Ich ignorierte das Reißen und Stechen, das mir auf der Haut brannte, und sprang aus dem Bett. Meine blutverschmierten Kleider lagen auf einem Sessel. Ich sah mich nach dem Mantel um. Die Pistole steckte noch in seiner Tasche. Ich spannte sie, verließ das Zimmer und folgte dem Klang der Stimmen bis zur Treppe. Eng an die Wand geschmiegt, stieg ich einige Stufen hinunter.

»Das mit ihren Männern tut mir sehr leid, Inspektor«, hörte ich Vidal sagen. »Sie können sicher sein, sobald sich David mit mir in Verbindung setzt oder ich etwas über seinen Verbleib erfahre, werde ich es Sie sofort wissen lassen.«

»Ich danke Ihnen für Ihre Hilfe, Señor Vidal. Tut mir leid, dass ich Sie unter diesen Umständen behelligen muss, aber die Lage ist äußerst ernst.«

»Das ist mir klar. Danke für Ihren Besuch.«

Schritte in Richtung Halle und das Geräusch der Haustür. Sich entfernende Schritte im Garten. Vidals schweres Atmen am Fuß der Treppe. Ich ging noch einige Stufen hinunter und sah, dass er die Stirn an die Tür lehnte. Als er mich hörte, wandte er sich um. Er sagte kein Wort, sondern schaute nur auf die Pistole in meinen Händen. Ich legte sie auf das Tischchen am Fuß der Treppe.

»Komm, schauen wir mal, ob wir was Sauberes zum Anziehen für dich finden.«

Ich folgte ihm in ein riesiges Ankleidezimmer, das eher einem Textilmuseum glich. All die exquisiten Anzüge, die ich aus Vidals glorreichen Jahren in Erinnerung hatte, hingen hier, dazu Dutzende Krawatten, Schuhe und Manschettenknöpfe in roten Samtetuis.

»All das stammt aus der Zeit, als ich noch jung war. Es wird dir gut stehen.«

Vidal wählte für mich aus. Er reichte mir ein Hemd, das wahrscheinlich so teuer war wie eine kleine Parzelle Land, einen in London maßgeschneiderten Dreiteiler und italienische Schuhe, die der Garderobe des Patrons wohl angestanden hätten. Schweigend zog ich mich an, während mir Vidal nachdenklich zuschaute.

»Ein wenig breit an den Schultern, aber damit wirst du dich abfinden müssen.« Er gab mir Manschettenknöpfe mit Saphiren.

»Was hat Ihnen denn der Inspektor erzählt?«

»Alles.«

»Und haben Sie ihm geglaubt?«

»Spielt es eine Rolle, was ich glaube?«

»Für mich spielt es eine Rolle.«

Vidal setzte sich auf einen Schemel vor einer von oben bis unten mit Spiegeln bedeckten Wand.

»Er sagt, du wüsstest, wo Cristina ist«, sagte er.

Ich nickte.

»Lebt sie?«

Ich schaute ihm in die Augen und nickte sehr, sehr langsam. Vidal lächelte schwach und wich meinem Blick aus. Dann begann er zu weinen, mit einem Stöhnen, das aus tiefster Tiefe aufstieg. Ich setzte mich neben ihn und umarmte ihn.

»Verzeihen Sie mir, Don Pedro, verzeihen Sie mir …«

Später, als die Sonne langsam dem Horizont entgegensank, warf Don Pedro meine alten Kleider ins Feuer. Bevor er den Mantel den Flammen übergab, zog er *Die Schritte des Himmels* hervor und reichte mir das Buch.

»Von den beiden Büchern, die du letztes Jahr geschrieben hast, ist dies das gute«, sagte er.

Ich sah zu, wie er meine brennenden Kleider im Feuer schürte.

»Wann haben Sie es gemerkt?«

Er zuckte die Schultern.

»Selbst einen eitlen Dummkopf kann man nicht ewig täuschen, David.«

Ich war mir nicht sicher, ob in seiner Stimme Groll lag oder nur Traurigkeit.

»Ich habe es getan, weil ich dachte, es würde Ihnen helfen, Don Pedro.«

»Ich weiß schon.«

Er lächelte ohne Bitterkeit.

»Verzeihen Sie mir«, flüsterte ich.

»Du musst die Stadt verlassen. An der Mole San Sebastián ankert ein Frachter, der um Mitternacht in See sticht. Es ist alles arrangiert. Frag nach Kapitän Olmo, er erwartet dich. Nimm eins der Autos aus der Garage. Du kannst es auf der Mole stehenlassen, Pep wird es morgen holen. Sprich mit keinem. Geh nicht nach Hause zurück. Du wirst Geld brauchen.«

»Geld habe ich genug«, log ich.

»Geld hat man nie genug. Wenn du in Marseille an Land gehst, wird dich Olmo zu einer Bank begleiten und dir fünfzigtausend Francs auszahlen.«

»Don Pedro …«

»Hör mir zu. Diese beiden Männer, die du umgebracht hast, wie Grandes sagt …«

»Marcos und Castelo. Ich glaube, sie haben für Ihren Vater gearbeitet, Don Pedro.«

Vidal schüttelte den Kopf.

»Weder mein Vater noch seine Anwälte verkehren je mit der mittleren Etage, David. Was glaubst du wohl, wie diese beiden wissen konnten, wo sie dich eine halbe Stunde nach deiner Flucht aus dem Präsidium finden würden?«

Kalte Gewissheit brach über mich herein.

»Von meinem Freund, Inspektor Víctor Grandes.«

»Genau. Grandes hat dich bloß gehen lassen, weil er sich die Hände nicht schmutzig machen wollte. Sobald du weg warst, haben sich seine beiden Männer an deine Fersen geheftet. Es wäre ein Schlagzeilentod gewesen – Mordverdächtiger ergreift die Flucht und kommt um beim Versuch, sich der Festnahme zu entziehen.«

»Wie in den alten Zeiten bei den Vermischten Meldungen«, sagte ich.

»Einige Dinge ändern sich nie, David. Das solltest du besser wissen als irgendjemand sonst.«

Er öffnete seinen Schrank und gab mir einen noch ungetragenen Mantel. Ich steckte das Buch in die Innentasche. Vidal lächelte mich an.

»Wenigstens einmal im Leben sehe ich dich gut angezogen.«

»Ihnen stand das besser.«

»Das schon.«

»Don Pedro, es gibt vieles, was …«

»Jetzt ist es nicht mehr von Belang, David. Du schuldest mir keine Erklärung.«

»Ich schulde Ihnen weit mehr als eine Erklärung …«

»Dann erzähl mir von ihr.«

Vidals verzweifelte Augen baten mich, ihn zu belügen. Wir setzten uns in den Salon vor die großen Fenster, die auf ganz Barcelona hinabsahen, und ich schwindelte ihm aus tiefstem Herzen etwas vor. Ich sagte, Cristina habe unter dem Namen Madame Vidal ein kleines Dachgeschoss in der Rue Soufflot gemietet und mir gesagt, sie werde mich jeden Abend vor dem Brunnen des Jardin du Luxembourg erwarten. Ich sagte, sie spreche ständig von ihm, sie werde ihn nie vergessen und egal, wie viele Jahre ich auch an ihrer Seite verbrächte, ich wisse, dass ich nie die Leere würde füllen können, die er hinterlassen habe. Don Pedro nickte, den Blick in der Ferne verloren.

»Du musst mir versprechen, auf sie aufzupassen, David. Sie nie zu verlassen. Bei ihr zu bleiben, was auch geschehen mag.«

»Ich verspreche es, Don Pedro.«

Im blassen Licht der Abenddämmerung sah ich in ihm nur noch einen alten, besiegten Mann, krank vor

Erinnerungen und Reue, einen Mann, der nie geglaubt hatte und dem jetzt nur noch der Balsam der Leichtgläubigkeit blieb.

»Ich wäre dir gern ein besserer Freund gewesen, David.«

»Sie sind der beste aller Freunde gewesen, Don Pedro. Sie sind viel mehr als das gewesen.«

Er streckte den Arm aus und nahm meine Hand. Er zitterte.

»Grandes hat mir von diesem Mann erzählt, von dem, den du den Patron nennst ... Er sagt, du schuldest ihm etwas und glaubst, die einzige Art, deine Schuld zu bezahlen, bestehe darin, ihm eine reine Seele zu opfern ...«

»Das sind Albernheiten, Don Pedro. Das dürfen Sie nicht ernst nehmen.«

»Mit einer schmutzigen und müden Seele wie der meinen ist dir wohl nicht gedient, oder?«

»Ich kenne keine reinere Seele als Ihre, Don Pedro.«

Er lächelte.

»Könnte ich mit deinem Vater tauschen, so würde ich es tun, David.«

»Ich weiß.«

Er stand auf und schaute zu, wie sich die Dunkelheit auf die Stadt niedersenkte.

»Du solltest dich auf den Weg machen«, sagte er. »Geh in die Garage und nimm einen Wagen. Welchen du willst. Ich sehe mal nach, ob ich etwas Bargeld dahabe.«

Ich nickte, nahm den Mantel und verließ das Haus. In der Garage der Villa Helius standen zwei wie Königskarossen glänzende Autos. Ich wählte das kleinere, diskretere, einen schwarzen Hispano-Suiza, der nicht mehr als zwei-, dreimal benutzt worden zu sein schien und noch neu roch. Ich setzte mich ans Steuer, ließ den Motor an und fuhr aus der Garage, um im Hof zu warten. Als Don Pedro nach einer Minute nicht erschien, stieg ich bei laufendem Motor aus. Ich ging ins Haus, um mich von ihm zu verabschieden und ihm zu sagen, er solle sich wegen des Geldes keine Gedanken machen, ich würde schon irgendwie klarkommen. In der Halle erinnerte ich mich, dass ich die Waffe auf dem Tisch gelassen hatte. Als ich sie mitnehmen wollte, war sie nicht mehr da.

»Don Pedro?«

Die Tür zum Salon war angelehnt. Ich schaute hinein und erblickte ihn in der Mitte des Raums. Er führte eben die Pistole meines Vaters an die Brust und richtete den Lauf aufs Herz. Ich lief zu ihm, und das Krachen des Schusses erstickte meine Rufe. Die Waffe fiel ihm aus der Hand. Sein Körper neigte sich zur Seite und sank, auf dem Marmor eine scharlachrote Spur hinterlassend, langsam zu Boden. Ich fiel neben ihm auf die Knie und nahm ihn in den Arm. Der Schuss hatte ein rauchendes Loch in seine Kleider gebohrt, aus dem dickflüssig dunkles Blut quoll. Don Pedro schaute mir fest in die Augen, während sich sein Lächeln mit Blut füllte und sein Körper zu zittern aufhörte und, umgeben vom Geruch nach Pulver und Elend, in sich zusammensank.

23

Ich setzte mich wieder ins Auto, die blutigen Hände am Lenkrad. Ich konnte kaum atmen. Nach einer Minute löste ich die Handbremse. Die Dämmerung hatte den Himmel über den pulsierenden Lichtern der Stadt rot gefärbt. Die Villa Helius hinter mir lassend, fuhr ich die Straße hinunter. Bei der Avenida Pearson hielt ich an und sah in den Rückspiegel. Aus einem versteckten Gässchen bog ein Auto heraus und blieb etwa fünfzig Meter hinter mir stehen. Die Scheinwerfer brannten nicht. Inspektor Grandes.

Ich fuhr weiter die Avenida Pearson hinunter, an dem großen schmiedeeisernen Drachen vorbei, der den Haupteingang der Finca Güell bewachte. Der Wagen des Inspektors folgte mir in rund hundert Meter Abstand. Bei der Diagonal angekommen, bog ich nach links ein in Richtung Stadtzentrum. Es war kaum Verkehr, und Grandes konnte mir problemlos folgen, bis ich nach rechts abbog in der Hoffnung, ihn in den engen Gassen von Las Corts abzuschütteln. Zu diesem Zeitpunkt hatte er bereits bemerkt, dass seine Anwesenheit kein Geheimnis mehr war, hatte die Scheinwerfer eingeschaltet und aufgeholt. Zwanzig Minuten lang umkreisten wir ein Gewirr von Gassen und Straßenbahnen. Ich glitt zwischen Bussen und Autos hindurch und erblickte immer wieder von neuem die Lichter von Grandes' Wagen hinter mir, der mir unermüdlich folgte. Nach einer Weile erhob sich vor uns der Hügel von Montjuïc. Der große Palast der Weltausstellung und die

Reste der übrigen Pavillons waren zwar erst knapp zwei Wochen zuvor geschlossen worden, aber im Dunst der Dämmerung wirkten sie bereits wie die Ruinen einer großen vergessenen Kultur. Ich steuerte die breite Straße hinauf zum Magischen Brunnen mit seinen Wasser- und Lichtspielen an und beschleunigte, was der Motor hergab. Je höher wir auf der Straße kamen, die sich um den Hügel herum dem Stadion entgegenschlängelte, desto mehr gewann der Inspektor an Terrain, bis ich im Rückspiegel deutlich sein Gesicht erkennen konnte. Einen Augenblick fühlte ich mich versucht, die Straße zum Kastell oben auf dem Hügel zu nehmen, aber eine ausweglosere Sackgasse gab es nicht. Meine einzige Hoffnung bestand darin, auf die andere, dem Meer zugewandte Seite des Hügels zu gelangen und auf einer der Hafenmolen zu verschwinden. Dazu brauchte ich einen gewissen Vorsprung. Grandes befand sich jetzt etwa fünfzehn Meter hinter mir. Vor mir lagen die großen Balustraden von Miramar mit ihrem weiten Ausblick über die Stadt. Ich machte eine Vollbremsung, sodass Grandes mit voller Wucht auf den Hispano-Suiza auffuhr. Der Aufprall schob uns beide in einer Funkengirlande fast zwanzig Meter weiter. Ich nahm den Fuß von der Bremse und fuhr ein kleines Stück vor. Während Grandes die Kontrolle wiederzugewinnen versuchte, legte ich den Rückwärtsgang ein und trat das Gaspedal durch. Als er merkte, was ich vorhatte, war es bereits zu spät. Ich attackierte ihn mit freundlicher Genehmigung des exklusivsten Rennstalls der Stadt, dessen Karosserien und Motoren deutlich robuster waren als bei ihm. Die

Wucht der Karambolage schüttelte ihn in seinem Wagen durch, und sein Kopf prallte gegen die Windschutzscheibe, die in einem Splitterregen zerbarst. Weißer Dampf quoll aus der Motorhaube, die Scheinwerfer hatten den Geist aufgegeben. Ich legte den ersten Gang ein und beschleunigte. Grandes blieb zurück, und ich steuerte die Aussichtsplattform von Miramar an. Nach wenigen Sekunden bemerkte ich, dass der Aufprall die hintere Stoßstange an einen der Reifen gequetscht hatte, den sie nun abhobelte. Der Gestank nach verbranntem Gummi drang mir in die Nase. Zwanzig Meter weiter platzte der Reifen, der Wagen begann zu schlingern und blieb in einer schwarzen Rauchwolke stehen. Ich stieg aus und schaute zu Grandes' Wagen zurück. Eben schälte sich der Inspektor heraus und richtete sich langsam auf. Ich sah mich um. Die Endstation der Drahtseilbahn, die den Hafen vom Montjuïc zum San-Sebastián-Turm überquerte, lag rund fünfzig Meter vor mir. Ich erkannte die Umrisse der an ihren Kabeln hängenden Kabinen, die lautlos durch die scharlachrote Dämmerung glitten, und rannte los.

Einer der Seilbahnangestellten wollte eben den Eingang schließen, als er mich heranspurten sah. Er hielt mir die Tür auf und deutete hinein.

»Letzte Fahrt des Tages«, verkündete er. »Sie sollten sich beeilen.«

Am Schalter war die Jalousie bereits halb heruntergelassen, als ich die letzte Fahrkarte des Tages erwarb und mich eilig einer vierköpfigen Gruppe zugesellte, die vor der Kabine wartete. Ich wurde erst auf ihre Gewandung aufmerksam, als der Seilbahnangestellte das Türchen öffnete und sie hineinkomplimentierte. Priester.

»Die Seilbahn wurde anlässlich der Weltausstellung erbaut und mit der allerneusten Technologie ausgestattet. Ihre Sicherheit ist jederzeit gewährleistet. Sowie die Fahrt beginnt, wird diese nur von außen zu öffnende Tür verriegelt bleiben, um Unfälle oder, da sei Gott vor, Selbstmordversuche zu vereiteln. Natürlich besteht bei Ihnen, Eure Exzellenzen, keine Gefahr, dass ...«

»Junger Mann«, unterbrach ich ihn, »könnten Sie das Zeremoniell, da es Nacht wird, etwas beschleunigen?«

Der Seilbahnangestellte bedachte mich mit einem feindseligen Blick. Einer der Priester bemerkte die Blutflecken an meinen Händen und bekreuzigte sich. Der Angestellte nahm seinen gespreizten Sermon wieder auf.

»Sie werden in rund sechzig Meter Höhe über den Hafengewässern durch den Himmel von Barcelona gleiten und sich der spektakulärsten Aussicht der ganzen Stadt erfreuen, wie sie bislang nur Schwalben, Möwen und anderen vom Allerhöchsten mit Federwerk beschenkten Geschöpfen verstattet war. Die Fahrt weist eine Dauer von zehn Minuten auf – mit zweimaligem Halt, dem ersten am mittleren Turm des Hafens oder, wie ich ihn gerne nenne, am Eiffelturm Barcelonas, auch San-Jaime-Turm geheißen, und dem zweiten und letzten am San-Sebastián-Turm. Jetzt wünsche ich Euren Exzellenzen ohne weiteren Verzug eine glückliche Überfahrt und wiederhole den Wunsch der Gesellschaft, Sie bald wieder an Bord der Hafenseilbahn von Barcelona begrüßen zu dürfen.«

Ich stieg als Erster in die Gondel ein. Als die vier Priester an ihm vorbeizogen, streckte der Seilbahnangestellte die Hand aus in der Erwartung eines Trinkgeldes, das er nicht bekam. Sichtlich enttäuscht, knallte er das Türchen zu, drehte sich um und wollte den Starthebel betätigen. Draußen wartete Inspektor Víctor Grandes auf ihn, übel zugerichtet, aber lächelnd, die Erkennungsmarke in der Hand. Der Seilbahnangestellte öffnete ihm das Türchen, und mit einem Kopfnicken für die Priester und einem Augenzwinkern für mich trat er in die Kabine. Sekunden später fuhren wir los.

Die Gondel entschwebte dem Berggrat folgend dem Gebäude. Die Priester hatten sich alle auf einer Seite zusammengeschart, um erstens die Aussicht auf das eindunkelnde Barcelona zu genießen und zweitens nicht zur Kenntnis nehmen zu müssen, welch undurchsichtige Angelegenheit Grandes und mich hier zusammengeführt hatte. Der Inspektor trat langsam auf mich zu und zeigte mir die Waffe in seiner Hand. Große rote Wolken schwebten über dem Hafenwasser. Die Kabine tauchte in eine von ihnen ein, sodass wir uns für einen Augenblick in einem See aus Feuer zu befinden schienen.

»Sind Sie schon mal hier oben gewesen?«, fragte Grandes.

Ich nickte.

»Meiner Tochter gefällt das sehr. Einmal im Monat will sie hin- und zurückfahren. Ein wenig teuer, aber die Sache ist es wert.«

»Mit dem, was Ihnen der alte Vidal dafür zahlt, mich auszuliefern, können Sie mit Ihrer Tochter sicher jeden Tag herkommen, wenn Sie Lust haben. Nur aus Neugier: Was hat er denn für einen Preis auf mich ausgesetzt?«

Grandes lächelte. Die Kabine verließ die scharlachrote Wolke, und wir schwebten über das Hafenbecken, über dessen dunkle Wasser sich die Lichter der Stadt ergossen.

»Fünfzehntausend Peseten.« Er klopfte auf einen weißen Umschlag, der aus seiner Manteltasche ragte.

»Da sollte ich mich vermutlich geschmeichelt fühlen. Manche töten schon für zwei Duros. Ist im Preis inbegriffen, dass Sie Ihre beiden Männer ans Messer geliefert haben?«

»Ich darf Sie daran erinnern, dass Sie der Einzige sind, der hier jemanden umgebracht hat.«

Mittlerweile hatten die vier Priester den Zauber des schwindelerregenden Über-die-Stadt-Schwebens vergessen und schauten uns konsterniert an. Grandes warf einen raschen Blick auf sie.

»Wenn es nicht zu viel verlangt ist, wäre ich Euren Exzellenzen sehr dankbar, wenn Sie beim ersten Halt aussteigen und uns unsere weltlichen Angelegenheiten allein austragen lassen würden.«

Vor uns erhob sich der Turm im Hafenbecken wie ein Pfeiler aus Stahl und Kabeln, der einer technischen Kathedrale entstammte. Die Kabine fuhr in die Kuppel ein und kam neben der Plattform zum Stillstand. Als das Türchen aufging, verließen die vier Priester fluchtartig die Gondel. Grandes dirigierte mich mit der Waffe nach hinten. Beim Aussteigen warf mir einer der Priester einen besorgten Blick zu.

»Keine Bange, junger Mann, wir werden die Polizei benachrichtigen«, sagte er, bevor das Türchen wieder geschlossen wurde.

»Das sollten Sie unbedingt tun«, antwortete Grandes.

Die Kabine verließ den Turm und setzte zum letzten Stück der Überfahrt an. Grandes trat ans Fenster und betrachtete die Stadt, ein Blendwerk aus Lichtern und Dünsten, Kathedralen und Palästen, Gässchen und breiten Alleen, das in ein Labyrinth aus Schatten eingebettet war.

»Die Stadt der Verdammten«, sagte er. »Je weiter weg, desto schöner.«

»Ist das meine Grabinschrift?«

»Ich werde Sie nicht umbringen, Martín. Ich bringe die Leute nicht um. Diesen Gefallen werden *Sie* mir tun. Mir und Ihnen selbst. Sie wissen genau, dass ich recht habe.«

Kurzerhand feuerte er drei Schüsse auf den Schließmechanismus des Türchens ab und stieß dieses mit dem Fuß auf, sodass es in der Luft flatterte und ein feuchter Wind in die Kabine strömte.

»Sie werden nichts spüren, Martín, glauben Sie mir. Der Aufprall dauert keine Zehntelsekunde. Und dann herrscht Ruhe, Frieden.«

Ich blickte zum offenen Türchen. Vor mir lag ein Abgrund von siebzig Metern. Ich schaute in Richtung San-Sebastián-Turm, von dem wir noch einige Minuten entfernt waren. Grandes las meine Gedanken.

»In einigen Minuten wird alles zu Ende sein, Martín. Eigentlich müssten Sie mir dankbar sein.«

»Glauben Sie wirklich, ich hätte all diese Leute umgebracht, Inspektor?«

Er hob den Revolver und zielte auf mein Herz.

»Ich weiß es nicht, und es ist mir auch schnurzegal.«

»Ich dachte, wir wären Freunde.«

Grandes lächelte und schüttelte den Kopf.

»Sie haben keine Freunde, Martín.«

Zum Krachen des Schusses spürte ich einen Einschlag in der Brust, als wäre mir ein Vorschlaghammer in die Rippen gerammt worden. Ich bekam keine Luft mehr und fiel auf den Rücken, während mich ein Schmerzkrampf durchfuhr. Grandes hatte mich an den Beinen gefasst und schleifte mich zum Türchen. Auf der anderen Seite erschien zwischen Wolkenschleiern der San-Sebastián-Turm. Grandes trat über mich hinweg, kniete hinter mir nieder und schob mich an den Schultern zum Türchen. Ich spürte den feuchten Wind an den Beinen. Der Inspektor gab mir einen weiteren Stoß, sodass meine Hüften aus der Kabine hingen.

Gerade als ich zu fallen begann, streckte ich die Arme aus und grub dem Inspektor die Finger in den Hals. Durch das Gewicht meines Körpers war er in der Öffnung verkeilt. Ich presste mit all meiner Kraft, drückte ihm die Luftröhre zu und quetschte seine Halsschlagadern. Mit der einen Hand versuchte er sich aus meinem Würgegriff zu befreien, während die andere nach der Waffe tastete. Seine Finger fanden den Kolben und glitten auf den Abzug zu. Der Schuss streifte meine Schläfe, traf den Rand des Türchens, prallte ab, sauste in die Kabine zurück und fräste ihm ein sauberes Loch in die Handfläche. Ich vergrub die Nägel in seinem Hals und spürte, wie die Haut nachgab. Grandes ächzte. Ich zog kräftig und hievte mich hinauf, bis wieder mehr als mein halber Körper in der Kabine war. Sowie ich mich an den Metallwänden festklammern konnte, ließ ich Grandes los und warf mich zur Seite.

Ich betastete meine Brust und fand das Einschussloch. Ich knöpfte den Mantel auf und zog *Die Schritte des Himmels* heraus. Die Kugel war durch den vorderen Deckel eingedrungen, hatte die fast vierhundert Seiten durchbohrt und guckte wie eine silberne Fingerspitze aus dem hinteren Deckel. Neben mir wand sich Grandes am Boden und hielt sich verzweifelt den Hals. Sein Gesicht war dunkelviolett, und die Stirn- und Schläfenadern pulsierten wie Hochspannungskabel. Er warf mir einen flehenden Blick zu. Ein Netz geborstener Gefäße breitete sich in seinen Augen aus, und ich begriff, dass ich ihm mit den Händen die Luftröhre zerquetscht hatte und er hoffnungslos erstickte.

Ich schaute zu, wie er im qualvollen Todeskampf auf dem Boden zuckte. Ich zog den weißen Umschlag aus seiner Tasche, öffnete ihn und zählte fünfzehntausend Peseten – der Preis für mein Leben. Ich steckte ihn ein. Grandes robbte seiner Waffe entgegen. Ich stand auf und schob sie mit dem Fuß aus seiner Reichweite. Mitleid heischend klammerte er sich an meinen Knöchel.

»Wo ist Marlasca?«, fragte ich.

Seiner Kehle entrang sich ein dumpfes Ächzen. Ich

sah ihm in die Augen und erkannte, dass er lachte. Die Kabine war schon in den San-Sebastián-Turm eingefahren, als ich ihn zum Türchen hinausstieß. Ich sah seinen Körper fast achtzig Meter tief durch ein Gewirr von Stangen, Kabeln, Zahnrädern und Stahlstreben stürzen, die ihn zerfetzten.

24

Das Haus mit dem Turm war in Dunkelheit gehüllt. Ich tappte die Steinstufen zum Treppenabsatz hinauf und fand die Tür angelehnt. Ich stieß sie auf und blieb auf der Schwelle stehen, um die Schatten im langen Korridor zu erkunden. Dann tat ich einige Schritte und blieb wieder stehen, reglos, abwartend. An der Wand tastete ich nach dem Schalter, den ich viermal drehte, ohne dass das Licht anging. Vorsichtig brachte ich die drei Meter bis zur ersten Tür rechts hinter mich, die in die Küche führte, und blieb davor stehen. Ich erinnerte mich, in einem der Speiseschränke eine Öllampe zu verwahren, die ich zwischen noch ungeöffneten Kaffeedosen aus dem Hause Gispert auch fand. Ich stellte sie auf den Küchentisch und zündete sie an, sodass sie die Wände in schwaches Bernsteinlicht tauchte. Dann ging ich mit der Lampe wieder auf den Korridor hinaus.

Das flackernde Licht in die Höhe haltend, rückte ich langsam vor und erwartete jeden Augenblick, etwas oder jemanden aus einer der Türen links und rechts auftauchen zu sehen. Ich wusste, dass ich nicht allein war.

Ich konnte es riechen. Ein säuerlicher Gestank nach Wut und Hass lag in der Luft. Am Ende des Korridors hielt ich vor der Tür zum letzten Zimmer inne. Im Schein der Lampe traten die Umrisse des von der Wand abgerückten Schranks hervor, die Kleider waren noch genauso auf dem Boden verstreut, wie ich sie zwei Tage zuvor hinterlassen hatte, als Grandes mich verhaftet hatte. Dann ging ich weiter, bis zum Fuß der Wendeltreppe. Langsam stieg ich ins Arbeitszimmer hinauf, alle zwei, drei Stufen einen Blick zurückwerfend. Durch die Fenster sickerte der rötliche Schein der Dämmerung. Rasch durchquerte ich den Raum bis zur Truhe an der Wand und klappte den Deckel auf. Die Mappe mit dem Manuskript für den Patron war verschwunden.

Als ich auf dem Weg zurück zur Treppe am Schreibtisch vorbeikam, sah ich, dass die Tastatur meiner alten Underwood zertrümmert war, als hätte jemand mit Fäusten auf sie eingeschlagen. Langsam stieg ich die Stufen hinunter. Wieder im Korridor, spähte ich in die Veranda. Selbst im Halbdunkel konnte ich sehen, dass meine sämtlichen Bücher auf dem Boden lagen und das Leder in Fetzen von den Sesseln hing. Ich drehte mich um und starrte in die zwanzig Meter Korridor, die mich von der Eingangstür trennten. Im spärlichen Licht der Öllampe waren nur zur Hälfte Umrisse zu erkennen, jenseits davon wogten die Schatten wie schwarzes Wasser.

Ich erinnerte mich, die Wohnungstür beim Eintreten offen gelassen zu haben. Jetzt war sie zu. Ich ging einige Meter weiter, aber als ich wieder am hintersten Zimmer vorbeikam, ließ mich etwas abrupt stehen bleiben. Beim Eintreten hatte ich es nicht bemerkt, da die Zimmertür nach links aufging und ich nicht aufmerksam genug hingeschaut hatte, aber jetzt sah ich es ganz genau. Eine weiße Taube mit ausgebreiteten Flügeln hing wie ein Kreuz an der Tür. Frische Blutstropfen rannen übers Holz.

Ich trat ins Zimmer. Hinter der Tür war niemand. Der Schrank stand noch immer an der Seitenwand. Die feuchtkühle Luft, die aus dem Loch in der Wand kam, erfüllte den Raum. Ich stellte die Lampe auf den Boden, begann, mit den Fingernägeln im aufgeweichten Mörtel um das Loch herum zu bohren, und spürte, dass er zerbröselte. In der Schublade eines Tischchens in der Ecke fand ich einen alten Brieföffner, mit dem ich im Mörtel stocherte. Der Gips löste sich leicht, die Schicht war höchstens drei Zentimeter dick. Auf der Rückseite stieß ich auf Holz.

Eine Tür.

Mit dem Brieföffner brach ich den Gips an den Rändern heraus, bis sich die Tür allmählich in der Wand abzeichnete. Mittlerweile hatte ich die im Schatten lauernde nahe Anwesenheit vergessen, die die Wohnung vergiftete. Die Tür hatte keine Klinke, nur ein rostiges Schloss, das mit Gips verklebt war. Ich bohrte den Brieföffner hinein und stocherte vergebens. Dann trat ich mit den Füßen auf die Tür ein, bis der Gips, der das Schloss festhielt, allmählich nachgab. Schließlich hatte ich es so weit freigelegt, dass ein einfacher Stoß die Tür aufdrückte.

Ein Schwall fauliger Luft drang heraus und setzte sich in meine Kleider und auf die Haut. Ich hob die Lampe vom Boden auf und ging hinein. Der Raum war ein Rechteck von etwa fünf oder sechs Meter Tiefe. Die Wände waren übersät mit Zeichnungen und Inschriften, die mit den Fingern angebracht schienen. Die Linien waren dunkelbräunlich – trockenes Blut. Der Boden war bedeckt mit etwas, was ich zunächst für Staub hielt, was sich aber im Schein der Lampe als Überreste kleiner Knochen entpuppte. Tierknochen, zerbröckelt in einem Meer aus Asche. Von der Decke hingen an schwarzen Schnüren unzählige Gegenstände, unter denen ich religiöse Figuren, Heiligen- und Muttergottesbilder mit verbranntem Gesicht und ausgestochenen Augen, mit Stacheldraht umwickelte Kruzifixe, Reste von Blechspielzeug und glasäugigen Puppen entdeckte. Die Gestalt befand sich ganz hinten, war fast nicht zu sehen.

Ein auf die Ecke ausgerichteter Stuhl. Darauf eine schwarzgekleidete Person. Ein Mann. Die Hände waren im Rücken mit Handschellen gefesselt. Ein dicker Draht hielt seine Glieder am Stuhl fest. Eine Kälte überkam mich, wie ich sie bisher nicht gekannt hatte.

»Salvador?«, brachte ich heraus.

Langsam ging ich auf ihn zu. Die Gestalt rührte sich nicht. Einen Schritt von ihr entfernt blieb ich stehen und streckte zögernd die Hand nach ihr aus. Meine Finger berührten ihr Haar und legten sich auf ihre Schulter. Als ich den Körper drehen wollte, spürte ich, dass unter meinen Fingern etwas nachgab. Im nächsten Moment vernahm ich ein leises Rascheln, und die Leiche zerfiel zu Asche, die sich über die Kleider und Drahtfesseln ergoss und dann in einer dunklen Wolke aufstieg, um zwischen den Wänden des Gefängnisses hängen zu bleiben, in dem Salvador jahrelang versteckt gewesen war. Ich schaute zu, wie die Asche emporstieg, führte die Hände ans Gesicht und verstrich die Reste von Ricardo Salvadors Seele auf der Haut. Als ich die Augen öffnete, sah ich Diego Marlasca, seinen Kerkermeister, auf der Türschwelle der Zelle warten, in den Händen das Manuskript des Patrons und Feuer in den Augen.

»Ich habe es gelesen, während ich auf Sie gewartet habe, Martín«, sagte er. »Ein Meisterwerk. Der Patron wird es mir zu lohnen wissen, wenn ich es ihm in Ihrem Namen übergebe. Ich gestehe, ich war nie fähig, das Rätsel zu lösen, bin nie weitergekommen. Ich freue mich, festzustellen, dass der Patron einen talentierteren Nachfolger gefunden hat.«

»Gehen Sie mir aus dem Weg.«

»Tut mir leid, Martín. Glauben Sie mir, es tut mir wirklich leid. Ich hatte viel für Sie übrig.« Er zog etwas aus der Tasche, was wie ein Elfenbeingriff aussah. »Aber ich kann Sie nicht aus diesem Zimmer lassen. Es ist Zeit, dass Sie die Stelle des armen Salvador einnehmen.«

Er drückte auf einen Knopf im Griff, und im Halbdunkel blitzte ein doppelschneidiges Messer auf.

Mit einem Wutschrei stürzte er sich auf mich. Die Messerklinge schlitzte mir die Wange auf und hätte mir das linke Auge ausgestochen, hätte ich mich nicht zur Seite geworfen. Ich fiel rücklings auf den mit Knöchelchen und Asche bedeckten Boden. Marlasca umklammerte das Messer mit beiden Händen und ließ sich auf mich fallen, das ganze Gewicht auf die Schneide verlagernd. Die Messerspitze zitterte zwei Zentimeter über meiner Brust, während ich ihn mit der Rechten an der Gurgel packte.

Er drehte den Kopf, um mich ins Handgelenk zu beißen, und ich verpasste ihm eine gerade Linke ins Gesicht. Er reagierte kaum. Die Wut, die ihn antrieb, war jenseits von Vernunft und Schmerz, und mir war klar, dass er mich nicht lebend aus dieser Zelle entkommen lassen würde. Er griff mich mit einer unmöglich scheinenden Kraft an. Ich spürte, wie mir die Messerspitze in die Haut drang. Wieder schlug ich mit aller Kraft zu. Meine Faust prallte auf sein Gesicht und brach ihm das Nasenbein. Sein Blut rann mir über die Fingerknöchel. Er jaulte erneut auf, wenn auch nicht vor Schmerz, und bohrte das Messer einen Zentimeter tief in meinen Körper. Ein stechendes Glühen fuhr mir durch die Brust. Wieder attackierte ich ihn, suchte mit den Fingern seine Augenhöhlen, aber er hob das Kinn, sodass ich ihm die Nägel nur in die Wange schlagen konnte. Diesmal fühlte ich seine Zähne auf meinen Fingern.

Ich rammte ihm die Faust in den Mund, spaltete ihm die Lippen und brach ihm mehrere Zähne aus. Er heulte auf, und die Wucht seines Angriffs ließ einen Augenblick nach. Ich stieß ihn zur Seite, sodass er zu Boden fiel, das Gesicht eine vor Schmerz bebende, blutige Fratze. Ich rückte von ihm ab und betete im Stillen, er möge nicht mehr aufstehen. Aber gleich schleppte er sich zum Messer und begann sich aufzurichten.

Mit dem Messer in der Hand und gellendem Geheul stürzte er auf mich zu. Diesmal überrumpelte er mich nicht. Ich angelte nach der Öllampe und warf sie mit aller Kraft auf ihn. Sie zerbarst in seinem Gesicht und überzog Augen, Lippen, Hals und Brust mit Öl. Unverzüglich ging er in Flammen auf, und in wenigen Augenblicken breitete sich das Feuer über seinen ganzen Körper aus. Die Haare waren im Nu verbrannt. Durch die Flammen hindurch, die ihm die Lider verzehrten, sah ich seinen hasserfüllten Blick. Ich ergriff das Manuskript und verließ den Raum. Marlasca hielt immer noch das Messer in der Hand, und als er versuchte, mir aus diesem verfluchten Zimmer hinaus zu folgen, stolperte er kopfüber in den Haufen alter Kleider, die augenblicklich Feuer fingen. Die Flammen sprangen auf den Schrank und die an der Wand aufgestapelten Möbel über. Ich entfloh in den Korridor und sah ihn bereits wieder mit ausgebreiteten Armen hinter mir hertorkeln. Ich rannte zur Tür, aber bevor ich hinauslief, wandte ich mich noch einmal zurück, um zuzusehen, wie Diego Marlasca, während er zornig auf die Wände einschlug, die sofort zu brennen begannen, von den Flammen verzehrt wurde. Das Feuer griff auf die in der Veranda verstreuten Bücher über und erreichte die Gardinen. Züngelnd stiegen die Flammen die Tür- und Fensterrahmen hoch zur Decke und dann zum Arbeitszimmer hinauf. Das Letzte, was ich sah, war, wie dieser verwunschene Mensch am Ende des Korridors in die Knie sank, der schalen Hoffnungen seines Wahns beraubt und nur noch eine Fackel aus Fleisch und Hass, die von dem wütenden Lohen im Haus mit dem Turm verschlungen wurde. Dann öffnete ich die Tür und lief die Treppe hinunter.

Auf der Straße hatten sich einige Anwohner versammelt, sowie sie die ersten Flammen aus den Fenstern des Turms hatten schlagen sehen. Niemand beachtete mich, als ich mich entfernte. Kurz darauf hörte ich die Fensterscheiben des Arbeitszimmers bersten, wandte mich um und sah das tobende Feuer die drachenförmige Wetterfahne erfassen. Zwischen den Nachbarn hindurch, die, den Blick zum Feuerschein am schwarzen Himmel erhoben, heranbrandeten, entschwand ich zum Paseo del Born.

25

An jenem Abend ging ich zum letzten Mal zur Buchhandlung Sempere und Söhne. An der Tür hing die »Geschlossen«-Tafel, aber beim Näherkommen sah ich, dass noch Licht brannte und Isabella hinter dem Ladentisch stand, allein, in ein dickes Rechnungsbuch vertieft, das, nach ihrem Gesichtsausdruck zu schließen, das Ende der alten Buchhandlung verhieß. Wie ich sie so am Bleistift knabbern und sich mit dem Zeigefinger an der Nase kratzen sah, war mir klar, dass es diesen Ort immer geben würde, solange sie da wäre. Ihre Gegenwart würde ihn ebenso retten, wie sie mich gerettet hatte. Ich traute mich nicht, diesen Augenblick zu stören, und blieb stehen und beobachtete sie lächelnd, ohne dass sie mich bemerkte. Auf einmal schaute sie auf, als hätte sie meine Gedanken erraten, und erblickte mich. Ich winkte ihr zu und sah, dass sich ihre Augen mit Tränen füllten. Sie klappte das Buch zu und kam hinter dem Ladentisch hervorgeeilt, um mir aufzumachen. Sie starrte mich an, als sähe sie ein Gespenst.

»Dieser Mann hat doch gesagt, Sie seien abgehauen ... Auf Nimmerwiedersehen.«

Vermutlich hatte ihr Grandes einen Besuch abgestattet.

»Sie sollen wissen, dass ich ihm kein Wort geglaubt habe«, fuhr sie fort. »Ich hole gleich ...«

»Ich habe nicht viel Zeit, Isabella.«

Niedergeschlagen schaute sie mich an.

»Sie gehen, nicht wahr?«

Ich nickte. Isabella schluckte schwer.

»Ich hab Ihnen ja gesagt, dass ich Abschiede nicht mag.«

»Ich noch weniger. Ich bin auch nicht gekommen, um mich zu verabschieden. Ich bin gekommen, um einige Dinge zurückzubringen, die mir nicht gehören.«

Ich zog *Die Schritte des Himmels* aus der Tasche und reichte ihr das Buch.

»Das hätte die Vitrine mit Señor Semperes persönlicher Sammlung nie verlassen dürfen.«

Als Isabella die noch im Deckel steckende Kugel erblickte, schaute sie mich wortlos an. Da zog ich den weißen Umschlag mit den fünfzehntausend Peseten hervor, mit denen der alte Vidal meinen Tod zu kaufen versucht hatte, und legte ihn auf den Ladentisch.

»Und das ist für all die Bücher, die mir Sempere im Lauf der Jahre geschenkt hat.«

Isabella machte ihn auf und zählte verdutzt das Geld.

»Ich weiß nicht, ob ich das annehmen kann …«

»Betrachte es als mein vorzeitiges Hochzeitsgeschenk.«

»Und ich hatte noch immer die Hoffnung, dass Sie mich eines Tages zum Altar führen würden, und sei es nur als Trauzeuge.«

»Nichts hätte ich lieber getan.«

»Aber Sie müssen gehen.«

»Ja.«

»Für immer.«

»Für eine gewisse Zeit.«

»Und wenn ich mitgehe?«

Ich küsste sie auf die Stirn und umarmte sie.

»Wohin ich auch gehe, du wirst immer bei mir sein, Isabella. Immer.«

»Ich habe nicht vor, Sie zu vermissen.«

»Ich weiß.«

»Darf ich Sie wenigstens zum Zug begleiten oder wohin auch immer?«

Ich zögerte zu lange, um mir diese letzten Minuten in ihrer Gesellschaft zu versagen.

»Um sicher zu sein, dass Sie auch wirklich gehen und dass ich Sie für immer los bin«, fügte sie hinzu.

»Abgemacht.«

Gemächlich spazierten wir Arm in Arm die Ramblas hinunter. An der Calle Arc del Teatre angekommen, bogen wir in die dunkle Gasse ein, die sich einen Weg durchs Raval bahnte.

»Isabella, was du heute Abend sehen wirst, darfst du niemandem erzählen.«

»Nicht einmal meinem Sempere junior?«

»Natürlich. Ihm darfst du alles erzählen. Vor ihm haben wir fast keine Geheimnisse.«

Als er die Tür öffnete, lächelte Isaac uns zu und trat beiseite.

»Höchste Zeit, dass mal wieder ein hoher Besuch kommt«, sagte er mit einer Verbeugung vor Isabella. »Ich ahne, dass Sie den Führer spielen wollen, nicht wahr, Martín?«

»Wenn es Ihnen nichts ausmacht …«

Isaac schüttelte den Kopf und gab mir die Hand.

»Viel Glück«, sagte er.

Er ließ mich mit Isabella allein und zog sich in die Schatten zurück. Meine ehemalige Assistentin, die frischgebackene Geschäftsführerin von Sempere und Söhne, betrachtete alles ebenso erstaunt wie misstrauisch.

»Was ist das denn für ein Ort?«

Ich nahm sie bei der Hand und führte sie langsam in den großen Saal, in dem sich der Eingang befand.

»Willkommen im Friedhof der Vergessenen Bücher, Isabella.«

Sie schaute zu der hohen Glaskuppel hinauf und verlor sich in dem unmöglichen Anblick. Weiße Lichtstrahlen durchbohrten dieses Babel mit seinen Tunneln, Stegen und Brücken, welche dem Innern der Bücherkathedrale zustrebten.

»Dieser Ort ist ein Rätsel. Ein Heiligtum. Jedes Buch, das du siehst, jeder Band hat eine Seele. Die Seele dessen, der es geschrieben hat, und die Seele derer, die es gelesen und gelebt und von ihm geträumt haben. Immer wenn ein Buch den Besitzer wechselt, immer wenn jemand den Blick über seine Seiten gleiten lässt, wächst sein Geist, und es wird stärker. Die Bücher, an die sich niemand mehr erinnert, die mit der Zeit verloren gingen, leben an diesem Ort für immer weiter und warten darauf, einem neuen Leser, einem neuen Geist in die Hände zu fallen ...«

Später ließ ich Isabella am Eingang des Labyrinths zurück und begab mich allein mit dem verfluchten Manuskript, das zu vernichten ich nicht den Mut gehabt hatte, in die Tunnel. Ich vertraute darauf, dass mich meine Schritte an den richtigen Ort führen würden, um es auf ewig zu begraben. Ich bog um tausend Ecken, bis ich mich schon verirrt wähnte. In der Gewissheit, denselben Weg bereits zehnmal gegangen zu sein, fand ich mich unversehens am Eingang zu dem kleinen Raum, wo ich mich in dem Spiegel, in dem der Blick des Mannes in Schwarz stets gegenwärtig war, mir selbst gegenübergesehen hatte. Zwischen zwei schwarzen Lederbänden erspähte ich eine Lücke und stellte, ohne lange zu überlegen, die Mappe des Patrons hinein. Ich wollte schon wieder gehen, da wandte ich mich noch einmal um und trat erneut ans Regal. Ich zog den Band neben meinem Manuskript heraus und schlug ihn auf. Ich brauchte nur zwei Sätze zu lesen, um wieder das düstere Lachen hinter mir zu hören. Ich stellte ihn zurück und nahm aufs Geratewohl einen anderen, den ich rasch durchblätterte. Dann noch einen und einen weiteren, bis ich Dutzende von den Bänden in diesem Raum angeschaut und festgestellt hatte, dass sie in unterschiedlichen Schattierungen alle dieselben Worte enthielten, dass dieselben Bilder sie verdunkelten und dass sich in ihnen dieselbe Fabel wiederholte wie ein Pas de deux in einer unendlichen Spiegelgalerie. *Lux Aeterna*.

Als ich das Labyrinth verließ, erwartete mich Isabella auf einer Stufe sitzend, das von ihr ausgesuchte Buch in der Hand. Ich setzte mich neben sie, und sie lehnte den Kopf an meine Schulter.

»Danke, dass Sie mich hergebracht haben«, sagte sie.

Da wurde mir klar, dass ich diesen Ort nie wiedersehen würde, dass ich dazu verdammt war, von ihm zu träumen und die Erinnerung an ihn in mein Gedächtnis zu meißeln und mich glücklich zu schätzen, dass ich durch seine Gänge hatte streifen und seine Geheimnisse berühren dürfen. Einen Augenblick lang schloss ich die Augen, damit sich mir dieses Bild für immer einprägen konnte. Dann nahm ich Isabella bei der Hand, ohne mich noch einmal umzuschauen, und ging mit ihr zum Ausgang. Der Friedhof der Vergessenen Bücher blieb für immer hinter mir zurück.

Isabella begleitete mich auf die Mole, wo das Schiff wartete, das mich weit weg bringen sollte von dieser Stadt und von allem, was ich gekannt hatte.

»Wie hieß gleich noch mal der Kapitän?«

»Charon.«

»Finde ich gar nicht lustig.«

Ich umarmte sie ein letztes Mal und schaute ihr schweigend in die Augen. Unterwegs hatten wir vereinbart, dass es keine Abschiedsszene, keine feierlichen Worte oder Versprechungen geben würde. Als von Santa María del Mar die Mitternachtsschläge herüberdrangen, ging ich an Bord. Kapitän Olmo hieß mich willkommen und erbot sich, mir meine Kajüte zu zeigen. Ich wollte lieber noch warten. Die Besatzung löste die Taue, und langsam entfernte sich der Rumpf von der Mole. Ich stellte mich aufs Achterdeck und sah zu, wie die Stadt in einer Lichterflut zurückblieb. Isabella stand reglos da, ihren Blick auf meinen geheftet, bis sich die Mole in der Dunkelheit verlor und Barcelona als große Fata Morgana ins schwarze Wasser eintauchte. Eines nach dem anderen erloschen die Lichter der Stadt in der Ferne – und ich merkte, dass ich bereits begonnen hatte, mich zu erinnern.

Epilog

1945

Fünfzehn lange Jahre sind seit dem Abend vergangen, da ich für immer aus der Stadt der Verdammten floh. Lange Zeit führte ich ein Leben der Unsichtbarkeit und Abwesenheit im Namen eines ewig Fremden. Ich habe hundert Namen und ebenso viele Beschäftigungen angenommen, keiner und keine wirklich mein.

Ich bin in grenzenlosen Städten und winzigen Dörfern untergetaucht, wo niemand mehr eine Vergangenheit oder Zukunft besaß. Nirgends blieb ich länger als unbedingt nötig. Eher früh als spät floh ich wieder, ohne Ankündigung, und ließ nur zwei, drei alte Bücher und abgetragene Kleider in düsteren Zimmern zurück, wo die Zeit kein Erbarmen kannte und die Erinnerung brannte. Mein Gedächtnis kannte nur die Ungewissheit. Die Jahre haben mich gelehrt, im Körper eines Fremden zu hausen, der nicht wusste, ob er diese Verbrechen begangen hatte, die noch an seinen Händen zu riechen waren, ob er den Verstand verloren hatte und dazu verdammt war, durch die in Flammen stehende Welt zu irren, die er sich für einige Münzen und das Versprechen ersonnen hatte, dem Tod ein Schnippchen zu schlagen, der ihm jetzt als die süßeste aller Belohnungen erschien.

Oft habe ich mich gefragt, ob die von Inspektor Grandes auf mein Herz abgefeuerte Kugel die Seiten jenes Buches durchbohrt hatte und ob ich es war, der in jener am Himmel schwebenden Gondel gestorben war.

In meinen Pilgerjahren habe ich gesehen, wie die Hölle, die auf den Seiten im Auftrag des Patrons verheißen wird, auf meinen Wegen an Leben gewann. Tausendmal bin ich vor meinem eigenen Schatten geflohen, immer zurückblickend, immer in der Hoffnung, ihn wiederzufinden, wenn ich um eine Ecke bog, auf der anderen Straßenseite oder an meinem Bett in den endlosen Stunden vor dem Morgengrauen. Nie habe ich es so weit kommen lassen, dass mich jemand gut genug kennengelernt hat, um mich zu fragen, warum ich nie älter würde, warum keine Falten in mein Gesicht träten, warum mein Spiegelbild dasselbe sei wie an jenem Abend, da ich Isabella an der Mole in Barcelona zurückließ – um keine Minute gealtert.

Es gab eine Zeit, da ich glaubte, sämtliche Schlupfwinkel der Welt aufgebraucht zu haben. Die Angst, das Leben und das Sterben von Erinnerungen hatten mich so müde gemacht, dass ich dort stehen blieb, wo die Erde aufhörte und ein Meer seinen Anfang nahm, das wie ich jeden Tag genauso wie am vorigen erwacht; ich ließ mich fallen.

Heute ist es ein Jahr her, dass ich an diesen Ort gekommen bin und zu meinem Namen und Beruf zurückgefunden habe. Ich habe diese alte Hütte am Strand gekauft, nur eben ein Schuppen, den ich mit den Büchern des ehemaligen Besitzers und einer Schreibmaschine teile, die ich mir gern als dieselbe vorstelle wie die, auf der ich Hunderte Seiten schrieb, von denen ich nie wissen werde, ob sich jemand an sie erinnert. Von meinem Fenster aus sehe ich einen kleinen, aufs Meer hinausführenden Holzsteg und an seinem Ende ein kleines Boot, das zum Haus gehört und mit dem ich manchmal bis zum Riff hinausrudere, wo man die Küste fast aus den Augen verliert.

Ich hatte nicht wieder geschrieben, bis ich hierherkam. Als ich zum ersten Mal ein Blatt in die Maschine spannte und die Hände auf die Tasten setzte, befürchtete ich, keine einzige Zeile zustande zu bringen. Die ersten Seiten dieser Geschichte schrieb ich in meiner ersten Nacht in der Hütte am Strand. Ich schrieb bis zum Morgengrauen, wie ich es viele Jahre zuvor getan hatte, ohne zunächst zu wissen, für wen. Tagsüber spazierte ich den Strand entlang oder setzte mich auf den Steg vor der Hütte – ein paar Planken zwischen Himmel und Erde –, um die Berge alter Zeitungen zu lesen, die ich in einem der Schränke gefunden hatte. Auf ihren Seiten standen Kriegsgeschichten, Geschichten über eine Welt in Flammen, wie ich sie für den Patron erträumt hatte.

So kam es, dass ich, als ich diese Berichte über den Krieg in Spanien und danach in Europa und der Welt las, dachte, ich hätte nichts mehr zu verlieren, und mir nur wünschte, zu erfahren, ob es Isabella gut ging und sie sich noch an mich erinnerte. Oder vielleicht wollte ich auch nur wissen, ob sie noch lebte. Ich schrieb einen Brief an die alte Buchhandlung Sempere und Söhne in der Calle Santa Ana in Barcelona, der erst nach Wochen oder Monaten an seinem Bestimmungsort ankam. Als Absender gab ich Mr Rochester an, in dem Glauben, dass Isabella, wenn der Brief in ihre Hände gelänge, schon wüsste, um wen es sich handelte, und ihn, falls sie es wollte, ungeöffnet lassen und mich für immer vergessen könnte.

Monatelang schrieb ich an dieser Geschichte. Ich sah das Gesicht meines Vaters wieder und bewegte mich wieder in der Redaktion der *Stimme der Industrie*, wo ich davon träumte, eines Tages dem großen Pedro Vidal nachzueifern. Wieder sah ich Cristina Sagnier zum ersten Mal und betrat das Haus mit dem Turm, um in den Wahnsinn einzutauchen, der Diego Marlasca aufgezehrt hatte. Ich schrieb pausenlos von Mitternacht bis zum Morgenrot und fühlte mich zum ersten Mal seit meiner Flucht aus der Stadt wieder lebendig.

Irgendwann im Juni traf der Brief ein. Der Postbote hatte ihn unter meiner Tür durchgeschoben, als ich noch schlief. Er war an Mr Rochester adressiert und nannte als Absender schlicht die »Buchhandlung Sempere und Söhne, Barcelona«. Mehrere Minuten lief ich in der Hütte umher und traute mich nicht, ihn zu öffnen. Schließlich ging ich hinaus und setzte mich ans Meer, um ihn zu lesen. Der Umschlag enthielt ein Blatt und ein zweites, kleineres Kuvert. Dieses zweite, schon etwas angejahrt, trug nur meinen richtigen Namen, David, in einer Schrift, die ich trotz all der Jahre, die ich sie aus den Augen verloren hatte, sofort erkannt hatte.

In dem Brief erzählte mir Sempere junior, Isabella und er hätten nach mehreren Jahren stürmischer, bisweilen unterbrochener Verlobungszeit am 18. Januar 1935 in der Kirche Santa Ana geheiratet. Entgegen jeder Erwartung sei die Zeremonie von dem neunzigjährigen Priester zelebriert worden, der Señor Sempere zur Ruhe gebettet habe und sich allen Bemühungen des Bistums zum Trotz zu sterben weigere und die Dinge weiterhin auf seine Weise erledige. Ein Jahr später, wenige Tage vor dem Ausbruch des Bürgerkriegs, habe Isabella einen Sohn geboren, dem sie den Namen Daniel gaben. Die schrecklichen Kriegsjahre hätten mannigfaltige Not gebracht, und kurz nach Kriegsende, in dem schwarzen, verfluchten Frieden, der Himmel und Erde auf immer vergiften sollte, habe Isabella die Cholera bekommen und sei in der Wohnung über der Buchhandlung in den Armen ihres Mannes gestorben. Sie sei an Daniels viertem Geburtstag im Regen auf dem Montjuïc beigesetzt worden. Zwei Tage und zwei Nächte habe der Regen angehalten, und als der Kleine seinen Vater gefragt habe, ob der Himmel weine, habe die Stimme des Vaters versagt.

Den an David adressierten Brief hatte Isabella in den letzten Tagen ihres Lebens geschrieben. Ihr Mann hatte ihr schwören müssen, ihn mir zukommen zu lassen, sobald er etwas über meinen Aufenthaltsort erführe.

Lieber David,
manchmal scheint mir, ich hätte schon vor Jahren begonnen, Ihnen diesen Brief zu schreiben, und sei noch immer nicht imstande, ihn zu beenden. Seit ich Sie zum letzten Mal gesehen habe, ist vieles geschehen, viel

Schreckliches und Elendes, und doch gibt es keinen Tag, an dem ich nicht an Sie denke und mich frage, wo Sie wohl sind, ob Sie Frieden gefunden haben, ob Sie schreiben, ob Sie ein alter Brummbär geworden sind, ob Sie verliebt sind oder ob Sie sich an uns erinnern, an die kleine Buchhandlung Sempere und Söhne und an die schlechteste Assistentin, die Sie je hatten.

Ich fürchte, Sie sind gegangen, ohne mir das Schreiben beigebracht zu haben, und ich weiß nicht, wo ich beginnen soll, um alles in Worte zu fassen, was ich Ihnen mitteilen möchte. Sie sollen wissen, dass ich glücklich gewesen bin, dass ich dank Ihnen einen Mann gefunden habe, den ich liebe und der mich liebt, und dass wir zusammen einen Sohn bekommen haben, Daniel, dem ich immer von Ihnen erzähle und der meinem Leben einen Sinn gegeben hat, den sämtliche Bücher der Welt auch nicht ansatzweise erklären könnten.

Niemand weiß es, aber noch heute gehe ich manchmal zu dieser Mole, wo ich Sie für immer habe abfahren sehen, und setze mich eine Weile hin, allein, um zu warten, als glaubte ich daran, dass Sie zurückkommen würden. Täten Sie es, so sähen Sie, dass es trotz allem, was geschehen ist, die Buchhandlung noch gibt, dass das Grundstück des ehemaligen Hauses mit dem Turm nach wie vor brachliegt, dass alle Lügen, die über Sie im Umlauf waren, vergessen sind und dass es in diesen Straßen so viele Menschen mit blutbesudelter Seele gibt, dass sie sich nicht einmal mehr zu erinnern wagen, und wenn sie es doch tun, belügen sie sich selbst, weil sie nicht in den Spiegel schauen können. In der Buchhandlung verkau-

fen wir weiterhin Ihre Bücher, aber unter der Hand, denn jetzt sind sie für unmoralisch erklärt worden, und es gibt mehr Leute im Land, die Bücher vernichten und verbrennen wollen, als solche, die sie lesen möchten. Es sind schlechte Zeiten, und manchmal denke ich, es kündigen sich noch schlechtere an.

Mein Mann und die Ärzte glauben, sie können mich täuschen, aber ich weiß, dass mir nur noch wenig Zeit bleibt. Ich weiß, dass ich bald sterbe und dass ich nicht mehr da bin, wenn Sie diesen Brief bekommen. Daher wollte ich Ihnen schreiben, weil Sie wissen sollen, dass ich keine Angst habe, dass mein einziger Kummer der ist, einen guten Mann, der mir das Leben geschenkt hat, und meinen Daniel allein in einer Welt zurückzulassen, die, wie mir scheint, täglich mehr so ist, wie Sie sie beschrieben haben, als so, wie ich sie mir gewünscht hätte.

Ich wollte Ihnen schreiben, damit Sie wissen, dass ich trotz allem gelebt habe und dankbar bin für die Zeit, die ich hier verbracht habe, dankbar, Sie kennengelernt zu haben und Ihre Freundin gewesen zu sein. Ich wollte Ihnen schreiben, weil ich möchte, dass Sie sich an mich erinnern, und sollten Sie eines Tages jemanden haben wie ich meinen kleinen Daniel, müssen sie ihm von mir erzählen und mich in Ihren Worten für immer weiterleben lassen.

In Liebe

Isabella

Einige Tage nachdem ich diesen Brief bekommen hatte, wurde ich gewahr, dass ich nicht allein am Strand war.

Ich spürte seine Anwesenheit in der Morgenbrise, aber ich wollte und konnte nicht mehr fliehen. Es geschah eines Abends, als ich mich zum Schreiben ans Fenster gesetzt hatte und darauf wartete, dass die Sonne am Horizont unterging. Ich hörte die Schritte auf den Planken des Steges und sah ihn.

Der Patron, ganz in Weiß, schritt langsam über den Steg und hatte ein sieben- oder achtjähriges Mädchen an der Hand. Sogleich erkannte ich das Bild, diese alte Fotografie, die Cristina ihr ganzes Leben lang wie einen Schatz bewahrt hatte, ohne zu wissen, woher sie stammte. Der Patron ging auf das Ende des Steges zu und kniete neben dem Mädchen nieder. Beide sahen zu, wie sich die Sonne goldglühend auf das grenzenlose Meer ergoss. Ich ging aus der Hütte und betrat den Steg. Als ich an dessen Ende gelangte, wandte sich der Patron um und lächelte mir zu. In seinem Gesicht lag weder Drohung noch Groll, nur ein leichter melancholischer Schatten.

»Ich habe Sie vermisst, mein Freund«, sagte er. »Ich habe unsere Gespräche vermisst, selbst unsere kleinen Streitereien …«

»Sind Sie gekommen, um abzurechnen?«

Er lächelte und schüttelte bedächtig den Kopf.

»Wir alle machen Fehler, Martín. Ich vor allem. Ich habe Ihnen genommen, was Sie am meisten geliebt haben. Ich tat es nicht, um Sie zu verletzen. Ich tat es aus Angst. Aus Angst, sie könnte Sie mir wegnehmen, Sie und Ihre Arbeit. Es war ein Irrtum. Ich habe einige Zeit gebraucht, um es einzusehen, aber wenn ich irgendetwas habe, dann ist es Zeit.«

Ich betrachtete ihn eingehend. Wie ich war auch der Patron um keinen Tag gealtert.

»Wozu sind Sie also gekommen?«

Er zuckte die Schultern.

»Ich bin gekommen, um mich von Ihnen zu verabschieden.«

Sein Blick richtete sich auf das Mädchen an seiner Hand, das mich neugierig anschaute.

»Wie heißt du?«, fragte ich.

»Sie heißt Cristina«, sagte der Patron.

Sie schaute ihm in die Augen und nickte. Ich spürte, wie mir das Blut in den Adern gefror. Ihre Züge konnte ich nur erahnen, der Blick aber war unverkennbar.

»Cristina, sag meinem Freund David guten Tag. Von jetzt an wirst du bei ihm wohnen.«

Ich wechselte einen Blick mit dem Patron, sagte aber nichts. Das Mädchen gab mir die Hand, als hätte sie es tausendmal geübt, und lächelte verlegen. Ich kauerte mich zu ihr nieder und nahm die Hand.

»Hallo«, flüsterte sie.

»Sehr gut, Cristina«, lobte der Patron. »Und was noch?«

Das Mädchen nickte, als erinnerte sie sich plötzlich.

»Man hat mir gesagt, Sie seien ein Geschichtenmacher.«

»Einer der besten«, fügte der Patron hinzu.

»Werden Sie eine für mich machen?«

Ich zögerte einen Moment. Unruhig schaute die Kleine den Patron an.

»Martín?«, flüsterte dieser.

»Natürlich«, sagte ich schließlich. »Ich werde so viele Geschichten für dich machen, wie du willst.«

Sie lächelte und küsste mich auf die Wange.

»Warum gehst du nicht an den Strand und wartest dort auf mich, während ich mich von meinem Freund verabschiede, Cristina?«, fragte der Patron.

Sie nickte und ging langsam davon, sich immer wieder lächelnd umschauend. Neben mir flüsterte die Stimme des Patrons sanft ihren ewigen Fluch.

»Ich habe beschlossen, Ihnen zurückzugeben, was Sie am meisten geliebt haben und was ich Ihnen genommen habe. Ich habe beschlossen, dass Sie einmal an meine Stelle treten und fühlen, was ich fühle, dass Sie keinen Tag älter werden und Cristina heranwachsen sehen, dass Sie sich noch einmal in sie verlieben, sie an Ihrer Seite älter werden und eines Tages in Ihren Armen sterben sehen. Das ist mein Segen und meine Rache.«

Ich schloss die Augen und schüttelte den Kopf.

»Das ist unmöglich. Sie wird nie dieselbe sein.«

»Das hängt ausschließlich von Ihnen ab, Martín. Ich gebe Ihnen ein unbeschriebenes Blatt. Diese Geschichte gehört nicht mehr mir.«

Ich hörte ihn davongehen, und als ich die Augen wieder öffnete, war er nicht mehr da. Am Anfang des Steges stand Cristina und schaute mich eifrig an. Ich lächelte ihr zu, und sie kam zögernd näher.

»Wo ist der Herr?«, fragte sie.

»Er ist gegangen.«

Sie schaute sich auf dem zu beiden Seiten menschenleeren Strand um.

»Für immer?«

»Für immer.«

Sie lächelte und setzte sich neben mich.

»Ich habe geträumt, wir seien Freunde«, sagte sie.

Ich schaute sie an und nickte.

»Das sind wir auch. Wir sind immer Freunde gewesen.«

Sie lachte und ergriff meine Hand. Ich zeigte aufs Meer, in dem die Sonne versank, und Cristina sah mit Tränen in den Augen hinaus.

»Werde ich mich eines Tages erinnern?«, fragte sie.

»Eines Tages.«

Da wusste ich, dass ich jede Minute, die es für uns gäbe, darauf verwenden würde, sie glücklich zu machen, den Schmerz, den ich ihr zugefügt hatte, zu heilen und ihr zu geben, was ich ihr nie zu geben verstanden hatte. Diese Seiten werden unsere Erinnerung sein, bis sie in meinen Armen ihren letzten Atem aushaucht und ich sie ins Meer hinaus begleite, wo sich die Wellen brechen, um für immer mit ihr unterzugehen und endlich an einen Ort zu fliehen, wo uns weder Himmel noch Hölle jemals finden.

Inhalt